DE ZWARTE
MAGIËRS

DERDE BOEK - DE OPPERHEER

Trudi Canavan bij Uitgeverij M:

DE ZWARTE MAGIËRS

Het Magiërsgilde
De Magiërsleerling
De Opperheer

www.fantasyfan.nl

De website van Uitgeverij-M bevat nieuwtjes, achtergronden bij auteurs en boeken, voorpublicaties en vele extra's, zoals het FantasyFanForum en WARP-on line.

TRUDI CANAVAN
DE ZWARTE MAGIËRS

DERDE BOEK - DE OPPERHEER

Dit boek is opgedragen aan mijn vrienden, Yvonne en Paul. Bedankt voor jullie hulp, eerlijke commentaar en geduld en voor al die keren dat jullie het verhaal toch opnieuw hebben willen lezen...

Oorspronkelijke titel: The High Lord
Vertaling: Jet Matla
Omslagontwerp: DPS design & prepress services, Amsterdam
Omslagillustratie: Thomas Thiemeyer

Eerste druk april 2006

ISBN 90 225 4399 4 / NUR 334

Copyright © Trudi Canavan 2003
© 2006 voor de Nederlandse taal: De Boekerij bv, Amsterdam
Uitgeverij M is een imprint van De Boekerij bv, Amsterdam

Dankwoord

Veel, heel veel mensen hebben mij aangemoedigd en geholpen bij het schrijven van deze trilogie. Behalve de mensen die ik al bedankte in *Het Magiërsgilde* en *De Magiërsleerling,* zou ik ook graag de mensen bedanken die me zo gesteund hebben in de periode dat ik dit boek schreef.

Nogmaals iedereen die het boek heeft willen lezen voor het naar de drukker ging en me zoveel nuttige adviezen heeft gegeven: pa en ma, Paul Marshall, Paul Ewins, Jenny Powell, Sara Creasy en Anthony Mauricks.

Mijn agent Fran Bryson, die me de perfecte omgeving voor mijn 'werkvakantie' leverde.

Bedankt, Stephanie Smith en het hardwerkende team van HarperCollins, die mijn verhalen in zulke fraaie en aantrekkelijke boeken hebben omgetoverd. Ook dank aan Justin van Slow Glass Books, Sandy van Wormhole Books en alle boekhandelaars die deze trilogie zo enthousiast hebben aangekocht.

En ik bedank alle lezers die me per e-mail lof hebben toegezwaaid voor *Het Magiërsgilde* en *De Magiërsleerling.* De wetenschap dat jullie van mijn werk genoten hebben leverde voldoende brandstof op voor de inspiratie die ik voor *De Opperheer* nodig had.

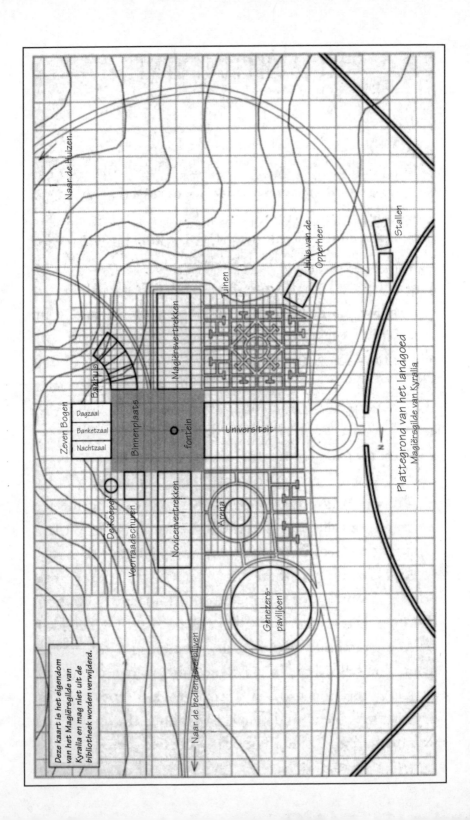

Deze kaart is het eigendom
van het Magiërsgilde van
Kyralia en mag niet uit de
bibliotheek worden verwijderd.

Naar de Huizen.

Zeven Bogen

Dagzaal
Banketzaal
Nachtzaal

Badhuis

Binnenplaats

fontein

Magiërsvertrekken

Tuinen

Huis van de
Opperheer

Stallen

De Koepel

Voorraadschuren

Novicenvertrekken

Universiteit

Arena

Genezers-
paviljoen

Naar de bediendesverblijven

N

Plattegrond van het landgoed
Magiërsgilde van Kyralia

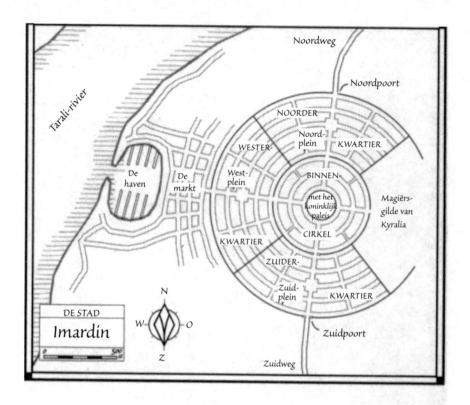

DE STAD
Imardin

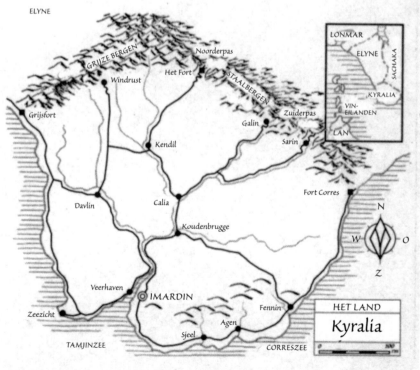

HET LAND
Kyralia

Deel Een

1

De boodschap

In de oude Kyraliaanse poëzie staat de maan bekend als het Oog. Wanneer het Oog wijd open staat, houdt haar wakende aanwezigheid het Kwaad op afstand, of wekt waanzin op bij hen die zich onder haar blik met kwalijke praktijken bezighouden. Maar vrijwel gesloten, met slechts een dun schijfje wit dat aantoont waar ze slaapt, laat het Oog heimelijke daden, goed of kwaad, voor altijd verborgen blijven.

Terwijl hij naar de maan omhoog keek, lachte Cery wrang. Deze fase van het Oog, op een kiertje, was geliefd bij overspelige minnaars, maar dat was niet waarom Cery op weg was door de nachtelijke stad. Hij had een heel ander doel.

Of zijn daden goed of slecht waren, daar hield Cery zich niet mee bezig. De mannen op wie hij jaagde verdienden hun lot, maar Cery vermoedde dat er iets van een hoger belang vastzat aan zijn opdracht: het verminderen van het aantal moorden die de stad de laatste jaren in hun greep hielden. Hij wist beslist niet hoe die hele ellendige toestand in elkaar zat, maar hij wist er wel meer van dan wie dan ook in de stad.

Terwijl hij doorliep, overdacht hij wat hij wist. Hij was erachter gekomen dat deze moorden niet door één man werden gepleegd, maar door een reeks mannen die elkaar opvolgden. Hij had ook opgemerkt dat al deze mannen uit hetzelfde land kwamen: Sachaka. Maar het belangrijkste was wel, dat hij wist dat het magiërs waren.

En voor zover Cery wist, zaten er geen Sachakanen in het Gilde.

Als de Dieven er al van wisten, dan keken ze wel uit om erover te spreken. Hij dacht terug aan de Dievenvergadering van een paar jaar geleden. De aanvoerders van de losjes verbonden groepjes van onderwereldfiguren hadden het een goeie grap gevonden dat die kleine Cery voorstelde om de moordenaar te vinden zodat het moorden op zou houden. De geniepigerds die vroegen waarom het Cery nog steeds niet gelukt was de misdadiger te pakken te krijgen, dachten misschien dat er maar één moordenaar was, of ze wilden hem alleen laten dénken dat het alles was wat ze wisten.

11

Elke keer dat Cery één van de moordenaars in zijn nek greep, begon er een ander met zijn gruwelijke werk. Vandaar dat de meeste Dieven dachten dat Cery niet tegen zijn taak was opgewassen. Hij haalde zijn schouders op over hun vragen, en hoopte maar dat zijn andere successen in het criminele circuit het een beetje goedmaakten.

Uit de duistere rechthoek van een gang dook de lange schaduw van een man op. Vaag lamplicht onthulde een nors, bekend gezicht. Gol knikte en paste zijn stappen aan die van Cery aan. Toen ze op een kruising van vijf straten kwamen, liepen ze op een wigvormig gebouw af. Terwijl ze door de open deuren naar binnen gingen, snoof Cery verlekkerd de geur van zweet, bol en warme maaltijden op. Het was nog vroeg, maar het bolhuis was afgeladen. Hij baande zich een weg naar een plaats bij de bar, waar Gol twee mokken bol en een bakje zoute crotjes bestelde.

Gol knabbelde het halve bakje bonen leeg voor hij het woord nam.

'Achterin. Rode ring. Dacht je ervan, zoon?'

Cery en Gol deden vaak alsof ze vader en zoon waren als ze niet wilden dat hun identiteit bekend zou kunnen worden – en dat was tegenwoordig bijna altijd het geval als ze op straat waren. Cery was maar een paar jaar jonger dan Gol, maar met zijn lengte en zijn jongensachtige aanblik, werd hij vaak voor een knaap aangezien. Hij wachtte even en liet zijn blik toen naar de achterste regionen van het bolhuis dwalen.

Het was stampvol, maar hij kon de man niet missen. Zijn opvallend brede, Sachakaanse gezicht sprong eruit te midden van de bleke Kyraliaanse gezichten; bovendien bekeek hij de andere bezoekers nauwlettend. Een snelle blik op de vingers van de man leerde Cery dat er inderdaad een rode steen in het doffe zilver van de ring gevat was. Hij keek weer weg.

'Nou, wat dacht je?'

Cery pakte zijn mok en deed net of hij een grote slok bol nam. 'Beetje te link voor ons, pa. Laat een ander het vuile werk maar opknappen.'

Gol gromde een antwoord, dronk zijn mok leeg en zette hem met een klap op tafel. Cery volgde hem naar buiten. Een paar straten verder grabbelde hij in zijn jaszak, haalde drie koperen muntjes te voorschijn en duwde ze in Gols reuzenhand. De grote man zuchtte en liep weg.

Cery lachte even, liep verder en opende een rooster in een muur vlakbij. Voor iemand die hem niet kende, was Gol zo stoïcijns als het maar kon, en geen enkele situatie kon hem van zijn stuk brengen. Maar Cery wist waarom de man had gezucht. Gol was bang, en daar had hij alle reden voor. Elke man, elke vrouw en ieder kind liep gevaar, met deze moordenaars die ronddoolden in de sloppenwijk.

Cery glipte de gang achter het rooster in. De drie muntjes die hij Gol had gegeven waren voor drie straatschoffies die de boodschap moesten overbrengen – dríé schoffies, voor het geval de boodschap vergeten werd, of de boodschapper opgehouden. De ontvangers waren gespecialiseerde ambachtslieden en ze zouden de boodschap doorgeven aan de stadsgardisten of een andere boodschappenjongen of een dier dat als bode was opgeleid. Elke man of vrouw langs de lijn waarlangs de boodschap ging, had geen idee wat de wachtwoorden inhielden die ze doorgaven. Alleen de man bij wie alle lijnen samenkwamen zou hun betekenis doorgronden.

Als hij de code ontcijferd had, zou de jacht pas goed beginnen.

Ze liep de klas uit en baande zich langzaam een weg door de drukke, luidruchtige centrale gang van de universiteit. Gewoonlijk besteedde ze geen enkele aandacht aan het gedrag van de andere novicen, maar vandaag was anders dan anders.

De Uitdaging is vandaag precies een jaar geleden, dacht ze. *Een heel jaar sinds ik met Regin vocht in de Arena en er zoveel begon te veranderen.*

De meeste magiërsleerlingen liepen in groepjes van twee of meer naar de trap in het achterste deel van het gebouw, op weg naar de Eetzaal. Een paar meisjes draalden bij de deur van een klas, en fluisterden samenzweerderig. Aan het andere eind van de gang kwam een leraar de klas uit, gevolgd door twee leerlingen die grote dozen droegen.

Sonea keek de paar leerlingen aan die haar opmerkten. Niemand staarde meer naar haar. Een paar eerstejaars hadden wel naar de incal op haar mouw gekeken – het symbool dat betekende dat zij de favoriete leerling van de Opperheer was – maar ze keken snel de andere kant op.

Aan het eind van de gang begon ze de sierlijke, door magie verstevigde trap naar de hal af te dalen. Haar laarzen maakten een zacht tinkelend geluid op de treden. De hal weerkaatste de lichte belletjesgeluiden van andere stappen. Ze zag drie novicen de trap op komen. Er liep een rilling over haar rug.

De novice in het midden van het trio was Regin. Zijn twee beste vrienden, Kano en Alend, liepen aan weerszijden. Ze deed of er niets aan de hand was en liep rustig verder. Toen Regin merkte dat zij het was, verdween zijn glimlach. Ze keken elkaar even strak aan terwijl hij haar passeerde en hij stapte snel door naar boven.

Ze keek even om en zuchtte opgelucht. Sinds de Uitdaging verliep elke ontmoeting tussen hen volgens hetzelfde patroon. Regin gedroeg zich als een waardig verliezer, en ze liet het maar zo. Het was aantrekkelijk hem nog eens in te peperen hoe ze hem verslagen had, maar ze wist zeker dat hij op subtiele, en zeker anonieme wijze wraak zou nemen als ze zich liet gaan. Het was het beste elkaar te negeren.

Het formele en publieke gevecht, waaruit zij als winnaar te voorschijn was gekomen, had haar niet alleen verlost van Regins pesterijen. Ze had er ook het respect van heel wat andere magiërsleerlingen en van vrijwel alle leraren mee gewonnen. Ze was niet meer 'dat achterbuurtkind' dat haar krachten lang geleden tijdens de jaarlijkse stedelijke Zuivering van zwervers en ander ongewenst volk op de uitvoerende magiërs had gericht. Ze glimlachte quasi droef toen ze terugdacht aan die dag. *Ik was er net zo verbaasd over dat ik magie gebruikte als zij.*

En niemand dacht meer alleen aan haar als 'dat geteisem' dat ontsnapt was door het met het Dievengilde op een akkoordje te gooien. *Het leek me toen de enige mogelijkheid,* dacht ze. *Ik wist zeker dat het Magiërsgilde me wilde vermoorden. Ze hadden tenslotte nooit iemand van buiten de Huizen toegelaten. Maar ik heb het de Dieven ook wel moeilijk gemaakt. Ik kon die pas ontdekte krachten totaal niet beheersen en daarom zou ik hun ook niet echt van pas komen.*

En hoewel sommigen het haar nog steeds kwalijk namen, werd ze ook niet meer als dat buitenbeentje beschouwd dat heer Fergun ten val gebracht had. *Had hij Cery maar niet moeten opsluiten en moeten bedreigen met de dood als ik niet meespeelde met zijn valse spelletjes. Hij wilde het Gilde ervan overtuigen dat sloppenkinderen zich beter niet met magie konden inlaten, maar in plaats daarvan bewees hij dat sommige magiërs ook niet te vertrouwen waren.*

Toen ze terugdacht aan de novicen in de gang, glimlachte Sonea weer. Uit hun steelse, maar nieuwsgierige blikken bleek dat ze haar waarschijnlijk vooral zagen als de grote winnares van de Uitdaging. Ze vroegen zich af hoe krachtig ze wel niet zou worden. En ze had het vermoeden dat sommige leraren ook een beetje bang voor haar waren.

Beneden aangekomen liep Sonea de hal door naar de openslaande deuren van de universiteit. Vanaf de drempel keek ze naar het grijze gebouw aan de rand van de tuin, en haar glimlach verdween.

Een jaar geleden heb ik Regin uitgedaagd en hem verslagen, dacht ze. *Maar sommige dingen zijn nog steeds precies hetzelfde.*

Hoewel ze nu het respect van de novicen gewonnen had, had ze nog altijd geen echte vrienden of vriendinnen. Niet dat ze nu zo geïntimideerd waren door haar, of door haar mentor, de Opperheer. Verscheidene leerlingen hadden geprobeerd haar in een gesprek te betrekken sinds het gevecht. Maar hoewel ze het leuk vond om tijdens de lessen of in de pauze met hen te praten, wimpelde ze hen buiten schooltijd snel af.

Ze zuchtte en liep de trappen van de universiteit af. Elke vriend die ze maakte zou weer een instrument in handen van de Opperheer worden, waarmee hij haar kon chanteren. Als ze ooit de kans kreeg zijn misdadige praktijken bekend te maken aan het Gilde, zou iedereen die ze kende in gevaar komen. Het had weinig zin Akkarin een grotere groep slachtoffers aan te bieden waaruit hij een keuze kon maken.

Sonea dacht terug aan de nacht, nu alweer tweeënhalf jaar geleden, toen ze samen met haar vriend Cery het Gildeterrein was binnen geglipt. Hoewel ze dacht dat het Gilde erop uit was haar te doden, vond ze dat het risico waard. Het was haar immers niet gelukt haar krachten te beheersen, en dus hadden de Dieven niets aan haar. Cery hoopte dat ze het zou leren door goed naar echte magiërs te kijken.

14

Nadat ze urenlang allerlei fascinerende dingen gezien had, waren ze naar een grijs gebouw gelopen dat los stond van het grote gebouw. Turend door een ventilatierooster keek ze in een ondergrondse ruimte, waar ze getuige was van een vreemd ritueel van een in het zwart geklede magiër...

Hij haalde een glinsterende, met edelstenen bezette dolk te voorschijn en begon hem aan een doek af te vegen. Toen hij klaar was keek hij de bediende aan.

'Het gevecht heeft me verzwakt. Ik heb je kracht nodig.'

De bediende was op één knie gevallen en had zijn arm uitgestoken. Akkarin liet de dolk licht over de huid van de man glijden en legde meteen zijn hand over de wonde. Ze had een vreemd gevoel gekregen, als van een insect dat in haar oor met zijn vleugeltjes wapperde.

Sonea huiverde bij de herinnering. Ze had niet begrepen wat ze die nacht gezien had, en daarna was er zoveel gebeurd, dat het haar bijna ontschoten was. Haar krachten waren zo groot geworden dat de Dieven haar hadden overgedragen aan het Gilde, en zo was ze erachter gekomen dat de magiërs haar helemaal niet wilden vermoorden; integendeel, ze hadden besloten dat ze bij hen mocht blijven. Toen had heer Fergun Cery gevangen en haar gedwongen met hem mee te werken. De plannen van de Krijger waren in het water gevallen omdat Cery in de gevangenis onder de universiteit gevonden werd en Sonea toestemde in een waarheidslezing door administrateur Lorlen, om te bewijzen dat Fergun haar gemanipuleerd had. En pas toen ze haar geest open moest stellen voor deze vorm van gedachtelezen, schoot de herinnering aan de in het zwart gehulde magiër in die onderaardse kelder haar in volle glorie te binnen.

Lorlen zag het allemaal in haar geest en herkende zijn vriend Akkarin, de Opperheer van het Gilde. Hij herkende ook het verboden ritueel van zwarte magie. Via Lorlens geest had Sonea beetje bij beetje begrepen waartoe een zwarte magiër in staat was. Door gebruik te maken van de verboden kunsten, zou Akkarin magische kracht krijgen die elke voorstelling te boven ging. Het was bekend dat de Opperheer zelf zeer krachtig was, maar als zwarte magiër zou hij zo sterk zijn dat Lorlen vermoedde dat zelfs de gecombineerde kracht van alle magiërs van het Gilde hem niet zou kunnen verslaan. Daarom had Lorlen besloten dat er van een confrontatie met de Opperheer geen sprake kon zijn. Zijn kwalijke praktijken moesten geheim blijven tot er een veilige manier gevonden werd om met hem af te rekenen. Alleen Rothen, Sonea's mentor, mocht de waarheid weten: hij moest haar lesgeven en zou vroeg of laat toch kennismaken met de herinnering in haar hoofd. Bij de gedachte aan Rothen voelde ze haar droefheid weer, gevolgd door een doffe pijn. Rothen was meer geweest dan een mentor en een leraar – hij was als een vader voor haar geweest. Ze wist niet of ze al Regins pesterijtjes en kwellingen had kunnen doorstaan als Rothen haar niet steeds gesteund en moed ingesproken had. En dan had hij ook nog zijn eigen zorgen te verduren gehad, toen Regin de boze geruchten had verspreid dat

15

Sonea alleen maar op haar rug had hoeven liggen om Rothen als mentor te krijgen.

En net toen aan alle geruchten en verdenkingen een eind was gekomen, was alles veranderd. Akkarin had bij Rothen aangeklopt om hem te vertellen dat hij wist dat ze achter zijn geheimen gekomen waren. Hij had een gedachtelezing bij Lorlen gedaan en wilde hetzelfde bij hen doen. Tegen Akkarin kon niemand op, dus een weigering zou niets uithalen. Nadat hij de beelden in haar hoofd gezien had, was Akkarin begonnen peinzend te ijsberen.

'Jullie zouden me beiden verraden als jullie konden,' had hij gezegd. *'Ik neem Sonea's mentorschap over. Ze is goed gevorderd en, zoals Lorlen al vermoedde, haar kracht is ongewoon groot. Zij zal ervoor zorgen dat jij zwijgt. Jij zal niemand laten weten dat ik aan zwarte magie doe terwijl zij onder mijn hoede staat.'* Zijn ogen gleden naar Sonea. *'En Rothens welzijn hangt af van jouw medewerking.'* Ze had hem vol afschuw aangestaard. Ze werd door hem gegijzeld!

Sonea stapte het pad op naar de residentie van de Opperheer. Dat was nu allemaal al zo lang geleden, dat het net was of het iemand anders overkomen was. Ze was nu al anderhalf jaar de uitverkorene van de Opperheer en het was eigenlijk niet zo erg geweest als ze gevreesd had. Hij had haar niet gebruikt als extra krachtbron, of geprobeerd haar bij zijn zwarte kunsten te betrekken. Behalve bij de overdadige dineetjes elke Eéndag zag ze hem eigenlijk nauwelijks. En als ze al spraken, ging het alleen maar over haar vorderingen op de universiteit.

Op die ene avond na dan, dacht ze.

Ze begon langzamer te lopen bij de herinnering. Toen ze een aantal maanden geleden na schooltijd was binnengekomen, had ze lawaai en geschreeuw gehoord. Het kwam uit de ondergrondse ruimte. Ze was de keldertrap afgelopen en er getuige van geweest dat Akkarin een man met zwarte magie gedood had. Hij had gezegd dat de man een Sachakaanse magiër was, die erop uitgestuurd was om hem te vermoorden.

'Waarom hebt u hem doodgemaakt?' had ze gevraagd. *'Waarom hebt u hem niet aan het Gilde overgedragen?'*

'Omdat, zoals je ongetwijfeld al geraden had, hij en zijn volk dingen over me weten waarvan ik liever niet heb dat ze bekend worden binnen het Gilde. Je zult je afvragen wie deze mensen zijn, die me dood willen zien, en wat hun beweegredenen zijn. Ik kan je slechts dit vertellen: de Sachakanen haten het Gilde nog steeds, maar ze zijn ook bang voor ons. Zo nu en dan sturen ze zo'n type als dit naar ons land, om me te testen.'

Sonea wist net zoveel van de noorderburen van Kyralia als elke willekeurige derdejaars student. Alle novicen hadden een cursus over de oorlog tussen het Sachakaanse rijk en de Kyraliaanse magiërs gehad. Zeven eeuwen na die strijd was het Sachakaanse rijk zo goed als verdwenen en het grootste deel van Sachaka was woest en ledig.

Als ze er even bij stilstond, was het niet zo vreemd dat de Sachakanen het Gilde nog steeds haatten. Waarschijnlijk waren ze daarom ook geen lid van de Geallieerde Landen. In tegenstelling tot Kyralia, Elyne, Vin, Lonmar en Lan was Sachaka niet gebonden aan de overeenkomst dat alle magiërs een diploma moesten hebben van, en contact moesten houden met het Gilde. Misschien waren er dan wel magiërs in Sachaka, maar ze betwijfelde of die nou zo'n goede opleiding hadden genoten.

Als ze werkelijk zo'n bedreiging vormden, zou het Gilde er heus wel van weten. Sonea fronste haar voorhoofd. Misschien wisten sommige magiërs er ook wel van. Misschien was het zo'n geheim waarvan alleen de hoge magiërs en de koning op de hoogte waren. De koning wilde natuurlijk niet dat het volk zich druk maakte over het bestaan van Sachakaanse magiërs – tenzij die lui een serieuze bedreiging gingen vormen, natuurlijk.

Waren die moordenaars bedreigend genoeg? Ze schudde het hoofd.

Mocht er zo nu en dan een moordenaar langskomen die het op de Opperheer had gemunt, dan was dat nauwelijks bedreigend te noemen, omdat hij ze makkelijk genoeg van zich af kon schudden.

Ze hield haar pas in. Misschien kón Akkarin ze juist zo gemakkelijk van zich afschudden omdat hij zijn kracht op peil hield met zwarte magie. Haar hart sloeg even over. Dat zou dus betekenen dat die moordenaars angstaanjagend sterk waren. Akkarin had laten doorschemeren dat ze wisten dat hij zwarte magie gebruikte. Ze zouden hem niet aanvallen als ze niet zeker wisten dat er een kansje was dat ze hem aankonden. Hield dat dan in dat zij ook zwarte magie gebruikten?

Ze huiverde. *En ik slaap elke nacht in het huis van degene die ze willen vermoorden.*

Misschien was Lorlen daarom nog niet langs geweest met een manier om van Akkarin af te komen. Misschien wist hij dat Akkarin een goede reden had om die magie te gebruiken. Misschien was hij helemaal niet van plan om Akkarin weg te werken uit het Gilde.

Nee, dacht ze. Als Akkarins redenen eerbaar waren, zou ik zijn gijzelaar niet zijn. Als hij werkelijk had kunnen bewijzen dat hij het beste met me voorhad, dan had hij dat wel gedaan, in plaats van twee magiërs en een novice tegen hem in het harnas te jagen, zo erg dat ze hem wilden verslaan.

En als hij het werkelijk goed met me voorhad, waarom moet ik dan in zijn huis wonen en werken, waar de moordenaars hem het eerst zouden zoeken?

Ze wist zeker dat Lorlen bezorgd was om haar welzijn. Hij zou het haar verteld hebben als Akkarin echt het beste met haar voorhad. Hij zou niet net doen of ze in een slechte situatie verkeerde als dat niet zo was.

En toen schoot haar de ring aan Lorlens vinger te binnen. Al meer dan een jaar gonsde het in de stad van de geruchten dat de moordenaar een zilveren ring met een rode edelsteen droeg. Net zo een als Lorlen droeg.

Maar dat móést gewoon toeval zijn. Ze kende Lorlens geest een beetje en ze kon zich met geen mogelijkheid voorstellen dat Lorlen een vlieg kwaad zou doen.

Bij de deur van de villa stond Sonea stil en haalde even diep adem. En als de man die Akkarin gedood had nu eens helemaal geen moordenaar was? Als hij nu eens een diplomaat uit Sachaka geweest was, die van Akkarins misdrijf wist? Of dat Akkarin hem binnengelokt had om zich van die lastpost te ontdoen, om te ontdekken dat het een magiër was?

Stop! Nou is het genoeg!

Ze schudde haar hoofd om zich te ontdoen van die vruchteloze vooronderstellingen. Al maanden lang dacht ze na over die mogelijkheden, en legde steeds maar weer naast elkaar wat ze gezien had en wat haar verteld was. Elke week keek ze naar Akkarin aan het andere eind van de eettafel, en wenste dat ze dapper genoeg was om hem te vragen waarom hij zwarte magie geleerd had. Maar ze bleef zwijgen. Als ze niet zeker wist dat hij eerlijk zou antwoorden, waarom zou ze dan moeite doen?

Ze stak haar hand uit naar de deurknop en zoals altijd vloog de deur naar binnen open bij de lichtste aanraking. Ze ging naar binnen.

Zijn lange, donkere gestalte verrees uit een van de leunstoelen. Het oude angstgevoel stak de kop weer op, maar ze vermande zich. Een eenzaam bollichtje zweefde boven zijn hoofd waardoor zijn ogen in de schaduwen verborgen bleven. Zijn lippen krulden aan één kant omhoog alsof hij iets grappig vond.

'Goedenavond, Sonea.'

Ze maakte een buiging. 'Goedenavond, Opperheer.'

Zijn bleke hand gebaarde naar de trap. Ze zette haar kistje met boeken en notities neer en begon de treden op te lopen. Akkarins bollichtje gleed met haar mee naar het midden van de trap terwijl hij haar volgde. Ze bereikte de eerste verdieping en liep via de overloop naar een zaal waarin een lange tafel en te veel stoelen stonden. Een verrukkelijke geur vulde de lucht en haar maag begon zachtjes te rommelen.

Akkarins bediende, Takan, boog voor haar toen ze ging zitten en vertrok naar de keuken.

'Zo, en wat heb je vandaag geleerd, Sonea?' vroeg Akkarin.

'Architectuur,' antwoordde ze. 'Constructiemethoden.'

Eén wenkbrauw werd even opgetrokken. 'Steen vervormen met magie?'

'Ja.'

Hij keek peinzend voor zich uit. Takan kwam de eetzaal binnen met een groot dienblad, vanwaar hij een hele batterij kleine schaaltje op tafel zette, en zich weer terugtrok. Sonea wachtte tot Akkarin zijn keuze uit de schaaltjes gemaakt had, voor ze haar eigen bord vol schepte met het eten.

'Vond je het moeilijk of makkelijk?'

Sonea aarzelde. 'In het begin wel moeilijk, maar het werd snel makkelijker. Het heeft iets weg... van genezen.'

Hij keek haar scherp aan. 'Zeker. Maar waarin verschilt het ervan?'

Ze dacht even na. 'Steen heeft geen natuurlijke barrière zoals het lichaam. De huid ontbreekt.'

'Dat klopt, maar je kunt die barrière natuurlijk wel aanbrengen als je...'
Zijn stem zakte weg. Ze keek op en zag een diepe frons op zijn voorhoofd; zijn blik was gericht op de muur achter haar. Toen gleed zijn blik weer naar haar, en vervolgens naar zijn bord. Hij nam nog een hap en legde zijn bestek neer.

'Ik heb een vergadering vanavond,' zei hij en schoof zijn stoel naar achteren. 'Eet smakelijk verder.'

Verrast keek ze toe hoe hij naar de deur beende, zijn bord half leeggegeten achterlatend. Af en toe kwam ze naar de wekelijkse maaltijd waar Takan haar het goede nieuws bracht dat de Opperheer er die avond helaas niet bij kon zijn. Maar dit was pas de tweede maal dat hij eerder vertrokken was. Ze haalde haar schouders op en at verder.

Toen ze bijna met deze gang klaar was, verscheen Takan weer. Hij stapelde de schaaltjes en bakjes op zijn dienblad. Toen ze naar hem keek viel haar een klein rimpeltje op tussen zijn wenkbrauwen.

Hij kijkt bezorgd, dacht ze.

Toen ze aan haar eerdere vooronderstellingen dacht, voelde ze een rilling langs haar rug glijden. Was Takan soms bang dat er een andere moordenaar de villa binnen zou komen, op zoek naar Akkarin?

Plotseling wilde ze zo snel mogelijk terug naar de universiteit. Ze stond op en keek de bediende aan. 'Doe maar geen moeite voor het toetje, Takan.'

Ze zag de teleurstelling die Takan bekroop en ze kon een schuldgevoel niet onderdrukken. Hij was dan wel Akkarins loyale bediende, maar ook een talentvolle kok. Had hij een dessert gemaakt waarop hij juist erg zijn best had gedaan, en stak het hem dat het nu onaangeroerd weggegooid moest worden?

'Is het iets dat... een paar uurtjes goed blijft?' vroeg ze aarzelend.

Hij keek haar even aan en niet voor de eerste keer merkte ze de intelligentie in zijn blik op.

'Zeker, vrouwe. Zal ik het naar uw kamer brengen als u terug bent?'

'Ja, graag,' knikte ze. 'Dank je.'

Takan boog.

Sonea verliet de kamer en liep de gang door en de trap af. Weer vroeg ze zich af welke rol Takan vervulde in Akkarins geheimen. Ze had gezien hoe Akkarin kracht uit Takan had weggenomen, maar Takan was er klaarblijkelijk niet door gedood of gewond. En op de nacht van de aanslag had Akkarin haar verteld dat Takan uit Sachaka kwam. En dat leidde naar de volgende vraag: als de Sachakanen het Gilde zo haatten, waarom was een van hen dan een bediende van de Opperheer?

En waarom noemde Takan Akkarin soms 'meester' in plaats van 'heer'?

Lorlen was bezig een order voor bouwmateriaal te dicteren toen er een koerier aanklopte. Hij nam het briefje aan, las het en knikte.

'Laat de stalmeester een koets voor me gereedmaken.'

'Ja, heer.' De koerier boog en liep de kamer uit.

'Toch niet weer een bezoekje aan kapitein Barran?'

Lorlen glimlachte kort en triest. 'Vrees van wel.' Hij keek naar de veer die heer Osen vasthield boven een vel papier en schudde het hoofd. 'Ik ben er niet meer helemaal bij met mijn hoofd. We maken dat morgen wel af.'

Osen veegde de pen af. 'Ik hoop dat Barran de moordenaar deze keer te pakken heeft.' Hij volgde Lorlen de kamer uit. 'Goedenacht, administrateur.'

'Goedenacht, Osen.'

Terwijl zijn secretaris de universiteitsgang naar de Magiërsvertrekken in liep, keek Lorlen de jonge magiër na. Osen had de regelmatige uitstapjes naar het hoofdkantoor van de Stadsgarde natuurlijk opgemerkt. De jonge assistent lette altijd goed op en Lorlen wist dat het geen zin had om ingewikkelde excuses te verzinnen. Soms was het beter om iets van de waarheid te vertellen dan puur bedrog op te dissen. Hij had uitgelegd dat Akkarin hem had opgedragen de pogingen van de Garde om de moordenaar te vinden in het oog te houden.

'Waarom u?' had Osen gevraagd.

Die vraag had Lorlen verwacht. 'O, ik wilde wat om handen hebben in mijn vrije tijd,' grapte hij. 'Barran is een vriend van de familie. Ik zou alles over die moorden toch wel te horen krijgen, dus nu praten we er met een officieel tintje over. Ik had wel iemand anders kunnen sturen, maar ik krijg het laatste nieuws liever uit de eerste hand.'

'Mag ik vragen of het Gilde er een speciale reden mee heeft om hier zoveel interesse voor te tonen?' probeerde Osen nog even.

'Dat mag je,' had Lorlen glimlachend geantwoord. 'En ik mag mijn mond houden. Dacht je dan dat er een speciale reden voor is?'

'Ik heb gehoord dat sommige mensen in de stad denken dat er magie in het spel is.'

'En daarom moet het Gilde een oogje in het zeil houden. De mensen moeten er zeker van zijn dat we hun zorgen serieus nemen. Maar te veel interesse tonen is ook weer niet goed, dan denken ze meteen allemaal dat het gerucht waar is.'

Osen had dus beloofd zijn kennis over Lorlens bezoekjes niet rond te bazuinen. Als de rest van het Gilde zou horen dat Lorlen de vorderingen van kapitein Barran nauwlettend volgde, zouden zij zich ook afvragen of er magie mee gemoeid was.

Lorlen wist nog steeds niet zeker of er nu wel of geen magie bij betrokken was. Hij dacht aan dat ene incident, een jaar eerder, waarbij de stervende getuige zwoer dat de moordenaar hem met magie had aangevallen. De wonden deden ook denken aan die van een hittetreffer, maar sinds die nacht had Barran bij geen van de andere slachtoffers bewijzen van magie gezien.

Barran had erin toegestemd om de gedachte dat de dader een dolende magiër was voor zichzelf te houden. Als het bekend werd, had Lorlen uitgelegd, zouden de koning en de Huizen nog zo'n heksenjacht verwachten als die destijds voor Sonea was opgezet. Ze hadden daar vooral van geleerd dat alle magiërs die in de stad woonden de illegale magiër een heel goede schuilplaats zouden bieden.

Lorlen liep de hal naar de uitgang in. Er verscheen een rijtuig uit de stallen die naar de trap van de universiteit reed. Hij liep de trap af, vertelde de koetsier waarheen de reis ging en stapte in.

Wat weten we nu helemaal? vroeg hij zich af.

Weken-, maandenlang waren er onschuldige burgers vermoord op dezelfde haast rituele manier, een manier die verdomd veel weg had van een ritueel van zwarte magie. Toen was het moorden van de ene op de andere dag een tijdje opgehouden, tot er een nieuwe reeks mensen vermoord werd en de Garde erbij geroepen werd. Ook dit waren een soort rituele moorden, al was de aanpak een tikkeltje anders dan de vorige.

Barran had de mogelijke redenen voor deze verandering van aanpak in twee categorieën verdeeld. Ofwel de moordenaar was alleen en bleef zijn gewoonten veranderen, ofwel elke serie moorden werd door verschillende personen uitgevoerd. Een man alleen zou zijn gewoonten kunnen veranderen om opsporing moeilijker te maken, of om het ritueel te vervolmaken; een opeenvolging van moordenaars zou kunnen wijzen op een bende of cultus waarbij moord als initiatierite of test behoorde.

Lorlen keek naar de ring aan zijn vinger. Een paar getuigen die het geluk hadden gehad nog te leven na de moordenaar te hebben gezien, hadden gemeld dat hij een ring met een rode steen aan zijn hand droeg. *Zoals deze?* vroeg hij zich af. Akkarin had de steen gemaakt van glas en zijn eigen bloed op de avond dat hij ontdekte dat Lorlen, Sonea en Rothen te weten waren gekomen dat hij zwarte magie gebruikte. Via de steen kon hij alles horen en zien wat Lorlen uitvoerde en met hem tot zijn geest praten zonder dat andere magiërs het wisten.

Als de moorden iets weg hadden van een ritueel van zwarte kunst, moest Akkarin er wel iets mee te maken hebben. Akkarin droeg de ring nooit en plein public, maar hij kon hem natuurlijk snel omdoen wanneer hij het Gildeterrein verliet. Maar waarom zou hij dat doen? Hij hoefde zichzelf toch niet in de gaten te houden?

En als de ring nu eens in staat is om iemand anders te laten zien wat de moordenaar aan het doen is?

Lorlen fronste zijn voorhoofd. Waarom zou Akkarin iemand anders laten weten wat hij van plan was? Tenzij hij in opdracht van iemand handelde. En dat was een huiveringwekkend idee...

Lorlen zuchtte. Soms wilde hij dat hij nooit de waarheid te weten zou komen. Als Akkarin echt de moordenaar was zou hij zich altijd medeplichtig blijven voelen. Want hij had al lang geleden met Akkarin moeten afrekenen, meteen toen Sonea hem liet weten dat de Opperheer zwarte magie gebruikte. Maar hij was bang geweest dat het Gilde Akkarin niet had kunnen verslaan in een magisch gevecht. Dus had Lorlen de zwarte praktijken van de Opperheer geheimgehouden, en Sonea en Rothen gesmeekt dat ook te doen. Toen Akkarin erachter kwam dat zijn daden ontdekt waren, had hij Sonea gegijzeld om er ook zelf zeker van te zijn dat iedereen zou zwijgen. En nu kon Lorlen niets meer ondernemen zonder Sonea's leven op het spel te zetten.

Maar mocht ik ontdekken dat Akkarin de moordenaar is, en mocht ik er zeker van zijn dat het Gilde hem kan verslaan, dan zou ik niet aarzelen het te verklappen, ondanks onze oude vriendschap, ondanks Sonea's welzijn. Dan zou het echt uit moeten zijn met die ellende.

En Akkarin zou dat te weten komen, via de ring.

Maar het kon natuurlijk best zijn dat Akkarin de moordenaar niet was. Lorlen moest van hem de moorden onderzoeken, maar dat zei op zich niets. Misschien wilde hij echt alleen weten hoever de Garde gevorderd was...

De koets stopte. Lorlen tuurde uit het raampje en keek verrast op toen hij de voorkant van het Hoofdbureau van de Garde naast zich zag opdoemen. Hij was ook zo in gedachten verzonken geweest. Het rijtuig wiebelde toen de koetsier van de bok klom om het portier open te doen. Lorlen stapte van het trapje op de stoep en liep naar de trappen. Kapitein Barran begroette hem in de smalle hal.

'Goedenavond, administrateur. Dank u dat u zo snel hebt willen komen.' Hoewel Barran nog vrij jong was, stonden er al lijnen in zijn voorhoofd gegroefd. Vanavond leken die rimpels dieper dan vorige keren.

'Goedenavond, Barran.'

'Ik heb interessant nieuws, en ik wilde u iets laten zien. Komt u maar mee naar mijn kantoor.'

Lorlen volgde de kapitein door de gang naar een klein kantoortje. De rest van het gebouw was in diepe rust, al liepen er zoals altijd wel een paar gardisten rond. Barran bood Lorlen een stoel aan en sloot de deur.

'Weet u nog dat ik dacht dat ook de Dieven op zoek waren naar de moordenaar?'

'Ja.'

Barran vertrok zijn mond. 'Dat is nu bevestigd. Het was onvermijdelijk dat ons pad zich vroeg of laat zou kruisen, als we allebei bezig waren. Nu blijkt dat ze hier al maandenlang spionnen hadden lopen.'

'Spionnen? In de Garde?'

'Ja. Zelfs een eerbare gardist is blijkbaar om te kopen voor een handvol munten in ruil voor informatie, mits die informatie leidt naar de moordenaar – vooral wanneer de Garde hem desondanks niet te pakken krijgt.' Barran haalde zijn schouders op. 'Ik weet ook niet wie de spionnen precies zijn, maar voorlopig laat ik ze nog maar even ongemoeid.'

Lorlen grinnikte. 'Als je nog advies nodig hebt hoe je met Dieven moet onderhandelen, kan ik je heer Dannyl van harte aanbevelen, maar hij is nu helaas ambassadeur in Elyne.'

De wenkbrauwen van de kapitein schoten omhoog. 'Dat advies zou me goed van pas komen, zelfs al zou ik het in deze zaak niet kunnen toepassen. Maar ik was niet van plan om de Dieven over te halen om samen te gaan werken. De Huizen zien ons al aankomen. Ik heb het op een akkoordje gegooid met een van de spionnen. Hij vertelt me alles wat hij zonder gevaar over kan brieven. Daar heb ik tot op heden niets aan gehad, maar wat niet is, kan nog komen.'

De frons verdiepte zich weer. 'Welnu, ik wilde u iets laten zien. U zei dat u het volgende slachtoffer wilde bekijken. Er was er vanavond weer eentje, dus heb ik het stoffelijk overschot hier laten brengen.'

Er liep een rilling over Lorlens rug, alsof de tocht een weg via de kraag van zijn gewaad had weten te vinden.

Barran wees op de deur. 'Hij ligt in het souterrain. Gaat u voor.'

Hij stond op en volgde Lorlen de gang op. De mannen zwegen terwijl ze de trappen afliepen en een andere gang insloegen. De lucht was een stuk koeler hier. Ze stopten voor een zware houten deur, die Barran met een grote sleutel opende.

Een sterke medicinale lucht dreef de gang in, maar hij was niet sterk genoeg om een nog onaangenamer geur te verbergen. De kamer was schaars gemeubileerd. Onbewerkte muren omringden drie hoge houten banken. Op een ervan lag het lijk van een man. Op een andere lag een stel kleren, netjes opgevouwen.

Lorlen kwam naderbij en begon het lichaam met tegenzin te bekijken. Zoals alle slachtoffers van de laatste reeks was hij met een mes in het hart gestoken. Er was ook een ondiep sneetje aan één kant van zijn hals. Ondanks alles had de man een vredige uitdrukking op zijn gezicht.

Toen Barran begon te beschrijven waar en hoe het slachtoffer precies was gevonden, dacht Lorlen terug aan een gesprekje dat hij had afgeluisterd op een van de sociale avondjes in de Nachtzaal van het Gilde. Heer Darlen, een jonge Genezer, had een patiënt beschreven tegenover een stuk of drie vrienden.

'Hij was al dood toen hij binnengebracht werd,' zei Darlen hoofdschuddend, 'maar zijn vrouw wilde per se dat we hem onderzochten zodat ze wist dat we alles hadden gedaan wat we konden. Dus ik begon.'

'Niks gevonden zeker?'

Darlen grijnsde. 'O, er zit altijd nog genoeg levensenergie in een dode, er zijn talloze organismen die bij de hele ontbinding keihard werken, maar zijn hart klopte niet en zijn brein was dood. Ik ontdekte echter een andere hartslag. Zwak en langzaam, maar desalniettemin een hartslag.'

'Hoe is het mogelijk! Had hij soms twee harten?'

'Nee.' Darlens stem klonk gekweld. 'Hij was... hij was gestikt in een sevli.'

De twee andere Genezers waren direct in lachen uitgebarsten. De derde vriend, een Alchemist, keek niet-begrijpend. 'Maar wat deed hij nu met een sevli in zijn keel? Die beesten zijn giftig. Heeft iemand hem willen vermoorden?'

'Nee,' zei Darlen zuchtend. 'Hun beet is giftig, maar hun huid bevat een stofje waardoor je je waanzinnig goed voelt en je bovendien de prachtigste visioenen krijgt. Je hebt van die mensen die dat lekker vinden. Ze zuigen op die reptielen.'

'Zúígen op die reptielen?' De jonge Alchemist keek ongelovig. 'En wat heb je toen gedaan?'

Darlen kreeg een kleur. 'Die arme sevli stikte ook haast, dus heb ik hem eruit gevist. Nou, zijn vrouw wist helemaal niets van die hobby van haar man. Werd compleet hysterisch. Durfde niet naar huis uit angst dat er een heel nest van die beesten rondkroop die 's nachts in haar keel zouden kruipen.'

De twee Genezers schaterden het uit. Lorlen glimlachte weer bij de herinnering. Genezers moesten wel gevoel voor humor hebben, al was het van een eigenaardige soort. Maar het gesprek had hem wel op een idee gebracht. Een dode zat nog vol levensenergie, maar het lichaam van iemand die door zwarte magie gedood was zou van ál zijn energie beroofd moeten zijn. Om te zien of de moordenaar zwarte magie gebruikt had, hoefde Lorlen het slachtoffer alleen maar met zijn Genezingsmagie te onderzoeken.

Toen Barran zijn beschrijving besloot deed hij een stap naderbij. Hij vermande zich en legde een hand op de koude arm van de man, sloot zijn ogen en stuurde zijn zintuigen het lichaam in.

Het viel hem op hoe makkelijk het was, tot hij zich herinnerde dat de natuurlijke barrière in levende wezens, die magische krachten tegen kon houden, oploste op het moment dat de dood intrad. Hij richtte al zijn geestkracht het lichaam in, onderzocht het vanbinnen en vond maar een miniem spoortje levensenergie. Het proces van ontbinding was duidelijk verstoord, vertraagd, omdat er nauwelijks meer iets levends in het lichaam te vinden was.

Hij opende zijn ogen en trok zijn hand van de man weg. Hij staarde naar de ondiepe snee in de hals van de man, en wist nu zeker dat dit de wond moest zijn die de dood had veroorzaakt. De grote messteek in het hart moest later gemaakt zijn, als dwaalspoor waarschijnlijk. Hij sloeg zijn ogen neer en zijn blik viel op de ring aan zijn vinger.

Dus het is waar, dacht hij. *De moordenaar gebruikt zwarte magie. Maar is dit Akkarins slachtoffer, of zwerft er een andere zwarte magiër door de stad?*

2

Het bevel van de Opperheer

Terwijl hij naar een van de papieren kamerschermen van zijn ontvangstkamer liep, pakte Rothen het dampende kopje sumi dat voor hem klaarstond op de lage tafel. Hij schoof het scherm opzij en keek uit over de tuinen.

De lente was vroeg dit jaar. De heggen en bomen droegen kleine bloesems, en een enthousiaste nieuwe tuinman had felgekleurde lentebloemen langs de paden geplant. Hoewel het nog vroeg was, liepen er al heel wat magiërs en novicen door de tuin.

Rothen hief zijn kopje en nipte ervan. De sumi was versgezet en bitter. Hij dacht terug aan de vorige avond en trok een gezicht. Eén keer per week ging hij bij zijn oude vriend heer Yaldin en zijn vrouw Ezrille eten. Yaldin was bevriend geweest met Rothens overleden mentor, heer Margen, en vond het nog steeds zijn plicht om Rothen in het oog te houden. Daarom had hij tijdens de maaltijd van gisteren gezegd dat Rothen eens moest ophouden met al dat gepieker over Sonea.

'Ik weet heus wel dat je nog steeds naar haar kamer staart,' zei de oude magiër.

Rothen haalde zijn schouders op. 'Ik interesseer me nu eenmaal voor haar welzijn.'

Yaldin snoof. 'Ze is de uitverkorene van de Opperheer. Ze heeft jou niet meer nodig om haar welzijn in de gaten te houden.'

'O ja, dat heeft ze wel,' antwoordde Rothen. 'Denk jij dan dat het de Opperheer ook maar een zier kan schelen of ze gelukkig is of niet? Hij houdt zich alleen bezig met haar studievorderingen. Maar het leven is meer dan magie alleen.'

Ezrille glimlachte bedroefd. 'Natuurlijk is het dat, maar...' Ze aarzelde, en zuchtte. 'Sonea heeft nauwelijks een woord met je gesproken sinds de Opperheer haar mentor is geworden. Waarom heeft ze je nog niet één keer opgezocht? Het is nu al een jaar geleden. Hoe druk ze ook mag zijn met haar studie, een kwartiertje had ze heus wel voor je kunnen uittrekken.'

25

Rothen klemde zijn lippen op elkaar. Hij kon er niets aan doen. Uit hun vriendelijke woorden maakte hij op dat ze zijn reactie hadden gezien en dachten dat hij alleen maar gekwetst was door de opvallende afstandelijkheid van Sonea.

'Het gaat heus goed met haar,' zei Yaldin vriendelijk. 'En die onzin met die pestkoppen is allang voorbij. Laat haar toch los, Rothen.'

Rothen had net gedaan of hij toegaf. Hij kon hun immers niet de ware reden vertellen waarom hij Sonea in de gaten hield. Als hij het deed bracht hij niet alleen Sonea's leven in gevaar. Zelfs al zouden Yaldin en Ezrille beloven hun mond te houden om Sonea te beschermen, Akkarin had duidelijk gezegd dat het tussen hun vieren moest blijven en dat niemand anders het weten mocht. Als hij dat bevel negeerde, dan zou dat al genoeg excuus voor Akkarin zijn om... ja, om wat te doen? Zwarte magie te gebruiken om het Gilde over te nemen? Hij was de Opperheer. Wat kon hij nog meer wensen?

Meer macht, misschien. Heersen in plaats van de koning. Heersen over de Geallieerde Landen. Vrij zijn om zichzelf met zwarte magie zo sterk te maken als nooit tevoren een magiër was geweest.

Maar als Akkarin dat van plan was geweest, dan had hij dat al jaren eerder kunnen doen. Rothen moest knarsetandend toegeven dat Akkarin Sonea niets had aangedaan, voor zover hij kon beoordelen. De enige keer dat hij haar in gezelschap van haar mentor had gezien was de dag van de uitdaging geweest.

Yaldin en Ezrille hadden uiteindelijk een ander onderwerp aangesneden. 'Nou ja, je bent in ieder geval opgehouden met al die nemmin in te nemen,' had Ezrille gemompeld voor ze vroeg hoe het met Dorrien, Rothens zoon, was.

Rothen ergerde zich af en toe aan haar goede geheugen. Hij keek naar Tania, zijn huishoudster. Ze was aandachtig bezig stof af te nemen in de boekenkast.

Hij wist dat Tania het alleen maar verteld had omdat ze bang was dat zijn overmatige gebruik van het slaapmiddel niet goed voor zijn gezondheid was, en dat ze het ook nooit aan anderen zou verklappen, maar het wekte wel zijn wrevel op. Maar hoe kon hij er iets van zeggen? Ze speelde ook immers met plezier spion voor hem. Haar vriendin Viola was Sonea's kamermeisje, en zo kwam hij alles te weten over Sonea's gezondheid en haar bezoekjes aan haar tante en oom in de sloppenwijk. Tania had daar in elk geval niets over verteld aan Yaldin en Ezrille, anders hadden ze dat weer als bewijs gezien voor zijn 'gepieker'.

Wat zou Dannyl gelachen hebben om al dat bespioneren.

Na nog een slok sumi liet Rothen zijn gedachten gaan over wat hij wist van de bezigheden van zijn vriend. Uit zijn brieven had hij begrepen dat hij goed bevriend was geraakt met zijn assistent, Tayend. De vermoedens over de seksuele voorkeur van Tayend waren al na een paar weken verdwenen. Iedereen wist hoe verzot de mensen uit Elyne op roddels waren, en de enige reden waarom de geruchten over Tayends minnaars even besproken waren door de magiërs van het Gilde, was de beschuldiging dat Dannyl in zijn jeugd interesse voor andere mannen zou hebben gehad. Die beschuldiging bleek totaal ongegrond. Bij gebrek aan verder roddelmateriaal was het geklets over hun relatie al snel naar de achtergrond verdwenen.

Rothen maakte zich meer zorgen over het onderzoek dat Dannyl voor hem zou uitvoeren. Hij had zich al lange tijd afgevraagd wanneer Akkarin kans had gezien om zwarte magie te leren. Uiteindelijk herinnerde Rothen zich dat Akkarin jaren geleden lange reizen gemaakt had. Het leek niet onlogisch dat Akkarin destijds de mogelijkheid de verboden kunst te leren met beide handen had aangegrepen. Dezelfde bronnen van informatie zouden ook de zwakheden van zwarte tovenaars kunnen onthullen, en daar zou het Gilde wel bij gebaat zijn. Rothen had Dannyl daarom gevraagd om wat onderzoek naar oude magie te doen, zogenaamd voor het 'boek' dat Rothen schreef.

Helaas had Dannyl maar weinig bruikbaars kunnen ontdekken. Toen hij een jaar geleden plotseling voor de deur stond, blijkbaar door Akkarin opgeroepen voor een tussentijdse rapportage van zijn ambassadeurschap, was Rothen als de dood geweest dat zijn plan ontdekt zou worden. Maar Dannyl had hem verzekerd dat hij Akkarin verteld had dat hij het onderzoekje alleen uit eigen belangstelling had uitgevoerd – en tot Rothens verbazing had Akkarin hem aangemoedigd ermee door te gaan. Dannyl stuurde nog steeds brieven met zijn bevindingen in bibliotheken, maar de rapporten werden elke keer korter. Dannyl had alles in Elyne nu wel door zijn handen laten gaan, had hij verontschuldigend gezegd, maar Rothen had het vage vermoeden dat zijn vriend informatie achterhield. En Dannyl had vermeld dat hij een vertrouwelijk gesprek met de Opperheer had gevoerd waarover hij niets mocht vertellen.

Rothen zette zijn lege kopje op de eettafel. Dannyl was een Gildeambassadeur en natuurlijk kreeg hij dan wel eens informatie die hij niet met gewone magiërs mocht delen. Al dat vertrouwelijke gepraat ging waarschijnlijk over politieke zaken.

Wist hij maar zeker dat Dannyl niet in een of ander vreselijk, duister plan met Akkarin verwikkeld was, dan zou hij zich geen zorgen hoeven te maken. Maar daar kon hij verder niets aan doen. Hij kon alleen maar vertrouwen op Dannyls gezonde verstand. Zijn vriend had nog nooit blindelings bevelen opgevolgd, zeker niet als die van twijfelachtige of ronduit kwalijke aard waren.

Hoe vaak Dannyl ook in de Grote Bibliotheek was geweest, nog altijd keek hij vol ontzag rond. Het gebouw was uitgehouwen uit een hoog klif en had zulke enorme deuren dat het heel voorstelbaar was dat een stel reuzen het gebouwd had voor eigen gebruik. De gangen en werkkamers binnenin waren echter voor mensen van normale proporties gemaakt. Toen zijn koets voor de monumentale deuren stopte, ging er een kleiner deurtje in de grote poort open en een knappe jongeman stapte naar buiten.

Dannyl glimlachte en voelde zich gloeien van genegenheid toen hij uitstapte om zijn vriend en minnaar te begroeten. Tayend boog vol respect, maar zijn brede grijns sprak andere taal.

'Je hebt de tijd genomen, ambassadeur,' zei hij.

'Dat is mijn schuld niet. Dan hadden jullie Elyneeërs de bibliotheek maar wat dichter bij de stad moeten bouwen.'

'Geweldig idee. Dat we daar nou nooit zelf opgekomen zijn. Ik zal het de koning meteen voorstellen de volgende keer dat ik weer aan het hof ben.'

'Je bent nooit aan het hof.'

'Dat klopt.' Tayend glimlachte. 'Irand wil je spreken.'

Dannyl zweeg. Wist de bibliothecaris nu al wat er in de brief besproken werd die Dannyl net gekregen had? Had hij soms eenzelfde brief ontvangen?

'Waarover?'

Tayend haalde zijn schouders op. 'Ik denk dat hij gewoon wat wil babbelen.'

Ze liepen een gang in en een lange smalle trap op naar een lange smalle zaal. Hoge smalle ramen vulden één kant van de kamer en her en der stonden stijve groepjes stoelen. Op een van de stoelen zat een bejaarde man. Toen hij moeizaam op wilde staan, wuifde Dannyl met zijn hand.

'Doet u geen moeite, bibliothecaris.' Hij plofte neer in een stoel. 'Hoe gaat het met u?'

Irand trok even zijn schouders op. 'Ik mag niet mopperen. En hoe is het met jou?'

'Goed. Er is momenteel niet veel te doen in het Gildehuis. Een paar testjes, een paar vergaderingen, een paar feestjes. Niet bepaald tijdrovend allemaal.'

'En Errend?'

Dannyl glimlachte. 'De Eerste Gildeambassadeur is opgewekter dan ooit,' antwoordde hij. 'En blij dat hij me even kwijt is.'

Irand grinnikte en keek naar Tayend. 'Tayend heeft verklapt dat je onderzoek enigszins vastgelopen is.'

Dannyl zuchtte en keek Tayend even aan. 'We kunnen natuurlijk elk boek in de hele bibliotheek lezen met de kleine kans dat we iets nieuws over oude magie vinden, maar dan zouden we twintig levens en minstens honderd assistenten moeten hebben.'

Dannyl was bij zijn aanstelling op Lorlens verzoek aan dit onderwerp begonnen, maar hij was zelf geboeid geraakt. Lang voordat Akkarin Opperheer werd, had deze eenzelfde onderzoek gedaan. Maar na vijf jaar rondgezworven te hebben was hij zijn aantekeningen kwijtgeraakt. Dannyl vermoedde dat Lorlen zijn vriend de verloren informatie als verrassing wilde bezorgen.

Zes maanden later echter, nadat Dannyl in Lonmar en Vin was geweest; had Lorlen kort maar krachtig geschreven dat hij geen behoefte meer had aan zijn informatie. Tegelijkertijd echter kwam er een brief van Rothen waarin hij interesse toonde voor hetzelfde magische onderwerp. Dit was wel heel toevallig allemaal, en Dannyl, gegrepen door de mysteriën van oude magie, besloot zonder opdracht door te gaan met het doorzoeken van oude bibliotheken, samen met Tayend.

Uiteindelijk was Akkarin erachter gekomen dat Dannyl aan een projectje werkte en beval hem naar huis te komen voor een verslag. Tot Dannyls grote opluchting was de Opperheer heel tevreden over zijn werk, hoewel hij Dannyl en Tayend had laten beloven dat ze hun vreemdste ontdekking, de Spelonk van Opperste Straf, geheim zouden houden. De spelonk, die ze onder de ruïnes van een oude stad in de bergen van Elyne ontdekt hadden, bevatte een magisch geladen plafond dat Dannyl in het pikkedonker bekogeld had met gloeiende treffers, die hem bijna fataal waren geworden.

Hoe het werkte was een raadsel. Nadat Dannyl was teruggegaan om de ingang van de gevaarlijke spelonk te verzegelen, had hij de Grote Bibliotheek tevergeefs doorzocht op verwijzingen naar de grot. Er werd onmiskenbaar een vorm van magie gebruikt die onbekend was bij het Gilde.

'Ik denk dat ik meer te weten kom als ik naar Sachaka ga,' voegde Dannyl eraan toe. 'Helaas heeft mijn Opperheer mijn verzoek om een reis ernaartoe afgewezen.'

Irand knikte. 'Een wijs besluit. Je kunt nooit weten hoe je daar ontvangen zult worden. Er zijn ongetwijfeld magiërs daar. Misschien zijn ze niet zo geleerd als jij en je collega's, ze zijn echter wel heel gevaarlijk, zeker voor een eenzame Gildemagiër. Het Gilde heeft hun land tenslotte voor een groot deel vernietigd. De wrok daarover zal niet een-twee-drie over zijn gegaan. Dus wat ben je nu van plan?'

Dannyl haalde een opgevouwen brief uit een zak van zijn gewaad en gaf hem aan Irand. 'Ik heb een nieuwe opdracht gekregen.'

De bibliothecaris aarzelde even toen hij de restanten van het zegel van de Opperheer zag, maar vouwde de brief toch open en begon te lezen.

'Wat is het?' vroeg Tayend.

'Een onderzoek,' antwoordde Dannyl. 'Het ziet ernaar uit dat een stel edelen in dit land hun eigen Gilde van dolende magiërs op wil zetten.'

De jonge geleerde zette grote ogen op, vervolgens leek hij diep na te denken. Irand haalde diep adem en keek Dannyl aan met de brief in zijn hand.

'Dus hij weet ervan.'

Dannyl knikte. 'Daar lijkt het wel op.'

'Weet waarvan?' vroeg Tayend.

Irand gaf de brief aan Tayend. De jongeman begon hardop te lezen.

"'Sinds enige jaren houd ik een kleine groep Hovelingen van Elyne in de gaten bij hun pogingen om magie te leren zonder de steun en kennis van het Gilde. Onlangs heb ik vernomen dat ze op zeker front succes hebben geboekt. Nu ten minste een van hen erin geslaagd is zijn krachten te ontwikkelen, is het Gilde verplicht deze zaak aan te pakken. Onder aan deze brief vind je informatie over dit groepje. Je relatie met Tayend van Tremmelin kan nuttig blijken om hen ervan te overtuigen dat je te vertrouwen bent.'"

Tayend keek Dannyl aan. 'Wat bedoelt hij daar nou weer mee?' riep hij uit.

Dannyl knikte naar de brief. 'Lees maar verder.'

"'Het is mogelijk dat de rebellen die persoonlijke informatie tegen je zullen gebruiken wanneer je hen aangehouden hebt. Ik verzeker je dat ik tegenover iedereen zal verklaren dat ik jou gevraagd heb hun deze indruk te geven zodat jij je doel kon bereiken.'"

Tayend staarde Dannyl aan. 'Je zei dat hij niet wist van ons. Hoe is hij erachter gekomen? Of heeft hij alleen naar de geruchten geluisterd en gegokt dat ze waar waren?'

'Dat betwijfel ik,' zei Irand. 'Een man zoals de Opperheer kan zulke risico's niet nemen. Wie weten er allemaal van jullie relatie?'

Tayend schudde het hoofd. 'Niemand. Tenzij iemand ons afgeluisterd heeft...' Hij keek snel rond.

'Voor we ons in een spionnenjacht storten, is er nog een mogelijkheid waarmee we rekening moeten houden,' zei Dannyl. Hij vertrok zijn gezicht en wreef over zijn slapen. 'Akkarin heeft enkele bijzondere eigenschappen. Gewone magiërs zoals ik kunnen tot op zekere hoogte gedachten lezen. Maar niet van iemand die niet mee wil werken, en we mogen niemand aanraken om tot zijn geest door te dringen. Akkarin onderzocht eens de geest van een misdadiger om te weten of hij schuldig was. De man zou hem eigenlijk hebben moeten kunnen blokkeren, maar Akkarin kwam toch langs zijn mentale blokkades. Er zijn magiërs die denken dat Akkarin zelfs op afstand een waarheidslezing kan doen.'

'Dus je denkt dat hij je gedachten gelezen heeft toen je in Kyralia was?'

'Misschien. Of misschien toen hij me mentaal beval terug te gaan naar het Gilde.'

Irand zette grote ogen op. 'Toen je in de bergen was? Dat hij op zo'n afstand je gedachten kan bereiken is uitzonderlijk.'

'Ik denk dat hij dat ook niet had gekund als ik zijn oproep niet beantwoord had. Maar toen het contact eenmaal was gelegd, kon hij waarschijnlijk meer van me zien dan mijn bedoeling was.' Dannyl knikte naar de brief. 'Lees eens verder, Tayend. Nog één alinea.'

'"Je assistent heeft deze rebellen eerder ontmoet. Het zou hem geen moeite moeten kosten jou bij hen te introduceren."'

'Hoe kan hij dat nou weten?'

'Ik hoopte dat jij me wijzer kon maken,' zei Dannyl.

De geleerde keek peinzend naar de brief. 'Iedereen in Elyne heeft wel een paar geheimpjes. Over sommige praat je, over andere zwijg je liever.' Hij keek Dannyl en Irand even aan. 'Een paar jaar geleden werd ik uitgenodigd op een geheim feest door een man die Royend van Marane heet. Toen ik bedankte, zei hij dat het niet was wat ik dacht, dat het niet om lichamelijke dan wel geestelijke pleziertjes zou gaan, nee, het was eigenlijk een wetenschappelijke bijeenkomst. Maar hij zei het een beetje stiekem, steels om zich heen kijkend, en ik vatte dat als waarschuwing op en ik ben niet gegaan.'

'Heeft hij je de indruk gegeven dat het om magische kennis zou gaan?'

'Nee, maar welke andere wetenschappelijke onderzoekingen zijn zo geheim? Het was bekend dat ik eens een uitnodiging voor het Gilde had gehad, maar dat ik afgezegd had. En waarom lijkt me duidelijk. Dus hij weet dat ik magische krachten had, en hij had een vermoeden waarom ik die kans voorbij heb laten gaan.'

Irand knikte. 'De Opperheer weet dat waarschijnlijk ook. Het is logisch dat deze rebellen iedereen benaderen die bedankt heeft of die geweigerd is bij de poort van het Gilde.' Hij keek Dannyl aan. 'En aangezien Akkarin ongetwijfeld de waarheid kent wat jou betreft, heeft hij jou niet openlijk beschuldigd of gehekeld. Misschien is hij wat toleranter dan de gemiddelde Kyraliaan.'

Er ging een rilling over Dannyls rug. 'Ook alleen maar omdat ik hem nu van pas kom. Ik moet nogal wat op het spel zetten om die rebellen voor hem te vinden.'

'Een man in zijn positie moet gebruik kunnen maken van hen die hem dienen,' zei Irand streng. 'Jij hebt ervoor gekozen ambassadeur te worden, Dannyl. Het is je taak om op te treden namens de Opperheer in zaken die het Gilde aangaan. Soms betekent die taak dat je risico's moet nemen. Laten we hopen dat deze taak alleen je reputatie op het spel zet, en niet je leven.'

Dannyl zuchtte en boog het hoofd. 'U hebt uiteraard groot gelijk.'

Tayend grinnikte. 'Irand heeft altijd gelijk, behalve wat betreft het catalogiseren van...' Hij zweeg en grijnsde toen de bibliothecaris hem vorsend aanzag. 'Dus als de rebellen denken dat Dannyl reden heeft om wrok te koesteren tegen het Gilde, zouden ze hem ook als potentiële rekruut zien.'

'En leraar,' vulde Irand aan.

Dannyl knikte. 'En ze denken natuurlijk dat als ik niet meewerk, ze me kunnen dwingen door me te chanteren met de onthulling van mijn relatie met Tayend.'

'Ja. Maar je moet het wel zorgvuldig opzetten,' waarschuwde Irand.

Ze begonnen manieren te bedenken hoe ze de rebellen het best konden benaderen. Niet voor de eerste keer was Dannyl blij dat hij het vertrouwen van de bibliothecaris genoot. Tayend had er een paar maanden geleden op gestaan dat ze zijn mentor zouden vertellen over de aard van hun relatie. 'Hem vertrouw ik mijn leven toe,' had hij erbij gezegd. Tot Dannyls verbazing was de oude man totaal niet verwonderd.

Zover Dannyl en Tayend wisten was de rest van het hof van Elyne er nog steeds van overtuigd dat Dannyl niet wist van Tayends neigingen, laat staan dat hij zich zoals Tayend aangetrokken voelde tot mannen. Rothen had Dannyl verteld dat deze roddel ook al in het Gilde circuleerde, maar dat ze dat al snel vergeten waren. Desondanks was Dannyl bang dat als de waarheid eenmaal boven water kwam, hij zijn ambassadeursgewaad aan de wilgen kon hangen en het Gilde kon verlaten.

En daarom was hij zo geschokt door Akkarins verzoek om de rebellen de waarheid te laten weten. Het was al moeilijk genoeg om hier zijn liefde voor Tayend geheim te houden. Hij vond het een vreselijk idee dat de rebellen daar binnenkort achter zouden komen.

Het was al laat toen er geklopt werd. Sonea keek op van haar bureautje en keek naar de kamerdeur. Was het haar kamermeisje met een beker warme raka? Ze tilde haar hand op en stopte. Heer Yikmo, de Krijger die haar had getraind voor de uitdaging, zei altijd dat een magiër moest vermijden om gebaren te maken als hij magie gebruikte – iedereen kon zo zien wat je van plan was. Met de handen op haar bureau gebruikte ze alleen wilskracht om de deur te openen. Takan stond in de gang.

'Vrouwe,' zei hij. 'De Opperheer zou graag willen dat u naar de bibliotheek komt.'

Ze keek hem strak aan en voelde zich verkillen tot op het bot. Wat moest Akkarin van haar op dit uur van de nacht?

Takan keek naar Sonea en wachtte.

Ze schoof haar stoel achteruit, stond op en liep naar de deur. Takan draaide zich om en ze volgde hem naar de bibliotheek. Ze gluurde door de kier van de deur.

Aan één kant stond een groot bureau. De muren waren bedekt met boekenkasten. Twee fauteuils en een laag tafeltje stonden in het midden. In een ervan zat Akkarin. Ze duwde de deur open en hij gebaarde naar de andere leunstoel, waarop een boekje lag.

'Dit boek moet je lezen,' zei hij. 'Het zal je helpen met je studie over het bouwen met magie.'

Sonea liep de kamer in naar de stoel. Het boekje was in leer gebonden en erg versleten door het vele lezen. Ze pakte en opende het. De pagina's waren gevuld met vervaagde, handgeschreven woorden. Ze las de eerste regels en hield haar adem in. Het was het dagboek van heer Coren, de architect die de meeste Gildegebouwen had ontworpen en die ontdekt had hoe je stenen kon vervormen met magie.

'Ik neem aan dat ik je niet hoef te vertellen hoe waardevol dit boek is,' zei Akkarin rustig. 'Het is uniek en onvervangbaar en' – hij liet zijn stem dalen – 'het mag deze ruimte niet verlaten.'

Sonea keek hem aan en knikte. Hij had een ernstige blik in zijn donkere ogen.

'Je mag het er met niemand over hebben,' voegde hij er zacht aan toe. 'Er weten maar een paar mensen van het bestaan ervan af, en als het aan mij ligt blijft dat zo.'

Ze deed een stap achteruit toen hij uit de stoel opstond en naar de deur liep. Takan stond daar nog altijd, en hij keek haar ongewoon strak in de ogen, alsof hij haar inschatte. Ze keek recht terug. Hij knikte en draaide zich om. Twee paar voetstappen verwijderden zich in de verte. Ze keek naar het boek in haar handen.

Ze ging zitten, opende het en begon te lezen.

Ik ben Coren van Emarin, Huis Velan, en dit zou een verslag moeten worden van mijn werk en ontdekkingen.

Ik schrijf niet zoals zovelen uit eigenwaan of uit gewoonte of omdat ik meen dat anderen alles over mijn leven dienen te weten. Er is maar weinig in mijn verleden dat ik niet kon bespreken met mijn vrienden of mijn zuster. Vandaag kreeg ik er echter behoefte aan mijn gedachten aan het papier toe te vertrouwen. Ik heb iets ontdekt dat strikt geheim moet blijven, maar tegelijkertijd voel ik een onontkoombare drang om erover te vertellen.

Sonea keek naar de bovenmarge van de pagina om te zien wat de datum was. Ze herinnerde zich van haar les dat heer Coren toen hij dit schreef nog jong was, rusteloos, en met zure ouders die zijn drankgebruik afkeurden en zijn vreemde, onpraktische schetsen van gebouwen nog meer.

Ik heb de kist vandaag naar mijn kamer laten brengen. Het duurde even voor ik hem open had. De magische sloten waren geen probleem, maar het deksel zat vastgeroest. Ik wilde het risico niet nemen dat ik iets er binnenin zou beschadigen, dus moest ik het uiterst voorzichtig open zagen. Toen ik de kist eindelijk opendeed, was ik zowel teleurgesteld als blij verrast. Hij zat vol dozen, dus mijn eerste aanblik van de inhoud was erg spannend. Maar in elke doos zaten alleen maar boeken. Toen ik de laatste doos lusteloos opende, voelde ik me erg bekocht. Niks kostbare schat. Alleen maar boeken.

33

Ik heb het nog niet allemaal bekeken, maar het lijken me een soort verslagen. Ik heb tot diep in de nacht zitten bladeren en van het meeste begrijp ik geen hout. Morgen zal ik verder lezen.

Sonea glimlachte bij de gedachte aan de jonge magiër die in zijn kamertje zat te lezen. De volgende stukjes waren niet erg systematisch, en hij sloeg soms een paar dagen over. Toen kwam ze bij een korte aantekening, die een paar keer onderstreept was.

Ik weet wat ik heb gevonden! Dit zijn de verloren documenten!

Hij noemde een aantal boektitels, maar Sonea kende ze geen van alle. Deze verloren documenten stonden 'vol verboden kennis' en Coren stond niet te popelen om die hier te beschrijven. Na een gat van zeven weken volgde een lange aantekening waarin hij een experiment beschreef. De conclusie was:

Eindelijk is het gelukt! Wat heeft dat lang geduurd. Ik voel de triomf en de angst die ik al veel eerder had moeten voelen. Ik vraag me af waarom. Toen het steeds mislukte, toen ik de manier om met die krachten om te gaan nog niet in mijn vingers had, was ik natuurlijk nog onbedorven. Nu kan ik niet meer zweren dat ik nooit zwarte magie heb gebruikt. Ik heb mijn eed verbroken. Ik had me niet gerealiseerd hoe ellendig ik me zou voelen.

Maar hij hield er niet mee op. Sonea moest grote moeite doen om te begrijpen dat deze jongeman doorging met iets waarvan hij wist dat het fout was. Hij leek niet meer te kunnen stoppen. Voortgedreven naar een onzeker einde waartoe deze ontdekking hem zou brengen, al was dat de ontdekking van zijn misdaad.

Maar het bracht hem naar iets heel anders...

Iedereen die me een beetje kent, weet hoeveel ik van steen houd. Het is het vlees van de aarde. Het heeft groeven en rimpels als de huid, het heeft aderen en poriën. Het kan hard, zacht, breekbaar en flexibel zijn. Wanneer de aarde zijn gesmolten kern naar buiten drukt, is het rood als bloed. Nadat ik alles over zwarte kunst gelezen had, verwachtte ik dat ik alleen maar mijn handen op steen hoefde te leggen om de enorme voorraad levensenergie erin te voelen, maar niks ervan. Ik voelde niets. Nog minder dan het bewegen van water. Ik wilde dat het vol leven zat. En toen gebeurde het. Zoals een Genezer een stervende mens weer tot leven kan wekken door het te willen, begon ik energie in de steen te pompen. Mijn wil bracht de steen tot leven. En toen begon er iets heel bijzonders te gebeuren.

Sonea greep het boek stevig vast, haar ogen gefixeerd op de tekst. Dit was de ontdekking die Coren beroemd had gemaakt en die de Gildearchitectuur nog eeuwenlang beïnvloed had. Het werd de grootste ontwikkeling in de magische kennis sinds eeuwen genoemd. Hoewel het niet echt zwarte magie was wat hij gedaan had, hadden de verboden kunsten wel degelijk tot de ontdekking geleid.

Sonea sloot haar ogen en schudde haar hoofd. Heer Larkin, de leraar architectuur, zou zijn complete bezit overhebben voor dit boekje, maar hij zou er kapot van zijn als hij de waarheid vernam over zijn idool. Ze zuchtte, keek weer naar de pagina's en las verder.

3

Oude vrienden, nieuwe bondgenoten

Cery tekende de brief zwierig en keek tevreden naar zijn werk. Hij had een nette, elegante hand. Het papier was van de beste kwaliteit, en de inkt pikzwart. Ondanks de Bargoense woorden die hier en daar opdoken – hij had erop gestaan dat Serin hem leerde lezen en schrijven, maar wel zo dat hij niet als een jongen uit de Huizen zou klinken – en ondanks het feit dat het een verzoek tot liquidatie was van een man die hem bedrogen had en naar de Zuidkant was gevlucht, was het een fraaie, goed geschreven brief.

Hij glimlachte bij de herinnering aan die keer dat hij Faren gevraagd had of hij zijn schrijver mocht 'lenen.' Faren was de Dief die Sonea verborgen hield voor het Gilde. Faren reageerde niet van harte, maar toch met een dankbare blik. Cery wist dat de Dief geweigerd zou hebben als hij zijn positie niet zo nodig een oppepper had moeten geven, wat deze transactie zou bewerkstelligen.

Dat eerste jaar nadat hij Sonea had overgedragen aan het Gilde was Farens status als Dief nogal in het geding geweest. Wilde een Dief zaken doen, dan kon hij onmogelijk zonder een netwerk van mensen die bereid waren voor hem te werken. Sommigen deden het voor het geld, maar de meesten wilden liever 'een handje helpen' om later op dezelfde wijze te worden terugbetaald.

Faren had veel van die gunsten verbruikt terwijl hij Sonea uit handen van de magiërs hield. Iedereen wist dat hij een overeenkomst met Sonea had om haar voor het Gilde te verbergen in ruil voor haar magische kunstjes – hij had die overeenkomst geschonden. De hogere Dieven, die ongerust geworden waren door de waarschuwingen van het Gilde dat haar krachten gevaar zouden kunnen opleveren als zij ze niet leerde beheersen, hadden hem 'gevraagd' om haar over te dragen. Nu was het vrijwel onmogelijk om een verzoek van de leiders van de onderwereld naast je neer te leggen, maar hij had zich niet aan de afspraak gehouden. Dieven hadden mensen nodig die op zijn minst geloofden dat je enigszins eerlijk was, want anders deden alleen de dwazen of wanhopigen nog zaken met je. Het feit dat Sonea geen bruikbare magie had weten toe te passen, wat tenslotte haar deel van de afspraak geweest was, redde hem van de ondergang.

Maar Serin was loyaal gebleven. Hij gaf maar weinig informatie over Farens zaakjes tijdens de lees- en schrijflessen – niets dat Cery niet al wist tenminste. Cery was een snelle leerling, al kwam dat deels door goed op te letten bij Sonea's lessen bij de schrijver.

Door te laten zien dat hij, Sonea's vriend, best zaken wilde doen met Faren, Sonea's verrader, had Cery de anderen ervan verzekerd dat de Dief nog best te vertrouwen was.

Hij nam een smal stuk rietstengel uit zijn bovenste la, rolde de brief strak op en stak hem erin. Hij deed een propje in de buis en verzegelde die met was. Hij nam een yerim – een klein metalen apparaatje met een punt als een naald – en kraste zijn naam op de zijkant.

Hij legde de rieten buis opzij, liet de yerim op zijn hand balanceren en wierp hem met een snelle draaibeweging van zijn pols de kamer door. Hij kwam met de punt in het houtwerk van de muur ertegenover terecht. Cery gromde van genoegen. Hij had zijn eigen yerims laten maken met de juiste balans voor een werpwapen. Hij keek naar de overige drie in zijn la, en wilde er net een pakken toen er geklopt werd.

Cery liep snel naar het houtwerk en trok de yerim eruit. Hij ging weer achter zijn schrijftafel zitten.

'Ja, binnen,' riep hij.

De deur ging open en Gol stapte de kamer in. In zijn blik schemerde respect door. Cery keek hem eens goed aan. In zijn ogen blonk ook iets van... verwachting, of zo.

'Een vrouw wil je spreken, Ceryni.'

Cery glimlachte toen Gol zijn volledige naam gebruikte. Het moest wel een bijzondere vrouw zijn, afgaand op Gols gedrag. Wat zou ze zijn: geestig, knap of belangrijk?

'Naam?'

'Savara.'

De naam kwam Cery niet bekend voor, tenzij die vals was. Geen typisch Kyraliaanse naam in elk geval. Klonk een beetje Lonmarees.

'Beroep?'

'Wou ze niet zeggen.'

Dan heet ze misschien echt Savara, mijmerde Cery. *Als ze gelogen had over haar naam, waarom had ze dan geen beroep verzonnen?*

'Waarom moet ze me zien?'

'Zegt dat ze je kan helpen met een probleem, maar ze zei niet wat voor probleem.'

Cery dacht na. *Dus ze denkt dat ik een probleem heb. Interessant.*

'Laat maar binnen dan.'

Gol knikte en liep de kamer uit. Cery sloot de la en leunde achterover in zijn stoel. Na een paar minuten ging de deur weer open. Hij en de bezoekster keken elkaar verrast aan.

Ze had het wonderlijkste gezicht dat hij ooit gezien had. Een breed voorhoofd en hoge jukbeenderen liepen uit in een fijn kinnetje. Dik, zwart haar hing steil over haar schouders, maar het meest opvallend waren haar ogen. Ze waren groot, liepen aan de buitenkant schuin naar boven en waren net zo goudbruin als haar huid. Vreemde, exotische ogen... en ze namen hem op met nauwelijks verholen vrolijkheid.

Hij was wel gewend aan die reactie. De meeste klanten aarzelden wanneer ze hem voor de eerste keer zagen. Zijn postuur paste namelijk precies bij zijn naam, die verwees naar een klein knaagdiertje dat in de sloppenwijk veel voorkwam. Dan herinnerden ze zich zijn rang bij de Dieven en de minder prettige gevolgen die hardop lachen zouden kunnen hebben.

'Ceryni,' zei de vrouw. 'Jij bent Ceryni?'

Haar stem was vol en diep en ze had een accent dat hij niet direct kon plaatsen. Maar het was beslist niet Lonmarees.

'Ja. En jij bent Savara.' Het was geen vraag. Als ze over haar naam gelogen had, zou ze haar ware naam heus niet vertellen als hij er nu naar vroeg.

'Dat klopt.'

Ze deed een stap naar het bureau en haar ogen gleden door de kamer, voor ze ze weer op hem richtte.

'En je zegt dat ik een probleem heb waarbij jij me kunt helpen,' zei hij meteen.

Een zweem van een glimlach verlichtte haar gezicht en benam hem de adem. *Als ze voluit zou glimlachen zou ze bedwelmend knap zijn.* Daarom was Gol natuurlijk zo opgewonden geweest, al had hij geprobeerd het te verbergen.

'Klopt ook.' Ze fronste haar wenkbrauwen. 'Je hebt een probleem.' Haar blik verliet de zijne en ging over hem heen alsof ze iets overdacht. Ze keek hem weer aan. 'De andere Dieven zeggen dat jij degene bent die op moordenaars jaagt.'

Moordenaars? Cery kneep zijn ogen tot spleetjes. *Dus zij weet ook dat het er meer dan een zijn.*

'En hoe dacht je me te kunnen helpen?'

Ze glimlachte en Cery's vermoeden werd bevestigd: ze was inderdaad bedwelmend knap. Maar hij had zich niet voorbereid op de uitdaging en het zelfvertrouwen dat daar deel van uitmaakte. Deze meid wist hoe ze haar uiterlijk in moest zetten om alles gedaan te krijgen.

'Ik kan je helpen door ze te vinden en ze af te maken.'

Cery's hartslag versnelde. Als zij wist wie de moordenaars waren, en dacht dat ze ze dood kon maken...

'En hoe wilde je dat aanpakken?' vroeg hij.

De glimlach verdween. Ze kwam weer dichterbij. 'Vinden of afmaken?'

'Allebei.'

'Ik zeg vandaag niets over mijn methoden om te doden. Maar wat dat vinden betreft,' – ze fronste haar wenkbrauwen weer – 'dat is wat lastiger, maar altijd nog makkelijker voor mij dan voor jou. Ik kan ze herkennen.'

'Dat kan ik ook,' merkte Cery op. 'Waarom is jouw manier beter?'

Ze glimlachte weer. 'Ik weet meer van hen. Ik zeg je alleen dat er vandaag weer eentje de stad is binnengekomen. Hij zal zich waarschijnlijk twee dagen moed indrinken, voor hij zijn eerste slag slaat.'

Hij dacht over haar antwoord na. Als ze niks wist, waarom zou ze dan met dit bewijs aankomen? Tenzij ze een 'bewijs' wilde achterlaten door zelf iemand af te maken. Hij nam haar nog eens scherp op en er liep een koude rilling over zijn rug toen het hem eindelijk trof: dat brede voorhoofd, die matgouden huidskleur... Waarom had hij dat niet meteen gezien? Maar hij had dan ook nog nooit een Sachakaanse *vrouw* ontmoet....

Hij wist nu vrijwel zeker dat ze gevaarlijk was. Of ze gevaarlijk was voor hem of voor de moordenaars uit haar vaderland, viel nog te bezien. Hoe meer hij uit haar kon trekken over wie ze was, hoe beter.

'Werk je soms samen met mensen in jouw land die je vertellen wanneer een moordenaar Kyralia zal binnenkomen?'

Ze zweeg even. 'Ja.'

Cery knikte. 'Hoe weet ik,' zei hij langzaam, 'of je niet een paar dagen wacht en zelf iemand afmaakt?'

Haar blik verkilde. 'Dan laat je me gewoon in de gaten houden. Ik blijf in mijn kamer en eten kan gebracht worden.'

'We moeten elkaar laten zien dat we aan dezelfde kant staan,' zei hij. 'Jij zocht mij op, dus lever jij eerst bewijs. Ik zet een mannetje bij je deur, en we praten verder zodra de moord gepleegd is. Oké?'

Ze knikte.

'Wacht maar in de eerste kamer. Ik regel de zaken en laat je door een vriend naar je adres brengen.'

Hij keek nauwkeurig toe hoe ze naar de deur liep. Ze droeg gewone kleren, niet slonzig, niet chic. Het dikke hemd en de broek waren de gewone dracht voor mensen uit Kyralia, maar uit haar manier van lopen maakte hij op dat ze niet veel bevelen had ontvangen in haar leven. Nee, dit was er eentje die zelf de bevelen gaf.

Gol kwam de kamer in zodra ze verdwenen was, en hij stond te popelen om te horen wat er gebeurd was.

'Zet vier kraaien op d'r,' zei Cery tegen hem. 'Elke stap die ze zet wordt gerapporteerd. Let op wie er bij haar komen, loopjongens die haar eten brengen, enzovoort. Ze weet dat er op haar gelet wordt, dus laat haar twee jongens zien die haar zullen schaduwen.'

Gol knikte. 'Wil je nog zien wat ze bij zich had?'

Hij stak een bundeltje naar hem uit. Ietwat verbaasd keek Cery ernaar. *Ze had aangeboden de moordenaars te doden,* redeneerde hij. *Ik betwijfel of ze dat met haar blote handen doet.*

Hij knikte, en Gol rolde het pak van canvas uit op de schrijftafel. Cery grinnikte toen hij de collectie messen en dolken zag. Hij pakte ze een voor een op en testte hun gewicht. Sommige hadden ingegraveerde figuren en symbolen, sommige hadden edelstenen in het heft. Uit Sachaka waarschijnlijk. Hij legde het grootste, kromme, met edelstenen bezette mes opzij en knikte naar Gol.

'Geef maar terug.'

Gol knikte, pakte het bundeltje in en nam het mee naar de gang. Toen de deur dichtviel, leunde Cery weer achterover en dacht na over deze opmerkelijke vrouw. Als alles waar was wat ze zei, kon ze wel eens erg nuttig voor hem zijn.

En als ze loog? Hij fronste zijn voorhoofd. Kon een Dief haar gestuurd hebben? Ze had met de 'andere Dieven' gepraat. Hij kon niet bedenken waarom iemand zich zo druk zou maken. Hij zou alle mogelijkheden eens goed op een rijtje moeten zetten. En hij zou de kraaien duchtig aan de tand voelen.

En moet ik het hém vertellen? dacht Cery. Om iets anders te bespreken dan de boodschappen die gecodeerd waren moesten ze elkaar ontmoeten. En als dat niet absoluut noodzakelijk was, dan liever niet. Was dit belangrijk genoeg?

Een Sachakaanse vrouw met contacten in haar vaderland. Allicht was dit belangrijk.

Maar Cery liep niet te hard van stapel. Eerst maar eens zien hoe nuttig ze was. En hij moest toegeven dat hij weinig zin had om zijn contactpersoon te storen voor elke keer dat hij zijn werkwijze een beetje veranderde. Al stond hij diep bij de man in het krijt.

Hij zou nu maar eens met een nieuwe tactiek uit eigen koker moeten komen.

Terwijl Sonea wachtte tot de les Krijgsvaardigheden zou beginnen, wreef ze even in haar ogen, en ze moest zich inhouden om niet te gaan gapen. Diep in de nacht had ze Corens dagboek eindelijk uitgelezen, want de herinneringen van de architect kon ze gewoon niet neerleggen en bovendien was ze bang dat als ze het boek nu weglegde, ze het de volgende avond niet meer terug zou vinden, waardoor ze nooit zou weten hoe het verhaal afliep.

Terwijl de nacht overging in de eerste tekenen van de dag las ze de laatste alinea.

Ik heb mijn besluit genomen. Als de funderingen van de universiteit gelegd zijn, zal ik heimelijk de kist, met de hele inhoud, in de grond eronder begraven. Naast al deze verschrikkelijke waarheden zal ik de mijne begraven, in de vorm van dit dagboek. Misschien kan ik, door deze stukken aan het daglicht te onttrekken, ook van mijn zeurende schuldgevoel afkomen over wat ik geleerd er erger, gebruikt heb. Als ik durfde zou ik de kist nog het liefst vernietigen, maar ik wil mijn oordeel niet stellen boven dat van hen die de kist daar eerder begraven hebben. Ze waren beslist wijzere lieden dan ik.

Maar de kist moest voor de tweede keer gevonden zijn, want anders had ze Corens boekje nu niet in handen gehad. Wat zou er met de rest van de boeken zijn gebeurd? Had Akkarin ze nu?

Of was het dagboek een vervalsing, gemaakt door Akkarin om het Gilde ervan te overtuigen dat zwarte magie niet zo erg was als ze dachten? Misschien testte hij het op haar uit, om te zien of zij ervan overtuigd zou raken.

Nou, als dat het geval was, had hij zich vergist. Coren geloofde ook dat zwarte magie iets slechts was. Of het nu verzonnen was of niet, hij kon hier niemand mee overhalen zich ook met zwarte magie in te laten.

Maar als het echt was, waarom had hij het dan aan haar gegeven? Sonea staarde naar haar aantekeningen. Hij zou het haar niet zomaar gegeven hebben, omdat hij er toevallig zin in had. Hij moest er een bedoeling mee hebben gehad.

Wat had hij haar nou precies laten zien? Dat Coren zwarte kunst had gebruikt en dat die hem uiteindelijk leerde steen te manipuleren. Die andere magiër – een beroemde – had hetzelfde verbod als hij overtreden. Misschien wilde Akkarin zeggen dat hij het ook tegen beter weten in had geleerd. Misschien vroeg hij om haar sympathie en begrip.

Maar Coren had geen novice gegijzeld om zijn misdaden verborgen te houden.

Zou hij het gekund hebben, als hij anders voor straf zijn krachten, positie of zijn leven had moeten opgeven? Sonea schudde het hoofd. Misschien wilde Akkarin haar illusies die ze had over Coren gewoon de grond in boren.

De plotselinge verschijning van heer Makin onderbrak haar gedachtegang. De leraar zette een grote doos op het bureau en keek de klas aan.

'Vandaag zal ik jullie iets over illusie leren,' zei de Krijger. 'En hoe we dat in de strijd kunnen toepassen. Het allerbelangrijkste van illusie mag je niet vergeten: het gaat hier om bedrog. Een illusie kan je geen pijn doen, maar het kan je wel in gevaar brengen. Ik zal dat illustreren met een verhaaltje.'

Makin ging zitten en legde zijn handen gevouwen voor zich. Alle leerlingen hielden op met schuifelen en zaten muisstil. Makin was een goed verteller.

'Vijf eeuwen geleden woonden er twee broers in de bergen van Elyne. Grind en Lond waren beiden magiërs, bedreven in de krijgskunst. Op een dag kwam er een karavaan voorbij, met aan het hoofd de koopman Kamaka. Zijn dochter, een prachtige jonge vrouw, reisde met hem mee. De twee broers zagen de karavaan en kwamen van hun berg af om goederen in te slaan. Toen ze Kamaka's dochter zagen waren ze op slag verliefd.'

Makin zuchtte en schudde droef het hoofd, wat hem wat lachjes van de leerlingen opleverde. 'Meteen ontstond er een ruzie wie van hen het meisje zou trouwen. De twee broers konden hun ruzie niet met woorden oplossen. Dus begonnen ze een gevecht. Naar verluidt duurde het gevecht dagen (wat me overdreven lijkt) en de broers bleken even sterk en handig in de strijd. Het was Grind die hen uit de impasse hielp. De broer stonden onder aan een klif waarop een enorm rotsblok lag. Grind gebruikte zijn krachten om dit rotsblok te laten vallen, maar hij liet het voorafgaan door een groter, denkbeeldig rotsblok.

Lond zag zijn broer naar iets boven zijn hoofd staren, volgde zijn blik en zag dat er een rotsblok naar beneden viel, maar haalde zijn schouders op omdat hij meteen gezien had dat het denkbeeldig was. Uiteraard zag hij zo het tweede, echte, rotsblok niet dat verborgen was achter het denkbeeldige.

Grind had verwacht dat zijn broer de truc zou doorzien. Toen hij besefte dat hij zijn broer had gedood, werd hij overvallen door smart. De karavaan trok verder, nadat de knappe dochter van Kamaka weer was ingestapt. En zo zie je maar,' eindigde Makin zijn verhaal, 'dat illusies je geen kwaad kunnen doen, maar ze kunnen er wel voor zorgen dat je misleid wordt.'

De Krijger stond op. 'Hoe maak je een illusie? Dat wilde ik jullie vandaag leren. We beginnen met het kopiëren van de zaken die ik heb meegebracht. Seno, kom even naar voren, wil je.'

Sonea luisterde naar de magiër die uitlegde op welke manieren je het beeld van iets kunt oproepen en keek toe hoe Seno de aanwijzingen van de leraar opvolgde. Toen de demonstratie over was, liep Seno langs Sonea's tafeltje op weg naar zijn plaats. Hij glimlachte naar haar en zij liet een mondhoek opkrullen ten antwoord. Hij was sinds haar gevechtsles vorige week erg aardig tegen haar geweest, omdat ze hem een trucje geleerd had dat zwakkere magiërs tegen sterkere kunnen gebruiken.

Terwijl de les verder ging, richtte ze zich op het leren van de technieken voor het maken van illusies. Net toen ze een illusie van een pachivrucht aan het vormen was, verscheen er iets vlak voor haar neus.

Het was een bloem, en de blaadjes waren gemaakt van feloranje herfstbladeren. Ze wilde hem pakken, maar haar vingers gleden door de vreemde bloem. Hij spatte uiteen in duizend vonkjes die spiralend de lucht in gingen en oplosten in het niets.

'Wat knap!' riep Trassia uit.

'Daar heb ik niets mee te maken.' Sonea draaide zich om naar Seno, die naar haar grijnsde. Op zijn tafeltje lag een oranjebruin blaadje.

Heer Makin schraapte nadrukkelijk zijn keel. Sonea draaide zich om en zag de leraar haar streng aankijken. Ze haalde haar schouders op om haar onschuld aan te geven. Hij keek direct naar de vrucht die voor haar lag.

Ze concentreerde zich en liet een imitatiepachi ernaast verschijnen. Hij was wat roder dan hij moest zijn en de schil leek wel erg op een dor blad. Ze zuchtte. Het zou beter gaan als ze niet zo kort geleden een herfstblad gezien had. Ze onderdrukte haar ergernis. Seno had haar niet willen afleiden, hij wilde gewoon indruk maken. Maar waarom deed hij dat nou weer bij haar, waarom niet bij een ander? Hij zou toch niet bij haar in de smaak willen vallen?

Of wel?

Ze weerstond de verleiding om om te kijken en te zien wat hij aan het doen was. Seno was een vrolijk jong, een kletskous, en iedereen mocht hem. Bovendien was zij waarschijnlijk het enige Kyraliaanse meisje dat niet groter was dan hij...

Waar ben ik mee bezig? Ze gromde toen haar illusie in een vormeloze gloeiende bol veranderde. *Al had ik Akkarin niet om me zorgen over te maken, dan was Dorrien er nog wel.*

De herinnering aan Rothens zoon bij de bron in het bos achter het Gilde schoot door haar hoofd. Hoe hij zich vooroverboog om haar te kussen. Ze verdrong de gedachte.

Het was al een jaar geleden dat ze Dorrien gezien had. Steeds als ze aan hem dacht, dwong ze zich op iets anders te concentreren. Ze zou er alleen maar spijt van krijgen – een relatie zat er sowieso niet in, als zij op het Gilde moest blijven tot haar einddiploma en hij bijna het hele jaar ver weg in een dorpje aan de voet van de bergen woonde.

Ze zuchtte, richtte haar aandacht weer op de vrucht en begon haar illusie opnieuw op te bouwen.

Toen Lorlen de deur van zijn kantoor bereikte hoorde hij een bekende stem zijn naam roepen. Zijn assistent kwam met grote passen op hem af.

'Goedenavond, heer Osen.'

Het magische slot opende zich door zijn wilskracht en de deur sprong open. Lorlen stapte naar binnen en gebaarde Osen ook binnen te komen, maar de assistent bleef aarzelend, met norse blik, op de drempel staan. Lorlen volgde Osens blik en zag de man in de zwarte mantel, die ontspannen in een van de leunstoelen had plaatsgenomen.

Akkarin deed dat wel vaker: opduiken in afgesloten kamers, of op onverwachte plaatsen, maar daarom hoefde Osen toch niet zo boos te kijken. Maar de jonge magiër keek alweer vol respect; geen spoor meer te bekennen van de afkeuring die Lorlen had gezien.

Het was me nooit opgevallen dat Osen zo'n hekel aan Akkarin had, mijmerde Lorlen terwijl hij naar zijn bureau liep. *Ik vraag me af hoe lang dat al gaande is.*

'Goedenavond, Opperheer,' sprak Lorlen.

'Goedenavond,' antwoordde Akkarin. 'Ook voor u, heer Osen.'

'Welkom, Opperheer,' zei Osen en knikte.

Lorlen was gaan zitten en keek Osen even aan. 'Was er iets belangrijks?'

'Ja,' antwoordde Osen. 'Ongeveer een halfuur geleden stond er een koerier voor de deur. Kapitein Barran wilde u iets interessants laten zien, als u tijd had.'

Alweer een slachtoffer? Lorlen onderdrukte een huivering. 'Dan moest ik maar even een kijkje nemen, tenzij de Opperheer me dringend nodig heeft.' Hij keek Akkarin aan.

Akkarin had zijn wenkbrauwen gefronst. *Hij schijnt werkelijk ongerust te zijn,* dacht Lorlen. *Zeer ongerust.*

'Nee, nee,' zei Akkarin. 'Barrans verzoek is beslist belangrijker dan de zaken die ik wilde bespreken.'

Er viel een ongemakkelijke stilte terwijl Osen op de drempel bleef staan en Akkarin ook geen aanstalten maakte op te staan. Lorlen keek van de een naar de ander, en stond op.

'Bedankt, Osen. Kun je een koets voor me in gereedheid laten brengen?'

'Jawel, administrateur.' De secretaris knikte beleefd naar Akkarin en liep weg. Lorlen keek Akkarin nogmaals goed aan, en vroeg zich af of hij Osens afkeuring had opgemerkt.

Wat dacht je? Natuurlijk heeft Akkarin dat gezien.

Maar Akkarin scheen Osens vertrek nauwelijks te hebben opgemerkt. Fronsend stond hij op en liep met Lorlen mee naar de deur.

'Je had dit nieuws blijkbaar niet verwacht?' informeerde Lorlen toen hij de hal instapte. Het regende pijpenstelen, dus wachtte hij tot de koets voorreed.

Akkarin kneep zijn ogen tot spleetjes. 'Niet echt.'

'Je kunt natuurlijk met me mee gaan.'

'Het is beter dat jij dat regelt.'

Hij kijkt zeker liever toe. Lorlen gluurde steels naar de ring. 'Goedenacht, dan,' sprak hij.

Akkarin keek hem wat milder aan. 'Goedenacht. Ik zie uit naar je bevindingen.' Zijn mondhoek trilde even. Toen draaide hij zich om en liep de trap af, met de regen die neerkletterde op zijn onzichtbare schild.

Lorlen schudde het hoofd. Er verscheen een koets die aan de voet van de trap stopte. De koetsier sprong van de bok en opende het portier. Lorlen haastte zich de trap af en klom naar binnen.

De tocht naar het Gardebureau leek langer te duren dan anders. De regenwolken hielden het sterrenlicht tegen, maar het natte wegdek reflecteerde het licht van de lampen tegen de gebouwen. De paar mensen die op de been waren snelden voort in hun capes, de gezichten verborgen in de capuchon. Alleen een slagersjongen keek naar de koets die ratelend voorbijkwam.

Toen de koets aangekomen was bij het Bureau steeg Lorlen uit en liep snel naar de deur. Kapitein Barran begroette hem zoals gewoonlijk.

'Het spijt me dat ik u in dit hondenweer moest laten komen,' zei Barran,

Lorlen in de richting van zijn kantoortje leidend. 'Ik wilde u eigenlijk pas morgen laten roepen, maar dan zou wat ik wilde laten zien nog onaangenamer zijn.'

Barran stopte niet in zijn kantoor, maar liep direct de trap af naar het gewelf waar ze de laatste keer waren geweest. De doordringende stank van een lijk in verregaande staat van ontbinding sloeg hen bij binnenkomst tegemoet. Lorlen zag tot zijn ontzetting dat er een ietwat vervormde menselijke gedaante onder een lap stof op een van de hoge banken lag.

'Alstublieft.' De kapitein stapte naar een kastje waar hij een flesje en twee doekjes uit haalde. Hij liet een paar gele druppels uit het flesje op de doekjes vallen en gaf er een van aan Lorlen. 'Houd dit tegen uw neus.'

Ogenblikkelijk werd de stank in Lorlens neus enigszins verhuld door een sterke medicinale geur. Barran liep met het andere doekje tegen zijn gezicht gedrukt naar de bank.

'Deze man werd vandaag drijvend in de rivier gevonden,' zei hij. 'Hij is al een paar dagen dood.' Hij tilde het kleed op en een bleek gelaat werd zichtbaar. De ogen waren afgedekt. Toen de rest van het lichaam ontbloot werd, moest Lorlen zichzelf dwingen de rotte plekken en de gaatjes die door vissen veroorzaakt konden zijn te negeren. Hij keek wel naar de wond bij het hart en de ondiepe snijwond in de hals.

'Weer een slachtoffer.'

'Nee.' Barran keek Lorlen aan. 'Hij is door twee getuigen herkend. Volgens hen is het de moordenaar.'

Lorlen keek Barran perplex aan, en staarde toen weer naar het lijk. 'Maar hij is op dezelfde manier omgebracht!'

'Ja. Als wraak misschien. Kijk hier eens.' De gardist wees op de linkerhand van het lichaam. Er ontbrak een vinger. 'Hij droeg een ring. We moesten hem eraf snijden.' Barran legde het kleed weer over het slachtoffer heen en wees op een schaaltje op een andere bank. Er zat een vies zilveren ringetje in.

'Er zat een steen in, maar die konden we niet te pakken krijgen. De onderzoeker vond glasscherven in de huid en de tandjes op de ring waren verbogen; het lijkt erop dat de ring kapotgeslagen is. De steen moet van gewoon glas gemaakt zijn geweest.'

Lorlen weerstond de neiging naar zijn eigen ring te kijken. Akkarins ring. *Dus is mijn vermoeden wat de ring van de moordenaar betreft juist. Ik vraag me af...*

Hij wendde zich weer naar het toegedekte lichaam. 'Ben je er wel zeker van dat dit de moordenaar is?'

'De getuigen waren erg stellig.'

Lorlen ging naar het lijk en pakte een arm beet. Hij vermande zich, en met twee vingers op de kille huid stuurde hij zijn zintuigen naar binnen. Meteen ontdekte hij een hoop energie en dat luchtte hem op. Maar er was iets vreemds aan de hand. Hij tastte rond en deed een stap achteruit toen hij merkte wat het was. Het leven zinderde voort in de maag, de longen, de huid en de wonden. De rest was echter volkomen leeg.

Natuurlijk, dacht hij. *Deze man heeft dagen in het water rondgedreven. Tijd genoeg voor kleine organismen om binnen te dringen. Als we later gekomen waren hadden we de ware toedracht niet meer kunnen achterhalen.*

Lorlen stapte weg van de hoge bank.

'Genoeg gezien?' vroeg Barran.

'Ja.' Lorlen veegde zijn vingers af aan het doekje voor hij het weer aan Barran overhandigde. Hij hield zijn adem in tot de deur achter hen in het slot viel.

'Hoe nu verder?' vroeg Lorlen zich hardop af.

Barran zuchtte. 'We wachten af. Als het moorden weer begint, weten we zeker dat er meerdere moordenaars actief zijn.'

'Ik hoop echt dat het nu afgelopen is,' antwoordde Lorlen.

'Dat willen we allemaal wel,' zei Barran, 'maar ik moet hoe dan ook op zoek naar de moordenaar van de moordenaar...'

De moordenaar van de moordenaar. Nog een zwarte magiër. Akkarin misschien? Hij keek naar de deur die ze net dichtgedaan hadden. Dat lijk leverde het bewijs dat er zwarte magiërs waren – of waren geweest – buiten Akkarin. Was er soms een hele bende van? Lorlen stond opeens te trappelen om snel naar huis te gaan, naar zijn veilige kamer in het Gilde, om alles nog eens rustig te overdenken.

Maar Barran wilde de ontdekking verder bespreken. Hij onderdrukte een zucht en volgde de kapitein naar zijn kantoor.

4

De volgende stap

Rothen zat in zijn favoriete stoel aan de zijkant van de Nachtzaal en bekeek zijn collega's. Elke week kwamen de magiërs bij elkaar om te praten en de laatste roddels te horen. Sommigen vormden vaste groepjes die ontstaan waren uit vriendschap of omdat ze dezelfde discipline deelden. Anderen groepeerden zich naar gelang familie- en Huisbanden. Hoewel verwacht werd dat magiërs geen aandacht meer aan deze banden zouden schenken als ze bij het Gilde kwamen, bleven deze banden bestaan, met alle wantrouwen, vriendjespolitiek en gekonkel van dien.

Aan de andere kant van de zaal zaten drie magiërs die zo te zien wel wat anders aan hun hoofd hadden dan ijdel gezwets. Heer Balkan, die het rode gewaad met de zwarte gordel van het Hoofd der Krijgers droeg, was van hen de jongste. Vrouwe Vinara, het Hoofd der Genezers in haar groene gewaad, was een ernstige vrouw van middelbare leeftijd. Heer Sarrin, het Hoofd der Alchemisten, had een dikke bos grijs haar en droeg een dieppaars gewaad. Rothen wenste dat hij hun conversatie kon horen. Al een uur waren de drie in druk gesprek verwikkeld. Wanneer er iets te bespreken viel bij de hoge magiërs, waren deze drie het meest te horen en hadden ze ook de meeste invloed. Een onderwerp werd door hen van alle kanten beschouwd, dankzij Balkans directe logica, Vinara's mededogen en inzicht en Sarrins conservatieve meningen.

Maar Rothen wist dat hij hen nooit voldoende kon naderen zonder te worden opgemerkt. Daarom richtte hij zijn aandacht maar op magiërs die wat dichterbij stonden. En zijn hart sloeg een slag over toen hij een bekende stem opving. Administrateur Lorlen... Hij stond ergens achter zijn stoel. Hij sloot zijn ogen en concentreerde zich op de stem.

'... en ik begrijp dat veel Alchemisten bezig zijn met langetermijnprojecten die ze niet graag op een laag pitje zetten,' zei Lorlen. 'Iedereen zal de kans krijgen om te protesteren tegen hun bemoeienis bij de bouw van de nieuwe Uitkijktoren, maar ze moeten wel kunnen bewijzen dat hun werk onherstelbaar geschaad wordt door het oponthoud.'

'Maar...'

'Ja?'

Iemand zuchtte. 'Ik snap gewoon niet dat wij Alchemisten onze tijd moeten verspillen met zulke... onzin! Observatie van het wéér, nou vraag ik je! Kan Davin niet gewoon een hutje op die heuvel bouwen? Waarom een hele toren?' De protesterende magiër was heer Peakin, hoofd Alchemistische Studiën. 'En de noodzaak om de Krijgers erbij te betrekken ontgaat mij ten enenmale. Is dat torentje ook maar van enig belang voor alchemie of krijgskunde?'

'Allebei, ja,' zei Lorlen. 'De Opperheer heeft besloten dat het erg kortzichtig zou zijn om een toren van dit formaat te bouwen zonder aan het militaire potentieel te denken. Hij dacht ook dat de koning het plan niet zou goedkeuren als het alleen maar voor de observatie van weerpatronen zou worden gebruikt.'

'En wie gaat die toren dan ontwerpen?'

'Daar moet nog over worden beslist.'

Rothen glimlachte. Davin werd al jaren als excentriekeling beschouwd, maar onlangs was er toch waardering gegroeid voor zijn studie van weerpatronen en -voorspelling. Heer Peakin had zich echter al vanaf het begin geërgerd aan Davins enthousiasme en vreemde obsessie.

De discussie over de toren werd beëindigd toen een nieuwe stem zich onder de andere mengde.

'Goedenavond, administrateur, heer Peakin.'

'O, goedenavond, directeur Jerrik,' zei Peakin. 'Ik heb gehoord dat Sonea geen avondlessen meer zal volgen. Is dat waar?'

Bij het horen van Sonea's naam spitste Rothen meteen de oren. Jerrik was degene die alle zaken omtrent de studie van de novicen regelde. Misschien kwam Rothen zo iets te weten over haar vorderingen.

'Jazeker,' zei Jerrik. 'De Opperheer heeft gisteren een gesprekje met me gehad. Enkele leraren hadden me gemeld dat ze nogal moe en snel afgeleid was. Dat was Akkarin ook al opgevallen en hij was het ermee eens dat ze de rest van de avonden vrijaf krijgt tot het einde van het schooljaar.'

'En wat komt er dan terecht van de onderwerpen waarmee ze net begonnen was?'

'Die pikt ze volgend schooljaar weer op, met dien verstande dat ze geen projecten hoeft te doen als daar geen reden toe is. De leraren moeten schrappen wat ze al gehad heeft in dit jaar.'

De stemmen werden zwakker. Rothen moest zich inhouden om niet rond te kijken.

'En heeft ze al voorkeur voor een bepaalde studierichting aangegeven?' vroeg Peakin. 'Dit maakt het des te noodzakelijker dat ze zich instelt op de lessen die daarbij aansluiten.'

'Akkarin heeft nog geen besluit genomen,' antwoordde Lorlen.

'*Akkarin* heeft nog geen besluit genomen?' herhaalde Jerrik nadrukkelijk.
'Maar het is toch Sonea die moet kiezen?'

Even was het stil. 'Uiteraard,' beaamde Lorlen. 'Ik bedoel alleen maar dat Akkarin nog niet heeft aangegeven welke richting hij voor haar het beste acht, dus zei ik alleen dat hij nog niet besloten heeft wat hij haar zal aanbevelen.'

'Misschien wil hij haar helemaal niet beïnvloeden,' zei Peakin. 'En daarom heeft hij... een goede basis... voordat...'

De stemmen vervaagden in de verte. Aangezien de magiërs dus naar elders in de zaal verdwenen, leegde Rothen zijn glas en zuchtte.

Dus nu had Sonea haar avonden weer voor zichzelf. Zijn stemming versomberde bij de gedachte dat ze daar eenzaam in haar kamertje in de villa van de Opperheer zou zitten, vlak bij Akkarin en zijn kwalijke praktijken. Toen schoot hem te binnen dat ze elk vrij uurtje bij hem in de novicebibliotheek had doorgebracht. Ze zou daar ongetwijfeld weer elke avond heen gaan als ze geen les had.

Opgelucht stond Rothen op, gaf zijn lege glas aan een bediende en ging op zoek naar Yaldin.

Sinds Irand hun een studeerkamer had toegewezen, hadden Dannyl en Tayend daar regelmatig wat meubilair heen gebracht tot het daar net zo comfortabel en gezellig was als een ontvangstkamer in het huis van een edelman. De lange tafel die eens de kamer had gedomineerd, werd nu opgevrolijkt door gemakkelijke stoelen en een bank, een goedgevuld wijnkabinetje en olielampen om bij te lezen. De lampen waren de enige warmtebron als Dannyl er niet was. Maar vandaag had hij een magische warmtebol in een nis in de muur geplaatst en de hitte had al snel de kilte uit de stenen muren verjaagd.

Tayend was niet aanwezig toen Dannyl de studeerkamer in kwam. Nadat hij nog een uurtje met Irand had gepraat was hij daar op zijn vriend gaan wachten, en worstelde zich nu door een stapel verslagen van een oud kasteel uit de buurt, in de vage hoop dat er een aanwijzing naar oude magie in te vinden zou zijn. Plotseling stormde Tayend de kamer binnen. Hij stopte midden in de kamer en wankelde even; hij had duidelijk een glaasje te veel op.

'Zo, jij hebt je wel vermaakt, zie ik,' merkte Dannyl op.

Tayend zuchtte theatraal. 'O, ja. Ze hadden uitstekende wijn. Heerlijke muziek. Zelfs een stel knappe, lenige acrobaatjes waar ik mijn ogen niet vanaf kon houden... Maar ik heb me losgeweekt, want ik wist dat ik maar een paar uur respijt kreeg van mijn slavenarbeid in de bibliotheek voor mijn meedogenloze, veeleisende Gildeambassadeur.'

Dannyl sloeg zijn armen over elkaar en glimlachte. 'Slavenarbeid, zeg dat wel. Je hebt van je leven nog nooit een dag fatsoenlijk werk verricht.'

'Maar onfatsoenlijk des te meer, dat moet je toegeven.' Tayend grinnikte. 'En trouwens, ik heb ook nog wat voorwerk gedaan op het feest. Dem Marane was er – je weet wel, die misschien de rebelse magiër is.'

'Echt waar?' Dannyl leunde naar voren. 'Is dat even toevallig.'

'Niet echt,' zei Tayend schouderophalend. 'Ik zie hem zo vaak op feestjes, maar ik heb nooit meer met hem gepraat sinds dat eerste gesprekje met hem. Maar nu vond ik dat ik wel even met hem kon gaan kletsen. Ik heb hem de hint gegeven dat we best eens op een van zijn feestelijke bijeenkomsten wilden komen.'

Dannyl keek geschrokken op. 'Wát heb je gezegd?'

Tayend wuifde de paniek weg. 'Niets speciaals. Ik liet luchtig vallen dat ik opeens geen uitnodigingen meer van hem kreeg sinds ik bij jou in dienst was, en toen keek ik even sluw om me heen, maar ook geïnteresseerd.'

'Dat had je nou niet moeten doen,' zei Dannyl benauwd. 'Hoe vaak heb je van die uitnodigingen gehad?'

De geleerde grinnikte. 'Je lijkt wel jaloers, Dannyl. Een paar keer per jaar maar. En het waren niet echt uitnodigingen ook. Hij gaf alleen aan dat ik nog steeds welkom zou zijn op zijn "feestjes".'

'En daar hield hij mee op toen je mijn assistent werd?' Dannyl ijsbeerde door de kamer. 'Snap je wat je net gedaan hebt? Je hebt duidelijk gemaakt dat we weten wat hij en zijn maten van plan zijn. Als ze doen wat Akkarin vermoedt dat ze gaan doen, dan nemen ze elk signaal van gevaar serieus... heel serieus.'

Tayend sperde zijn ogen open. 'Maar... ik probeerde alleen maar geïnteresseerd over te komen.'

'Dat is waarschijnlijk al genoeg om Marane in paniek te doen raken. Hij zit waarschijnlijk al na te denken over wat hij nu met ons moet beginnen.'

'Hoe bedoel je?'

Dannyl zuchtte. 'Nou, ik denk niet dat hij gaat zitten wachten tot het Gilde komt om hem aan te houden. Hij zint waarschijnlijk op manieren om ons het zwijgen op te leggen. Chantage. Of moord.'

'Moord! Maar... hij zal toch ook wel inzien dat ik hem niet benaderd zou hebben als ik van plan was hem uit te leveren? Als ik dat van plan was, dan zou ik... hem gewoon uitleveren...'

'Maar aangezien je nu alleen maar vermoedt dat hij een opstandeling is,' antwoordde Dannyl, 'doe je precies wat hij verwacht: binnen zien te komen om te kijken of je vermoeden gerechtvaardigd is. Daarom stelde Akkarin voor dat we hem beter iets in handen kunnen spelen waarmee hij ons chanteren kan.'

Tayend ging zitten en wreef over zijn voorhoofd. 'Denk je nou heus dat hij gaat proberen me te vermoorden?' Hij vloekte. 'Ik zag alleen een mooie kans, en nou...'

'Nee. Als hij ook maar een greintje verstand heeft, gaat hij geen moeite doen je het zwijgen op te leggen.' Dannyl leunde met zijn ellebogen op tafel. 'Hij zal proberen zo veel mogelijk over ons te weten te komen, liefst dingen die wij geheim willen houden. Waar hij ons mee kan raken. Onze familie, rijkdom, eer.'

'En... ons?'

Dannyl schudde het hoofd. 'Al heeft hij geruchten gehoord, dan zou hij er nog niet op kunnen vertrouwen. Hij wil iets waarvan hij zeker is. Als we hem het geheim van onze relatie eerder in handen hadden gespeeld, wisten we zeker dat hij ons daarop zou willen pakken.'

'Hebben we daar nog tijd voor?'

Dannyl keek zijn vriend aan. 'Nou, als we heel snel zijn...'

De opwinding in de ogen van de jonge geleerde was verdwenen. Dannyl wist niet wat hij liever zou doen: hem geruststellend omhelzen of hem eens flink door elkaar rammelen. Door zelf alles over magie te verzamelen, hadden de Elynese hovelingen een van de belangrijkste wetten van de Geallieerde Landen gebroken. De straf die daarop stond was, afhankelijk van de omstandigheden, levenslang of de doodstraf. De rebellen zouden ontdekking tot elke prijs willen vermijden.

Aan de deerniswekkende uitdrukking op Tayends gezicht te zien was het gevaar van zijn onbezonnen daad nu wel goed tot hem doorgedrongen. Zuchtend legde Dannyl zijn handen op Tayends schouders.

'Maak je geen zorgen, Tayend. Je hebt alles alleen een beetje te vroeg in werking gesteld, dat is alles. Laten we Irand gaan zoeken en hem vertellen dat we meteen in actie moeten komen.'

Tayend knikte, stond op en volgde hem naar de deur.

Het was al laat toen Sonea het klopje op haar deur hoorde. Ze zuchtte van opluchting. Viola was laat en Sonea snakte naar haar beker raka die haar kamermeisje haar elke avond bracht.

'Binnen.' Zonder op te kijken deed ze de deur door wilskracht open. Toen de bediende niet binnenkwam keek ze op, en ze verstarde van schrik.

Daar stond Akkarin, zijn bleke gelaat bijna verborgen in de schaduwen van de gang. Hij kwam binnen met twee grote, zware boeken in zijn handen. Het omslag van een van de twee zat vol vlekken en slijtageplekken.

Met kloppend hart stond ze op en maakte een buiging.

'Heb je het dagboekje uit?' vroeg hij.

Ze knikte. 'Ja, Opperheer.'

'En wat vond je ervan?'

Wat moest ze in hemelsnaam zeggen? 'Het... het beantwoordt een heleboel vragen,' zei ze ontwijkend.

'Zoals?'

'Hoe heer Coren ontdekte hoe hij steen kon vervormen.'

'En verder?'

Dat hij zichzelf zwarte magie leerde.

Ze wilde het niet zo bot zeggen, maar Akkarin verwachtte wel de erkenning van dat feit. Wat zou hij doen als ze weigerde er woorden aan vuil te maken? Hij zou haar ongetwijfeld onder druk zetten. Ze was te moe om een manier te bedenken om daar onderuit te komen.

'Hij gebruikte zwarte magie. Hij zag dat het verkeerd was,' zei ze kortaf.

'Hij is ermee gestopt.'

Zijn mondhoek ging even omhoog. 'Inderdaad. Ik denk niet dat het Gilde dat allemaal zou willen weten. De echte Coren is geen held waar novicen mee kunnen dwepen, al kwam hij er uiteindelijk weer van terug.'

Hij stak haar de boeken toe. 'Dit is een verslag dat nog veel ouder is. Ik heb zowel het origineel als de kopie meegenomen. Het origineel valt zowat uit elkaar, dus bekijk het alleen als je wilt opzoeken of de kopie het wel bij het rechte eind heeft.'

'Wat moet ik met die boeken?'

De vraag was eruit voor ze er erg in had. Ze kon zichzelf wel slaan, zo brutaal en wantrouwend had het geklonken. Akkarins ogen boorden zich in de hare en ze keek weg.

'Je bent op zoek naar de waarheid,' zei hij. Het was een constatering, geen vraag.

Hij had gelijk. Ze wilde weten hoe het zat. Enerzijds wilde ze de boeken liever negeren, of weigeren te lezen omdat hij dat van haar wilde. Toch stapte ze naar hem toe en nam ze aan. Ze keek hem niet aan, al wist ze dat hij haar goed in het oog hield.

'Net als met het dagboek, mag niemand zien dat je deze boeken bestudeert,' zei hij rustig. 'Ook je kamermeisje mag ze niet ontdekken.'

Ze liep terug en bekeek het omslag van het oudste boek. *Verslag van het 235e jaar* stond erop. Het boek was meer dan vijfhonderd jaar oud! Onder de indruk keek ze vluchtig naar Akkarin. Hij knikte, want hij begreep wat ze bedoelde, en draaide zich om. Zijn voetstappen echoden door de lange gang en vervolgens hoorde ze de deur van zijn slaapkamer dichtgaan.

De boeken waren zwaar. Ze sloot de deur met een klein beetje magie en ging naar haar bureau. Ze schoof haar uittreksels opzij en legde de boeken naast elkaar neer.

Ze opende het origineel en sloeg voorzichtig de eerste pagina's om. Het schrift was verbleekt en onleesbaar op sommige stukken. Toen ze de kopie opensloeg huiverde ze even bij het zien van Akkarins sierlijke, duidelijke handschrift.

Nadat ze een paar regels van het oude boek gelezen had, vergeleek zij ze met die in de kopie en bevestigde dat ze exact hetzelfde waren. Akkarin had noten gezet als de tekst te verbleekt was, en had aangegeven wat hij dacht dat de ontbrekende woorden moesten zijn. Ze sloeg wat bladzijden over, checkte nog wat alinea's, en deed hetzelfde met een pagina uit het midden en het eind van het boek. Ze leken allemaal als twee druppels water op het origineel. Maar ze besloot toch om later het hele boek woord voor woord te vergelijken.

Ze legde het origineel opzij, keerde terug naar de eerste bladzij van de kopie en begon te lezen.

Het was een verslag van dag tot dag over een Gilde dat veel jonger en kleinschaliger was dan het huidige. Na een aantal pagina's was ze al voor de schrijver gevallen, omdat hij zo bewonderend kon schrijven over de mensen met wie hij leefde. Het Gilde uit zijn tijd was heel anders dan dat waarin zij studeerde. Magiërs namen leerlingen aan in ruil voor geld of andere ondersteuning. Toen de schrijver verderop verduidelijkte waaruit die ondersteuning dan wel bestond, staarde ze vol afschuw voor zich uit.

Deze vroege magiërs maakten zichzelf krachtiger door magie aan hun leerlingen te onttrekken! Ze gebruikten zwarte magie.

Ze las het stukje herhaaldelijk over, maar het stond er toch echt. Ze noemden het 'hoge magie'.

Ze keek naar de rug en zag dat ze al een kwart van het boek had gelezen. Toen ze verder las, merkte ze dat de verslagen steeds vaker ingingen op de bezigheden van een eigenzinnige leerling, Tagin. Hij scheen zichzelf hoge magie te hebben geleerd tegen de zin van zijn meester. Misbruik werd ontdekt: Tagin had kracht ontleend aan gewone mensen, wat nooit mocht gebeuren, tenzij in uiterste nood. De schrijver van het boek was er heel kwaad over en keurde het nadrukkelijk af, tot zijn toon opeens omsloeg. Hij was bang geworden.

Tagin had hoge magie gebruikt om zijn meester te doden.

De toestand liep helemaal uit de hand. Toen de magiërs van het Gilde een manier zochten om hem te straffen, begon Tagin in het wilde weg mensen te vermoorden. Zo verkreeg hij de kracht om hen de baas te blijven. Magiërs rapporteerden hoe mannen, vrouwen en kinderen werden afgeslacht. Hele dorpen werden verwoest, er bleven hooguit enkelingen over die sidderend over de kwaadaardigheid van de moordenaar vertelden.

Ze schrok zich een hoedje toen er op de deur geklopt werd. Ze sloot snel de boeken, zette ze met de rug tegen de muur en legde er wat gewone boeken bovenop. Ze trok snel haar notities voor zich alsof ze haar huiswerk aan het maken was.

Toen ze de deur opende, kwam Takan binnen met haar beker raka. Ze bedankte hem, maar was te zeer in de war om te vragen waar Viola was. Toen hij weer weg was, dronk ze haastig een paar slokken, pakte het *Verslag* en begon weer te lezen.

Het is bijna ongelofelijk dat iemand tot zoveel zinloos geweld in staat is. Gisteren werd gepoogd hem te overmeesteren, maar dat dreef hem tot razernij. De laatste rapporten luiden dat hij alle dorpelingen van Agen en Fennin vermoord heeft. Hij

53

heeft alle controle verloren en ik vrees dat ook wij het niet zullen overleven. Eerlijk gezegd verbaast het me dat hij zich nog niet tot ons heeft gewend, maar misschien is dit alleen maar de inleiding tot de beslissende slag.

Sonea leunde achterover in haar stoel en schudde ongelovig haar hoofd. Ze sloeg de vorige bladzij op en las de laatste alinea nogmaals. Tweeënvijftig magiërs, vol kracht van hun leerlingen en het vee van de doodsbange stedelingen, waren er niet in geslaagd Tagin te verslaan. Daarop volgde een verslag van Tagins schijnbaar willekeurige verwoesting van de dorpen van Kyralia. Toen zag Sonea de woorden waarvoor ze bang was geweest:

Mijn grootste angst is bewaarheid. Vandaag heeft Tagin de heren Gerin, Dirron en Winnel en vrouwe Ella vermoord. Houdt het pas op als alle magiërs dood zijn, of als hij de hele wereld van alle leven heeft ontdaan? Het uitzicht vanuit mijn kamer is gruwelijk. Duizenden gorins, enka's en rebers liggen te rotten op de velden; ze hebben hun bloed gegeven voor de verdediging van Kyralia. Te veel om op te eten...

En zo ging het door tot de helft van de magiërs gestorven waren. Een kwart van de anderen hadden hun spullen gepakt en waren ervandoor gegaan. En de laatsten deden een moedige poging om boeken en medicijnen op te slaan en te verstoppen.

En als dit nu eens hier zou gebeuren? Het Gilde was gegroeid, maar elke magiër had slechts een fractie van de kracht van hun dode collega's. Als Akkarin eens net als Tagin de geest kreeg... Ze rilde en las snel verder. De volgende alinea verraste haar.

Het is voorbij. Toen Alyk me het nieuws vertelde wilde ik het eerst niet geloven, maar een uur geleden ben ik de Uitkijktoren opgeklommen en ik zag het met eigen ogen. Het is waar. Tagin is dood. Alleen hij had zo'n verwoesting kunnen laten plaatsvinden in zijn laatste ogenblikken.
Heer Eland riep ons bijeen en las een brief voor van Indria, Tagins zuster. Ze vertelde dat ze van plan was hem te vergiftigen. We kunnen nu aannemen dat haar plan is geslaagd.

De schrijver van het verslag ging verder met de trage wederopbouw. De magiërs die gevlucht waren, kwamen terug. De voorraden en bibliotheken werden weer gevuld. Sonea keek lichtelijk verbaasd naar de lange stukken waarin beschreven werd hoe ook de gewone mensen er weer bovenop kwamen. Blijkbaar had het Gilde lang geleden wél om het welzijn van het volk gegeven.

Ja, het oude Gilde werd natuurlijk door Tagin vernietigd. Ik heb iemand horen zeggen dat vandaag een nieuw Gilde is opgestaan. De eerste verandering begon voor dag en dauw toen vijf jongemannen zich bij ons aanmeldden. Het zijn onze 'novicen' die van iedereen les zullen krijgen, niet van één magiër. Ze zullen geen les krijgen in hoge magie tot ze bewezen hebben dat ze helemaal te vertrouwen zijn. Als het aan heer Karron ligt zal niemand ooit meer les in hoge magie krijgen.

En heer Karron kreeg steeds meer steun om wat men nu 'zwarte' magie noemde in de ban te doen. Sonea sloeg de bladzij om, de laatste die beschreven was, gevolgd door enkele witte pagina's.

Ik kan niet in een kristallen bol kijken, en ik weet ook niet genoeg van magiërs en magie om de toekomst te kunnen raden, maar nadat we ons besluit hadden genomen werd ik opeens bevangen door de angst dat de Sachakanen zich in de toekomst weer tegen ons zouden keren, terwijl het Gilde er niet op voorbereid zou zijn. Ik stelde voor een geheime bergplaats van kennis te maken, die alleen geopend mocht worden als het Gilde zich in doodsgevaar bevond. De rest van het gezelschap was het wel met me eens, want veel van mijn vrienden vreesden dezelfde dreiging.

Er werd besloten dat er een geheim wapen zou komen dat alleen door het Hoofd der Krijgers bediend mocht worden. Hij zou niet weten wat het ding was, maar zou de locatie ervan telkens doorgeven aan zijn opvolger. Ik beëindig hier mijn verslag. Morgen begin ik aan het volgende. Ik hoop echt dat niemand dit verslag zal openen en het zal lezen.

En onder deze zin stond nog een korte aantekening:

Zeventig jaar later stierf heer Koril, Hoofd der Krijgers, op de leeftijd van achtentwintig jaar tijdens een praktijkoefening. Waarschijnlijk heeft hij de locatie van het 'geheime wapen' niet tijdig aan een ander door kunnen geven.

Sonea staarde naar Akkarins aanvulling. Heer Coren had een kist vol boeken ontdekt. Was dat de geheime bergplaats van kennis?

Ze zuchtte en sloot het boek. Hoe meer ze leerde, hoe meer vragen er rezen. Ze stond op en wankelde, en besefte toen pas dat ze uren aan een stuk gelezen had. Geeuwend bedekte ze Akkarins boeken met beschreven velletjes, deed haar nachthemd aan, stapte onder de dekens en viel in slaap, dromend van nachtmerrieachtige scènes van megalomane magiërs die dorpelingen en vee achterna zaten, op jacht naar bloed.

5

Overpeinzingen

oewel hij inzag dat de laatste moord alle kenmerken droeg waar hij altijd op gespitst was, liet Cery Savara pas na een week weten dat ze gelijk had gehad met haar voorspelling. Hij wilde weten hoelang ze haar door zichzelf voorgestelde gevangenschap in haar huurkamertje vol zou houden. Toen hij hoorde dat ze met een van haar bewakers wat vecht-oefeningetjes had gedaan, wist hij dat haar geduld begon op te raken. En eerlijk gezegd werd hij ook wel wat nieuwsgierig toen men hem vertelde dat de bewaker elk partijtje verloren had.

Hij ijsbeerde door zijn kamer terwijl hij haar komst afwachtte. Zijn na-speuringen hadden weinig opgeleverd. De verhuurder van de kamer wist alleen dat Savara er een paar dagen voor haar bezoek aan Cery was ingetrok-ken. Slechts twee van de wapenhandelaars in de stad herkenden haar mes als Sachakaans. Straatjongens beweerden met een flinke duit in hun zakken – om er zeker van te zijn dat ze niet logen – dat ze het nooit hadden hoeven opnemen tegen een wapen als dit. Hij betwijfelde of iemand hem meer kon vertellen over haar en haar kromme mes.

Er werd op de deur geklopt. Hij ging snel in zijn stoel zitten en schraapte zijn keel.

'Binnen.'

Met een warme glimlach liep ze de kamer in. *Ja, die weet verdomd goed hoe knap ze is, en hoe ze daar gebruik van kan maken om alles wat ze wil gedaan te krijgen.* Hij keek haar neutraal aan.

'Hallo, Ceryni,' zei ze.

'Dag, Savara. Ik hoorde dat je bewaker je wat lichaamsbeweging heeft gegeven.'

Er verscheen een klein rimpeltje tussen haar wenkbrauwen. 'Ja, hij stopte er heel wat energie in, maar uiteindelijk kon hij de oefening beter gebruiken dan ik.' Ze zweeg even. 'De anderen hebben zo te zien wat meer in hun mars.'

Cery bedwong een glimlach. Ze had gemerkt dat ze door meer dan één man in de gaten werd gehouden. Die had haar ogen niet in haar zak.

'Het is te laat om dat te proberen,' zei hij schouderophalend. 'Ik heb ze al een ander baantje gegeven.'

De rimpel tussen haar wenkbrauwen werd dieper. 'En die slaaf dan? Heeft hij een moord gepleegd of niet?'

'"Slaaf"?' herhaalde Cery.

'Ja, die vent die de vorige moordenaar vervangen heeft.'

Interessant. Wie was de eigenaar van die slaven? 'Hij heeft iemand vermoord, precies zoals je zei,' beaamde Cery.

Haar ogen schitterden triomfantelijk toen ze het nieuws hoorde. 'Dus dan mag ik je helpen?'

'Kan je ons naar hem toe brengen?'

'Ja,' zei ze zonder aarzeling.

'En wat is je prijs?'

Ze kwam dichter bij het bureau staan. 'Ik wil alleen dat je niets over mij aan je meester vertelt.'

Een huivering doortrok zijn leden. 'Mijn *meester*?'

'Ja, degene die je opdracht gegeven heeft deze mannen te vermoorden,' zei ze zachtjes.

Het was niet de bedoeling dat ze van zijn bestaan afwist. Het was niet eens de bedoeling dat ze wist dat Cery niet uit eigen beweging handelde.

Dit veranderde de zaak. Cery sloeg zijn armen over elkaar en bekeek haar eens goed. Hij had gedacht weinig risico te lopen door onderzoek doen naar haar bruikbaarheid, zonder degene die de jacht georganiseerd had daarover in te lichten. Nu zou het wel eens gevaarlijker kunnen zijn dan hij dacht.

Ze wist te veel. Eigenlijk moest hij zijn beste huurmoordenaar achter haar aansturen om zich van haar te ontdoen. Of haar hier en nu doodmaken. Nu meteen.

Maar terwijl hij dat dacht, wist hij al dat hij dat niet zou doen. *En dat is heus niet alleen omdat ik haar zo interessant vind,* hield hij zichzelf voor. *Ik moet erachter zien te komen hoe het komt dat ze zoveel weet van deze regeling. Ik wacht gewoon af, laat haar in de smiezen houden en we zien wel waar we uitkomen.*

'Heb je hem al over mij verteld?' vroeg ze.

'Waarom is dat zo belangrijk voor je?'

Een donkere blik trok over haar gelaat. 'Twee redenen. Deze slaven weten dat er maar één vijand achter hen aanzit. Het is veel makkelijker voor mij als ze niet weten dat ik in de buurt ben. En er zijn mensen in mijn vaderland die in moeilijkheden zouden komen als de meesters van de slaven zouden horen dat ik hier rondhang.'

'En jij denkt dus dat deze slaven erachter zouden komen dat je hier bent als mijn meester, zoals je hem noemt, van jouw aanwezigheid weet?'

'Misschien. Misschien ook niet. Ik neem liever het zekere voor het onzekere.'

'Je komt er nu pas mee. Ik had het dus allang kunnen vertellen aan die klant van me.'

'Heb je dat gedaan?'

Hij schudde het hoofd.

Ze glimlachte breed, duidelijk opgelucht. 'Ik dacht al dat je dat niet zou doen. Niet voor je wist dat ik kon wat ik beweerde dat ik kon. Nou, is het een deal, zoals jullie Dieven zeggen?'

Cery deed de la van zijn bureau open en pakte haar mes. Hij hoorde dat ze haar adem inhield. De edelstenen in het heft fonkelden in het lamplicht. Hij schoof het in haar richting.

'Vannacht ga je achter die man aan. Met ons. Dat is alles. Niet afmaken. Ik wil er zeker van zijn dat hij het is voor we er een eind aan maken. Als dank zal ik mijn kop houden over jou. Voorlopig.'

Ze glimlachte en popelde duidelijk om aan de slag te gaan. 'Ik zal in mijn kamer wachten tot het donker is.'

Toen ze heupwiegend naar de deur slenterde, begon Cery's hart sneller te slaan. *Hoeveel mannen hebben niet acuut hun verstand verloren door dat loopje, of die glimlach?* vroeg hij zich af. *En hoeveel daarvan zijn nog wel wat meer dan dat alleen kwijtgeraakt? Maar dat zal mij niet gebeuren,* dacht hij ferm. *Ik hou die dame goed in de peiling.*

Sonea deed het boek dicht waarin ze probeerde te lezen en keek de bibliotheek rond. Ze kon zich niet concentreren, want ze moest steeds maar aan Akkarin en het *Verslag* denken.

Het was al een week geleden dat hij de boeken aan haar gegeven had en hij had ze nog steeds niet opgehaald. Het beeld van wat er, verborgen onder een stapel uittreksels, op haar bureau lag, was geen moment uit haar gedachten. Pas als hij ze terugnam zou ze weer opgelucht kunnen ademhalen.

Tegelijkertijd stond ze niet bepaald te springen om Akkarin weer te zien. Ze was bang voor het gesprek dat zou volgen. Zou hij nog meer boeken voor haar meenemen? En wat zou daar nou weer instaan? Tot nu toe waren het eigenlijk alleen nog maar snippers vergeten geschiedenis geweest. Aanwijzingen over het gebruik van zwarte magie hadden er niet in gestaan. Maar die geheime kist die de archivaris had begraven – en die vast en zeker dezelfde kist was die de architect Coren had gevonden en weer verstopt had – zou waarschijnlijk meer dan genoeg informatie bevatten over het 'geheime wapen' van zwarte kunst. Wat zou ze doen als Akkarin haar een van díé boeken te lezen gaf?

Wie kennis nam van zwarte magie hield zich niet aan de wetten van het Gilde. Dus als ze merkte dat ze aanwijzingen voor het gebruik ervan aan het lezen was, zou ze stoppen en het boek dichtslaan.

'Hé, kijk, daar heb je heer Larkin!'

Het was een meisjesstem vlakbij. Sonea zag een schim aan het eind van een van de boekenplanken, bij het raam van de novicebibliotheek.

'Geeft die geen Architectuur en Constructie?' vroeg een andere stem. 'Ik heb nooit zo op hem gelet, maar hij ziet er niet eens zo slecht uit, eigenlijk.'

'En hij is ongetrouwd.'

'Hij heeft ook bijzonder weinig interesse in trouwen, heb ik gehoord.'

Ze giechelden. Sonea boog zich voorover en herkende een van de meisjes als een vijfdejaars.

'O daar! Heer Darlen. Ook een lekker ding.'

Het andere meisje bromde instemmend. 'Maar getrouwd, hè.'

'Mm,' beaamde de eerste spreekster. 'En wat dacht je van heer Vorel?'

'Vorel! Jagh. Dat meen je niet!'

'Heb je het niet zo op Krijgers? Juist sexy!'

Sonea begreep dat ze naar de leraren keken die naar de Nachtzaal liepen. Ze luisterde geamuseerd naar de beoordeling van de jongere magiërs.

'Hé, zie je hem? Nou, dát zou ik niet afslaan...'

'Nee, ik ook niet...' zei de ander zachtjes. 'Nou blijft hij weer staan om met directeur Jerrik te praten.'

'Hij lijkt me wel een beetje... koeltjes, soms.'

'O, maar die is wel op te warmen hoor, zeker weten.'

De meisjes lachten of ze daar ervaring mee hadden. Toen ze weer stil waren, zuchtte de ene smachtend. 'Hij is zo vreselijk knap. Jammer dat hij te oud voor ons is.'

'Och, ik weet niet,' antwoordde de ander. 'Zo oud is hij nou ook weer niet. Mijn nichtje is getrouwd met iemand die nog veel ouder was. Misschien lijkt hij wel oud omdat hij zo streng kijkt, maar veel ouder dan drie-, vierendertig kan de Opperheer niet zijn.'

Sonea verstijfde van verbazing en ongeloof. Ze hadden het over Akkarin! Maar ze wisten natuurlijk niet hoe hij in het echt was. Ze zagen een mysterieuze vrijgezel die machtig en –

'De bibliotheek gaat sluiten.'

Tya, de bibliothecaresse, liep tussen de rijen kasten door. Ze glimlachte naar Sonea terwijl ze voorbijliep. De meisjes bij het raam zuchtten melodramatisch en slenterden naar buiten.

Terwijl Sonea opstond nam ze haar boeken en aantekeningen onder haar arm. Ze keek naar het raam. Zou hij er nog staan?

Ze liep naar het venster en tuurde over het plein. Ja hoor, hij stond nog steeds met Jerrik te praten, met rimpels in zijn voorhoofd. Hij luisterde aandachtig, maar wat hij werkelijk dacht viel niet van zijn gezicht af te lezen. *Hoe komen die meiden erbij dat hij aantrekkelijk is?* vroeg ze zich af. Hij was ongevoelig en arrogant. Hij had niet die heldere oogopslag en warmte van Dorrien, en was in de verste verte niet zo oogverblindend als heer Fergun.

Als die meiden niet bij het Gilde hadden gezeten zouden ze allang getrouwd zijn geweest met iemand die de familie voor hen had uitgezocht.

Misschien letten ze voornamelijk op mannen met macht en invloed omdat dat nu eenmaal de gewoonte was in hun kringen. Ze glimlachte wrang. *Als ze wisten wat er werkelijk aan de hand is,* dacht ze, *zouden ze hem heel wat minder aantrekkelijk vinden.*

Het was middernacht, na drie uur hobbelen in de koets vanaf de lichtjes van Capia. Pikdonker was het; alleen de lampjes die aan de koets bevestigd waren verlichtten hun weg. Starend in de duisternis vroeg Dannyl zich af hoe de koets eruit zou zien voor de mensen die hier in de onzichtbare boerderijtjes woonden; waarschijnlijk zagen ze alleen een soort bewegende dwaallichtjes die je weglokten van huis en haard.

Het rijtuig ging wat langzamer een heuvel op en een fel licht verscheen verderop langs de weg. Terwijl ze sneller heuvelafwaarts gingen zag Dannyl dat het een lantaarn aan de voorkant van een gebouwtje was. De koets vertraagde.

'We zijn er,' mompelde Dannyl.

Hij hoorde hoe Tayend opzij schoof om naar buiten te kijken. De jonge geleerde geeuwde toen het rijtuig nog iets dichterbij reed en vervolgens stopte. Op het uithangbord van de herberg stond: RIVIERZICHT. BEDDEN, MAALTIJDEN, DRANK.

De koetsier klom mompelend van de bok om het portier te openen. Dannyl gaf de man wat drinkgeld.

'Wacht maar binnen op ons,' zei hij. 'Over een uur gaan we weer verder.'

De man maakte een buiging en bonkte op de deur van de herberg. Even was het stil; toen werd er een luikje in de deur opengemaakt. Dannyl hoorde iemand hijgen aan de andere kant.

'Wat kan ik voor u doen, heren?' klonk een stem gedempt.

'Een drankje,' antwoordde Dannyl. 'En een uurtje rust.'

Er kwam geen antwoord, maar er werd iets van metaal verschoven en de deur ging naar binnen open. Een gerimpeld baasje maakte een buiging en liep gebarend met hen mee naar het grote lokaal vol tafels en stoelen. De zware, zoete geur van bol hing in de lucht. Dannyl glimlachte melancholiek vanwege de herinneringen aan de zoektocht naar Sonea die de geur in hem opriep. Het was lang geleden dat hij bol gedronken had.

'Ik ben Urrend. Wat had u gehad willen hebben?' vroeg het mannetje.

Dannyl zuchtte. 'Hebt u soms Porreni Rumia?'

De man grinnikte. 'Natuurlijk. U hebt een goede smaak wat wijn betreft. Maar dat spreekt vanzelf, zulke fijne heren als u. Ik heb een mooie kamer voor hooggeboren gasten. Volgt u me maar.'

De koetsier was aan een tafel gaan zitten en zijn kom bol werd al voor hem neergezet. Dannyl vroeg zich af of hij de man wel drinkgeld had moeten geven – hij had er weinig zin in om halverwege de weg naar Tayends zuster naast een omgevallen koets terecht te komen.

Ze volgden de herbergier de smalle trap op naar een overloop. Hij opende een deur.

'Dit is mijn beste kamer. Ik hoop dat hij u bevalt.'

Dannyl stapte voorzichtig naar binnen en merkte het versleten meubilair op, de tweede deur en de man die daar op zijn gemak in een fauteuil zat.

'Goedenavond, ambassadeur.' De man stond op en maakte een sierlijke buiging. 'Ik ben Royend van Marane.'

'Het is me een eer met u kennis te maken,' antwoordde Dannyl. 'Ik heb begrepen dat u Tayend van Tremmelin al kent?'

De man knikte. 'Jazeker, wij kennen elkaar. Ik heb wijn besteld. Wilt u ook een glas?'

'Een half glaasje, graag,' antwoordde Dannyl. 'Over een uur vertrekken we weer.'

Dannyl en Tayend gingen zitten. De Dem kuierde door de kamer, bekeek de meubels en vertrok zijn gezicht van afschuw, waarop hij naar het raam liep. Hij was langer dan de gemiddelde Elyneeër en zijn haar was ravenzwart. Dannyl had al van Errend gehoord dat de grootmoeder van de Dem uit Kyralia kwam. Hij was van middelbare leeftijd, getrouwd, had twee zoons en was schat- en schatrijk.

'En, hoe bevalt Elyne u, ambassadeur?'

'Ik vind het steeds prettiger hier.'

'Vond u het in het begin dan niet zo aangenaam?'

'Het ging er niet om of ik het prettig vond of niet. Ik had alleen wat tijd nodig om aan de andere gedragsnormen te wennen. Sommige waren heel aangenaam, andere nogal vreemd.'

De Dem trok zijn wenkbrauwen op. 'Zo, wat vond u dan zo vreemd aan ons?'

Dannyl grinnikte. 'Elyneeërs zeggen wat ze op hun hart hebben, maar niet vaak ronduit.'

Er kroop een glimlach over het gezicht van de man, die snel verdween toen er geklopt werd. Toen hij erheen wilde lopen bewoog Dannyl zijn hand en opende de deur met zijn wil. De deur vloog open. De Dem keek verbaasd op en toen hij besefte dat Dannyl magie had gebruikt straalde zijn gezicht meteen gretigheid en verlangen uit. Toen de herbergier binnenkwam met een fles en drie glazen keek hij weer normaal.

Iedereen zweeg terwijl de fles ontkurkt werd en de glazen werden gevuld. Nadat de herbergier de kamer had verlaten, nam de Dem een glas en ging weer zitten.

'En wat vindt u precies zo aantrekkelijk aan Elyne?'

'Jullie hebben uitstekende wijnen.' Dannyl hief het glas en lachte. 'En jullie staan voor alles open en zijn heel tolerant. Wat hier geaccepteerd wordt zou veel Kyralianen choqueren, ze zouden er schande van spreken.'

Royend liet zijn ogen snel over Tayend glijden. 'U moet wel op de hoogte zijn van die schandalige toestanden, anders zou u ze niet onder de aantrekkelijke kanten van ons land scharen.'

'Zou ik een goede ambassadeur zijn als ik niet het een en ander opmerkte, hoewel het Elynese hof nog altijd denkt dat mij niets bijzonders is opgevallen?'

De Dem glimlachte, maar zijn ogen lachten niet mee. 'U hebt al bewezen dat u beter bent ingelicht dan ik vermoedde, en nu vraag ik me iets af. Bent u net zo ruimdenkend en tolerant als wij? Of houdt u er dezelfde rigide denkbeelden op na als andere Kyraliaanse magiërs?'

Dannyl keek Tayend aan. 'Ik ben geen typische Kyraliaanse magiër.' Zijn vriend lachte wat scheef en schudde het hoofd. 'Al ben ik eraan gewend om net te doen alsof,' vervolgde Dannyl. 'Ik denk vaak dat als mijn collega's me beter kenden, ze me niet als passend en representatief voor het Gilde zouden zien.'

'Ah,' kwam Tayend ertussen, 'maar pas jij je niet aan aan het Gilde, of past het Gilde zich niet aan aan jou?'

Royend grinnikte bij dit commentaar. 'Maar ze hebben u de post van ambassadeur toch maar aangeboden.'

Dannyl haalde zijn schouders op. 'En zo ben ik hier terechtgekomen. Ik wenste zo vaak dat het Gilde in een minder starre cultuur was ontstaan. Verschil van standpunt stimuleert een discussie en dat verbetert begrip voor elkaar. Onlangs heb ik meer dan anders reden gehad om te wensen dat het zo was gebeurd. Tayend heeft veel talent. Het is ontzettend jammer dat hij dat niet kan ontwikkelen, enkel en alleen omdat de Kyralianen mensen met zijn natuur niet accepteren. Er zijn een paar dingen die ik hem bij kan brengen zonder dat ik de Gildewetten overtreed, maar dat is niet genoeg om zijn talent te kunnen ontplooien.'

De Dem verscherpte zijn blik. 'En hebt u dat gedaan?'

'Nee.' Dannyl schudde het hoofd. 'Maar ik ben er niet tegen dat de regels van het Gilde in zijn belang soepel gehanteerd worden. Ik heb eens een man moeten doden om Tayends leven te redden. De volgende keer ben ik misschien niet in de buurt. Ik zou hem graag willen leren genezen, maar dan zou ik echt te ver gaan, en dan loopt hij misschien veel meer gevaar.'

'Van het Gilde, bedoelt u?'

'Ja.'

De Dem glimlachte. 'Dus alleen als ze het te weten zouden komen. Het is een risico, maar is het dat niet waard?'

Dannyl fronste zijn voorhoofd. 'Ik zou zo'n risico nooit nemen zonder dat ik een plan had opgesteld voor het geval het uitlekt. Als ooit ontdekt zou worden dat Tayend magie heeft geleerd, dan zou hij in staat moeten zijn aan het Gilde te ontsnappen. Hij heeft niemand tot wie hij zich kan wenden, op zijn familie en zijn vrienden in de bibliotheek na – en die zouden maar bitter weinig voor hem kunnen doen.'

'En u dan?'

'Er is niets waar het Gilde banger voor is dan een goed opgeleide magiër die een dolende magiër is geworden. Als ik zou verdwijnen, zouden ze alles op alles zetten om ons allebei te vinden. Ik zou in Capia moeten blijven en heimelijk moeten doen wat ik kon om Tayend te helpen.'

'Dit klinkt alsof u meer mensen nodig zou hebben om hem te beschermen. Mensen die weten hoe een vluchteling verborgen kan worden.'

Dannyl knikte.

'En wat is u die kennis waard?'

Dannyl keek de man met enigszins toegeknepen ogen aan. 'Niets dat anderen in gevaar kan brengen. Niet eens het Gilde. Ik ken Tayend. Ik moet zeker zijn van de bedoelingen van anderen voor ik ze vertrouw zoals ik hem vertrouw.'

De Dem knikte langzaam. 'Uiteraard.'

'Dus,' vervolgde Dannyl, 'wat denkt u dat Tayends bescherming me zou gaan kosten?'

Dem Marane pakte de fles en schonk nog eens in. 'Dat kan ik zo niet zeggen. Het is een interessante vraag. Ik zou het eens aan mijn collega's moeten voorleggen.'

'Natuurlijk,' zei Dannyl zoetsappig. Hij stond op en keek op de edelman neer. 'Ik ben zeer benieuwd naar hun mening. Maar ik ben bang dat we nu weer moeten vertrekken. Tayends familie verwacht ons.'

De Dem ging staan en maakte een buiging. 'Ons gesprek heeft me zeer veel genoegen gedaan, ambassadeur Dannyl. Ik hoop dat we in de toekomst wat vaker van uw gezelschap, en dat van Tayend van Tremmelin, kunnen genieten.'

Dannyl neigde beleefd zijn hoofd. Hij zweeg en liet zijn hand even over het glas van de Dem gaan, waardoor de wijn op magische wijze heel licht verwarmd werd. Terwijl hij glimlachte om de stomverbaasde blik van de Dem draaide hij zich om en liep naar de deur, met Tayend op zijn hielen.

Toen ze de gang op stapten, keek Dannyl nog even over zijn schouder naar de Dem, die twee handen om het glas gelegd had en peinzend voor zich uit staarde.

6

De spion

Zoals altijd sprong de deur van het huis van de Opperheer open na een lichte aanraking. Sonea stapte naar binnen en zag opgelucht dat alleen Takan op haar wachtte. Hij maakte een buiging.

'De Opperheer wenst u te spreken, vrouwe.'

De opluchting maakte plaats voor zenuwachtigheid. Zou hij haar nog zo'n boek geven? En zou dit het gevreesde boek zijn: met alles over zwarte magie?

Ze haalde diep adem. 'Breng me dan maar bij hem.'

'Deze kant op,' zei hij. Hij liep naar de rechter wenteltrap.

Sonea schrok zich lam. Deze trap leidde enerzijds naar de ondergrondse kamer waar Akkarin zijn geheime, verboden magie had uitgevoerd. Maar hij ging ook naar boven waar de bibliotheek en de eetzaal lagen.

Ze volgde Takan naar de deur van de trap en zag niet welke kant hij was opgegaan, tot ze een bollichtje vormde.

Hij liep de trap af naar de kelder.

Ze stond stil en haar hart bonsde in haar keel terwijl ze hem met haar ogen volgde. Bij de deur beneden keek hij omhoog waar ze bleef.

'Hij zal u geen kwaad doen, vrouwe,' verzekerde hij haar. Hij hield de deur voor haar open en gebaarde naar beneden te komen.

Ze keek hem met grote ogen aan. Van alle plaatsen van het Gilde, van alle plekken in de stad zelfs, vreesde ze deze plek het meest. Ze keek snel over haar schouder naar de ontvangstkamer. *Ik kan ervandoor gaan. De deur is maar een paar stappen ver...*

'Kom, Sonea.'

De stem was van Akkarin. Het was bijna een bevel en er klonk een waarschuwing in door. Ze dacht aan Rothen, haar tante Jonna en oom Ranel en haar neefje en nichtje; hun veiligheid hing van haar medewerking af. Ze dwong zichzelf de trap af te gaan.

Takan deed een stap opzij toen ze de deur bereikte. De ondergrondse kamer zag er vrijwel zo uit als ze van buitenaf had gezien. Twee oude zware tafels stonden tegen de linker muur. Een lantaarn en een bundel donkere stof lag op de dichtstbijzijnde. Tegen de andere muren stonden boekenkasten en ladekasten. Sommige waren opgelapt, wat haar aan de vernieling van de 'moordenaar' herinnerde. In een andere hoek stond een oude kist. Was dit de kist waar de boeken over zwarte magie in zaten?

'Goedenavond, Sonea.' Akkarin leunde tegen de tafel, met zijn armen over elkaar.

Ze boog. 'Opperh –' Ze sperde haar ogen open toen ze opmerkte dat hij een eenvoudige, ruw geweven mantel droeg. Zijn broek en laarzen zagen er ook oud en versleten uit.

'Ik wilde je iets laten zien,' zei hij. 'In de stad.'

Ze deed een stap naar achteren, meteen op haar hoede. 'Wat dan?'

'Als ik het zei, zou je me niet geloven. De enige manier om de waarheid te leren kennen is door het met eigen ogen te zien.'

Ze zag de uitdaging in zijn ogen. Met een blik op zijn armoedige kleding herinnerde ze zich dat ze hem er eerder in had gezien, maar dan bedekt met bloed.

'Ik weet eigenlijk niet of ik uw waarheid wel wil zien.'

Een zweem van een glimlach kroop over zijn lippen. 'Vanaf het eerste moment dat je het zag, heb je je afgevraagd waarom ik doe wat ik doe. Ik ben niet van plan je het *hoe* te laten zien, maar het *waarom* kan ik je tonen. Ik wil dat iemand behalve Takan en ik dat geheim kent.'

'Maar waarom ik?'

'Daar zul je mettertijd wel achter komen.' Hij pakte het donkere hoopje stof van de tafel. 'Trek dit aan.'

Ik moet gewoon weigeren, dacht ze. *Maar dan dwingt hij me vast.* Ze staarde naar de kleren in zijn handen. *En als ik ga, kom ik misschien iets te weten dat naderhand tegen hem gebruikt kan worden. Maar wat als hij me iets laat zien dat verboden is? Iets waardoor ik uit het Gilde gezet kan worden?*

Als het zover is, zal ik ze alles vertellen. Ik neem dit risico in de hoop om mezelf en het Gilde te redden.

Schoorvoetend kwam ze bij hem staan om het aan te nemen. Toen hij het bundeltje losliet rolde het uit; het bleek een lange zwarte mantel te zijn. Ze zwaaide het kledingstuk over haar schouders en maakte hem dicht met de mantelspeld.

'Houd je gewaad goed bedekt,' droeg hij haar op. Hij pakte de lantaarn en liep naar de muur. Een deel ervan gleed opzij en de kille lucht van de onderaardse tunnels stroomde de kamer in.

Natuurlijk! dacht ze. Ze herinnerde zich dat ze de weg had leren kennen in de gangen onder en achter de muren van het Gilde, tot Akkarin haar tegen was gekomen en haar verboden had ze nog te betreden. Ze had er een naar zijn kamer gevolgd. Toen ze begreep dat ze op de drempel van zijn geheime domein stond, was ze er als een haas vandoor gegaan en ze was de tunnel nooit meer in gegaan om te zien waar hij uitkwam. *Hij komt natuurlijk in de stad uit, als Akkarin de waarheid vertelt.*

Akkarin stapte de tunnel in, draaide zich en wenkte haar. Sonea haalde diep adem en volgde hem de duisternis in.

Het kousje van de lantaarn sputterde en er verscheen een vlammetje. Ze vroeg zich even af waarom hij al die moeite deed met een normale lantaarn, maar snapte meteen dat hij, gezien de kleding, niet herkend wilde worden als magiër. En gewone mensen hadden nu eenmaal geen bollichtjes.

Als het zo belangrijk is dat niemand hem mag herkennen, dan heb ik nu al iets dat ik vanavond tegen hem kan gebruiken, mocht het nodig zijn.

Zoals ze verwacht had leidde de onderaardse gang in de tegenovergestelde richting – van de universiteit af. Zeker tweehonderd passen lang ging hij door, tot hij ophield. Ze voelde dat er een blokkade was opgeworpen, maar Akkarin wierp een flauw flitsje door de gang en de blokkade verdween. Zonder iets te zeggen vervolgde hij zijn weg.

Nog drie keer stopte hij om een blokkade te ontmantelen. Nadat ze langs de vierde gekomen waren, draaide Akkarin zich om en stelde de blokkade weer in werking. Sonea keek om. Als ze de moed had gehad om toch langs Akkarins kelderkamer te sluipen om de tunnel te verkennen, zou ze tegen die blokkades opgelopen zijn.

De gang boog flauw naar rechts af. Er verschenen zijgangen. Zonder aarzeling sloeg Akkarin zo'n zijgang in en hun pad liep nu door enkele vervallen kamertjes. Toen hij weer stopte stonden ze voor een berg stenen en aarde waar het plafond ingestort was. Ze keek hem vragend aan.

Zijn ogen schitterden in het lamplicht. Met doordringende blik stond hij voor de blokkade. Een droog, schrapend geluid weerklonk door de gang terwijl stenen zich op elkaar stapelden om zo een ruwe trap te vormen. Bovenin zat een gat. Akkarin zette zijn voet op de eerste trede en ging rustig naar boven.

Sonea ging hem achterna. Bovenaan lag een andere gang. Het licht van de lantaarn bescheen ruwe muren, gemaakt van kleine baksteentjes van slechte kwaliteit. De lucht was klam en kwam haar bekend voor. Deze gang herinnerde haar ontzettend aan... aan...

Het Dievenpad.

Ze waren nu in de gangen onder de stad die door de onderwereld gebruikt werden. Akkarin draaide zich om en keek langs de trap naar beneden. De treden sloten zich aaneen en de trap verdween. Pas toen begon hij te lopen.

Sonea's hoofd barstte van de vragen. Wisten de Dieven dat de Opperheer van het Magiërsgilde hun gangen gebruikte, en dat er tunnels uitkwamen op hun eigen gangenstelsel? Ze wist dat ze hun gebied uitstekend bewaakten, dus betwijfelde ze dat de Dieven hem hier nooit gezien hadden. Had hij dan toestemming gekregen om hier rond te dwalen? Ze herinnerde zich hun armoedige kleding. Misschien had hij onder een valse naam toestemming gekregen.

Na een meter of honderd stapte er plotseling een magere man met waterige ogen uit een alkoof, die naar Akkarin knikte. Hij bekeek Sonea even omdat haar aanwezigheid hem kennelijk verbaasde, maar hij zei niets. Hij ging hen voor in de gang.

Hun zwijgzame gids liep in een stevig tempo door het ingewikkelde doolhof van gangen. Geleidelijk merkte Sonea een geur op van iets dat ze kende, maar waarvan ze de naam kwijt was. Het was net zo variabel als de muren, maar die veranderlijkheid van de geur hoorde er blijkbaar bij. Pas toen Akkarin op een deur klopte, besefte Sonea weer waarvan die geur afkomstig was.

Het waren de sloppen. Het luchtje bestond uit een mengeling van menselijke en dierlijke mest, zweet, afval, rook en bol. Het duizelde Sonea toen de herinneringen haar besprongen: het werken met haar oom en tante, het ertussenuit knijpen om Cery te zien en die bende straatschoffies met wie ze rondhingen.

Toen ging de deur open en kwam ze met een klap weer in het heden terecht.

Er stond een forse man in de deuropening; zijn ruwe hemd spande over een brede borst. Hij knikte vol respect naar Akkarin. Toen hij haar bekeek fronste hij alsof hij haar scheen te kennen, maar niet meer wist waarvan. Hij haalde zijn schouders op en deed een stap opzij.

'Kom binnen.'

Sonea volgde Akkarin het kleine kamertje in, dat maar net groot genoeg was voor hen drieën en een smal kastje. Tegenover hen bevond zich een zware deur. Sonea ontdekte een vibratie die eromheen hing en begreep dat hij verstevigd was door een sterke magische blokkade. Haar huid tintelde. Wat zou hier, in de sloppen, nu zo'n sterke beveiliging nodig kunnen hebben?

De man keek Akkarin aan. Uit zijn aarzelende en ingetogen gedrag bleek volgens Sonea dat hij wist wie de bezoeker was, of ten minste wist dat hij een heel belangrijk en machtig man tegenover zich had.

'Hij is wakker,' mompelde hij, met een blik op de deur.

'Bedankt dat je op hem gelet hebt, Morren,' zei Akkarin vriendelijk.

'Niks te danken.'

'Had hij een rode steen bij zich?'

'Nee. Alles doorzocht. *Nada.*'

Akkarin fronste zijn wenkbrauwen. 'Enfin. Blijf hier. Dit is Sonea. Ik stuur haar zo weer naar buiten.'

Morren keek haar recht in de ogen. 'Dé Sonea?'

'Jawel, de legendarische Sonea, in levenden lijve,' antwoordde Akkarin droogjes.

Morren glimlachte naar haar. 'Zeer vereerd u te ontmoeten, vrouwe.'

'Het is mij een eer jou te ontmoeten, Morren,' antwoordde ze, al was ze even van haar stuk gebracht. *Legendarische* Sonea in levenden lijve?

Morren pakte een sleutel uit zijn zak, stak hem in het slot van de deur en draaide hem om. Hij stapte opzij zodat Akkarin naderbij kon komen. Sonea voelde opeens magie om zich heen. Akkarin had een schild om hen beiden gevormd. Ze tuurde over zijn schouder, want ze was nu wel erg nieuwsgierig geworden. Langzaam zwaaide de deur naar buiten open.

De kamer erachter was klein. Een stenen bank was het enige meubilair. Daarop lag een man, waarvan polsen en enkels waren geboeid.

Toen de man Akkarin ontwaarde vulden zijn ogen zich met angst. Hij begon zwak te worstelen. Hij was jong, waarschijnlijk niet ouder dan Sonea zelf. Hij had een breed gezicht en zijn huid was vaalbruin. Zijn magere armen zaten vol littekens en over één onderarm liep een verse snee, aangegeven door een korst bloed. Hij zag er niet naar uit dat hij ook maar een vlieg kwaad kon doen.

Akkarin liep naar de man toe en legde een hand op diens voorhoofd. De gevangene sperde zijn ogen open. Sonea huiverde toen ze begreep dat Akkarin de gedachten van de man las.

Met een snelle beweging pakte Akkarin de onderkaak van de man vast. De man zette meteen zijn tanden op elkaar en probeerde uit de greep los te komen. Akkarin wrikte de mond van de man open. Sonea zag goud glinsteren en Akkarin pakte iets uit de mond dat hij op de grond smeet.

Een gouden tand. Sonea deed vol afschuw een stap naar achteren, en schrok toen de man begon te lachen.

'Nu hebben se je frou gesjien,' zei hij slissend vanwege de ontbrekende tand. 'Kariko sjegt dassje van hem is nadat ie jou vermoord heeft.'

Akkarin lachte en keek haar even snel aan. 'Wat jammer nu dat jij en ik niet meer zullen meemaken hoe hij dat voor elkaar wil krijgen.'

Hij trapte met zijn hak op de tand. Verrast zag Sonea dat hij openspleet en dat er kleine rode scherfjes tussen de stukken tand lagen.

Sonea bekeek de brokstukken op de grond. Wat had de man bedoeld? *'Nu hebben ze je vrouw gezien.'* Wie waren 'ze'? Hoe konden ze haar gezien hebben? Het moest iets met die tand te maken hebben. Waarom zou je een edelsteen in een tand verstoppen? Nou ja, een edelsteen was het niet. Het leek meer op rood glas. Ze herinnerde zich dat Akkarin Morren gevraagd had of hij een rode steen gevonden had. De beruchte moordenaar droeg een ring met een rode edelsteen. En Lorlen ook.

Ze bekeek de gevangene beter. Hij was volledig lamgeslagen. Angstig staarde hij Akkarin aan.

'Sonea.'

Ze keek naar Akkarin. Koud en streng waren zijn ogen.

'Ik heb je meegenomen om een paar vragen van je te beantwoorden,' zei hij. 'Ik weet dat je me niet gelooft tenzij je de waarheid met eigen ogen ziet, dus heb ik besloten je iets te leren dat ik eigenlijk nooit aan iemand wilde uitleggen. Het is iets waar je makkelijk misbruik van kunt maken, maar als je –'

'Nee!' Ze rechtte haar rug. 'Ik wil geen –'

'Ik heb het niet over zwarte magie.' Akkarins ogen flitsten. 'Ik ben niet van plan je dat te leren, al zou je het willen. Ik wil je leren gedachten te lezen.'

'Maar...' Ze zweeg toen ze begreep wat hij bedoelde. Hij was de enige van alle magiërs van het Gilde die ook de gedachten van een ander kon lezen die niet mee wilde werken. Ze had zijn gedachtelezing zelf meegemaakt, toen hij ontdekt had dat zij, Lorlen en Rothen wisten dat hij zwarte magie gebruikte.

En nu wilde hij haar leren hoe dat gedaan werd... 'Waarom?' vroeg ze zonder erbij na te denken.

'Ik heb net gezegd dat ik wil dat je de waarheid zelf te weten komt. Je gelooft me toch niet als ik het je vertel.' Hij kneep zijn ogen tot spleetjes. 'Ik zou je dit geheim ook niet toevertrouwen als ik niet wist dat je een sterk besef van eer en het verschil tussen goed en kwaad hebt. En hoe dan ook, je moet zweren dat je deze waarheidslezing nooit zult uitvoeren bij iemand die er geen toestemming voor geeft, tenzij Kyralia in groot gevaar verkeert en je niets anders kunt doen om het gevaar te keren.'

Sonea moest even slikken, maar ze sloeg haar ogen niet neer. 'U verlangt van me dat ik het gebruik ervan beperk, terwijl u zich er zelf niet aan houdt?'

Hij keek haar even boos aan, en zijn mond vertrok in een humorloze glimlach. 'Ja. Zweer je het, of zullen we maar teruggaan naar het Gilde?'

Ze keek naar de gevangene. Het was zo klaar als een klontje dat Akkarin wilde dat ze de gedachten van de gevangene zou lezen. Hij zou het haar niet laten doen als hetgeen ze zou zien hem in gevaar zou brengen. Maar zou ze iets zien dat haar zelf in gevaar zou brengen?

De geest kan niet liegen. Gedachten konden de waarheid een beetje verhullen, maar dat was nog vrij moeilijk – en met Akkarins methode was het zelfs haar niet gelukt. Hij kon natuurlijk geprobeerd hebben deze man te laten geloven dat bepaalde leugens de waarheid waren, maar als ze dat in haar achterhoofd hield en alles wat ze hoorde nauwkeurig zou overdenken...

Waarheidslezing was nuttig en kon handig zijn. Al beloofde ze wat hij wilde, dan zou ze er niettemin gebruik van kunnen maken in de strijd tegen Akkarin, aangezien Kyralia in groot gevaar verkeerde omdat er een zwarte magiër aan het hoofd van het Magiërsgilde stond...

De gevangene keek haar strak aan.

'U wilt dat ik zweer dat ik nooit iemands gedachten lees, tenzij Kyralia in gevaar is,' zei ze. 'Maar toch wilt u dat ik dat bij hem doe. Hoe kan hij nu een bedreiging voor Kyralia zijn?'

Akkarin glimlachte. Hij vond het een slimme vraag. 'Hij is het nu ook niet meer. Maar hij wás het wel. En je hebt gehoord dat zijn meester jou als slavin wil gebruiken nadat hij mij heeft vermoord. Dat wijst er wel op dat er in de toekomst het een en ander te gebeuren staat. Hoe weet je of zijn meester ertoe in staat is of niet, als je zijn gedachten niet leest?'

'Als u zo begint, dan zou ik de gedachten van iedereen die een bedreiging uitspreekt mogen lezen.'

Zijn glimlach werd nog breder. 'En daarom eis ik dat je zweert dat je de magie niet zult gebruiken tenzij er geen keus meer is.' Hij kreeg nu een ernstige uitdrukking. 'Kijk, er is geen andere manier om jou de waarheid te laten inzien – niet zonder je leven in gevaar te brengen althans. Zweer je wat ik je vraag?'

Ze aarzelde, en knikte toen. Hij sloeg zijn armen over elkaar en wachtte. Ze haalde diep adem.

'Ik zweer dat ik nooit een gedachtelezing zal uitvoeren op iemand die daar geen toestemming voor geeft, tenzij Kyralia in groot gevaar verkeert en er geen enkele andere manier is om die ramp te omzeilen.'

Hij knikte. 'Mooi. Als ik ooit ontdek dat je die eed verbroken hebt, dan kun je er donder op zeggen dat je daar spijt van krijgt.' Hij wendde zich tot de gevangene. De man had hen goed in de gaten gehouden.

'Mag ik nou gaan?' smeekte de man. 'Je weet dat ik deed wat ik moesjt doen. Ze dwongen me. Nu de sjteen weg is, kunnen ze me niet vinden. Ik beloof dat ik geen –'

'Zwijg.'

De man kromp ineen bij het bevel en begon te jammeren toen Akkarin bij hem neer hurkte.

'Leg je hand op zijn voorhoofd.'

Sonea zette haar weerzin opzij en hurkte ook naast de man. Ze legde haar hand op zijn voorhoofd. Ze schrok toen Akkarin zijn hand over de hare legde. Eerst was die aanraking vrij koel, maar al spoedig kreeg hij een normale temperatuur.

Ik zal je laten zien hoe je de waarheidslezing uitvoert, maar als je het onder de knie hebt, zal ik je je gang laten gaan met wat je wilt onderzoeken.

Aan de rand van haar gedachten voelde ze zijn aanwezigheid. Ze sloot haar ogen en visualiseerde haar geest als een kamer, zoals Rothen het haar geleerd had. Ze liep naar de deur met de bedoeling hem open te doen en hem te begroeten, maar keek verbaasd op toen hij al bij haar in de kamer bleek te staan. Hij gebaarde naar de muren.

Vergeet dit. Vergeet alles wat je geleerd hebt. Visualisatie vertraagt en beperkt de geest. Als je het gebruikt, begrijp je alleen wat je in beelden kunt omzetten.

De kamer verdween rondom haar, en ook hij verdween. Maar het gevoel dat hij in de buurt was bleef. De andere keren dat hij haar gedachten gelezen had, had ze hem nauwelijks gevoeld. Nu bespeurde ze een persoonlijkheid en een kracht die ze niet voor mogelijk had gehouden.

70

Volg me...

Zijn aanwezigheid bewoog verder. Terwijl ze hem achterna ging voelde ze een derde geest naderen. Angst werd door deze geest uitgestoten, en ze ondervond weerstand.

Hij kan je alleen tegenhouden als hij je voelt. Om te voorkomen dat hij je voelt, moet je je eigen wil en voornemen loslaten behalve dat ene doel: zijn geest binnen zweven zonder die te verstoren. Ongeveer zo...

Tot haar verbazing veranderde Akkarins aanwezigheid. In plaats van met zijn wil de geest van de ander open te breken, leek het wel of hij het opgaf. Heel flauwtjes voelde ze hem nog wel, maar het was slechts de wazige wens om de gedachten van de man binnen te dringen. Toen verhevigde zijn aanwezigheid weer.

Nu jij.

Ze had een vaag idee van wat hij gedaan had. Het leek zo simpel, maar elke keer dat ze het probeerde botste ze tegen de verdedigingswand van de gevangene aan. Toen voelde ze hoe Akkarins geest weer naar haar toe zweefde. Ze kreeg de tijd niet om bang te worden, en hij stuurde een soort idee haar geest in. In plaats van alles los te laten en al haar bedoelingen op een na te verdringen, moest ze nu proberen zich op dat ene voornemen te concentreren.

En opeens wist ze precies hoe ze door de weerstand van de gevangen man heen kon dringen. Binnen een tel was ze zijn geest binnen gezweefd.

Mooi. Hou dat lichte gevoel vast. Bekijk zijn gedachten. Wanneer je een herinnering ziet waar je meer van wilt weten, oefen dan wat kracht uit op zijn geest. Dit is iets moeilijker. Let op.

De man dacht aan zijn tand en vroeg zich af of zijn meester gezien had dat het meisje plotseling verdween.

Wie ben je? vroeg Akkarin.

Tavaka.

Plotseling besefte Sonea dat hij tot voor kort een slaaf geweest was.

Wie is je meester?

Harikava. Een machtige Ichani. Een gezicht met duidelijk Sachakaanse trekken flitste door zijn geest. Het was een wreed gezicht, hardvochtig en sluw.

Wie zijn de Ichani's?

Machtige magiërs.

Waarom houden ze slaven?

Voor magie.

Een veelkleurige herinnering flitste door Sonea's hoofd. Het gaf de indruk van ontelbare herinneringen aan dezelfde gebeurtenis: de lichte pijn van een oppervlakkig sneetje, en kracht die eruit vloeide...

De Ichani's, begreep ze nu, gebruikten zwarte magie om kracht aan hun slaven te onttrekken, waardoor ze onophoudelijk sterker werden.

71

Maar nu niet meer! Ik ben geen slaaf meer. Harikava heeft me vrijgelaten.
Laat zien.

De herinnering doemde op in Tavaka's geest. Harikava zat in een tent. Hij zei dat hij Tavaka de vrijheid zou geven als hij een gevaarlijke opdracht op zich zou nemen. Sonea voelde dat Akkarin nu de macht over de herinnering overnam. De opdracht was Kyralia binnendringen om uit te zoeken of Kariko's mededeling klopte. Was het Gilde inderdaad zwak? Deden ze niet meer aan hoge magie? Veel slaven hadden de opdracht verknald. Als hij succes had, zou hij opgenomen worden onder de Ichani's. Zo niet, dan zou er op hem worden gejaagd tot de dood erop volgde.

Harikava opende een houten kistje met goudbeslag en bezet met edelstenen. Hij nam er een helder, hard schijfje uit en wierp het in de lucht. Daar bleef het zweven, terwijl het langzaam smolt voor Tavaka's ogen. Harikava reikte naar zijn riem en trok een ingewikkeld versierde dolk, met een heft bezet met juwelen. Sonea herkende de vorm. Hij leek als twee druppels water op de kromme dolk die Akkarin zo lang geleden op Takan had gebruikt.

Hij maakte een sneetje in zijn hand en liet wat bloeddruppels op het gesmolten schijfje vallen, dat meteen opzwol en rood werd. Harikava schoof een van de vele gouden ringetjes van zijn vingers en vormde hem zo dat de rode steen aan de ring gezet werd. Alleen een rode glinstering was nog te zien. Ze begreep wat die ring deed. Elke blik, elk geluid en elke gedachte van de drager zou worden doorgegeven aan de meester.

De man keek Tavaka diep in de ogen. Ze voelde een echo van de angst en hoop van de slaaf. De meester wenkte en met zijn bloedende hand reikte hij nogmaals naar de dolk.

Jouw beurt, Sonea.

Heel even dacht ze na over het beeld dat ze de man wilde voorzeggen. Ze stuurde hem een herinnering van Akkarin in zijn zwarte gewaad.

Ze was niet voorbereid op de golf van haat en vrees die het beeld in hem opriep. Flitsen van een magische strijd volgden hierop. Akkarin had hem gevonden voor hij zichzelf voldoende had kunnen opladen. Harikava zou teleurgesteld en woedend zijn. Ook Kariko zou het hem kwalijk nemen. Een beeld verscheen van mannen en vrouwen die in een kring rond een vuur zaten, maar Tavaka wilde niet dat ze die zag. Handig duwde hij de gedachte naar achteren alsof hij gewend was dat zijn gedachten werden onderzocht en hij herinneringen had leren verbergen. Ze besefte dat ze vergeten was er greep op te krijgen.

Probeer het nog maar eens. Je moet de herinnering vastpakken en hem beschermen.

Ze stuurde Tavaka het beeld van een kring onbekenden zoals ze zojuist had gezien. De gezichten waren verkeerd, vond hij. Met al haar wilskracht pakte ze het beeld vast en blokkeerde zijn pogingen de herinnering weg te duwen.

Goed zo. Begin met je onderzoek.
Ze bekeek de gezichten nauwkeurig.
Wie zijn die Ichani's?
Namen en gezichten werden genoemd, maar één sprong eruit.
Kariko. De man die Akkarin wil doden.
Waarom?
Akkarin heeft zijn broer vermoord. Elke slaaf die zich tegen zijn meester keert, moet gevangen en gestraft worden.
Ze liet zijn herinnering haast ontglippen toen ze dat hoorde. Akkarin was een *slaaf* geweest! Tavaka moet haar verbazing gevoeld hebben: ze werd een golfje leedvermaak gewaar.

Vanwege Akkarin, en omdat Kariko's broer Akkarin ving en zijn gedachten las, weten we dat het Gilde zwakker is dan vroeger. Kariko beweert dat het Gilde geen hoge magie meer toepast. Hij zegt dat als we Kyralia binnenvallen, we het Gilde zonder enige moeite kunnen verslaan. Zo kunnen we ons eindelijk wreken op wat ze ons na de oorlog hebben aangedaan.

Sonea verstijfde. Deze groep van immens sterke zwarte magiërs had het plan opgevat Kyralia binnen te vallen!

En voor wanneer hebben ze deze invasie gepland? vroeg Akkarin plotseling.

Twijfel sloeg toe in het hoofd van de gevangene. *Geen idee. Anderen zijn bang voor het Gilde. Geen slaaf is teruggekeerd... Ik vast ook niet. Maar ik wil niet dood!*

Meteen verscheen er een wit huisje, omgeven door een vreselijk schuldgevoel. Een kleine mollige vrouw – Tavaka's moeder. Een pezige vader met getaande huid. Een knap meisje met grote ogen – zijn zusje. Zijn zusters lichaam na een bezoek van Harikava en –

Het kostte Sonea al haar kracht om de gedachten van de man niet te laten ontsnappen. In de sloppenwijk had ze de ellendige gevolgen gezien en gehoord van invallen van misdadigers. Tavaka's gezin was dus vanwege hem gestorven. Zijn ouders hadden misschien meer kinderen met de gave kunnen krijgen. Het zusje had haar krachten kunnen ontwikkelen. De Ichanimeester had er geen zin in om de hele groep op sleeptouw te nemen voor het geval dát, maar hij wilde ook geen mogelijk krachtige lieden achterlaten zodat zijn vijanden hen zouden vinden en gebruiken.

Medelijden en angst vochten om haar aandacht. Tavaka had een vreselijk leven gehad. Toch voelde ze ook zijn ambitie. Als hij de kans kreeg, zou hij als een haas teruggaan naar zijn land en een van die monsterlijke Ichani's worden.

Wat heb je gedaan sinds je Imardin bent binnengekomen? vroeg Akkarin.

Daarop volgden herinneringen aan een armoedig kamertje boven een bolhuis, en de stampvolle kroeg. Hij zat achterin waar hij anderen heel kort kon aanraken, op zoek naar magische krachten. Het was zinloos om achter een slachtoffer aan te gaan, tenzij hij of zij veel latente magie in zich droeg die hij af zou kunnen pakken. Als hij goed oplette, zou hij sterk genoeg worden om Akkarin uit te schakelen. Dan zou hij naar Sachaka teruggaan, en zouden ze Kyralia aan kunnen vallen.

Hij had een man gekozen, had hem achtervolgd. Een dolk, het geschenk van Harikava, werd getrokken en –

Tijd om te vertrekken, Sonea.

Ze voelde hoe Akkarins hand zich vaster over die van haar klemde. Toen hij haar hand weghaalde van Tavaka's voorhoofd, gleed de geest van de man meteen haar hoofd uit. Ze keek naar Akkarin en fronste haar wenkbrauwen.

'Waarom deed ik dat nou, hè?' vroeg hij een beetje gemeen. 'Je stond op het punt dingen te horen die je helemaal niet wílt horen.' Hij stond op en keek op Tavaka neer. De man ademde gejaagd.

'Laat ons even alleen, Sonea.'

Ze keek Akkarin met grote ogen aan. Het was overduidelijk was hij wilde gaan doen. Ze wilde protesteren, maar ze wist tegelijkertijd dat ze hem niet zou tegenhouden, al zou ze ertoe in staat zijn. Als ze hem ervan weerhield zou Tavaka weer een moordenaar op vrije voeten zijn. En hij zou doorgaan met het vermoorden van Kyralianen. Met zwarte magie.

Ze dwong zichzelf de deur uit te lopen. De deur viel achter haar in het slot. Morren keek op en zijn uitdrukking werd milder. Hij stak haar een beker toe.

Ze herkende de zoete geur van bol, en nam een paar slokken. Warmte verspreidde zich door haar lichaam. Ze dronk alles op en stak Morren de lege beker toe.

'Beter zo?'

Ze knikte.

Achter haar werd de deur geopend. Ze draaide zich om en keek Akkarin aan. Ze zwegen allebei. Ze dacht aan wat hij haar had laten zien. De Ichani's. Hun plannen om Kyralia binnen te vallen. Dat hij een slaaf geweest was... Dit kon hij niet verzonnen hebben, daar was het veel te ingewikkeld voor.

'Je zult wel veel willen overdenken,' zei hij zacht. 'Kom. We gaan terug naar het Gilde.' Hij stapte voor haar langs. 'Dank je, Morren. Ruim hem maar op zoals de rest.'

'Ja, heer. Nog iets nuttigs ontdekt?'

'Misschien.' Akkarin keek naar Sonea. 'We merken het wel.'

'Ze volgen elkaar wel steeds sneller op, hè?' zei Morren.

Sonea hoorde een lichte aarzeling in Akkarins antwoord.

'Ja, maar jouw baas vindt ze ook steeds sneller. Bedank hem namens mij, wil je?'

De man knikte en overhandigde Akkarin zijn lantaarn. 'Doe ik.'

Akkarin maakte de deur open en stapte naar buiten. Terwijl ze de gangen doorliepen, duizelde het Sonea van alles wat ze gehoord had.

7

Akkarins verhaal

Het geluid van metaal op metaal echode door de tunnel, gevolgd door een kreet van pijn. Cery stopte en keek geschrokken naar Gol. De grote man fronste zijn wenkbrauwen.

Cery stak zijn hoofd naar buiten. Met een lang, gemeen mes in zijn hand holde Gol naar voren. Hij kwam bij de deur en keek de kamer in. Zijn frons verdween. Hij keek Cery grijnzend aan. Opgelucht, en nu eerder benieuwd dan bezorgd, liep Cery op hem af en tuurde naar binnen.

Daar zaten twee mensen roerloos op de grond. Een was ineengekrompen omdat hij het mes op de keel had. Cery zag wie de verliezer was: Krinn, de huurmoordenaar en vervaarlijke vechtersbaas die hij meestal voor de belangrijkste klussen inzette. Krinn keek met angstig flakkerende ogen naar Cery op. Zijn verbazing had plaatsgemaakt voor verlegenheid.

'Geef je je over?' vroeg Savara.

'Ja,' piepte Krinn.

Savara haalde haar mes weg en in dezelfde beweging stapte ze naar achteren. Krinn krabbelde overeind en keek ongerust op haar neer. Hij was minstens een kop groter dan zij, zag Cery geamuseerd.

'Alweer op mijn mannen aan het oefenen, Savara?'

Ze glimlachte ondeugend. 'Een uitnodiging sla ik nooit af, Ceryni.'

Hij bekeek haar zorgvuldig. En als hij nu eens...? Het was niet zonder risico, maar wat was dat wel? Hij wierp een blik op Krinn, die vanuit zijn ooghoek naar de deur keek.

'Ga maar, Krinn. Doe de deur achter je dicht.'

De moordenaar haastte zich de kamer uit. Toen de deur dichtviel, wendde Cery zich naar Savara. 'Dan nodig ik je uit om het tegen mij op te nemen.'

Hij hoorde dat Gol zijn adem inhield.

Ze glimlachte geamuseerd. 'Heel graag.'

Cery trok een stel dolken vanonder zijn jas vandaan. Leren riempjes waren aan de heften bevestigd om te voorkomen dat ze uit zijn greep zouden glijden, en om hem in staat te stellen iemand vast te pakken en omver te trekken. Haar wenkbrauwen gingen de hoogte in toen hij zijn handen door de lussen stak.

'Twee zijn maar zelden handiger dan een,' was haar commentaar.

'Weet ik,' zei Cery terwijl hij op haar afkwam, de messen in de hand.

'Maar je ziet er in elk geval wel uit alsof je weet wat je doet,' zei ze peinzend. 'Ik neem aan dat dat een gemiddelde lastpak wel de stuipen op het lijf jaagt.'

'Jazeker.'

Ze stapte iets naar links, maar ook naar voren. 'Ik ben geen gemiddelde lastpak, Ceryni.'

'Nee. Dat vermoedde ik al.'

Hij glimlachte. Als zij hem haar hulp had aangeboden om zijn vertrouwen te winnen, zodat ze hem op een dag zou kunnen vermoorden, dan bood hij haar nu een uitgelezen kans dat plan uit te voeren. Maar ze zou zelf ook koud gemaakt worden. Daar zou Gol wel voor zorgen.

Ze schoot op hem af. Hij dook opzij, draaide zich om en haalde uit naar haar schouder. Tollend om haar as trok ze zich een eindje terug.

Zo gingen ze een paar minuten door, om een beeld te krijgen van de reflexen en trucjes van de ander. Toen kwam ze naar voren, maar hij blokkeerde een paar snelle aanvallen door zelf uit te vallen. Geen van beiden kwam echt langs de verdediging van de ander. Ze stapten allebei naar achteren, zwaar hijgend.

'Wat heb je met die slaaf gedaan?' vroeg ze.

'Die is dood.' Hij keek haar strak aan. Ze leek niet verbaasd, maar wel wat geërgerd.

'Heeft híj het gedaan?'

'Natuurlijk.'

'Had ik ook voor je kunnen doen.'

Hij fronste zijn voorhoofd. Ze klonk zo verdomd zeker van zichzelf. Te zeker van zichzelf.

Ze dook naar voren. Het lemmet flitste in het licht van de lamp. Cery sloeg haar hand weg met zijn onderarm. Een snelle en felle worsteling volgde en hij grijnsde van genoegen toen hij haar arm klemvast had en zijn mes in haar linker oksel plantte.

Ze verstijfde, maar bleef lachen. 'Geef je je over?' vroeg ze.

En tegelijkertijd dreef ze een mes een stukje in zijn buik. Toen hij keek zag hij een mes in haar linkerhand. Rechts had ze alleen het oorspronkelijke mes. Hij lachte ook en drukte zijn dolk in haar oksel.

'Er ligt hier een ader die recht naar het hart loopt. Als die doorgesneden wordt, zou je zo snel doodbloeden dat je geen tijd zou hebben om te bedenken hoe je me moest vervloeken.'

Hij was opgetogen dat haar ogen zich geschrokken opensperden en dat haar glimlach verdween.

'Gelijk spel dan?' zei ze.

Ze stonden dicht tegen elkaar aan. Ze rook heerlijk, een mengsel van vers zweet en iets kruidigs. Haar ogen fonkelden van pret, maar haar mond was een scherp lijntje.

'Gelijk spel,' knikte hij. Hij deed een stap naar achteren en opzij zodat haar mes zijn buik verliet voor hij zijn dolk uit haar oksel trok. Zijn hart bonsde vrij snel. Het was geen onaangenaam gevoel.

'Wist je dat die slaven magiërs zijn?' vroeg hij.

'Ja.'

'Hoe wilde je ze dan doden?'

'Daar heb ik zo mijn methode voor.'

Cery glimlachte wrang. 'Als ik mijn klant vertel dat ik hem niet meer nodig heb om de moordenaars af te maken, zou hij me wel eens een paar lastige vragen kunnen gaan stellen. Zoals: wie doet dat dán voor je?'

'Als hij niet zou weten dat je een slaaf gevonden had, zou hij ook niet hoeven weten wie die slaaf dan een kopje kleiner zou maken.'

'Maar hij weet precies wanneer ze hier rondlopen. De Garde vertelt hem alles over de slachtoffers. Als ze opeens geen slachtoffers meer vinden, terwijl hij al een hele tijd geen moordenaar gedood heeft, zal hij zich toch afvragen hoe het zit.'

Ze haalde haar schouders op. 'Maakt niet uit. Ze sturen die slaven allang niet meer een voor een. Ik kan er rustig een paar afmaken zonder dat hij het te weten komt.'

Dit was nieuws. Slecht nieuws. 'Wie zijn die "ze"?'

Ze zette grote ogen op. 'Heeft hij je dat dan niet verteld?'

Cery glimlachte maar vervloekte zich in stilte dat hij had laten merken dat hij niet van alles op de hoogte was. 'Misschien wel, misschien ook niet,' antwoordde hij. 'Ik wil het uit jouw mond horen.'

Haar uitdrukking versomberde. 'Het zijn de Ichani's. Vogelvrijverklaarden. De koning van Sachaka verbant hen die bij hem uit de gratie zijn gevallen naar de woestenij.'

'Maar waarom sturen zij hun slaven dan hierheen?'

'Ze proberen kracht en status te verkrijgen door hun oude aartsvijand, het Gilde, te verslaan.'

Nog meer nieuws. Hij liet de lussen van zijn dolken over zijn polsen glijden. *Niet echt iets om ons zorgen over te maken,* dacht hij. *We hebben die 'slaven' snel genoeg afgemaakt.*

'Mag ik ook een paar slaven doodmaken?' vroeg ze.

'Waarom vraag je mij dat? Als je ze op eigen kracht kunt vinden en kunt doden, heb je mijn hulp helemaal niet nodig.'

'Klopt, maar als ik niet met jullie samenwerk, zouden jullie me voor een van hen kunnen aanzien.'

Hij grinnikte. 'Tja, en dat zou zon –'

Hij werd onderbroken door een klop op de deur. Gol deed open en er kwam een nog grotere man binnen. Zijn ogen flitsen zenuwachtig van Gol naar Cery en Savara.

'Hallo, Morren.' Cery fronste vragend zijn wenkbrauwen. De man had gisteravond nog de gebruikelijke boodschap doorgegeven dat hij zich van het lijk van de moordenaar ontdaan had. Hij mocht zich alleen bij Cery melden als hij iets belangrijks te vertellen had.

'Goeiedag, Ceryni,' zei de man met een onrustige blik op Savara.

Cery wendde zich tot de Sachakaanse vrouw. 'Bedankt voor het oefen-partijtje,' zei hij.

Ze knikte. 'Jij ook bedankt, Ceryni. Ik laat je wel weten wanneer ik de volgende signaleer. Lang zal het niet duren.'

Cery keek haar na terwijl ze de kamer verliet. Toen de deur dicht was wendde hij zich tot Morren. 'Wat is er?'

De reus vertrok zijn gezicht. 'Misschien is het niks, maar ik dacht dat je het wel zou willen weten. Hij heeft de moordenaar niet meteen afgemaakt. Hij heeft hem vastgebonden en vertrok. Toen hij terugkwam, had hij iemand bij zich.'

'Wie?'

'Dat meisje uit de sloppen dat bij het Gilde is gegaan.'

Cery staarde de man aan. 'Sonea?'

'Jep.'

Cery voelde zich onverwacht schuldig. Hij dacht eraan hoe Savara zijn hart op hol had gebracht. Hoe kon hij nu zo'n vreemde vrouw bewonderen, terwijl ze waarschijnlijk niet eens te vertrouwen was, als hij nog van Sonea hield? Maar Sonea was hem nu ontglipt. En trouwens, ze had nooit van hem gehouden. Niet in de mate dat hij van haar hield. Waarom zou hij het niet eens met een ander proberen?

Toen drong het belang van Morrens mededeling tot hem door, en hij begon te ijsberen. Sonea was dus meegenomen om de moordenaar te zien. Ze was in één ruimte met een levensgevaarlijke crimineel geweest. Hoewel hij wist dat ze waarschijnlijk wel veilig was bij Akkarin, voelde hij toch een hevige beschermingsdrang. Hij wilde gewoon niet dat ze hierin betrokken werd.

Wist ze misschien al van wat zich in de donkerste kanten van Imardin afspeelde? Wilde ze soms meevechten en was ze daar sterk genoeg voor?

Hij moest het weten. Hij liep driftig naar de deur.

'Gol, stuur een bericht aan de Opperheer. Ik wil hem spreken.'

Lorlen stapte de universiteit binnen. Akkarin zag hem en liep op hem af.

'Lorlen,' zei Akkarin, 'heb je het druk?'

'Ik heb het altijd druk,' antwoordde Lorlen.

Een wrang lachje gleed om Akkarins lippen. 'Ik zal het kort houden.'

'Goed dan.'

Akkarin gebaarde naar Lorlens kantoor. *Het is dus iets wat privé moet blijven,* dacht Lorlen. Hij liep de gang in en ze waren vlak bij zijn kantoor toen iemand riep.

'Opperheer!'

Er stond een Alchemist half buiten de deur van een klaslokaal verderop in de gang.

Akkarin bleef staan. 'Ja, heer Halvin?'

De leraar snelde naderbij. 'Sonea is niet op komen dagen. Ze is toch niet ziek?'

Lorlen merkte op dat Akkarin een bezorgde trek kreeg, maar of die nu haar gezondheid gold of het feit dat ze haar lessen niet volgde, kon hij niet zeggen.

'Haar kamermeid heeft me niets verteld over een of andere ziekte,' antwoordde Akkarin.

'Er zal beslist een goede reden zijn voor haar afwezigheid. Het is alleen zo ongewoon. Ze is juist meestal als eerste op school.' Halvin keek snel over zijn schouder naar het lokaal dat hij verlaten had. 'Ik kan beter teruggaan, voor ze daar in wilde beesten veranderen.'

'Fijn dat u het me liet weten,' zei Akkarin. Halvin knikte weer en ging er snel vandoor. Akkarin wendde zich tot Lorlen. 'Ons gesprek moet maar even wachten. Ik kan beter gaan uitzoeken wat er met mijn novice aan de hand is.'

Terwijl hij Akkarin nakeek, probeerde Lorlen een vreemd voorgevoel te onderdrukken. Als ze ziek was zou haar kamermeisje toch wel iets gezegd hebben? Waarom zou ze spijbelen? Zo was ze niet. Hij werd er bang van. Hadden Rothen en zij besloten in opstand te komen tegen Akkarin? Maar dan zouden ze hem toch wel in het complot betrekken?

Ja toch zeker?

Hij liep terug naar de hal en keek de trap op. Als ze iets van plan waren, zouden ze allebei afwezig moeten zijn. Hij kon beter even in Rothens lokaal kijken hoe het zat.

Lorlen spoedde zich naar boven.

Het middagzonnetje viel over het woud en bescheen het felle groen van de blaadjes. De warmte sloeg van de grote rotsplaat af waarop Sonea zat, en was te voelen in de grote kei waartegen ze leunde.

In de verte weerklonk een gong. Novicen zouden nu naar buiten rennen om van het vroege herfstzonnetje te genieten. Ze moest eigenlijk teruggaan, om een verhaaltje op te hangen over een plotselinge hoofdpijn of een griepje. Maar ze had geen puf om op te staan.

Ze was 's ochtends vroeg al naar de bron gegaan, in de hoop dat de wandeling haar weer helder zou laten denken. Alles wat ze te weten gekomen was buitelde door elkaar in haar hoofd. Misschien kwam het wel doordat ze geen oog dicht had gedaan. Ze was te duf om er chocola van te maken, en te moe om naar de klas te gaan en te doen alsof er niets aan de hand was.

Maar alles is juist totaal veranderd. Ik heb even tijd nodig om op een rijtje te zetten wat ik te weten gekomen ben. Ik moet erachter komen wat het betekent vóór Akkarin me weer bij zich laat roepen.

Ze sloot haar ogen en haalde wat Genezingsmagie naar boven om het uitgeputte gevoel te verdrijven. Wat was ze te weten gekomen? Het Gilde, en de rest van Kyralia, liep gevaar. Zwarte magiërs uit Sachaka wilden een inval doen.

Waarom had Akkarin dit nooit bekendgemaakt? Als het Gilde wist dat er mogelijk een invasie zou komen, konden ze zich erop voorbereiden. De magiërs konden zich niet verdedigen als zij niet wisten dat ze bedreigd werden.

Maar als Akkarin het hun zou vertellen, zou hij moeten opbiechten dat hij zwarte magie bedreef. Zou hij werkelijk zo bang of egoïstisch zijn? Misschien was er nog een andere reden.

Ze wist nog steeds niet hoe hij zwarte magie had geleerd. Tavaka dacht dat alleen de Ichani's die kunst beheersten. Maar dat hadden ze hem alleen verteld omdat hij dan dacht een kans te hebben Akkarin te vermoorden.

En Akkarin was een slaaf geweest.

Het was onvoorstelbaar: die gereserveerde, waardige, machtige Opperheer die ooit als slaaf had geleefd.

Maar hij was het eens geweest, dat wist ze wel zeker. Hij was op de een of andere manier ontsnapt en was naar Kyralia teruggekomen. Hij was Opperheer geworden. En nu hield hij in zijn eentje en in het geheim die Ichani's op een afstand door hun spionnen om te brengen.

Hij was heel anders dan ze altijd gedacht had.

Hij zou zelfs een goed mens kunnen zijn.

Ze fronste haar voorhoofd. *Nou niet overdrijven. Hij heeft zwarte magie geleerd, en hij houdt me nog steeds in gijzeling.*

Maar zou hij ooit zonder zwarte magie die spionnen kunnen bestrijden? En als er een goede reden was om dit alles geheim te houden, dan kon hij niet anders dan Lorlen, Rothen en haar verplichten te zwijgen.

'Sonea.'

Ze schrok zich een hoedje, en draaide zich in de richting van de stem. Daar stond Akkarin, in de schaduw van een grote boom, met de armen over elkaar. Ze stond haastig op en maakte een buiging.

'Goedendag, Opperheer.'

Hij keek haar een tijdje aan, deed zijn armen van elkaar en kwam naar haar toe. Toen hij op het rotsplateau stapte liet hij zijn blik over het rotsblok gaan waartegen ze geleund had. Hij hurkte neer en begon de steen nauwkeurig te bekijken. Ze hoorde het schrapen van steen over steen en keek met grote ogen naar een stuk steen met een holletje erin dat uit de rots gleed. 'Zo, het is er nog,' zei hij zacht. Hij legde het stuk steen neer en voelde in de holte. Er kwam een gehavend kistje uit te voorschijn. In het deksel waren een aantal gaatjes geboord. Het deksel sprong open. Hij hield het kistje op naar Sonea zodat ze de inhoud kon zien.

Er lagen spelstukken in, met een klein pennetje eraan dat in de gaten op het deksel paste.

'Lorlen en ik kwamen hier vaak als we spijbelden van heer Margens lessen.' Hij pakte een van de stukken en bekeek het.

Sonea keek verbaasd. 'Heer Margen? De mentor van Rothen?'

'Ja. Hij was vreselijk streng. We noemden hem "het monster". Rothen nam zijn lessen over in het jaar nadat ik was afgestudeerd.'

Het was haast ondoenlijk zich Akkarin als slaaf voor te stellen, maar om hem als jonge novice te zien was net zo moeilijk. Ze wist dat hij maar een paar jaar ouder dan Dannyl was, en toch leek Dannyl veel jonger. Akkarin zag er niet echt ouder uit, mijmerde ze, maar door zijn gedrag en positie wekte hij de indruk dat hij rijper en wijzer was.

Akkarin legde de spelstukken terug, sloot het kistje en verstopte het weer in het rotsblok. Hij ging zitten, met zijn rug tegen de rots. Sonea vond het maar raar. Verdwenen was de waardige, dreigende Opperheer die haar van Rothen had afgenomen zodat zijn misdaden niet naar buiten zouden komen. Ze ging een paar stapjes verder op het plateau zitten, al wist ze niet precies hoe ze moest reageren op zijn gemoedelijke houding. Hij keek naar de omgeving van de bron alsof hij er zeker van wilde zijn dat alles er net zo bij lag zoals hij het zich herinnerde.

'Ik was niet veel ouder dan jij toen ik het Gilde verliet,' begon hij. 'Ik was twintig en ik was als Krijger afgestudeerd omdat ik verlangde naar uitdaging en spanning. Maar hier in het Gilde was het weinig opwindend, dus ging ik een tijdje op reis. Ik besloot een boek over oude magie te schrijven als excuus om te kunnen reizen en iets van de wereld te zien.'

Ze keek hem verwonderd aan. Hij staarde in de verte, alsof hij een oude herinnering zag in plaats van de bomen rondom de bron. Het moest het begin van zijn levensverhaal zijn.

'Tijdens mijn onderzoek vond ik een aantal vreemde verwijzingen naar oude magie die mijn interesse opwekten. Die aanwijzingen brachten me in Sachaka.' Hij schudde het hoofd. 'En als ik op de hoofdweg gebleven was, zou er niets zijn gebeurd. Er reizen af en toe een paar Kyraliaanse handelaars heen op zoek naar exotische waar, en de koning stuurt er om de paar jaar diplomaten heen, in gezelschap van magiërs. Maar Sachaka is een groot land, en men doet er nogal geheimzinnig. Het Gilde weet dat ze er magiërs hebben, maar ze weten er weinig van.

Ik kwam er via Elyne binnen. Meteen de woestenij in. Pas na een maand

81

ontmoette ik de eerste Ichani. Ik zag tenten en vee en wilde me even voorstellen aan deze rijke heer. O, hij verwelkomde me heel hartelijk. Hij bleek Dakova te heten. Ik voelde dat hij magiër was en was nieuwsgierig. Hij wees op mijn gewaad en vroeg of ik van het Gilde was. Ik beaamde dat.'

Akkarin zweeg even. 'Ik dacht dat ik, als een van de sterkste magiërs van het Gilde, krachtig genoeg was om mezelf tegen alles te verdedigen. De Sachakanen die ik eerder ontmoet had waren arme boeren, huiverig voor vreemdelingen. Daarom had ik beter op mijn hoede moeten zijn. Toen Dakova me aanviel was ik stomverbaasd. Ik vroeg of ik hem beledigd had, maar hij gaf geen antwoord. Zijn treffers waren ongelooflijk krachtig en ik had nauwelijks tijd om me te realiseren dat ik aan de verliezende hand was. Met mijn laatste krachten vertelde ik dat sterkere magiërs me zouden komen zoeken als ik niet naar het Gilde terugkeerde. Dat vond hij niet zo leuk. Hij hield op. Ik was zo uitgeput dat ik niet meer op mijn benen kon staan en ik dacht dat hij daarom mijn gedachten zo makkelijk kon lezen. Toen ik later met Dakova's slaven sprak, vertelden ze me dat de Ichani's op ieder moment achter elke geblokkeerde gedachte konden komen.'

Hij zweeg en Sonea hield haar adem in. Zou hij iets loslaten over hoe het was om slaaf te zijn? Ze vond het eng en spannend tegelijk.

Akkarin staarde naar de bron beneden hen. 'Dakova kwam via mijn geest te weten dat het Gilde zwarte magie verboden had, en nog zwakker was dan de Sachakanen dachten. Hij genoot zo van wat hij in mijn geest kon zien, dat hij vond dat andere Ichani's het ook moesten weten. Ik was te uitgeput om tegen te spartelen. Slaven namen mijn gewaden af en lieten me oude lompen dragen. Ik had niet meteen door dat deze mensen slaven waren en dat ik mezelf er ook toe moest rekenen. Toen ik eenmaal snapte hoe het zat, weigerde ik het te geloven. Ik probeerde te ontsnappen, maar Dakova vond me zonder moeite. Hij scheen de jacht zelfs wel leuk te vinden, net zo leuk als de straf die hij me nadien liet ondergaan.'

Akkarin kneep zijn ogen tot spleetjes. Hij wendde zijn hoofd in haar richting en ze ontweek zijn ogen, bang om hem aan te zien.

'Ik bevond me in een afschuwelijke situatie,' vervolgde hij zacht. 'Dakova noemde me zijn "tamme Gildetovenaartje". Ik was zijn trofee, en hij hield me als vermaak voor de gasten. Dat hij me hield was wel een risico. Ik was tenslotte een magiër. Dus kreeg ik elke avond een gedachtelezing, en om me mak te houden nam hij me alle kracht af die ik die dag had teruggewonnen.'

Akkarin stroopte zijn mouw op. Honderden dunne, glimmende lijnen bedekten zijn arm. Littekens. Sonea voelde een rilling langs haar rug lopen. Dit bewijs van zijn verleden was zo vaak in haar nabijheid geweest, slechts bedekt door een laag zwarte stof.

'De andere slaven bestonden uit dienaren van Ichani's die hij overwonnen had, en jonge mannen en meisjes met latente magische krachten die hij tussen de Sachakaanse boeren en mijnwerkers gevonden had. Elke dag putte hij zijn kracht uit hen. Hij was machtig maar ook erg eenzaam. Ik begreep naderhand dat Dakova, net als andere Ichani's die in de woestenij leven, bannelingen waren. Om de een of andere reden – mislukte aanslagen, niet meedoen aan omkoperij, belastingschulden of zo – waren ze uit de gratie geraakt bij de Sachakaanse koning. Hij had ze naar de woeste gebieden verbannen, waar anderen geen contact met hen mochten onderhouden.

Je zou denken dat ze zich meteen aaneen zouden sluiten in zo'n situatie, maar daarvoor waren ze te gepikeerd en te ambitieus. Ze smeedden complotten tegen elkaar, voornamelijk om hun rijkdom en kracht te vergroten en wraak te nemen voor beledigingen uit het verleden, of gewoon om hun eten en drinken te kunnen stelen. Een verbannen Ichani kan maar een beperkt aantal slaven voeden. In het woeste gebied vond je maar weinig voedsel, en door boeren te vermoorden of te terroriseren levert het land eerder minder dan meer op.'

Hij zweeg even en haalde diep adem. 'De vrouw die me dit alles vertelde bezat veel magische kracht. Ze zou een fantastische Genezeres zijn geworden als ze in Kyralia was opgegroeid. Maar voor Dakova deed ze dienst als bedslavinnetje.' Akkarin schudde het hoofd.

'Op een dag viel Dakova een stel andere Ichani's aan en merkte tot zijn schrik dat hij aan de verliezende hand was. In opperste wanhoop zoog hij alle kracht uit al zijn slaven, die daardoor stierven. Hij stond op het punt ook de sterksten van hen te doden, maar kon zich nog net bedwingen. Alleen ik en Takan overleefden het.'

Sonea zette grote ogen op. Takan? Akkarins bediende?

'Dakova was enige weken na de strijd vrij kwetsbaar, omdat hij zo ontzettend veel kracht verloren had,' vervolgde Akkarin. 'Hij was echter minder bezorgd dan een ander in zijn situatie zou zijn geweest. Want hij had een broer, Kariko. De twee hadden rondgebazuind dat als een van hen gedood zou worden, de ander zijn dood zou wreken. Er was geen Ichani in de wildernis die kracht genoeg zou hebben om één broer te doden en de aanval van de ander te overleven. Dus spoedig nadat Dakova op het nippertje de strijd gewonnen had, bracht Kariko hem een aantal slaven zodat hij weer op krachten kon komen.

De meeste slaven droomden ervan dat Dakova of andere meesters hen op een dag zouden ontslaan van de overdracht van hun krachten en hun zwarte magie zouden leren; ze waren nogal jaloers op mij omdat ik alleen maar zwarte magie hoefde te leren om te kunnen ontsnappen.

En dat zou ik wel moeten, als je wist waartoe Dakova in staat was. Hij had geen zwarte magie nodig om kwaad te bedrijven: ik zag hem dingen met zijn blote handen doen die ik mijn leven niet zal vergeten.'

Akkarin sloot zijn ogen, en toen hij ze weer opende stonden ze hard en kil.

'Vijf jaar lang zat ik in Sachaka in de val. Maar op een dag, niet lang nadat hij de nieuwe lading slaven van zijn broer gekregen had, hoorde Dakova dat er een Ichani die hij verachtte probeerde nieuwe krachten op te doen in een afgelegen mijn, nadat hij een gevecht verloren had. Hij wilde er meteen op af om de man te doden.

Toen Dakova bij de mijn kwam, bleek die verlaten te zijn. Hij, ik en andere slaven gingen de mijngangen in op zoek naar zijn vijand. Na honderd passen stortte de vloer onder me in. Ik werd door magie opgevangen en kwam terecht op een harde ondergrond.'

Akkarin glimlachte wrang. 'Ik bleek gered te zijn door die andere Ichani. Ik dacht dat hij me zou vermoorden of me als slaaf zou meenemen. Maar in plaats daarvan nam hij me mee door de gangen naar een afgelegen kamertje. En hij deed me een voorstel. Hij zou me zwarte magie leren als ik Dakova zou vermoorden.

Ik zag wel in dat het aanbod hoe dan ook mijn dood zou betekenen. Als het me niet lukte zou ik sterven, en als ik erin slaagde zou Kariko me opjagen tot hij me had. Maar omdat het me allang niet meer interesseerde of ik leefde of dood was, stemde ik toe.

Dakova had inmiddels al weken kracht opgenomen. Stel dat ik zwarte magie kende, dan zou ik nooit zo krachtig worden als hij. Mijn redder begreep dit en vertelde me precies hoe ik dit op kon lossen.

Zo gezegd, zo gedaan. Ik ging terug naar Dakova en vertelde dat ik bewusteloos was geraakt door mijn val, maar dat ik, toen ik bijkwam, een kamer vol voedsel en schatten had ontdekt. Dakova was nog steeds ziedend dat zijn vijand blijkbaar ontkomen was, maar hier kikkerde hij van op. Hij liet mij en de andere slaven teruggaan, de mijn in, zodat we de schatten naar zijn tent konden dragen. Er viel een last van me af. Want als Dakova ook maar het minste vermoeden van verraad had gehad, zou hij een gedachtelezing hebben gedaan en het complot hebben ontdekt. Ik stuurde een slaaf naar hem toe met een kist vol Elynese wijn. Het mijnstof dat ik er dik op had gelegd stelde Dakova gerust dat er niet mee geknoeid was en hij begon te drinken. Maar ik had een flinke scheut myk door de wijn gedaan, een drank die de zintuigen verdooft en de geest benevelt. Toen ik de mijn verliet was hij al helemaal in dromenland.'

Akkarin zweeg even. Hij staarde naar de bomen, maar hij leek iets te zien dat veel verder weg was. Hoe langer de stilte aanhield, hoe ongeruster Sonea werd dat hij niet verder zou vertellen. *Zeg het nou*, smeekte ze in stilte. *Je mag niet zomaar stoppen!*

Akkarin haalde diep adem en zuchtte. Hij staarde met een doffe blik naar de grond. 'En toen deed ik iets vreselijks. Ik vermoordde al die nieuwe slaven van Dakova. Ik had hun kracht zo ontzettend nodig. Maar Takan kon ik niet doden. Niet omdat we vrienden waren geweest, maar omdat hij alles van het begin af aan had meegemaakt en we waren eraan gewend geraakt elkaar te helpen.

Dakova was te bedwelmd door het middel en de wijn om er iets van te merken. Hij ontwaakte toen ik hem sneed, maar als het onttrekken van krachten eenmaal begonnen is, kan je je eigen krachten nauwelijks meer gebruiken.'

Akkarins stem was laag en zacht. 'Hoewel ik nu sterker was dan ik me ooit had kunnen indenken, wist ik maar al te goed dat Kariko nooit ver uit de buurt was. Hij zou spoedig contact proberen te leggen met Dakova, en op onderzoek uit gaan als het te lang stil bleef. Ik kon maar één ding bedenken: ik moest Sachaka uit. Meteen. Ik nam niet eens wat te eten mee. Ik zou het toch niet overleven, dacht ik. Na een dag merkte ik dat Takan me volgde. Hij had een tas met leeftocht meegebracht. Ik zei dat hij van me weg moest gaan, of Kariko zou ook hem vermoorden, maar hij stond erop bij me te blijven – en me te beschouwen als een Ichanimeester. We liepen en liepen, wekenlang, al brachten we in de bergen meer tijd door met klimmen dan met lopen. Uiteindelijk kwamen we aan bij de uitlopers van het Staalgebergte. Ik besefte dat het me gelukt was aan Kariko te ontkomen en naar huis te gaan.'

Voor de eerste keer keek Akkarin op en richtte zijn ogen op haar. 'Ik dacht aan niets anders dan zo snel mogelijk naar de veilige haven van het Gilde te gaan. Ik wilde alles vergeten, en zwoer nooit meer zwarte magie te bedrijven. Takan wilde me niet verlaten, en door hem mijn bediende te maken dacht ik dat ik hem zo vrij mogelijk had gemaakt.' Hij keek naar de torens van het Gilde die achter de bomen te zien waren. 'Ik kreeg een warm onthaal toen ik terugkwam. Toen ze me vroegen waar ik toch geweest was, vertelde ik over mijn onderzoek in de Geallieerde Landen en verzon een verhaal dat ik me in alle eenzaamheid had teruggetrokken om te studeren.

En toen stierf de Opperheer, niet lang na mijn terugkeer. Het is een oud gebruik dat de sterkste magiër de fakkel overneemt. Het kwam niet in me op dat ik een kandidaat zou zijn. Ik was nog maar vijfentwintig. Maar ik had eens, zonder erbij na denken, heer Balkan mijn kracht getoond. Ik was stomverbaasd toen hij voorstelde dat ik werd voorgedragen, en nog verbaasder hoeveel bijval het voorstel kreeg. Het is interessant wat mensen bereid zijn door de vingers te zien wanneer ze willen vermijden dat ze iemand moeten kiezen aan wie ze een hekel hebben.'

Sonea was benieuwd wie dat was en wilde dat net vragen, toen Akkarin zijn verhaal vervolgde.

'Balkan vond dat mijn reizen me snel volwassen hadden gemaakt, en dat ik veel ervaring had met het omgaan met andere culturen.' Akkarin snoof. 'Dat kan je wel zeggen, ja. Als hij de waarheid geweten had, zou hij wel tien keer hebben nagedacht voor hij me naar voren schoof. Ik vond het hele idee absurd, maar ik begon er aan de andere kant wel wat in te zien. Ik had er behoefte aan die herinneringen van de afgelopen vijf jaar van me af te zetten, en iets anders te doen. Bovendien begon ik me zorgen te maken over de Ichani's. Ik had Dakova vaak met zijn broer horen praten over hoe eenvoudig het was Kyralia binnen te vallen. Hoewel Kariko nu alleen was, en de andere Ichani's nooit mee zou krijgen, had hij alle reden met die invasieplannen door te gaan. Stel dat hij de koning kon overtuigen en diens vertrouwen weer won? Ik besloot dat ik Sachaka hoe dan ook in de gaten moest houden, en dat zou makkelijker zijn als ik de middelen van een Opperheer had. En zo moeilijk was het niet om het Gilde voor me te winnen: ik hoefde alleen mijn kracht maar te tonen.

Na een paar jaar hoorde ik iets over moorden in de stad die verdacht veel weg hadden van zwarte magie. Ik ging op onderzoek uit en vond de eerste spion. Via hem kwam ik te weten dat Kariko de andere Ichani's had opgezweept met wilde verhalen over het plunderen van Imardin, om zo wraak te nemen voor de Sachakaanse oorlog. De koning zouden ze dwingen hen weer uit hun verbanning terug te laten keren. Het eerste wat hij hun duidelijk moest maken was dat het Gilde geen zwarte magie gebruikte. Sinds die dag heb ik niets anders gedaan dan hen van het tegendeel te overtuigen.' Hij glimlachte. 'Je kunt goed luisteren, Sonea. Je hebt me niet één keer onderbroken. Je zult wel wat vragen hebben.'

Ze knikte langzaam. Waar moest ze beginnen? Ze bekeek de vragen die door haar hoofd dwarrelden een voor een.

'Waarom hebt u het Gilde nooit iets over de Ichani's verteld?'

Akkarin trok zijn wenkbrauwen op. 'Kom nou, denk je dan dat ze me geloofd zouden hebben?'

'Lorlen vast wel.'

Hij keek weg. 'Dat weet ik zo net nog niet.'

Ze dacht aan Lorlens woede-uitbarsting nadat hij haar herinnering aan Akkarin die zwarte magie bedreef had gezien. Toen Akkarin háár geest las, zou hij die woede opgemerkt hebben. Ze voelde een klein beetje medeleven. Het zou wel pijn gedaan hebben dat hun vriendschap verloren was gegaan door een geheim dat hij niet durfde te vertellen.

'Ik denk dat Lorlen u wel zou geloven,' zei ze. 'Als hij dat niet doet, kan hij nog altijd een waarheidslezing bij u doen.' Ze zei het wat moeizaam, want Akkarin zou wel voor altijd genoeg hebben van het peuren in zijn herinneringen, na wat hij had meegemaakt bij Dakova.

Hij schudde het hoofd. 'Dat risico kan ik niet nemen. Iedereen die mijn gedachten leest, komt achter het geheim van zwarte magie. Daarom stopte ik je waarheidslezing van Tavaka gisteravond.'

'Nou... dan zou het Gilde een paar magiërs naar Sachaka kunnen sturen om uw verhaal te checken.'

'Als ze groepsgewijs vervelende vragen beginnen te stellen, zullen ze al snel als bedreiging worden gezien. Dat kan juist het conflict uitlokken waar we bang voor zijn. Vergeet niet dat er nog geen onmiddellijke dreiging uit Sachaka was toen ik in Kyralia terugkwam. Ik was opgelucht weer thuis te zijn, en het leek me niet nodig om op te biechten dat ik de eed van het Gilde wat zwarte magie betrof gebroken had, tenzij ik niet anders meer kon.'

'Maar nu worden we bedreigd.'

Er schitterde iets in zijn ogen. 'Alleen als Kariko de andere Ichani's kan verleiden met hem mee te doen.'

'Maar hoe sneller het Gilde weet wat er speelt, hoe beter ze zich kunnen voorbereiden.'

Akkarins gezicht verstrakte. 'Ik ben de enige die die spionnen aankan. Denk je nu heus dat het Gilde me aan zal houden als Opperheer als ze te horen krijgen dat ik zwarte magie heb bestudeerd? Als ik het hun nu vertel, verliezen ze alle vertrouwen in me. Hun angst voor mij zal hen verblinden voor de werkelijke dreiging. Tot de dag dat ik een manier gevonden heb om de Ichani's te bestrijden zónder zwarte magie, is het beter dat ze nergens van weten.'

Ze knikte, al kon ze moeilijk geloven dat het Gilde hem zou straffen als hij de magiërs vertelde wat hij zojuist aan haar verteld had.

'En ís er een andere manier?'

'Ik heb er nog steeds geen gevonden.'

'Dus wat bent u nu van plan?'

'Ik ga door met die spionnen te doden. Mijn bondgenoten bij de Dieven blijken nu stukken nuttiger dan degenen die ik eerst huurde om de spionnen op te sporen.'

'De Dieven.' Sonea glimlachte. 'Dacht ik het niet. Hoe lang werkt u al met hen samen?'

'Een jaar of twee.'

'Hoeveel weten ze dan?'

'Alleen dat ze achter dolende magiërs aanzitten, die de nare neiging hebben mensen te vermoorden, en dat al die magiërs uit Sachaka komen. Ze zoeken ze, melden me dat, en ruimen de lijken op.'

Weer herinnerde ze zich Tavaka, die smeekte voor zijn leven. Hij beloofde braaf te zijn, maar zou uiteraard zo veel mogelijk Kyralianen vermoorden als hij kon, zodat hij naar Sachaka terug kon reizen en een Ichani zou kunnen worden. Als Akkarin dat niet geweten had, zou Tavaka daar nu druk mee bezig zijn.

Ze fronste haar voorhoofd. Er hing zoveel van Akkarin af. Als hij nu stierf? Wie zou de spionnen dan tegenhouden? Alleen Takan en zij zouden weten wat er gaande was, maar geen van beiden kende zwarte magie. En geen van beiden kon iets doen om de Ichani's te stoppen.

Ze kreeg het ijskoud toen de betekenis hiervan tot haar doordrong.

'Waarom hebt u me dit alles verteld?'

Hij glimlachte grimmig. 'Iemand moet dit alles weten.'

'Maar waarom ik?'

'Je wist toch al te veel.'

Ze zweeg even. 'Maar dan... kunnen we het Rothen toch ook vertellen? Ik weet zeker dat hij zijn mond zal houden als hij de dreiging eenmaal begrijpt.'

Akkarin trok een peinzend gezicht. 'Nee. Tenzij we het Gilde alles moeten vertellen.'

'Maar hij gelooft nog altijd dat ik... Wat als hij probeert iets te doen? Wat mij betreft, bedoel ik.'

'O, ik houd Rothen goed in de gaten hoor.'

In de verte weerklonk een gong. Akkarin stond op. De zoom van zijn zwarte gewaad streek langs haar hand. Sonea keek naar hem op en voelde een vreemde mengeling van angst en respect. Hij had mensen doodgemaakt. Hij had zwarte magie geleerd en gebruikt. Maar dat had hij gedaan om de slavernij te ontvluchten en het Gilde te redden. En niemand behalve zij en Takan wist dit.

Akkarin sloeg zijn armen over elkaar en glimlachte. 'En nu weer naar de klas, Sonea. Mijn uitverkorene is geen spijbelaar.'

Sonea keek naar de grond en knikte.

'Ja, Opperheer.'

8

Misdaad beramen

De lange gang van de universiteit weergalmde van de stemmen van de leerlingen. De twee die Rothen volgden en dozen vol scheikundige instrumenten en stoffen droegen die in de vorige les waren gebruikt, waren fluisterend gewikkeld in een boeiend gesprek. Bij de wedrennen hadden ze afgelopen vrijdag een meisje gezien dat steels naar hen keek en ze konden er niet uitkomen op wie van de twee ze een oogje had gehad.

Rothen deed zijn uiterste best zijn gezicht in de plooi te houden. Maar zijn stemming versomberde toen een slanke gestalte boven aan de trap verscheen. Sonea keek vreselijk geërgerd. Ze droeg een hoge stapel boeken en sloeg de gang naar de novicebibliotheek in.

De jongens achter Rothen zwegen en mompelden medelevend.

'Ze heeft erom gevraagd,' zei de een. 'Maar ze durft wel, zeg. Ik zou het niet in mijn hoofd halen te spijbelen als hij míjn mentor was.'

Rothen wierp een blik over zijn schouder. 'Wie heeft er gespijbeld?'

De jongen bloosde toen hij besefte dat zijn leraar zijn woorden gehoord had. 'Sonea,' zei hij.

'De Opperheer heeft haar gestraft met een week opruimen in de bibliotheek,' voegde de andere knaap eraan toe.

Rothen kon zijn glimlach niet onderdrukken. 'Daar houdt ze juist van.'

'O nee. In de magiërsbibliotheek. Heer Julien zorgt er wel voor dat straf ook echt straf betekent.'

Dus Sonea had echt gespijbeld, zoals Tania verklapt had. Hij vroeg zich af waar ze dan heen gegaan was, en waarom. Ze had geen vrienden met wie ze er even tussenuit kneep, en geen andere hobby's of interesses die haar van haar lessen af konden houden. Ze wist dat hij en Lorlen meteen argwanend zouden worden als ze verdween. Als ze had geriskeerd dat ze alarm zouden slaan, had ze vast een betere reden gehad dan een opstandige actie om weg te blijven.

Hoe langer hij erover nadacht, hoe bezorgder hij werd. Hij luisterde toen de jongens weer begonnen te praten, in de hoop meer informatie op te doen.

'Ze laat je vallen. Ze heeft Seno ook laten vallen.'

'Misschien heeft ze hem laten vallen omdat ze hem een eikel vindt.'

'Misschien wel. Maakt niet uit. De straf zou een week duren. Dus vrijdag zit ze daar ook nog. Dan kan ze niet met ons mee.'

Rothen onderdrukte zijn neiging om hen verrast aan te kijken. Ze kletsten nog steeds over Sonea! En dat hield in dat zij en iemand die Seno heette, erover gedacht hadden haar mee te vragen naar de paardenrennen! Hij voelde zich iets beter. Hij had gehoopt dat de andere leerlingen haar uiteindelijk wel zouden accepteren. Nu zag het ernaar uit dat sommigen zelfs meer van haar wilden dan alleen vriendschap.

Maar toen zuchtte Rothen. Ze had die jongen Seno afgewezen, en hij wist dat ze andere uitnodigingen ook zou afslaan. Hoe ironisch dat net nu de novicen haar gingen accepteren, ze geen vrienden wilde maken uit angst om de situatie met Akkarin ingewikkelder te maken dan hij al was.

Toen het rijtuig vlak voor het landhuis stopte, keken Dannyl en Tayend elkaar weifelend aan.

'Zenuwachtig?' vroeg Tayend.

'Welnee,' verzekerde Dannyl hem.

Tayend snoof. 'Liegbeest.'

Het portier werd geopend en de koetsier boog toen ze uitstapten. Zoals zoveel landhuizen in Elyne was de voorkant van het huis van Dem Marane opengewerkt als een soort patio. Door sierlijke open poorten kwamen ze in een betegelde kamer met beelden en planten, maar zonder dak.

Dannyl en Tayend gingen een poort door en liepen over de patio. Een grote houten deur blokkeerde de toegang tot het overdekte gedeelte van het huis. Tayend trok aan een koord dat naast de deur hing. In de verte rinkelde een bel. Ze hoorden gedempte voetstappen en de deur werd geopend door Dem Marane zelf.

'Hartelijk welkom in mijn huis, ambassadeur Dannyl, Tayend van Tremmelin.'

'We zijn zeer vereerd door uw uitnodiging, Dem Marane,' antwoordde Dannyl.

De Dem ging hen voor, door een luxueus gemeubileerde kamer, en nog twee kamers met dezelfde inrichting, tot ze weer bij een vertrek met open dak kwamen. Door de bogen was het uitzicht op zee en de zorgvuldig bijgehouden tuin te zien, die via terrassen naar het strand beneden afliep. Tegen de muur ertegenover stonden banken met dikke kussens, waarop zes mannen zaten. Op een bankje in het midden van de kamer zat een vrouw zedig in haar eentje.

De mannen keken Dannyl met grote ogen aan. Hij wist dat hij met zijn lengte, in combinatie met het wijde gewaad, een imposant voorkomen had.

'Mag ik u voorstellen aan de Tweede Ambassadeur van het Gilde in Elyne, heer Dannyl,' verkondigde Royend. 'En sommigen van jullie kennen zijn metgezel al, Tayend van Tremmelin.'

Een van de mannen stond op en maakte een buiging, waarop de anderen hem aarzelend navolgden. Dannyl knikte beleefd ten antwoord. Was dit de hele groep? Hij betwijfelde het. Sommigen zouden zich pas laten zien als ze zeker wisten dat hij te vertrouwen was.

Een voor een werden ze aan hem voorgesteld. Royend was de oudste, gokte Dannyl. De anderen waren allemaal aristocraten van deze en gene rijke Elynese familie. De vrouw was Royends echtgenote, Kaslie. Toen de Dem klaar was, vroeg ze hun allemaal te gaan zitten, dan zou zij wat hapjes en drankjes halen. Dannyl koos een lege bank en Tayend ging dicht tegen hem aan zitten. Dannyl merkte dat men daar even van opkeek.

Er werd over koetjes en kalfjes gepraat. Men stelde Dannyl de gebruikelijke vragen: wat hij van Elyne vond, en of hij al beroemde en belangrijke mensen ontmoet had. Sommigen bleken informatie over hem ingewonnen te hebben, want ze vroegen hem naar zijn belevenissen in Lonmar en op de Vin-eilanden.

Kaslie kwam terug met bedienden die bladen beladen met wijn en borden met hapjes droegen. Nadat ze allen voorzien waren, stuurde de Dem de bedienden weg en sloot de deur.

'Het is tijd om het te hebben over de kwestie die ons hier heeft samengebracht. We zijn bijeengekomen vanwege een verlies dat heel gebruikelijk is. Het verlies van een kans.' Hij keek naar Tayend. 'Er zijn er onder ons die de kans gekregen hebben, maar door omstandigheden moesten weigeren. Anderen hebben die kans nooit gekregen, of die werd hen na enige tijd ontnomen. En de meesten wensen de mogelijkheid te krijgen zonder vastgeketend te zitten aan een instituut met principes die zij niet onderschrijven, in een land waar zij zich niet thuis voelen.' De Dem zweeg en keek de kamer rond. 'Jullie weten allemaal waarover ik het heb. De mogelijkheid en kans om magie te leren.'

Hij keek naar Dannyl. 'De afgelopen twee eeuwen was ingeschreven worden bij het Gilde de enige wettelijke manier voor een man of vrouw om magie te leren. Als wij magie willen leren zonder de invloed van het Gilde, overtreden we de wet. Ambassadeur Dannyl heeft zich naar die wet geschikt. Maar hij heeft wel te maken gekregen met het verlies van een kans. Zijn metgezel, Tayend van Tremmelin, heeft talent voor magie. Akkarin wil hem graag leren hoe hij zich kan beschermen en genezen. Een redelijke – nee, waardige wens.'

De Dem keek naar de anderen, die knikten. 'Maar mocht het Gilde daar ooit achter komen, dan zal Tayend mensen nodig hebben die hem kunnen verbergen en beschermen. Wij hebben de juiste connecties. Wij kunnen hem helpen.' Hij wendde zich weer tot Dannyl. 'Dus, ambassadeur, wat kunt u ons geven in ruil voor bescherming van uw vriend?'

Je kon een speld horen vallen. Dannyl glimlachte en keek de gezichten langs.

'Ik kan jullie de mogelijkheid bieden die jullie niet hebben gekregen. Ik kan jullie een beetje magie leren.'

'Een beetje?'

'Ja. Er zijn dingen die ik jullie niet wíl leren, en er zijn dingen die ik jullie niet kán leren.'

'Zoals?'

'Ik zal geen aanvallende strijdvaardigheden leren aan iemand die ik niet vertrouw. Ze zijn gevaarlijk als ze in verkeerde handen komen. En ik ben een Alchemist, dus van genezen ken ik alleen de basisbeginselen.'

'Dat klinkt redelijk.'

'Maar voor ik ook maar iets loslaat, moet ik er wel zeker van zijn dat jullie Tayend bescherming kunnen bieden.'

De Dem glimlachte. 'En wij op onze beurt zullen geen geheimen onthullen tot we er zeker van zijn dat u zich aan de afspraak houdt. Tot dat moment kan ik slechts zweren op alles wat mij lief is dat we uw vriend veiligheid kunnen bieden. Ik laat u nog niet zien hoe we dat doen. Niet tot u hebt laten zien dat wij u kunnen vertrouwen.'

'Maar hoe weet ik dat ú te vertrouwen bent?' vroeg Dannyl en gebaarde door de kamer.

'Dat weet u niet,' zei de Dem eenvoudig. 'Maar vanavond bent u in het voordeel. Een magiër die erover denkt een vriend wat magie te leren loopt niet zo'n groot risico als een groep niet-magiërs die doelbewust is samengekomen met de bedoeling magie te leren. We zijn toegewijd aan deze doelstelling, terwijl u alleen gespeeld hebt met het idee. Het is onwaarschijnlijk dat het Gilde u daarvoor ter dood zal brengen, terwijl wij dat risico onder ogen moeten zien vanwege deze bijeenkomst alleen al.'

Dannyl knikte langzaam. 'Aangezien jullie al zo lang onopgemerkt gebleven zijn door het Gilde, klopt het misschien wel dat jullie Tayend inderdaad kunnen verbergen. En jullie zouden me hier niet ontvangen hebben als jullie geen ontsnappingsplan hadden gehad voor het geval dat ik een spion van het Gilde gebleken was.'

De ogen van de Dem flitsten. 'Precies.'

'Dus wat moet ik doen om jullie vertrouwen te winnen?' vroeg Dannyl.

'Ons helpen.'

Dat was Kaslie. Dannyl keek haar verbaasd aan. Haar stem had bezorgd en dringend geklonken. Ze keek Dannyl aan met ogen die vervuld waren van wanhoop en hoop tegelijk.

En langzaam werd Dannyl door achterdocht bekropen. Hij herinnerde zich Akkarins brief. *Onlangs heb ik vernomen dat ze op zeker front succes hebben geboekt. Nu ten minste een van hen erin geslaagd is zijn krachten te ontwikkelen, is het Gilde verplicht deze zaak aan te pakken.*

Zijn krachten ontwikkeld, maar niet in staat om ze te beheersen. Snel rekende Dannyl uit hoeveel weken het geleden was dat hij de brief kreeg, en telde er twee bij op voor de bezorging. Hij keek de Dem aan.

'Waarmee moet ik u helpen?'

De man keek hen ernstig aan. 'Ik zal het u laten zien.'

Toen Dannyl opstond, volgde Tayend hem meteen. Royend schudde het hoofd. 'Blijf maar hier, Tremmelin. Voor je eigen veiligheid is het beter dat alleen de ambassadeur met me meekomt.'

Dannyl aarzelde en knikte naar Tayend. Zijn vriend liet zich fronsend weer in de kussens zakken.

De Dem gebaarde dat Dannyl hem volgen moest. Ze verlieten de kamer en liepen de gang weer door. Aan het eind daarvan was een trap die afdaalde naar een andere gang. Voor een dikke houten deur hielden ze halt. Er hing een vage schroeilucht in de gang.

'Hij verwacht u, maar ik heb geen idee wat hij zal doen wanneer hij u ziet,' waarschuwde de Dem.

Dannyl knikte.

De Dem klopte op de deur. Na een lange stilte wilde hij weer kloppen, maar toen werd de deurkruk al omgedraaid en ging de deur open. Een jonge man keek hen aan. Zijn blik gleed naar Dannyl en hij sperde zijn ogen open.

Uit de kamer weerklonk een luide slag. De jongeman keek over zijn schouder en vloekte. Toen hij zich weer naar Dannyl omdraaide, stond er angst in zijn blik te lezen.

'Dit is ambassadeur Dannyl,' stelde de Dem hem voor. 'Dit is de broer van mijn vrouw, Farand van Darellas.'

'Het is me een eer u te ontmoeten,' sprak Dannyl. Farand mompelde een antwoord.

'Mogen we misschien binnenkomen?' vroeg de Dem geduldig.

'O ja,' antwoordde de jongeman. 'Kom toch binnen.' Hij trok de deur nu helemaal open en probeerde een onhandige buiging.

Dannyl stapte een grote kamer met stenen muren binnen. Eens was het waarschijnlijk een kelder geweest, maar nu bevatte hij een bed en ander meubilair, dat er echter verschroeid en gehavend uitzag. Op de vloer lagen de scherven van een grote kruik, waaromheen een steeds groter wordende plas water lag. Dat moest de klap van zonet geweest zijn.

Een magiër zonder beheersing, die magie verspreidde wanneer hij of zij sterk geëmotioneerd was. Voor Farand was angst zijn grootste vijand; angst voor de magie die hij om zich heen strooide, plus angst voor het Gilde. Dannyl moest de jongen dus geruststellen, voor die weer de controle verloor.

Hij glimlachte fijntjes. Een dergelijke situatie kwam maar zelden voor, en dit was nu al de tweede keer in een paar jaar dat hij ermee te maken kreeg. Het was Rothen gelukt Sonea Beheersing te leren, ondanks haar diepe achterdocht tegen het Gilde. Het Farand bij te brengen kon alleen maar makkelijker zijn. En het zou Farand geen kwaad doen als hij hoorde dat een ander het allemaal overleefd had.

'Zoals ik het nu zie, hebben je krachten zich geopenbaard, maar heb je er geen controle over,' zei Dannyl. 'Dat is heel zeldzaam, maar een paar jaar geleden hebben we iemand gevonden die net zoals jij was. Ze leerde in een paar weken haar magie te beheersen en is nu een novice bij het Gilde. Vertel eens, probeerde je er op dat moment iets mee te doen, of viel die kan met water spontaan?'

De jongeman richtte zijn blik op de natte grond. 'Ik denk dat ik het liet gebeuren.'

Dannyl ging in een van de stoelen zitten. Hoe minder beangstigend hij eruitzag, hoe beter. 'Mag ik vragen hoe?'

Farand slikte en keek weg. 'Ik heb mijn leven lang al mentale gesprekken tussen magiërs kunnen horen. Ik luisterde elke dag in de hoop dat ik zou horen hoe je magie moest gebruiken. Een paar maanden geleden luisterde ik een gesprek af over het vrijlaten van magisch potentieel. Ik probeerde wat ze zeiden een paar keer, maar ik dacht niet dat het gewerkt had. Maar toen liet ik dingen gebeuren die ik niet zo bedoeld had.'

Dannyl knikte. 'Je hebt je kracht vrijgelaten, maar je kunt hem niet beheersen. Het Gilde leert je die twee tegelijkertijd aan. Ik hoef je niet te vertellen hoe gevaarlijk het is. Je hebt geluk dat Royend een magiër gevonden heeft die je wil helpen.'

'Gaat u het me leren?' fluisterde Farand.

Dannyl glimlachte. 'Ja.'

Farand liet zich opgelucht op bed vallen. 'Ik was doodsbang dat ze me naar het Gilde zouden moeten sturen, en dan zou de hele groep opgerold worden vanwege mij.' Hij ging zitten en rechtte zijn schouders. 'Wanneer kunnen we beginnen?'

'Wat mij betreft meteen,' zei Dannyl.

Opnieuw kreeg de jonge man een bange blik in zijn ogen, maar hij slikte en knikte. 'Zeg maar wat ik moet doen.'

Dannyl stond op en keek om zich heen. Hij gebaarde naar de stoel. 'Ga zitten.'

Farand keek even naar de stoel voor hij erheen liep en plaatsnam. Dannyl sloeg de armen over elkaar en keek hem bedachtzaam aan. Hij was zich ervan bewust wat voor effect deze verandering van houding had: eerst torende Farand boven hem uit, nu hij boven Farand. Nu hij toegezegd had mee te werken, moest Farand ook voelen dat Dannyl de baas was en wist wat hij deed.

'Doe je ogen dicht,' droeg Dannyl hem op. 'Concentreer je op je ademhaling.' Hij praatte Farand door de standaard ademhalingsoefeningen heen, met zachte en regelmatige stem. Toen hij vond dat de jongen genoeg gekalmeerd was, ging hij achter de stoel staan en raakte licht Farands slapen aan. Maar voor hij zijn geest naar binnen kon leiden, trok de man zijn hoofd weg.

'U gaat mijn gedachten lezen!' riep hij in paniek uit.

'Nee,' verzekerde Dannyl hem. 'Het is onmogelijk iemands gedachten te lezen als hij niet meewerkt. Maar ik wil je naar dat deel van je geest leiden waar je toegang hebt tot je kracht. En dat kan ik alleen als je me toestaat je daarheen te brengen.'

'Is dat echt de enige manier?' vroeg de Dem.

Dannyl keek hem aan. 'Ja.'

'Is het ook maar enigszins mogelijk,' vroeg Farand, 'dat u dingen ziet die ik hoe dan ook geheim moet houden?'

Dannyl keek Farand rustig aan. Dat kon hij niet ontkennen. Als hij eenmaal in Farands geest was, werd hij waarschijnlijk besprongen door de geheimen. Die neiging hadden ze nu eenmaal.

'Het is een mogelijkheid,' zei Dannyl tegen hem. 'Eerlijk gezegd: hoe meer je je best doet iets te verbergen, hoe meer het zich op de voorgrond dringt. Daarom geeft het Gilde er de voorkeur aan om leerlingen zo jong mogelijk aan te nemen. Hoe jonger je bent, hoe minder geheimen je hebt.'

Farand verborg zijn gezicht in zijn handen. 'O nee,' kreunde hij. 'Dan kan niemand het me leren. Dan zal ik mijn hele leven zo blijven.'

Er steeg een rookpluimpje uit het dekbed op. De Dem rook het en kwam naderbij. 'Misschien wil heer Dannyl zweren dat hij alles wat hij ziet nooit aan iemand zal vertellen,' stelde hij voor.

Farand lachte verbitterd. 'Hoe kan ik hem nu vertrouwen als hij op het punt staat een wet te overtreden?'

'Ja, hoe zou je dat nu kunnen?' zei Dannyl droog. 'Ik beloof dat ik, welke informatie ik ook in je geest zie, die aan niemand zal vertellen. Als dat niet genoeg is, dan stel ik voor dat je je spullen pakt en hier vertrekt. Ga zo ver mogelijk van alles en iedereen vandaan die je geen schade wilt berokkenen, want als je krachten de macht van je overnemen, zul je niet alleen jezelf vernietigen, maar alles en iedereen om je heen ook.'

De man verbleekte. 'Dan heb ik geen keus, hè?' piepte hij. 'Ik ga dood als ik het niet doe.' Even laaide de angst weer op in zijn ogen, maar hij haalde diep adem en rechtte zijn rug. 'Dan moet ik maar geloven dat u het stil zal houden.'

Geamuseerd door deze plotselinge wending, begon Dannyl nogmaals met de kalmerende oefening. Toen hij zijn vingers op de slapen van Farand legde, bleef deze stil zitten. Dannyl sloot zijn ogen en betrad Farands geest.

Novicen leerde Beheersing meestal van hun leraren en Dannyl was nooit leraar geweest. Hij kon niet bogen op de ervaring van Rothen, maar na een paar pogingen lukte het hem Farand te bewegen zich een kamer voor te stellen waarin hij binnen kon gaan. Verlokkende glimpen van de geheimen van Farand doemden op, maar Dannyl bleef Farand wijzen op de mogelijkheid ze in zijkamertje te duwen. Ze vonden de deur naar de krachten van de jonge man, maar raakten hem weer kwijt, omdat er diverse geheimen onder de deur door probeerden te kruipen waarachter Farand ze verborgen had.

We weten allebei dat ik ze toch te weten kom. Laat ze maar even zien, dan kunnen we rustig verder met de Beheersingsles, stelde Dannyl Farand voor.

Farand leek opgelucht dat hij iemand zijn geheimen kon laten zien. Hij toonde Dannyl zijn herinneringen van het horen van mentale gesprekken aan het eind van zijn kindertijd. Dit was ongebruikelijk, maar het kwam vaker voor bij kinderen met magische kracht. Farand werd getest en men zei dat hij bij hen mocht komen als hij iets ouder was. In de tussentijd kwam het de koning van Elyne ter ore dat Farand geheime gesprekken van magiërs kon afluisteren, en vroeg hem aan het hof te komen werken.

Op een dag hoorde Farand echter toevallig een gesprek van de koning met een machtige Dem, over het vermoorden van een politieke rivaal. De koning merkte het te laat op en liet hem zweren het gesprek geheim te houden. Later, toen Farand vol goede moed naar het Gilde ging om lessen te gaan volgen, werd hij geweigerd. Hij wist op dat moment nog niet dat de koning bang was dat het geheim tijdens de waarheidslezingen uit zou komen, en dat hij geregeld had dat Farand niet aangenomen zou worden.

Al Farands dromen vielen in duigen. Dannyl voelde werkelijk medeleven met de jonge man. Nu het geheim was uitgekomen, was Farand niet meer zo afgeleid en gespannen. De bron van zijn krachten was snel gevonden. Na een paar voorbeelden hoe Farand er invloed op uit kon oefenen, verliet Dannyl Farands geest en opende zijn ogen.

Even later volgde Farand. 'En?' vroeg hij. 'Was dat alles?'

'Nee,' antwoordde Dannyl en liep naar voren om hem aan te kijken. 'Het zal een paar keer moeten gebeuren.'

'Wanneer doen we dat dan?' De paniek begon weer de kop op te steken.

Dannyl keek Dem Marane aan. 'Morgen, als dat kan.'

'Ja, dat kan wel,' knikte de Dem.

Dannyl keek Farand aan. 'Geen wijn drinken, of een andere stof die je geest beïnvloedt. Novicen leren Beheersing meestal binnen een week of twee. Als je kalm aan doet en zo min mogelijk magie toepast, zal het allemaal wel lukken.'

Farand keek opgelucht en Royend leek heimelijk een beetje opgewonden. De Dem liep naar de deur en trok aan een kettinkje dat door een gaatje uit het plafond kwam.

'Zullen we teruggaan naar de anderen, ambassadeur? Ze zullen benieuwd zijn naar onze vorderingen.'

'Zoals u wilt.'

Ze liepen niet terug naar de eerste open kamer, maar naar een ander deel

96

van het landhuis Ze liepen een kleine bibliotheek in waar Tayend en de anderen het zich gemakkelijk hadden gemaakt. Royend knikte bemoedigend naar Kaslie, waarop de vrouw haar ogen sloot en opgelucht zuchtte.

Tayend zat een groot gehavend boek te lezen. Hij keek met opgewonden blik naar Dannyl. 'Kijk,' zei hij en gebaarde naar de boekenkasten. 'Boeken over magie. We zullen hier heel wat vinden dat ons bij ons onderzoek kan helpen.'

Dannyl kon een glimlach niet onderdrukken. 'Het ging prima. Bedankt dat je ernaar vroeg.'

'Wat?' vroeg Tayend en keek nogmaals op. 'O, dat. Ja, natuurlijk ging het goed.' En in één moeite door vroeg hij aan de Dem: 'Mag ik dit een keer lenen?'

Rothen glimlachte. 'Je kunt het gerust vanavond meenemen, als je wilt. De ambassadeur komt morgen terug. Natuurlijk ben jij ook van harte welkom.'

'Dank u wel.' Tayend wendde zich tot de vrouw van de Dem, die naast hem zat. 'Heb jij ooit van de Sakankoning gehoord?'

Dannyl kon haar gemompelde antwoord niet verstaan. Hij keek de kamer door naar de Dem en zijn vrienden. Ze vertrouwden hem nog steeds niet echt. Niet tot Farand echt verbetering in zijn beheersing van magie aan kon tonen. Maar als Farand dat eenmaal kon, zou hij een gevaar betekenen. Dan zou hij magische krachten in anderen kunnen oproepen, en hen leren er controle over uit te oefenen. Dan zou de groep Dannyl niet meer nodig hebben. Dan zouden ze er liever vandoor gaan dan hun contact met een Gildemagiër te bestendigen.

Hij kon de lessen nog een paar weken rekken, maar langer ook niet. Op het moment dat Farand de macht over zijn kracht echt in handen had, zou Dannyl hem moeten aanhouden en de anderen erbij. Maar een paar zouden er altijd tussen de mazen van het net door glippen. Hoe langer hij in hun buurt bleef, hoe meer namen en gezichten hij kon onthouden. Wat had hij nu graag met de Opperheer gesproken. Maar de aanwezigheid van Farand, die mentale gesprekken kon afluisteren, belette dat, en briefcontact met Akkarin zou te lang duren.

Dannyl nam een glas wijn aan. De Dem begon hem aan de tand te voelen over wat hij hun allemaal zou kunnen leren. Dannyl verdrong al zijn gedachten over arrestatie van deze mensen naar het verste hoekje van zijn geest en concentreerde zich op zijn rol als opstandige Gildemagiër.

Sonea stond voor het raam van haar kamer en keek naar de grijze wolkenslierten die door de nachtelijke hemel zweefden. De sterren schitterden in en uit het zicht, en mist omgaf de bleke maan. De tuinen waren leeg en stil.

Ze was doodop. Ondanks een doorwaakte nacht, en nadat ze na de les ook nog urenlang boeken voor heer Julien had rondgesjouwd, kon ze niet slapen. De vele vragen lieten haar niet met rust. Tot ze merkte dat ze, als ze ze op een rijtje zette zodat ze ze bij haar volgende gesprek met Akkarin kon stellen, zij ze naar een ver hoekje in haar gedachten kon dringen. Maar één vraag liet haar niet los.

Waarom heeft hij het aan mij verteld?

Hij had gezegd dat iemand anders ervan moest weten. Een redelijk antwoord, maar er wrong nog iets. Hij had zijn verhaal toch kunnen opschrijven zodat Lorlen het zou vinden en lezen in het geval hij vermoord zou worden? Dus waarom vertelde hij het aan haar, een gewone novice die niet in de positie was beslissingen te nemen of zijn plaats zou kunnen overnemen?

Er moest een andere reden zijn. En die deed haar huiveren.

Hij wilde dat zij de strijd overnam als hij het niet meer kon. Hij wilde haar zwarte magie leren.

Ze begon door haar kamer te ijsberen. Hij had al een paar keer gezegd dat het niet zijn bedoeling was het haar te leren. Had hij dat dan alleen maar gezegd om haar gerust te stellen? Wachtte hij er alleen maar mee tot ze ouder was, en afgestudeerd, zodat het net zou lijken alsof het haar eigen beslissing was?

Ze beet op haar lip. Het was natuurlijk vreselijk om iemand zoiets te vragen. Om hem of haar iets te leren dat volgens de meerderheid van de magiërs een misdrijf was. Om een Gildewet te overtreden.

En die wet overtreden was geen kleinigheid waarvoor ze een taakstraf zou krijgen of waarvoor haar wat gunsten ontzegd zouden worden. Nee, de straf daarvoor zou veel, veel erger zijn. Verbanning misschien, beperking van haar krachten, of misschien wel eenzame opsluiting.

Maar alleen als de misdaad ontdekt werd.

Het was Akkarin gelukt zijn geheim jarenlang verborgen te houden. Maar hij was de Opperheer. Dat gaf hem alle ruimte om heimelijke en mysterieuze zaken te doen. En dat betekende dat het voor haar niet zo lastig zou zijn met hem mee te werken.

Maar wat zou er gebeuren als hij stierf? Ze fronste haar voorhoofd. Lorlen en Rothen zouden Akkarins geheim onthullen en vertellen dat dat mentorschap alleen maar een manier was geweest om haar het zwijgen op te leggen. Als zij weigerde aan een waarheidslezing mee te werken, dan zou niemand ontdekken dat ook zij zwarte magie had geleerd. Ze kon het onschuldige slachtoffer spelen en niemand zou haar verdenken.

Dan zou ze verder genegeerd worden. Als ze niet langer het lievelingetje van de Opperheer was, zou ze niet worden opgemerkt. Ze kon 's nachts via de geheime gangen naar de stad gaan. Akkarin had al contacten met de Dieven gelegd. Die zouden wel spionnen voor haar regelen...

Ze plofte neer op de rand van haar bed.

Niet te geloven dat ik dit zit uit te stippelen! Er moet wel een reden zijn waarom zwarte magie verboden werd. Het is puur slecht.

Maar was het dat wel? Jaren geleden had Rothen haar eens uitgelegd dat magie niet goed en niet slecht was; het was wat de magiër ermee deed waar het om ging. Bij zwarte magie werd kracht aan een ander onttrokken. Maar daarmee hoefde niemand gedood te worden. Zelfs de Ichani's doodden hun slaven niet als het niet absoluut noodzakelijk was. Toen ze Akkarin het die eerste keer zag uitvoeren, had hij Takans kracht opgenomen. Die daar geen centje pijn van had gehad.

Ze dacht aan het oude verslag uit het archief dat Akkarin haar had laten zien. Eens had het Gilde zwarte magie onderwezen. Leerlingen gaven met hun toestemming kracht aan hun meesters in ruil voor les. Wanneer ze er klaar voor waren, dan leerden de leerlingen het geheim van 'hoge magie' en werden ze zelf meester. Die regeling bevorderde samenwerking en vrede. Er waren geen doden. Er waren geen slaven.

En er was maar één man nodig geweest om dat met zijn ziekelijke hang naar macht te veranderen. En de Ichani's gebruikten magie om de cultuur van slavernij in stand te houden. Toen ze deze dingen naast elkaar zette, begreep ze wel waarom het Gilde zwarte magie verboden had. Het kon zo makkelijk misbruikt worden.

Maar Akkarin had het niet misbruikt. Nee toch?

Akkarin had het gebruikt om te doden. Is dat niet de ergste vorm van misbruik?

Akkarin had het gebruikt om zichzelf te bevrijden, en had alleen spionnen gedood om Kyralia te beschermen. Dat was geen machtsmisbruik. Het was toch redelijk om te doden uit zelfbescherming, of anderen te beschermen... niet dan?

Toen ze nog een kind in de sloppen was, had ze eens besloten dat ze zou doden om zichzelf te beschermen. Als ze het kon vermijden een ander kwaad te doen, zou ze dat proberen, maar ze was niet van plan zelf slachtoffer van een ander te worden en zich te laten afslachten. Een paar jaar later was het dan ook zover gekomen toen ze een messentrekker had afgeweerd. Ze wist niet of hij het overleefd had, maar veel had het haar ook niet kunnen schelen.

De Krijgers leerden met magie te vechten. Het Gilde bleef lesgeven in dat vak voor het geval dat de Geallieerde Landen zouden worden aangevallen. Ze had nog nooit gehoord dat heer Balkan zich druk maakte om het feit dat er doden konden vallen als je jezelf verdedigde.

Maar hielden magiërs zich wel aan die beperking? Ze rilde als ze eraan dacht hoe heer Fergun zijn kennis had kunnen gebruiken. Maar hij was wel gestraft. Dus het Gilde had zijn magiërs voor het leeuwendeel onder controle.

En toen herinnerde ze zich de Zuivering. Als de koning het geen punt vond om magiërs te gebruiken om het arme volk uit de stad te verdrijven teneinde de Huizen van de aristocratie ter wille te zijn, wat zou hij dan zwarte magiërs kunnen opdragen?

Het Gilde zou altijd heel voorzichtig zijn om zwarte magie in de strijd te gooien. Als de wetten werden aangepast, als alleen de technieken die nuttig waren werden getoond, en er altijd waarheidslezingen werden gebruikt om het karakter en moreel van een kandidaat te testen...

Wie ben ik om te denken dat ik het Gilde zou kunnen hervormen? Ik zou niet eens op de lijst van kandidaten komen als erom gevraagd zou worden...

Ze was immers een sloppenkind. Uiteraard had ze een slecht karakter en geen moreel. Niemand zou haar voor die post opgeven.

Dan geef ik mezelf op.

Ze stond op en liep naar het raam.

De mensen om wie ik geef zijn in gevaar. Ik moet wat doen. Het Gilde zal me heus geen doodstraf geven als ik een wet overtreed om het Gilde te redden. Ze kunnen me uit het Gilde gooien, maar als ik de luxe van magie moet verliezen in ruil voor het redden van de levens van degenen van wie ik houd, dan moet dat maar.

Ze huiverde, maar was desondanks overtuigd dat die openbaring de juiste was.

Nou, dat is het dan. Ik heb besloten zwarte magie te leren.

Ze keek naar de deur van haar kamer. Akkarin sliep vast al. Ze kon hem moeilijk wakker maken om hem dit te vertellen. Het kon wel tot morgen wachten.

Ze zuchtte en kroop weer in bed en hoopte dat ze eindelijk zou kunnen slapen nu ze een besluit had genomen.

Hou ik mezelf voor de gek? Als ik het leer kan ik het niet meer ongedaan maken.

Ze dacht terug aan de boeken die Akkarin haar had gegeven om te lezen. Ze zagen er echt genoeg uit, maar het konden natuurlijk ingenieuze vervalsingen zijn. Ze wist niet genoeg van vervalsingen om er iets over te kunnen zeggen.

De spion kon gemanipuleerd zijn om haar dingen te laten geloven die niet waar waren, maar ze wist wel dat Akkarin niet alles had kunnen verzinnen. In Tavaka's geest waren de herinneringen van een leven lang slavernij opgespaard, en dat had geen Opperheer kunnen regelen.

En Akkarins verhaal?

Als hij haar had willen betrekken in het leren van zwarte magie, dan had hij haar alleen maar hoeven vertellen dat het Gilde in gevaar verkeerde. Waarom zou hij dan dat hele slavernijverhaal hebben opgebiecht?

Ze geeuwde. Ze moest wat slaap inhalen. Haar hoofd moest helder zijn.

Morgen zou ze een van de strengste wetten van het Gilde overtreden.

9

Akkarins hulpje

Het kamertje was te klein om te ijsberen. Eén enkel lantaarntje hing aan het plafond en wierp geel licht op de ruwe stenen wanden. Cery sloeg zijn armen over elkaar en vervloekte zichzelf inwendig. Akkarin had gezegd dat ze elkaar niet mochten ontmoeten, tenzij ze iets van groot belang te bespreken hadden dat alleen onder vier ogen kon worden geregeld.

Sonea's welzijn is van groot belang, redeneerde Cery. *En het kan alleen onder vier ogen worden geregeld.*

Maar het zat er niet in dat de Opperheer het met hem eens zou zijn. Cery voelde een steek van angst. Tot nu toe had hij geen moment spijt gehad van het werk dat hij uit dank voor de Opperheer had gedaan. Akkarin had hem immers uit de klauwen van heer Fergun gered, en hem geholpen zijn positie onder de Dieven te verwerven. Als je eenmaal wist waar je op moest letten, was het opsporen van de moordenaars een fluitje van een cent. Het naderhand dumpen van de lijken was ook routinewerk, al konden ze niet meer in de rivier gegooid worden nu de Garde daar speciaal op lette.

Maar Sonea erin betrekken? Nee, dat was te veel van het goede. Niet dat Cery haar beslissingen voor haar kon nemen. Maar hij wilde op zijn minst laten blijken dat hij het er niet mee eens was.

De Opperheer had hem nodig. Dat was een ding wat zeker was. Misschien zou hij vandaag ontdekken hoe onmisbaar hij was.

Cery trommelde met zijn vingers op zijn mouw. *Als de Opperheer tenminste komt.* Er waren maar weinig mensen die een nachtelijke ontmoeting met een Dief zouden aandurven. Niemand... behalve de koning, de meeste Huizen en het hele Gilde...

Hij zuchtte en dacht even aan de andere kwestie die hij met de Gildeleider kon bespreken: dat er weer een Sachakaan in de stad was gesignaleerd. Misschien zou dit lekkere hapje Akkarin gunstig stemmen en zou hij niet zo kwaad zijn als de werkelijke reden voor de ontmoeting te berde werd gebracht. En voor de zoveelste keer stelde hij zich voor hoe Akkarin zou reageren als hij te horen kreeg wie de bron achter die informatie was. Hij grinnikte terwijl hij zich Savara voor de geest haalde. Die glimlach. De manier waarop ze liep. Absoluut geen veilig mens om mee om te gaan.

Maar dat was hij ook niet, natuurlijk.

Een klopje op de deur bracht hem met beide benen op de grond. Hij keek door het spionnetje; naast Gols zware gestalte stond een lang, slank iemand, met zijn gezicht verborgen in de capuchon van de mantel. Gol gebaarde dat het de Opperheer was.

Cery haalde even diep adem en opende de deur. Akkarin beende naar binnen. De mantel viel wijd open en onthulde het zwarte magiërsgewaad. Cery rilde. Akkarin droeg meestal gewone kleren als hij het Dievenpad op ging. Was dit bewust gedaan om Cery eraan te herinneren met wie hij te maken had?

'Goedenavond, Ceryni,' zei Akkarin en schudde de kap naar beneden.

'Goedenavond, Opperheer.'

'Ik heb weinig tijd. Waar wilde je me over spreken?'

Cery aarzelde. 'Ik denk dat we nog een... moordenaar in de stad hebben.' Hij had bijna 'slaaf' gezegd, maar slikte dat op het laatste moment in. Als hij die term zou gebruiken betekende dat zonder meer dat hij contact had gehad met iemand uit Sachaka.

Akkarin fronste zijn voorhoofd. 'Dat dénk je?'

'Ja.' Cery glimlachte. 'Er is wel geen moord gepleegd, maar deze kwam heel snel de stad binnen na de laatste. Ik heb het van iemand die ik vrijwel nooit gebruik. Ze schijnt behoorlijk op te vallen. Zou een makkie moeten zijn.'

'Ze?' herhaalde Akkarin. 'Een vrouw dus. Dus... als de Dieven hierachter komen, dan weten ze dat er meer dan één moordenaar rondloopt. Levert dat problemen voor je op?'

Cery haalde zijn schouders op. 'Het maakt niet uit. Hoogstens levert het nog meer respect op. Maar we kunnen haar beter zo snel mogelijk pakken, zodat niemand tijd heeft om zich er druk over te maken.'

Akkarin knikte. 'Dat is alles?'

Cery aarzelde. Hij haalde diep adem. 'U hebt Sonea meegenomen.'

Akkarin strekte zijn rug. Het licht liet zijn ogen zien. Hij vond het blijkbaar grappig.

'Ja.'

'Waarom?'

'Had ik mijn redenen voor.'

'Goede redenen, hoop ik,' zei Cery en hij dwong zichzelf Akkarin recht aan te kijken.

De Opperheer sloeg zijn ogen niet neer. 'Ja. En ik heb haar niet in gevaar gebracht.'

'Bent u van plan haar hierbij te betrekken?'

'Tot op zekere hoogte. Niet op de manier waarvoor je bang bent. Ik heb iemand van het Gilde nodig die weet waarmee ik bezig ben.'

Cery moest zijn best doen de volgende vraag te stellen. 'Neemt u haar nog een keer mee?'

'Nee, dat was ik niet van plan, nee.'

Hij zuchtte opgelucht. 'Weet ze... weet ze het van mij?'

'Nee.'

Cery voelde zich toch een beetje teleurgesteld. Hij zou het niet erg gevonden hebben als ze wist dat hij opgestoten was in de vaart der volkeren. Maar ze had nooit zo'n hoge dunk van de Dieven gehad...

'Dat was alles?' vroeg Akkarin. Klonk er een beetje respect door in zijn stem, of verdroeg hij het alleen maar...

Cery knikte. 'Ja, dank u.'

Hij keek hoe de Opperheer de deur opende. *Pas goed op haar,* dacht hij. Akkarin keek snel om, keek hem aan, knikte, en liep de gang in, zijn mantel fladderend om zijn enkels.

Nou, dat ging beter dan ik verwacht had, mijmerde Cery.

Dannyls kamers in het Gildehuis van Capia waren groot en luxueus. Hij had een slaapkamer, kantoor en ontvangstkamer voor zichzelf, en hij hoefde maar aan een van de vele kleine belletjes te trekken of er kwam een bediende vragen wat hij nodig had. Een van hen had zojuist een dampende kop sumi binnengebracht, terwijl een ander hem kwam vertellen dat hij bezoek had.

'Tayend van Tremmelin wil u spreken,' meldde de bediende.

Dannyl zette verrast zijn beker neer. Tayend kwam hem hier haast nooit opzoeken. Ze hielden allebei meer van de privacy van de Grote Bibliotheek, waar geen bedienden waren die konden zien hoe intiem ze met elkaar omgingen.

'Laat maar binnen.'

Tayend was perfect gekleed voor een bezoek aan een belangrijk persoon. Hoewel Dannyl gewend was geraakt aan de flamboyante kleding die aan het hof van Elyne werd gedragen, vond hij het nog altijd erg amusant. Maar hij moest toegeven dat de strakke zijden kleding, die oudere hovelingen zo bespottelijk stond, Tayends figuur goed deed uitkomen.

'Ambassadeur Dannyl,' zei Tayend en maakte een sierlijke buiging. 'Ik heb Dem Maranes boek gelezen en het blijkt een schat aan informatie te bevatten.'

Dannyl gebaarde naar een van de stoelen voor zijn bureau. 'Ga toch zitten, Tayend. Als je even een momentje hebt...' Tayend had hem aan iets herinnerd. Hij haalde een leeg vel papier te voorschijn en begon een briefje te pennen.

'Wat schrijf je?' vroeg Tayend.

'Een briefje naar Dem Marane waarin ik zeg dat ik tot mijn leedwezen niet aanwezig kan zijn bij zijn dineetje vanavond, vanwege onverwachte werkzaamheden die helaas niet kunnen wachten.'

'En Farand dan?'

'Die overleeft het wel. Ik heb echt werk te doen, en het kan geen kwaad ze even te laten wachten. Wanneer Farand die Beheersing eenmaal onder de knie heeft, hebben ze mij niet meer nodig, en het zou me niet verbazen als onze nieuwe vrienden dan opeens met de noorderzon vertrokken zijn.'

'Nou, dan zijn ze hartstikke gek. Denken ze dan dat al die jaren studeren van jou soms voor niks zijn geweest?'

'Ze kunnen de waarde niet inzien van iets dat ze niet kennen.'

'Dus je arresteert ze zodra Farand zijn kracht beheerst?'

'Ik weet het niet, ik heb nog geen besluit genomen. Misschien is het de moeite waard om te zien of ze dan werkelijk verdwijnen. En ik weet zeker dat we nog niet iedereen ontmoet hebben die erbij betrokken is. Als ik wacht word ik misschien aan meer mensen voorgesteld.'

'Weet je zeker dat ik niet met je mee hoef te gaan naar Kyralia wanneer je ze gearresteerd hebt? Misschien wil het Gilde nog een getuige spreken.'

'Farand is voor hen bewijs genoeg.' Dannyl keek op en schudde zijn wijsvinger. 'Je wilt natuurlijk alleen het Gilde met eigen ogen zien. Maar als onze nieuwe vrienden wraak nemen door onsmakelijke geruchten over ons te verspreiden, is het beter dat we daar niet samen gezien worden.'

'Ach, we zijn toch niet de hele tijd samen? Ik hoef niet in het Gilde te logeren. Ik heb familie in Imardin. En je hebt zelf gezegd dat Akkarin zou vertellen dat het allemaal een trucje was geweest om ze uit hun tent te lokken.'

Dannyl zuchtte. Hij wilde niet weg bij Tayend. En al helemaal geen paar weken. Als hij er zeker van was dat er geen problemen van kwamen als hij de jonge geleerde meenam, zou hij meteen regelen dat hij mee kon. Misschien zou het de geruchten juist ontkrachten als ze zich 'normaal' gedroegen. Maar voor hetzelfde geld zouden wantrouwige lieden met een glimpje van de waarheid nieuwe roddels kunnen gaan rondstrooien. Van dat soort mensen waren er meer dan genoeg in het Gilde.

'Ik ga terug met de boot,' herinnerde hij Tayend eraan. 'Ik nam aan dat je dat koste wat kost wilde vermijden.'

Tayend versomberde heel even. 'In het juiste gezelschap kan ik zelfs een beetje zeeziekte wel verdragen.'

'Deze keer niet,' sprak Dannyl ferm. 'Op een dag reizen we samen met een rijtuig naar Imardin. Dan ben jij ook eens het juiste gezelschap voor mij.' Hij glimlachte om Tayends verontwaardigde blik, ondertekende de brief en legde hem terzijde. 'Wel, wat had je voor belangwekkends gevonden in dat boek?'

'Weet je nog dat er op de kist van de vrouw in de Tomben van de Witte Tranen stond dat ze "hoge magie" bedreef?'

Dannyl knikte. Het bezoek aan de Vindo's op zoek naar bewijzen van oude magie leek alweer zo lang geleden.

'De woorden "hoge magie" stonden in verband met een halvemaan en een hand,' zei Tayend terwijl hij het geopende boek van de Dem naar Dannyls kant van het bureau schoof. 'Dit is een kopie van een boek dat twee eeuwen geleden geschreven is, toen de Alliantie gevormd werd en de wet werd ingevoerd dat alle magiërs opgeleid moesten worden door het Gilde en onder toezicht daarvan stonden. De meeste magiërs buiten Kyralia waren ook lid van het Gilde, maar sommigen ook niet. Dit was van een magiër die geen lid was.'

Dannyl trok het boek naar zich toe en zag dat er boven aan de pagina hetzelfde teken stond waarover hij nu al een jaar piekerde. Hij begon de regels eronder te lezen.

De term 'hoge magie' omvat een aantal vaardigheden die eens normaal gebruik waren in alle landen. Eronder vallen eenvoudige handelingen zoals het maken van 'bloedstenen' of 'bloedjuwelen' die de kunst van mentale communicatie op afstand van de maker mogelijk maken, en het maken van 'voorraadstenen' of 'voorraadjuwelen' die magie op een bepaalde manier kunnen opslaan en vrijmaken.

De belangrijkste vorm van hoge magie is verwervend. Een magiër die de kennis bezit kan kracht ontlenen aan levende wezens om zijn krachtvoorraad te laten groeien.

Dannyl staarde in afgrijzen naar de pagina. Dit beschreef iets dat erg leek op... Er liep een rilling over zijn rug. Zijn ogen probeerden de woorden te volgen, alsof ze een eigen wil hadden.

Om dit uit te voeren, moet de natuurlijke barrière die het wezen of de plant beschermt doorbroken worden. Dit kan door het maken van een snede in de huid die diep genoeg is om het bloed of sap te laten vloeien. Andere methoden zijn het vrijwillig of onvrijwillig loslaten van de barrière. Door oefening kan de natuurlijke laag uit vrije wil worden verwijderd. Gedurende een orgasme heeft de barrière de neiging om te flakkeren, waardoor heel kort de mogelijkheid bestaat kracht aan de ander te onttrekken.

Dannyl zat stokstijf in zijn stoel. Tijdens zijn opleiding voor deze functie had hij dingen geleerd die gewone magiërs nimmer te horen zouden krijgen. Sommige zaken waren van politieke aard; andere van magische. Bij die laatste afdeling werden signalen opgenoemd waaraan zwarte magie te herkennen was.

En daar zat hij nu, met een boek waarin een complete gebruiksaanwijzing stond. Alleen al door die te lezen overtrad hij de wet.

'Dannyl? Alles goed met je?'

Hij keek op naar Tayend, maar kon geen woord uitbrengen. Tayend keek hem bezorgd aan.

'Je bent zo wit als een doek. Ik dacht... nou ja... als het klopt wat hier staat... dan weten we wat hoge magie is.'

Dannyl deed zijn mond open, sloot hem en richtte zijn blik weer op het boek. Hij bekeek het teken van de halvemaan en de hand. Het was geen maan. Het was een gebogen lemmet. Hoge magie was zwarte magie.

Akkarin had zwarte magie bestudeerd.

Nee. Hij wist het natuurlijk niet. Hij kan nooit zover zijn gekomen als wij, bracht Dannyl zichzelf in herinnering. *Hij weet het waarschijnlijk nog steeds niet. Anders zou hij me nooit hebben aangemoedigd door te gaan met mijn onderzoek.* Hij ademde diep in en liet de lucht langzaam ontsnappen.

'Tayend, ik denk dat het tijd is dat we Errend alles over de rebellen vertellen. Misschien moet ik toch eerder op reis dan ik gepland had.'

Sonea's hart klopte in haar keel toen ze de villa van de Opperheer naderde. De hele dag had ze uitgezien naar dit moment. Ze had zich maar moeilijk kunnen concentreren tijdens de les, en de oersaaie strafuren in Juliens bibliotheek hadden dubbel zo lang geleken.

Het gebouw van grijze steen doemde voor haar op in de duisternis. Ze bleef staan, haalde diep adem en verzamelde al haar moed. Toen liep ze ernaartoe en raakte de deurknop aan. De deur sprong van het slot en zwaaide open.

Zoals gewoonlijk zat Akkarin in een van de leunstoelen in de ontvangstkamer. Zijn lange vingers kromden zich rond een glas dieprode wijn.

'Goedenavond, Sonea. Hoe waren de lessen vandaag?'

Ze had een kurkdroge mond. Ze slikte, ademde diep in, kwam binnen en hoorde de deur achter zich dichtvallen.

'Ik wil helpen,' zei ze toen.

Hij fronste zijn wenkbrauwen en keek haar diep in de ogen. Ze deed haar best om terug te blijven kijken, maar dat hield ze niet vol. De stilte duurde en duurde, tot hij plotseling opstond en het glas wegzette.

'Uitstekend. Kom maar mee.'

Hij liep naar de deur van de trap die naar de ondergrondse ruimte leidde. Hij deed hem open en gebaarde dat ze voor moest gaan. Haar knieën knikten, maar ze dwong zichzelf de trap af te lopen.

Vlak voor ze haar voet op de tree zette, werd er op de deur geklopt en ze verstijfden beiden.

'Loop maar door,' mompelde hij. 'Het is Lorlen. Takan regelt het wel.'

Heel even vroeg ze zich af hoe hij wist dat het Lorlen was. Maar het was zo helder als glas. De ring van Lorlen had inderdaad net zo'n rode steen als die ze in de tand van de spion gezien had.

Terwijl ze de trap afging, hoorde ze meerdere voetstappen in de kamer boven zich. Akkarin sloot zacht de deur naar de trap en volgde haar. Ze bleef staan voor de deur van de onderaardse kamer. Akkarin raakte de deur aan, die vanzelf openging.

De kamer was pikkedonker, maar er verschenen al snel twee bollichtjes. Ze keek naar de twee tafels, de gehavende oude kist. En de boekenkasten en ladekasten. Eigenlijk was er niks griezeligs aan.

Akkarin scheen op haar te wachten. Ze stapte naar binnen en wendde zich naar hem. Hij keek naar het plafond en grinnikte.

'Die is weg. Ik moet hem een en ander vertellen, maar dat kan wel wachten.'

'Moeten we... zullen we dit dan niet later doen?' probeerde ze, hopend dat hij 'ja' zou zeggen.

Hij keek haar zo diep in de ogen, fel als een wild dier, dat ze onwillekeurig een stap terugdeed.

'Nee,' zei hij. 'Dit is belangrijker.' Hij sloeg de armen over elkaar en een zweem van een glimlach speelde rond zijn lippen. 'Zo. Hoe had je me willen helpen?'

'Ik... u...' begon ze stotterend. 'Door zwarte magie te leren,' bracht ze uiteindelijk uit.

Zijn glimlach verdween. 'Nee.' Hij liet zijn armen vallen. 'Dat kan ik je niet leren, Sonea.'

Ze keek hem verbijsterd aan. 'Dan... waarom liet u me dan de waarheid zien? Waarom hebt u me dan alles over de Ichani's verteld, als het niet de bedoeling was om me erbij te betrekken?'

'Ik heb nooit de bedoeling gehad je zwarte magie te leren,' zei hij. 'Ik zou je toekomst binnen het Gilde nooit in gevaar willen brengen. En zelfs als me dat niet kon schelen, zou ik deze kennis nooit aan anderen meedelen.'

'Maar... hoe kan ik u dán helpen?'

'Ik was van plan...' Hij aarzelde, zuchtte en keek de andere kant op. 'Ik was van plan je als vrijwillige bron van kracht in te zetten, net als Takan.'

Even kreeg ze het ijskoud. *Ach ja, natuurlijk*, dacht ze. *Ik had kunnen weten dat alles daarop uit zou draaien.*

'De Ichani's vallen misschien helemaal niet binnen,' zei hij. 'Als je zwarte magie leert, heb je je toekomst voor niets weggegooid.'

'Dat risico wil ik wel nemen,' zei ze met een klein stemmetje.

Hij keek haar afkeurend aan. 'Breek jij zo makkelijk een eed?'

Ze bleef hem aankijken. 'Als het de enige manier is om Kyralia te redden wel.'

De felheid verdween uit zijn ogen. Ze kende geen woorden voor de uitdrukking die op zijn gezicht lag.

'Leer het haar, meester.'

Ze wendden zich om naar de stem. Takan stond op de drempel en keek Akkarin gespannen aan.

'Leer het haar,' zei hij. 'U hebt een bondgenoot nodig.'

'Nee,' hield Akkarin vol. 'Wat heb ik aan Sonea als ik dat doe? Als ik haar kracht neem, is ze als zwarte magiër te zwak. En als ze kracht wil onttrekken, bij wie kan ze dat dan doen? Jij hebt al meer dan genoeg op je bordje.'

Takans blik wankelde niet. 'Er moet iemand zijn die behalve u het geheim kent, meester. Sonea hoeft het niet te gebruiken, maar dan zou ze wel uw plaats kunnen innemen als u sterft.'

Akkarin beantwoordde de blik van zijn bediende. Zo bleven ze elkaar lang aanstaren.

'Nee,' zei Akkarin uiteindelijk. 'Maar... ik zal erover nadenken als ze Kyralia aanvallen.'

'Tegen die tijd is het al te laat,' zei Takan rustig. 'Ze vallen pas aan als ze u uit de weg geruimd hebben.'

'Hij heeft gelijk,' viel Sonea hem met trillende stem bij. 'Leer het me en gebruik me als krachtbron. Ik zal geen zwarte magie toepassen tot ik geen andere keus meer heb.'

Hij keek haar met kille ogen aan. 'Je weet wat de straf is voor het leren en gebruiken van zwarte magie?'

Ze aarzelde en schudde het hoofd.

'Je wordt terechtgesteld. Er is geen ander misdrijf waarop de doodstraf staat. Alleen al de póging om wat zwarte magie op te pikken is genoeg reden om uit het Gilde verbannen te worden.'

Ze huiverde. Haar mond vertrok tot een grimmige glimlach.

'Maar je kunt jezelf zeer nuttig maken zonder je aan een misdrijf schuldig te maken. Er is geen wet die verbiedt dat je kracht aan een andere magiër geeft. Bij de lessen strijdvaardigheden is die techniek je zelfs bijgebracht. Het enige verschil is dat ik de kracht die jij me schenkt op kan slaan.'

Ze keek verrast op. Geen mes? Geen snee in de huid? Nee, nodig was het niet.

'Je was volkomen uitgeput na een aanval van Regin en zijn vrienden, maar na een nachtje slapen had je vrijwel al je kracht weer terug,' vervolgde hij. 'We moeten alleen opletten dat je niet te veel kracht geeft als je de volgende dag Strijdvaardigheden op je rooster hebt. En als je in staat wilt zijn om die spionnen in mijn plaats te kunnen afmaken, moet ik je training waarschijnlijk maar persoonlijk ter hand nemen.'

Het duizelde Sonea even. *Strijdvaardigheden? Met Akkarin?*

'Weet je wel zeker dat dit is wat je wilt?' vroeg hij.

Ze haalde diep adem. 'Ja.'

Hij fronste zijn voorhoofd en keek haar even aandachtig aan. 'Ik zal vanavond een beetje kracht van je overnemen. Dan zien we morgen wel of je nog steeds wilt helpen.' Hij wenkte haar. 'Geef me je handen.'

Ze liep voorwaarts en stak haar handen uit. Ze huiverde toen zijn lange vingers zich met de hare verstrengelden.

'Stuur nu je kracht naar mij, zoals je hebt geleerd toen krachtbundeling aan de orde was bij Strijdvaardigheden.'

Ze verzamelde kracht en liet die via haar handen in die van hem vloeien. Zijn uitdrukking veranderde enigszins toen hij zich van de energie bewust werd en die naar binnen trok. Ze vroeg zich af hoe hij die opsloeg. Ze had dan wel geleerd om energie van andere novicen te ontvangen, maar ze had die kracht altijd meteen voor haar treffers gebruikt of het aan haar schild toegevoegd.

'Houd wat energie voor je lessen over,' mompelde hij.

Ze haalde haar schouders op. 'Daar verbruik ik nauwelijks iets. Ook bij Strijdvaardigheden niet.'

'Dat verandert nog wel.' Hij liet haar handen bijna los. 'Dat is genoeg.'

Ze stopte met de kracht door te sturen. Toen ze losliet deed ze een stap terug. Hij keek Takan even aan en knikte naar haar.

'Dank je, Sonea. Zo, nu moet je gaan rusten. Geef Takan morgen een kopie van je lesrooster zodat we zelf tijdens je Strijdvaardighedenles kunnen trainen. Als je er morgen nog voor in bent, zou ik morgenavond eenzelfde sessie willen houden.'

Sonea knikte. Ze liep naar de deur, maar bleef even staan om een buiging te maken.

'Welterusten, Opperheer.'

Hij staarde haar recht in de ogen. 'Welterusten, Sonea.'

Weer ging haar hart tekeer. Toen ze de trap opliep, besefte ze wel dat het niets met angst te maken had, eerder met een vreemd soort opwinding.

Ik help hem dan wel niet op de manier die ik verwachtte, dacht ze, *maar ik help toch.*

Toen grinnikte ze. *Maar ik denk dat ik niet zo opgetogen zal zijn als hij me zijn Strijdvaardigheden bij gaat brengen!*

10

Een onverwachte tegenstander

Terwijl Rothen wachtte tot zijn laatste leerlingen binnengedruppeld waren, staarde hij uit het raam. De langere, warmere dagen veranderden de tuinen in een groen doolhof. Zelfs het grijze huis van de Opperheer zag er in dit ochtendlicht knus uit. Hij zag de deur van de villa opengaan en zijn hart sloeg over toen hij Sonea naar buiten zag komen. Ze was laat voor haar doen. Volgens Tania stond ze altijd bij zonsopgang op.

Er verscheen een langere gestalte in de deuropening, en Rothen verstijfde. De plooien in Akkarins zwarte gewaad waren bijna grijs in het ochtendzonnetje. De Opperheer wendde zich tot Sonea en zei iets. Er verscheen een klein glimlachje om haar lippen. Met een ernstige uitdrukking liepen ze verder in de richting van de universiteit. Rothen keek hen na tot ze uit het zicht verdwenen waren. Huiverend draaide hij zich om.

Ze had naar Akkarin *geglimlacht*.

Het was geen geforceerd, beleefd glimlachje geweest. Maar ook geen vrolijk, zorgeloos lachje. Stiekem en geheimzinnig, zo had ze gelachen.

Nee, hield hij zichzelf voor. *Mijn angst laat me dingen zien die er niet zijn. Ik verbeeld het me maar. Ze lachte waarschijnlijk om hem mild te stemmen. Of misschien vond ze die opmerking van hem gewoon amusant, lachte ze om een grapje vol zelfspot...*

Maar als het nu eens niet zo geweest was? Als er nu eens een andere reden was?

'Heer Rothen?'

Hij draaide zich om en zag dat de klas inmiddels compleet was. Ze zaten geduldig te wachten tot hij begon. Hij glimlachte een beetje schuldig en liep naar zijn bureau. Hij kon het lokaal niet zomaar uitlopen om een verklaring aan Sonea te vragen. Nee, hij moest haar uit zijn gedachten bannen en zich concentreren op de les. Maar hij moest straks uitzoeken wat er aan de hand kon zijn. En haar nog beter in de gaten houden.

Terwijl het rijtuig weer verder reed, beende Dannyl naar de deur van Dem Maranes huis en trok aan de bel.

Hij geeuwde en liet zijn vermoeidheid met een tikkeltje magie verdwijnen. Er was een week voorbijgegaan sinds Tayend hem het boek had laten zien en hij had vele geheime vergaderingen met ambassadeur Errend en andere magiërs uit Elyne bijgewoond ter voorbereiding van deze avond. Nu zouden ze zien of hun plannen werkten.

Voetstappen naderden de deur, die door de heer des huizes met een sierlijke buiging geopend werd.

'Ambassadeur Dannyl. Wat fijn u weer te zien. Komt u verder.'

'Dank u,' zei Dannyl en stapte naar binnen.

'Waar is onze jonge vriend?' vroeg de Dem.

'Bij zijn vader,' antwoordde Dannyl. 'Er waren weer familiezaken te bespreken. Hij laat u groeten en vertelde dat het boek zeer verhelderend is en dat hij het vanavond uit zal lezen. Ik weet toevallig dat hij het veel aangenamer vindt om met u en uw vrienden te praten dan familiekwesties onder handen te nemen.'

Royend knikte en glimlachte, maar in zijn ogen was behoedzaamheid te lezen. 'Ik zal zijn gezelschap missen.'

'Hoe is het met Farand? Geen onverwachte ontwikkelingen?' vroeg Dannyl op een bezorgd toontje.

'Nee,' zei de Dem aarzelend. 'Wel een opzettelijke actie. Hij is jong en ongeduldig en hij kon zich niet beheersen, dus...'

Dannyl keek geschrokken op. 'Wat is er gebeurd?'

'Gewoon weer zo'n binnenbrandje.' De Dem glimlachte spijtig. 'Ik heb een nieuw bed voor zijn gastheer moeten kopen.'

'Dezelfde gastheer als de vorige keer?'

'Nee. Ik heb Farand weer moeten verplaatsen. Het leek me verstandig, voor ons aller bestwil, om hem buiten de stad onder te brengen, voor het geval zijn ongelukjes zo frequent gaan voorkomen dat ze ongewenste aandacht trekken.'

Dannyl knikte. 'Heel verstandig, al is het misschien helemaal niet nodig. Ik hoop dat hij niet te ver weg zit. Ik heb maar een paar uur.'

'Nee, dat valt mee,' verzekerde de Dem hem.

Ze waren bij de deur van de volgende kamer aanbeland. Kaslie, Royends vrouw, begroette hem vriendelijk.

'Welkom, ambassadeur. Fijn u weer te zien. Denkt u dat mijn broer de Beheersing snel onder de knie heeft?'

'Jazeker,' antwoordde Dannyl ernstig. 'Ofwel vanavond, ofwel de volgende keer. Het is bijna voorbij.'

Ze knikte, duidelijk opgelucht. 'Ik weet niet hoe ik u moet bedanken.' Ze wendde zich tot Royend. 'Dan zou ik maar meteen vertrekken,' zei ze wat wrevelig.

De Dem glimlachte ongemakkelijk. 'Farand zal nu snel weer veilig zijn, kindje.'

Haar frons werd alleen maar dieper. Tayend had al opgemerkt dat Kaslie zelden vrolijk was en zich vaak scheen te ergeren aan haar man. Hij vermoedde dat ze Royend de schuld gaf voor de toestand waarin haar broer terechtgekomen was, omdat hij de jongeman had aangemoedigd zijn capaciteiten te ontwikkelen.

De Dem nam Dannyl mee naar een rijtuig dat buiten voor hen klaarstond. Het begon al te rijden voor ze zich in de kussens genesteld hadden. De ramen waren geblindeerd.

'Dat is voor de bescherming van de gastheren van Farand,' legde de Dem uit. 'Ik laat u dan wel zien wie ik ben en waar ik woon, maar er zijn leden van de groep die daar wat voorzichtiger mee zijn. Ze hebben erin toegestemd Farand hier onder te brengen op voorwaarde dat ik deze voorzorgsmaatregelen neem.' Hij zweeg even. 'Vindt u me een idioot omdat ik u vertrouwd heb?'

Dannyl keek hem verbaasd aan. Hij dacht er een moment over na en haalde toen zijn schouders op. 'Ik nam aan dat u het stapje voor stapje zou doen. Een paar testjes, om mijn eerlijkheid te bepalen, misschien. Maar dat kon niet, vanwege Farand. U hebt een risico genomen, maar daar hebt u ongetwijfeld goed over nagedacht.' Hij grinnikte. 'U had natuurlijk genoeg ontsnappingsroutes ter plekke.'

'En u moest Tayend beschermen.'

'Precies.' Dannyl lachte vrolijk. 'Wat ik eigenlijk wilde weten is of ik nog wel welkom ben in uw huis als Farand eenmaal beheersing over zijn krachten heeft.'

De Dem lachte zacht. 'Tja, dan zult u nog even geduld moeten hebben. Daar heb ik nu nog geen antwoord op.'

'Dan hoef ik u zeker niet te vertellen welke prachtige dingen ik Farand kan leren als hij Beheersing kent?'

Royends ogen begonnen te schitteren. 'Jawel, alstublieft!'

Het volgende uur bespraken ze de magische perspectieven. Dannyl vertelde behoedzaam alleen de dingen die mogelijk waren, maar niet hoe ze uitgevoerd moesten worden, en de Dem merkte natuurlijk wel dat hij opzettelijk dingen achterhield.

Eindelijk hield de koets halt. De Dem wachtte tot het portier werd geopend en gebaarde toen naar Dannyl dat hij uit kon stappen. Het was donker buiten en Dannyl riep automatisch een bollichtje op. Dat verlichtte een tunnel met muren die glinsterden van het vocht.

'Wilt u dat alstublieft doven,' verzocht de Dem.

Dannyl doofde het lichtje. 'Sorry,' zei hij. 'Macht der gewoonte.'

Na het felle licht was het nu pas echt pikdonker. Er werd een hand op zijn schouder gelegd die hem voortduwde. Dannyl strekte zijn zintuigen uit en ontdekte een grote spleet in de muur. Daar gingen ze in.

'Pas op,' mompelde Royend. 'Hier komt een trap.'

De teen van Dannyls laars raakte een harde rand. Voorzichtig liep hij een steile trap op, en toen door een gang met veel bochten, hoeken en zijgangen. Toen voelde hij een grote kamer en een bekend wezen, en de hand werd van zijn schouder gehaald.

Een lamp kwam sputterend tot leven, waardoor een aantal meubels zichtbaar werden in een kamer die uit het rotsgesteente gehouwen leek te zijn. Water liep via de muur in een grote bak, en vervolgens weg in een gat in de vloer. Het was er koud en Farand had dan ook een lange winterjas met een bontkraag aan.

De jongeman maakte een buiging; hij bewoog zich zelfverzekerder nu hij bijna op het punt stond aan zijn hachelijke situatie te ontkomen.

'Ambassadeur Dannyl,' zei hij, 'welkom in mijn nieuwste schuilplaats.'

'Het is hier frisjes,' merkte Dannyl op. Hij zond een magische gloed de lucht in om de ruimte te verwarmen.

Farand grinnikte en wurmde zich uit zijn dikke jas. 'Mijn hele leven lang droomde ik ervan grootse en dramatische dingen met magie te doen. Maar nu denk ik dat ik al heel tevreden zou zijn als ik kan bereiken wat u zojuist deed.'

Dannyl keek Royend vragend aan. De Dem glimlachte en haalde de schouders op. 'Zo denkt niet iedereen erover, geloof me. Ik weet zeker dat ook Farand verder wil komen dan de basismagie.'

Hij stond naast een touw dat uit een gat in het plafond bungelde. Het andere eind was vermoedelijk bevestigd aan een bel, dacht Dannyl. Hij vroeg zich af wie op het geklingel zat te wachten.

'Welnu,' zei Dannyl. 'Dan moesten we maar eens beginnen. Het heeft geen zin jou langer dan nodig is in koude kelders verborgen te houden.'

Farand ging in een stoel zitten. Hij haalde diep adem, sloot zijn ogen en begon met de kalmeringsoefening die Dannyl hem geleerd had. Toen het gezicht van de jongeman zich ontspande, kwam Dannyl naderbij.

'Misschien is dit je laatste les,' zei hij met zachte, rustgevende stem. 'Misschien ook niet. Beheersing moet een routine voor je worden, voor je eigen veiligheid, dag en nacht. Het is beter dat je het in je eigen tempo leert, dan er snel doorheen te jagen.' Licht raakte hij Farands slapen aan en sloot zijn ogen.

Het was onmogelijk om doeltreffend te liegen tijdens mentale communicatie, maar de waarheid kon achtergehouden worden. Tot nu toe had Dannyl zijn missie en uiteindelijke plannen om de rebellen te verraden veilig verborgen. Maar elke keer dat Dannyl Farand meenam op reis door de gangen van zijn geest, was de jongeman meer gewend geraakt aan mentale communicatie. Hij voelde Dannyl beter aan dan in het begin.

En nu het uur gekomen was om de rebellen te arresteren, kon Dannyl zijn spanning vanwege de naderende actie niet verhullen. Farand voelde het en werd nieuwsgierig.

U verwacht iets. Wat gaat er gebeuren vannacht?

Hoogstwaarschijnlijk bereik je Beheersing, antwoordde Dannyl. Dit was waar, en maakte deel uit van wat er te gebeuren stond. Het was echter van groot belang dat ook de jongeman dit grote moment als reden voor Dannyls opwinding zag. Maar Farand was zich bewust geworden van de gevolgen van het leren van magie, en die hadden hem ongewoon achterdochtig gemaakt.

Dat is niet alles. U verbergt iets voor me.

Ja, vanzelfsprekend, antwoordde Dannyl. *Ik houd veel voor je achter, tot ik zeker weet dat jullie groep er niet meteen vandoor zal gaan zodra jij Beheersing onder de knie hebt.*

De Dem is een man van eer. Hij heeft beloofd Tayend te beschermen in ruil voor uw hulp. Die belofte zal hij inlossen.

Dannyl mocht de naïeve jongeman op dit moment graag. Maar hij onderdrukte dat gevoel, en herinnerde zichzelf eraan dat Farand weliswaar jong, maar geenszins een dwaas was.

We zullen wel zien. Nu, neem me mee naar de plek waar je kracht zetelt.

Het had Farand minder tijd gekost om de fijnste nuances van Beheersing te leren kennen dan Dannyl verwacht had. Terwijl Farand zich aan zijn taak wijdde, maakte Dannyl zich op voor hetgeen nu moest volgen. Hij doorbrak Farands gedachten met een vraag.

Waar zijn we?

Er verscheen het beeld van een tunnel, dan van de kamer waarin ze zich bevonden. Farand had dus net zo weinig benul van waar hij was als Dannyl.

Wie is je gastheer?

Nogmaals moest Farand het antwoord schuldig blijven.

Misschien had Royend beseft dat Dannyl informatie zou willen aflezen uit Farands gedachten, en had hij daarom de jongen ook in het pikdonker binnen gebracht. Het was te hopen dat hun verblijfplaats alleen ontdekt kon worden door via al die gangen weer terug te keren en te zien waar de tunnel eindigde.

Farand had nu genoeg van Dannyls gedachten opgevangen om ongerust te worden.

Wat bent u...?

Dannyl trok snel zijn hand weg van Farands slapen en verbrak de verbinding. Tegelijkertijd vormde hij een klein schild voor het geval Farand zou proberen zijn magie te gebruiken. De jongeman keek hem met grote ogen aan.

'Het was een list,' bracht Farand naar adem snakkend uit. 'Het was allemaal een list!' Hij wendde zich tot Royend. 'Hij wil ons verraden.'

Royend keek Dannyl met licht toegeknepen ogen aan. Toen de Dem naar het schellenkoord wilde grijpen, liet Dannyl zijn wilskracht gelden. Geschrokken rukte de man zijn hand terug vanwege de pijnlijke schok die de barrière om het koord hem had gegeven. Dannyl richtte zijn geest op het gebied buiten de kamer.

Errend?

Farand keek verbijsterd bij het horen van de conversatie.

Ha, Dannyl. Heb je de rebel?

Ja.

Daarop begon Dannyls geest te gonzen van de gesprekken van andere magiërs; Farand luisterde mee.

'Ze arresteren de anderen vanwege mij!' zei hij. 'Nee! Het is allemaal mijn schuld!'

'Nee, dat is niet waar,' legde Dannyl uit. 'Het is de schuld van jullie koning, die de mogelijkheden van een potentiële magiër heeft misbruikt, en van je zwager, die wel brood zag in de situatie om zijn eigen doel te bereiken. Ik denk dat je zuster dit wel weet, al denk ik niet dat ze jullie daarom zou verraden.'

Farand keek Royend aan en Dannyl las uit de beschuldigende blik dat hij het bij het rechte eind had gehad.

'Probeer maar niet ons tegen elkaar op te zetten, ambassadeur,' zei Royend. 'Dat lukt u toch niet.'

Waar zit je? vroeg Errend.

Dat weet ik niet precies. Een uur rijden met de koets vanuit de stad. Hij zond een beeld van de tunnel. *Komt dit je bekend voor?*

Nee.

Farand keek naar Dannyl en toen weer naar Royend. 'Hij weet nog steeds niet waar we zijn,' zei hij hoopvol.

'O, maar dat hebben we zo uitgevonden,' verzekerde Dannyl hem. 'En je zou kunnen weten, Farand, dat het heel onbeleefd is om andermans gesprekken af te luisteren.'

'Jullie regels volgen we hier niet,' beet Royend hem toe.

Dannyl wendde zich tot de Dem. 'Ja, dat heb ik gemerkt.'

De man wist even niet waar hij moest kijken, toen rechtte hij zijn rug. 'Ze zullen ons hiervoor terechtstellen. Zult u dan ooit nog lekker slapen?'

Dannyl sloeg zijn ogen niet neer. 'U wist welk risico u nam, bij elke stap. Als alles wat u gedaan en beraamd hebt er alleen op gericht was Farand te beschermen, zou u gratie geschonken worden. Ik geloof echter niet dat uw motieven zo zuiver waren.'

'Nee,' gromde de Dem. 'Niet alleen Farand. Het was de onrechtvaardigheid van alles. Waarom zou het Gilde mogen besluiten wie magie mag gebruiken en mag onderwijzen? Er worden zoveel talentvolle magiërs in de dop –'

'Het Gilde besluit niet wie er magie mogen leren,' verbeterde Dannyl hem. 'In Kyralia wordt het aan de familie overgelaten of hun zonen en dochters de opleiding gaan volgen. In Elyne besluit alleen de koning dat. Elk land heeft zo zijn methoden om kandidaten te kiezen. We weigeren alleen hen die een onstabiele geest hebben, of mensen die misdrijven hebben begaan.'

Royends ogen flitsten van woede. 'Maar als Farand of wie dan ook nou eens geen zin heeft om alles van het Gilde te leren? Waarom kan hij niet ergens anders een opleiding volgen?'

'Waar dan? Bij jullie Gilde?'

'Ja.'

'En aan wie zou u dan verantwoording afleggen?'

De Dem opende zijn mond, maar sloot hem weer zonder wat gezegd te hebben. Hij keek naar Farand en zuchtte.

'Ik ben geen monster,' zei hij. 'Ik heb Farand aangemoedigd, maar dat zou ik niet gedaan hebben als ik had geweten hoe gevaarlijk het was.' Hij keek Dannyl aan. 'Je snapt natuurlijk wel dat de koning hem eerder laat vermoorden dan dat het Gilde erachter komt wat hij weet.'

'Dan moet hij mij ook vermoorden,' antwoordde Dannyl. 'En ik denk niet dat hij dat durft te riskeren. Ik zou slechts een korte mentale oproep naar alle magiërs hoeven sturen om hen in te lichten over dit geheimpje. En nu Farand Beheersing kent, is hij een magiër, en de koning zou een verdrag van de Geallieerde Landen breken als hij hem kwaad deed. Farand valt nu onder het Gilde. Als hij daar eenmaal is, kunnen zijn moordenaars hem niets meer doen.'

'Het Gilde,' zei Farand bijna ademloos. 'Ik ga eindelijk naar het Gilde!'

Royend schonk geen aandacht aan hem. 'Ja, en dan?'

Dannyl schudde het hoofd. 'Dat weet ik niet. Ik wil jullie geen valse hoop geven door te gissen naar de uitkomst.'

'Natuurlijk niet,' zei Royend nors.

'Nou, werkt u mee of niet? Of zal ik jullie beiden naar buiten slepen zodra ik de uitgang gevonden heb?'

Een opstandig lichtje verscheen in de ogen van de Dem. Dannyl glimlachte naar hem, want hij had een idee waar Royend aan dacht.

Errend?

Ja, Dannyl?

Heb je de anderen al gearresteerd?

Allemaal. Weet je al waar je zit?

Nee, maar dat duurt niet lang meer.

Dannyl keek naar Royend. 'Uitstel geeft uw vrienden geen tijd meer om te vluchten. Farand zal dat bevestigen.'

De jongeman keek de andere kant op en knikte. 'Dat klopt.' Zijn blik verschoof naar het schellenkoord. Dannyl keek op naar het plafond en vroeg zich weer af wie zich daarboven schuilhield. Farands gastheer was zonder twijfel in staat andere groepsleden te waarschuwen. Zou hij de kans krijgen ook deze rebel nog te arresteren? Waarschijnlijk niet. Errend had te kennen gegeven dat het vangen van Farand en Dem Marane prioriteit had. Als hij iemand anders zou herkennen of arresteren, mocht dat niet ten koste gaan van die twee.

Royend volgde Dannyls blik en rechtte zijn schouders. 'Oké dan. Ik breng u naar buiten.'

Het was een heldere, zonnige dag geweest, maar de duisternis bracht een vorm van koelte die Sonea maar niet kon verdrijven, zelfs niet door haar kamer met magie te verwarmen. De afgelopen nachten had ze goed geslapen, maar deze avond voelde anders aan en ze kon maar niet uitvogelen waarom.

Misschien omdat Akkarin die avond niet op zijn plaats gezeten had. Takan ontving haar toen ze na school naar huis kwam en vertelde haar dat de Opperheer weggeroepen was. Ze had haar avondmaal in eenzaamheid gegeten.

Waarschijnlijk had hij wat officiële zaken aan het hof te doen. Maar ze kon het beeld waarin hij rondzwierf in duistere delen van de stad om de Dieven of een spion te ontmoeten niet kwijtraken.

Sonea ging voor haar bureau staan en keek lang naar haar boeken. *Als ik toch niet kan slapen,* dacht ze, *kan ik net zo goed gaan studeren. Dan heb ik tenminste iets om me af te leiden.*

Toen hoorde ze een geluid op de gang. Ze opende haar deur op een kiertje. Ze hoorde voetstappen steeds luider worden en vervolgens de klik van een deurklink.

Hij is terug. Ze ontspande zich enigszins en zuchtte van opluchting. Toen moest ze haast om zichzelf lachen. *Te gek voor woorden dat ik bezorgd zou zijn om Akkarin!*

Maar was het wel zo gek? Alleen hij stond tussen de Ichani's en Kyralia. In dat licht bezien was het eigenlijk volkomen normaal dat ze er zeker van wilde zijn dat hij leefde en hem niets was overkomen.

Ze wilde net haar deur sluiten toen er nog meer voetstappen de gang in kwamen.

'Meester?'

Takan klonk verbaasd en geschrokken. Sonea voelde een rilling over haar rug glijden.

'Takan,' hoorde ze, al was Akkarins stem nauwelijks verstaanbaar. 'Blijf hier, dan kan je dit zo meteen weggooien.'

'Wat is er dan gebeurd?'

De paniek in de stem van de bediende was onmiskenbaar. Zonder erbij na te denken holde Sonea de gang door. Takan stond op de drempel van Akkarins kamer. Hij draaide zich om toen ze naderde. Het was duidelijk dat hij niet wist wat hij van haar komst moest denken.

'Hallo, Sonea,' zei Akkarin met een lage, zachte stem.

117

Een klein, zwak bollichtje verlichtte zijn kamer. Hij zat op het voeteneind van een groot bed. In het schemerige licht leek zijn gewaad in de kamer over te vloeien, zodat alleen zijn gezicht en handen zichtbaar waren, en één onderarm.

Sonea hield haar adem in. De rechtermouw van zijn gewaad hing er vreemd bij; hij was opengescheurd. Van de elleboog tot de pols liep een felrode streep. Zijn bleke huid zat vol vegen en spetters bloed.

'Wat is er gebeurd?' zei ze hees, en voegde er toen snel aan toe: 'Opperheer.'

Akkarin keek van haar naar Takan en snoof even. 'Ik begrijp dat ik geen rust krijg voor jullie alles gehoord hebben. Kom binnen, ga zitten.'

Takan ging naar binnen. Sonea aarzelde maar volgde hem toch. Ze was nog nooit in zijn slaapkamer geweest. Een week geleden was ze alleen al bij de gedachte daar naar binnen te gaan doodsbang geweest. Nu ze hier stond stelde het haar een beetje teleur. Dezelfde meubels als haar kamer. Een donkerblauw tapijt dat vrijwel de hele vloer bedekte, met bijpassende papieren schermen voor de ramen. De deur van de klerenkast stond open. Er hingen alleen gewaden, een paar mantels en een lange jas in.

Terwijl ze zich omdraaide en weer naar Akkarin keek, zag ze dat hij haar opnam met een zweem van een glimlach rond zijn lippen. Hij bood haar een stoel aan.

Takan had een kan met water van een kast genomen en bevochtigde een lap die hij meegenomen had. Hij reikte naar Akkarins arm. De Opperheer nam de doek uit zijn handen.

'We hebben nog een spion in de stad,' zei hij terwijl hij het bloed van zijn arm veegde. 'Maar ze is geen gewone spion, denk ik.'

'Ze?' vroeg Sonea.

'Ja. Een vrouw.' Akkarin gaf de lap terug aan Takan. 'Maar dat is niet het enige verschil tussen haar en de voorgaande spionnen. Ze is uitzonderlijk sterk voor iemand die slaaf geweest is. Ze zit hier nog niet zo lang, en kan nooit zo sterk geworden zijn door het doden van Imardianen. Dan zou er een ware golf van moorden zijn geweest.'

'Dus ze hebben haar voorbereid?' dacht Takan hardop. 'Ze hebben haar dus kracht uit hun slaven laten nemen voor ze vertrok?'

'Misschien. Maar hoe dan ook, ze stond klaar om te vechten. Ze deed net of ze uitgeput was, en toen ik dichterbij kwam gaf ze me die jaap. Ze was echter niet snel genoeg om kracht aan me te onttrekken, gelukkig. Vervolgens probeerde ze aandacht te trekken zodat mensen ons zouden zien vechten.'

'En toen liet u haar maar ontsnappen,' zei Takan.

'Ja. Ze moet geweten hebben dat ik haar liever liet gaan dan dat ik anderen in gevaar breng.'

'Of ze weet dat het Gilde niet te weten mag komen dat u zich bezighoudt met magische gevechten in de sloppen.' Takans lippen werden een dunne streep. 'Ze zal moorden plegen om nog meer kracht op te doen.'

Akkarin lachte wrang. 'Zeker weten.'

'En u bent verzwakt. U hebt maar weinig tijd gehad om kracht op te nemen na die laatste keer.'

'Dat zal geen probleem zijn.' Hij keek naar Sonea. 'Ik heb een van de sterkste magiërs van het Gilde om me bij te staan.'

Sonea keek weg en haar gezicht begon te gloeien.

Takan schudde het hoofd. 'Het hele verhaal zit me niet lekker. Ze is zo anders. Een vrouw! Geen Ichani zou een slavin vrijlaten. En ze is supersterk. Moedig. Heel anders dan welke slavin dan ook.' Akkarin keek zijn bediende aan. 'Denk je dat ze wellicht een Ichanimeesteres is?'

'Het zou kunnen. Ik zou me maar voorbereiden alsof ze er een is. U zou...' Hij keek even naar Sonea. 'U zou een bondgenoot mee kunnen nemen.'

Verbaasd blikte Sonea Takan aan. Bedoelde hij echt dat ze mee moest gaan als Akkarin het weer tegen die vrouw ging opnemen?

'Daar hebben we het al lang en breed over gehad.'

'En u zei dat u erover zou denken als ze Kyralia aan zouden vallen,' vulde Takan aan. 'Als deze vrouw een Ichani is, dan zijn ze al in het land. Als ze nu eens echt te sterk voor u is? U kunt niet het risico nemen dat u eraan onderdoor gaat. Dan zit het Gilde zonder verdediging.'

Sonea voelde haar hart feller bonzen. 'En vier ogen zien meer dan twee,' zei ze snel. 'Als ik vannacht met u mee was gegaan –'

'Had je me danig in de weg gelopen.'

Dat stak. Sonea voelde een vlaag van drift opkomen. 'O, dacht u dat? Ach ja, ik ben natuurlijk net zo'n slappe novice als de rest, hè? Ik weet de weg in de sloppen niet, ik weet niks van hoe je je moet verbergen voor magiërs...'

Hij staarde haar aan en begon toen zachtjes te grinniken. 'Tja, daar sta ik nu,' zei hij. 'Jullie zijn allebei vastbesloten jullie zin te krijgen.'

Hij wreef afwezig over zijn arm. Sonea volgde de beweging en zag verrast dat de felrode wond nu al zachtroze geworden was. Hij had zichzelf gewoon genezen terwijl ze in gesprek waren.

'Ik zal Sonea hier alleen in betrekken als die vrouw werkelijk een Ichani is. Dan weten we ook dat ze nu een reële bedreiging zijn geworden.'

'Als ze een Ichani is, kan ze u afmaken, meester,' zei Takan botweg. 'Wees erop voorbereid dat ze over lijken gaat.'

Akkarin keek Sonea aan. Zijn gezicht lag in de schaduw, maar ze zag dat hij peinzend keek.

'Wat denk je ervan, Sonea? Hierin moet je niet meegaan zonder er goed over nagedacht te hebben.'

Ze haalde diep adem. 'Ik héb er al over nagedacht. Als het niet anders kan, dan zal ik wel zwarte magie moeten leren. Want wat heeft het voor zin om een keurige novice te zijn die zich altijd aan de wet houdt als er geen Gilde meer is? Als u sterft, sterven wij waarschijnlijk ook.'

Langzaam knikte Akkarin.

'Goed dan. Ik vind het geen prettig idee, en als er een andere manier was, zou ik je die aanbieden.' Hij zuchtte. 'Maar die is er niet. Morgenavond beginnen we.'

11

Verboden kennis

D rie yerims boorden zich in de deur van Cery's kantoortje. Hij kwam vanachter zijn bureau vandaan, trok het schrijfgerei eruit en ging weer zitten Hij vestigde zijn blik op de deur en wierp de yerims nogmaals, een voor een.

Ze kwamen precies terecht waar hij ze wilde hebben, in de hoeken van een imaginaire driehoek. Hij stond weer op en slenterde naar de deur. Cery glimlachte toen hij dacht aan de handelaar die achter die deur zat. Wat zou die man denken van dat regelmatige getik tegen de deur?

Hij zuchtte. Hij moest echt even met die man praten, dan was het maar gebeurd. Maar hij was niet in een royale bui, en die man kwam meestal alleen langs om meer tijd te vragen om zijn schulden te voldoen. Cery had het vage idee dat de man die nieuwste, jongste Dief wilde testen om te zien hoe ver hij kon komen met uitstel. Een langzaam afbetaalde schuld was beter dan een die helemaal niet werd afbetaald, maar een Dief die de naam had eindeloos geduld te hebben, was een Dief voor wie niemand respect had.

Soms had hij er behoefte aan te laten zien dat hij niet met zich liet sollen.

Cery keek naar de yerims, die diep in de deur gestoken zaten. Hij kon het maar beter toegeven: die handelaar was niet de echte reden voor zijn gepieker.

'*Ze is ervandoor,*' had Morren gerapporteerd. '*Hij heeft haar laten lopen.*'

Hij beschreef het felle gevecht. De vrouw was duidelijk sterker geweest dan Akkarin had verwacht. Hij was niet in staat geweest haar magische kracht te beheersen. De kamer boven het bolhuis waar ze logeerde was totaal gesloopt. Een aantal bezoekers had meer gezien dan de bedoeling was geweest, al regelde Cery in dergelijke gevallen altijd een paar mannetjes die flink wat rondjes gaven. Degenen die niet dronken waren of op dat moment op straat het bolhuis passeerden, hadden geld gekregen om ervoor te zorgen dat ze hun mond hielden, al werkte dat meestal maar kort. Zeker als er een vrouw bij betrokken was die van de derde verdieping naar de grond toe was gezweefd.

Het is geen ramp, hield Cery zich voor de zoveelste keer voor. *We vinden haar wel weer. En Akkarin zal er wel voor zorgen dat hij volgende keer beter voorbereid is.* Hij liep terug naar zijn bureau en ging zitten. Toen trok hij een la open en liet de yerims erin vallen.

Zoals hij had verwacht werd er na een paar minuten stilte bedeesd op de deur geklopt.

'Kom maar binnen, Gol,' riep Cery. Hij streek zijn kleren glad terwijl de reus binnen stapte. 'Stuur hem maar hierheen.' Hij keek op. 'Dan zijn we er vanaf... wat is er met jou aan de hand?'

Gol grijnsde van oor tot oor. 'Savara is er.'

Cery's hart begon te bonzen. Hoeveel wist zij ervan? Hoeveel kon hij haar vertellen? Hij rechtte zijn schouders. 'Stuur haar maar eerst door.'

Gol verdween. Vervolgens werd de deur door Savara geopend. Ze beende naar zijn bureau, met een glimlachje op haar lippen.

'Ik hoorde dat die Opperheer van je zijn evenknie gevonden heeft gisteravond.'

'Hoe weet je dat?' vroeg Cery.

Ze haalde haar schouders op. 'Mensen vertellen me wel eens wat, als ik het ze vriendelijk vraag.' Hoewel ze het op luchthartige toon zei, verscheen er een frons tussen haar wenkbrauwen.

'Dat geloof ik graag,' antwoordde Cery. 'Wat heb je nog meer gehoord?'

'Ze is ontsnapt. Wat niet gebeurd zou zijn als je mij gestuurd had om dat zaakje te regelen.'

Hij kon een glimlach niet onderdrukken. 'Alsof jij haar wel had aangekund.'

Haar ogen bliksemden. 'O, dat had ik zeker gekund.'

'Hoe dan?'

'Daar heb ik mijn trucjes voor.' Ze sloeg haar armen over elkaar. 'Ik zou haar graag een kopje kleiner maken, maar nu Akkarin van haar weet, kan dat niet. Ik wou dat je hem erbuiten had gelaten.' Ze keek hem streng aan. 'Wanneer vertrouw je me nou eens?'

'Jou vertrouwen? Nooit.' Hij grinnikte. 'Dus jij wilt een van die moordenaars vermoorden?' Hij kneep zijn lippen op elkaar, alsof hij met het idee speelde. 'Volgende keer.'

Ze keek hem diep in de ogen. 'Zweer je dat?'

Hij sloeg zijn ogen niet neer en knikte. 'Ja, dat zweer ik. Als je die vrouw nog een keer opspoort, en je netjes gedraagt, dan is de volgende slaaf voor jou.'

Savara fronste haar wenkbrauwen, maar protesteerde niet. 'Afgesproken. Als hij die vrouw uiteindelijk afmaakt, ben ik erbij, of je het wilt of niet. Ik moet zeker weten dat ze dood is.'

'Wat heeft ze jou toch misdaan?'

'Ik heb haar een tijd geleden geholpen, en ze heeft ervoor gezorgd dat ik daar spijt als haren op mijn hoofd van heb gekregen.' Ernstig keek ze hem aan. 'Jij denkt dat je keihard en meedogenloos bent, Diefje. Als jij wreed bent is het om orde en respect te bewaren. Maar voor de Ichani's is moord en wreedheid een spelletje.'

Cery fronste zijn voorhoofd. 'Wat heeft zij gedaan?'

Savara aarzelde, en schudde vervolgens haar hoofd. 'Meer kan ik je echt niet vertellen.'

'Maar er is meer, toch?' verzuchtte Cery. 'En je wilt nog wel dat ik je vertrouw...'

Ze glimlachte. 'Zover jij wilt dat ik jou vertrouw. Jij vertelt me ook niet elk detail van je afspraak met de Opperheer, en toch moet ik maar aannemen dat je hem niet vertelt van mijn bestaan.'

'Maakt niet uit. Ik bepaal wanneer jij een van de moordenaars of moordenaressen mag afmaken,' zei Cery met een glimlach. 'Maar als jij zo graag een gevecht wilt zien, dan ga ik met je mee. Ik baal ervan dat ik de show altijd moet missen.'

Ze knikte lachend. 'Afgesproken.' Ze zweeg even en deed een stap achteruit. 'Nou, ik kan beter die vrouw gaan zoeken.'

'Dat lijkt me ook.'

Toen ze verdwenen was voelde hij een vage teleurstelling, en hij vroeg zich af hoe hij haar nog wat langer hier had kunnen houden.

De deur ging open en Gol kwam binnen. 'Klaar om nu met hem te spreken?'

Cery trok een lang gezicht. 'Laat hem maar binnen.'

Hij trok een la open en pakte er een yerim en een wetsteen uit. Toen de handelaar binnenkwam, was Cery de punt van zijn instrument aan het slijpen.

'Nou, Sem, vertel me maar eens waarom ik niet eerst een tiental gaatjes in je lichaam moet prikken voor je geld begint te stromen...'

Vanaf het dak van de universiteit kon je net de oude ruïne van de Uitkijktoren tussen de boomtoppen ontdekken. Ergens daaronder werden nieuwe stenen aangevoerd in door gorins getrokken wagens over de lange weg vol s-bochten die naar de top leidde.

'De bouw zal moeten wachten tot na de zomervakantie,' zei heer Sarrin.

'Wordt de bouw nóg langer uitgesteld?' Lorlen wendde zich tot de magiër naast zich. 'Ik hoopte zo dat dit hele project maar drie maanden zou kosten. Ik ben nu al ziek van alle klachten over uitgestelde projecten en het gebrek aan vrije tijd.'

'O, daarin zal je niet de enige zijn,' antwoordde heer Sarrin. 'Maar toch kunnen we niet iedereen vertellen dat ze dit jaar hun familie niet kunnen bezoeken. De ellende met die door magie versterkte gebouwen is dat ze qua structuur niet sterk genoeg zijn tot de steen gemengd is, en dat kan pas als alles op zijn plaats ligt. Tot die tijd moeten we alles met onze wil op zijn plaats houden.'

In tegenstelling tot heer Peakin, had heer Sarrin maar weinig ingebracht in de discussie over de nieuwe Uitkijktoren. Lorlen was er niet zeker van of het oude Hoofd der Alchemisten geen weloverwogen mening over de zaak had, of dat hij wilde zien welke kant de overhand kreeg, om dan zijn standpunt te bepalen. Misschien moest hij er nu maar eens naar informeren.

'Wat vind je nu eigenlijk van dit project, Sarrin?'

De oude magiër haalde zijn schouders op. 'Ik geloof wel dat het Gilde hoognodig weer eens iets groots en uitdagends moet ondernemen, maar ik vraag me wel af of we niet eens iets anders kunnen maken dan het zoveelste grote gebouw.'

'Ik heb horen zeggen dat heer Peakin een van de ongebruikte ontwerpen van heer Coren wil gebruiken.'

'Heer Coren!' Sarrin sloeg zijn ogen ten hemel. 'Ik ben die man toch wel zo zat! Allemaal prachtig hoor, wat die man in zijn tijd ontwierp, maar we hebben tegenwoordig architecten die net zulke aantrekkelijke en functionele gebouwen kunnen ontwerpen als hij.'

'Ja,' gaf Lorlen toe. 'Ik geloof dat Balkan haast een appelflauwte kreeg toen hij Corens plannen zag.'

'Hij noemde ze een "nachtmerrie van niemendalletjes".'

Lorlen zuchtte. 'Zo te horen loopt dit project niet alleen vertraging op door de zomervakantie.'

Sarrin tuitte zijn lippen. 'Een beetje druk van bovenaf kan wonderen doen. Heeft de koning er haast mee?'

'Waar heeft de koning géén haast mee?'

Sarrin grinnikte.

'Ik zal Akkarin eens vragen of hij er wat aan kan doen,' zei Lorlen. 'Ik weet zeker –'

'Administrateur?' riep iemand.

Lorlen draaide zich om. Osen kwam op een holletje over het dak aanlopen.

'Ja?'

'Kapitein Barran van de Garde wacht beneden op u.'

Lorlen wendde zich tot Sarrin. 'Ik zal maar even met hem gaan praten.'

'Maar natuurlijk.' Sarrin knikte hem gedag. Lorlen liep meteen naar Osen toe.

'Heeft de kapitein gezegd waarover hij me wil spreken?' vroeg hij.

'Nee,' antwoordde Osen, die zijn passen aanpaste aan die van Lorlen. 'Maar hij was nogal opgewonden.'

Ze verlieten het dak en doorkruisten de universiteit. Beneden zag Lorlen Barran al bij zijn kantoordeur staan. De wachter keek opgelucht toen hij Lorlen zag naderen.

'Goedemiddag, kapitein,' zei Lorlen.

'Goedemiddag, administrateur.'

'Kom binnen.' Lorlen hield de deur open voor Barran en Osen en bood zijn gast een stoel aan. Hij ging achter zijn bureau zitten en keek zijn gast vol verwachting aan. 'Wat voert je naar het Gilde? Toch niet weer een moord?'

'Ik ben bang van wel. En wás het er maar één.' Barrans stem klonk gespannen. 'Ik kan het alleen maar een slachting noemen.'

Lorlen voelde zijn lichaam verstijven. 'Ga verder.'

'Veertien slachtoffers, allemaal gedood op dezelfde manier, werden gisteravond in het Noorderkwartier gevonden. De meesten lagen op straat, een paar binnen in huis.' Barran schudde het hoofd. 'Het is net of er een waanzinnige de straat is opgerend en iedereen doodde die hij tegenkwam.'

'Maar dan moeten er toch getuigen zijn!'

Barran schudde ontkennend zijn hoofd. 'Niets waar we wat aan hebben. Een paar mensen zeggen dat ze een vrouw zagen, anderen zeggen dat het een man was. Niemand heeft het gezicht van de moordenaar gezien. Het was te donker.'

'En hoe werden ze vermoord?' dwong Lorlen zichzelf te vragen.

'Oppervlakkige snijwonden. Geen enkele die fataal kon zijn geweest. Geen spoor van gif. Vingerafdrukken op de wonden. Daarom kom ik nu bij u. Alles was hetzelfde als bij de andere besproken zaken.' Hij zweeg even. 'Er is alleen nog één ander ding.'

'Ja?'

'Een van mijn onderzoekers kreeg van de echtgenoot van een slachtoffer te horen dat er gisteren een gevecht in een bolhuis moest zijn geweest. Een gevecht tussen magiërs.'

Het lukte Lorlen om sceptisch te kijken. 'Magiërs?'

'Ja. Een ervan schijnt naar beneden gezweefd te zijn vanuit een raam op de derde verdieping. Ik dacht dat het een dronkenmansverhaaltje was, tot bleek dat de moorden allemaal in een rechte lijn vanaf dat bolhuis lagen.'

'En heb je de eigenaar van het bolhuis ondervraagd?'

'Ja. Een van de kamers was totaal in puin geslagen, dus er moet hoe dan ook iets gebeurd zijn. Of het magie was... wie het weet mag het zeggen.'

'Wij kunnen dat wel zeggen,' zei Osen.

Lorlen keek naar zijn assistent. Osen had gelijk; iemand uit het Gilde moest die kamer onderzoeken. *Akkarin wil natuurlijk dat ik het doe,* dacht Lorlen.

'Ik zou die kamer graag eens zien.'

Barran knikte. 'Ik kan u meteen meenemen. Er staat een Garderijtuig buiten.'

'Ik kan ook gaan,' bood Osen aan.

'Nee,' antwoordde Lorlen. 'Ik weet meer van deze zaken dan jij. Blijf hier en houd een oogje in het zeil.'

'Andere magiërs kunnen er geruchten over horen,' zei Osen. 'Dan gaan ze zich zorgen maken. Wat moet ik ze vertellen?'

'Alleen dat er weer een vreselijke serie moorden heeft plaatsgevonden en dat dat bolhuisverhaal waarschijnlijk overdreven is. Mensen moeten niet overhaast oordelen, of paniek zaaien.' Hij stond op, en Barran volgde zijn voorbeeld.

'En als u nu wel bewijzen vindt die op magie wijzen?' vroeg Osen.

'Dat zien we dan wel weer.'

Osen bleef bezorgd kijkend bij het bureau staan.

'Maak je nu maar niet al te druk,' probeerde Lorlen hem gerust te stellen. Hij glimlachte flauwtjes. 'Dit is waarschijnlijk niet griezeliger dan die andere moordzaken.'

Osen knikte zwakjes.

Lorlen liep de gang door naar de uitgang van de universiteit, gevolgd door Barran.

Je zou kapitein Barran in het vervolg beter alleen kunnen ontvangen, mijn beste.

Lorlen keek naar de villa van de Opperheer in de verte.

Osen is een verstandig man.

Verstandige mensen kunnen af en toe heel onredelijk worden als hun argwaan de overhand krijgt.

Moet hij dan argwaan hebben? Wat is dan gebeurd gisteravond?

Een stelletje zatlappen was getuige van een mislukte poging van de Dieven om een moordenaar te pakken.

Is dat alles?

'Administrateur?'

Lorlen knipperde met zijn ogen toen hij merkte dat hij als een standbeeld bij het geopende portier van een rijtuig stond. Barran keek hem vragend aan.

'O, excuseer,' glimlachte Lorlen. 'Ik had een kort gesprek met een collega.'

Barran wilde zijn ogen al opensperren toen het tot hem doordrong wat Lorlen bedoelde. 'Dat lijkt me verdraaid handig.'

'Dat is het ook,' beaamde Lorlen. Hij stapte het rijtuig in. 'Maar het heeft zijn beperkingen.'

Nou ja, vroeger dan, voegde hij er in stilte aan toe.

Sonea kreeg de kriebels toen ze de onderaardse kamer binnenkwam; die kreeg ze altijd als ze dacht aan de aanstaande les in zwarte magie – om de paar minuten dus. Af en toe werd ze bevangen door twijfels, en een paar keer had ze op het punt gestaan Akkarin te vertellen dat ze van gedachten veranderd was. Maar als ze rustig ging zitten en alles op een rijtje zette, bleef ze bij haar besluit. Dat ze zwarte magie leerde was voor haar een risico, maar het alternatief was dat ze het Gilde en Kyralia op het spel zette.

Toen Akkarin haar aankeek maakte ze een buiging.

'Ga zitten, Sonea.'

Ze ging zitten en keek even naar de tafel. Er stonden allerlei vreemde voorwerpen op: een schaal water, een gewone plant in een kleine pot, een kooi waarin een harrel aan het rommelen was, kleine handdoekjes, boeken, en een opgewreven, simpele houten doos. Akkarin las in een van zijn boeken.

'Waar is dit allemaal voor?' vroeg ze.

'Dat is voor je les,' antwoordde hij en sloeg het boek dicht. 'Ik heb niemand ooit geleerd wat ik jou vanavond zal bijbrengen. Mijn eigen kennis op dit gebied is me niet door een ander geleerd. Ik ben er op eigen kracht achtergekomen. De enige hulp die ik heb gehad was via de oude boeken die heer Coren onder het Gilde had begraven.'

Ze knikte. 'Hoe hebt u ze gevonden?'

'Coren wist dat de magiërs die de kist oorspronkelijk begroeven er goed aan gedaan hadden de oude kennis niet te vernietigen. Als er op een dag een sterke vijand aan zou vallen, zou de kist met kennis goed van pas komen. Maar het had weinig nut als het dan niet door iemand gevonden zou kunnen worden. Hij schreef een brief aan de Opperheer – die alleen gelezen mocht worden na Corens dood – waarin hij uitlegde dat hij een geheime voorraad kennis onder de universiteit begraven had, die alleen bij een aanval door een zeer gevaarlijke vijand aangesproken mocht worden.' Akkarin keek naar het plafond. 'Ik vond die brief in een archiefboek toen de bibliotheek verhuisd werd na de renovatie die ik had laten uitvoeren. Corens aanwijzingen om deze geheime kist te vinden waren zo cryptisch dat geen van mijn voorgangers het geduld had gehad ze te ontcijferen. En zo werd de brief uiteindelijk vergeten. Ik had echter een idee wat Corens geheim was.'

'En u hebt de aanwijzingen ontcijferd?'

'Nee,' grinnikte Akkarin. 'Ik heb vijf maanden lang de ondergrondse gangen onderzocht tot ik de kist in handen had.'

Sonea glimlachte. 'Gelukkig dat het Gilde toen geen aanval van een vijand te verduren had.' Ze keek weer ernstig. 'Maar nu dus wel.'

Ook Akkarin keek serieus. Hij liet zijn ogen over de voorwerpen op de tafel glijden. 'Veel van wat ik je zal vertellen, weet je al. Je weet dat alle levende wezens vol energie zitten en dat we allemaal een huidbarrière hebben die ons beschermt tegen ongewenste uitwendige magische invloeden. Als we die niet hadden, zou een magiër je van een afstand kunnen doden door met zijn geest je lichaam binnen te gaan en je hart te verscheuren. De barrière kan zekere vormen van magie doorlaten, zoals Genezingsmagie, maar alleen via huidcontact.'

Hij deed een stap naar voren. 'Als je de huid kapotmaakt, maak je de barrière kapot. Het onttrekken van energie door dit membraan gaat slechts langzaam. Bij Alchemie heb je al geleerd dat magie zich sneller voortplant door water, dan door de lucht of door steen. Bij Geneeskunde heb je geleerd dat de bloedsomloop elk deel van het lichaam van vers bloed voorziet.

127

Wanneer je een snede in de huid maakt die diep genoeg is om te gaan bloeden, kan je vrij snel energie aan ieder deel van het lichaam onttrekken.

Het onttrekken van energie is niet zo moeilijk te leren,' vervolgde Akkarin. 'Ik kan het je uitleggen zoals het in deze boeken beschreven is, waarna je zou kunnen oefenen op dieren, maar het zou dagen, misschien weken duren eer je beheerst met die vaardigheid kunt werken.' Hij glimlachte. 'En het binnensmokkelen van al die dieren kan meer moeite kosten dan het eraan onttrekken van energie.'

Hij werd weer ernstig. 'Maar er is nog een andere reden. Die avond dat je me kracht zag onttrekken aan Takan voelde je iets. Ik had eens gelezen dat het gebruik van zwarte magie, net als bij gewone magie, gevoeld kan worden door andere magiërs, vooral als ze dichtbij zijn. Net als bij gewone magie kan dat effect verhuld worden. Ik wist niet dat mijn werk op te sporen was, tot ik je aan een gedachtelezing onderwierp. Nadien heb ik geëxperimenteerd tot ik zeker wist dat niemand zou merken dat ik zwarte magie bedreef. Het is zinvol dat ik je dat zo snel mogelijk leer, om te zorgen dat je niet betrapt kunt worden.'

Hij keek weer naar het plafond. 'Ik zal je mentaal bijsturen, en we zullen Takan als krachtbron gebruiken. Als hij binnen is moet je letten op wat je zegt. Hij wil deze zaken niet leren, om redenen die te persoonlijk en ingewikkeld zijn om nu uit te leggen.'

Gedempte voetstappen kwamen de trap af, toen ging de deur open en daar was Takan. Hij maakte een buiging.

'U hebt geroepen, meester?'

'Het is tijd om Sonea zwarte magie te leren,' zei Akkarin.

Takan knikte. Hij liep naar de tafel en maakte het kistje open. Daar lag, op een bedje van zwart fluweel, het mes dat Akkarin gebruikt had om de Sachakaanse spion te doden. Takan nam het voorzichtig en eerbiedig op. Met een vloeiend, geoefend gebaar legde hij het kromme mes over beide polsen en liep zo met gebogen hoofd op Sonea af. Akkarin kneep zijn ogen iets samen.

'Ja, dat is genoeg, Takan... en laat het knielen maar zitten.' Akkarin schudde het hoofd. 'We zijn beschaafde mensen. We maken anderen niet tot onze slaaf.'

Takan glimlachte en keek met stralende ogen naar Akkarin. Toen snoof hij zachtjes en knikte naar Sonea.

'Dit is een Sachakaanse dolk, die alleen door magiërs gedragen mag worden,' zei Akkarin. 'Hun messen zijn gesmeed en scherp geslepen met magie. Dit exemplaar is al eeuwenoud en werd van vader op zoon overgedragen. De vorige eigenaar was Dakova. Ik zou het hebben achtergelaten, maar Takan bracht het in veiligheid en nam het mee. Pak het mes, Sonea.'

Voorzichtig nam Sonea de dolk. Hoeveel mensen waren door dit lemmet gedood? Honderden? Duizenden? Ze huiverde.

'Takan heeft die stoel nodig.'

Ze stond op en Takan nam haar plaats in. Hij begon zijn mouw op te stropen.

'Maak een ondiep sneetje. Oefen slechts lichte druk uit. Het mes is vlijm-scherp.'

Ze richtte haar blik op de bediende en haar mond voelde opeens droog aan. Takan glimlachte naar haar en hield zijn arm op. Zijn huid was bedekt met littekens. Zoals van Akkarin.

'Kijk,' zei Takan. 'Ik heb het al vaker gedaan.'

Het lemmet wiebelde een beetje toen ze het op Takans huid zette. Ze haalde het in één beweging weg, waarop ze een rode druppels langs de snede zag ontstaan. Ze slikte moeizaam. *Ik heb het echt gedaan.* Ze keek op naar Akkarin.

'Je bent niet verplicht dit te leren, Sonea,' zei hij en nam het mes van haar over.

Ze haalde diep adem. 'Ja, dat ben ik wel,' zei ze. 'Wat nu?'

'Leg je hand over de wond.'

Takan glimlachte nog steeds. Zacht plaatste ze haar handpalm over de snee. Akkarin legde twee vingers op haar slapen.

Concentreer je, zoals je eens deed toen je Beheersing leerde. In het begin is visualisatie heel handig. Laat me de kamer van je geest zien.

Ze sloot haar ogen en haalde zich een beeld van de kamer voor de geest waarin ze zelf ging staan. De muren waren bedekt met schilderijen van bekende gezichten en situaties, maar ze lette er niet op.

Open de deur naar je kracht.

Direct vervormde een van de schilderijen zich tot een deur, waaruit een deurknop stak. Ze reikte naar de deurknop en draaide hem om. De deur ging naar buiten toe open en verdween. Een duistere afgrond lag voor haar. In het midden hing een lichtbron die haar kracht voorstelde.

Nu doe je een stap in je kracht.

Sonea verstijfde. In de afgrond stappen?

Nee, in je krácht stappen. Stap in het midden ervan.

Maar dat is veel te ver weg! Zo ver kan ik niet stappen.

Dat kan je best. Het is jouw kracht. Het is net zo ver als je wilt en je kunt zo ver stappen als je wilt.

Maar als ik nu verbrand?

Dat gebeurt niet. Het is jouw *kracht.*

Sonea ging op het randje van de drempel staan, vermande zich en stapte naar buiten.

Ze voelde dat iets zich uitstrekte; toen zwol het witte licht op en ze voelde een golf van opwinding door zich heen stromen toen ze er binnenging. Plotseling was ze gewichtloos, ze zweefde door een witte, stralende mist. Energie stroomde op volle kracht door haar lichaam.

Snap je het nu?

Ik snap het. Het is geweldig. Waarom heeft Rothen me dit nooit laten zien?

Dat zie je zo wel. Ik wil dat je je nu uitstrekt. Strek je uit en voel alle kracht die van jou is om je heen. Visualisatie is heel handig, maar je moet nu verder gaan. Je moet je kracht nu met al je zintuigen voelen en kennen.

Terwijl ze zich met al haar zintuigen uitstrekte en zich bewust werd van haar kracht, voelde ze opeens ook haar lichaam van binnen uit. Eerst dacht ze dat ze haar concentratie aan het verliezen was, nu ze zich bewust werd van het lichamelijke. Toen drong het tot haar door dat haar kracht haar lichaam wás. Die zat helemaal niet in een afgrond in haar hersens. De kracht vloeide door elke vezel binnen in haar.

Ja, dat klopt. Concentreer je nu op je rechterhand, en wat daar achter ligt.

Ze begreep niet wat hij bedoelde, tot iets haar aandacht trok. Het was een opening, waarin ze een glimp zag van iets dat buiten haarzelf lag. Ze focuste zich erop en voelde dat daar een ander wezen lag.

Concentreer je op dat andere wezen, en doe dan dit.

Hij stuurde haar een gedachte die niet in woorden was uit te drukken. Het was alsof ze Takans lichaam betrad, terwijl ze nog gewoon in haar eigen lichaam zat. Ze was zich van beide lichamen bewust.

Voel de energie in dit lichaam. Neem er een beetje van mee naar je eigen lichaam.

Met een schok voelde ze dat Takan een enorme voorraad kracht bezat. Hij was sterk, besefte ze, bijna zo sterk als zij. Maar zijn geest scheen er niet mee verbonden te zijn, alsof hij zich niet bewust was van die macht binnen in hem.

Maar zij was dat wel. En door de opening in zijn huid maakte ze er contact mee. Het was een fluitje van een cent om die kracht uit zijn lichaam te halen en in dat van haar te plaatsen. Ze voelde hoe de kracht in haar toenam.

En ze begreep wat ze deed. Ze onttrok kracht aan een ander.

Stop nu.

Ze ontspande haar wil en de prikkelende energiestroom bedaarde.

Begin opnieuw.

Weer onttrok ze kracht door de opening in de huid. Alsof er langzaam magie uit hem lekte. Ze vroeg zich af hoe ze zich zou voelen wanneer ze al zijn kracht aan de hare toe zou voegen, zodat haar kracht verdubbeld zou worden. Helemaal in de wolken, waarschijnlijk.

Maar wat moest ze daarmee? Ze hoefde helemaal niet twee keer zo sterk te worden. Ze verbruikte niet eens haar eigen kracht tijdens de lessen.

Stop.

Ze gehoorzaamde. Toen Akkarins handen van haar slapen gleden, opende ze haar ogen.

'Goed gedaan,' zei hij. 'Nu moet je Takan genezen.'

Sonea keek naar Takans arm en concentreerde zich. De snee heelde vrijwel meteen en de gewaarwording van zijn lichaam en kracht verdwenen snel. De bediende vertrok zijn gezicht en haar hart sloeg een slag over.

'Alles goed met je?'

Hij glimlachte breeduit. 'Ja hoor, vrouwe. U doet het erg teder. Alleen dat genezen jeukt altijd zo.' Hij keek naar Akkarin. 'Ze zal een waardige bondgenoot zijn, meester.'

Akkarin antwoordde niet. Sonea draaide zich om en zag Akkarin voor de boekenkast staan met zijn armen over elkaar en een diepe frons tussen zijn wenkbrauwen. Hij voelde haar blik en richtte zijn ogen op haar. Zijn uitdrukking was niet te peilen.

'Gefeliciteerd, Sonea,' zei hij zacht. 'Je bent nu een zwarte magiër.'

Ze keek verrast op. 'Is dat alles? Is het zó makkelijk?'

Hij knikte. 'Ja. De kennis van hoe je in een oogwenk kunt doden, kun je in een oogwenk leren. Vanaf vandaag mag je niemand meer tot je geest toelaten. Eén verdwaalde gedachte en een andere magiër zou je geheim weten.'

Ze keek naar de kleine bloedvlek op haar hand en ze huiverde bij het idee. *Ik heb zojuist zwarte magie bedreven,* dacht ze. *Nu kan ik niet meer terug. Nooit meer.*

Takan nam haar nauwkeurig op. 'Hebt u spijt, vrouwe Sonea?'

Ze haalde diep adem en liet de lucht langzaam ontsnappen. 'Niet zoveel als ik zou hebben als het Gilde vernietigd zou worden en ik het had kunnen voorkomen. Maar ik hoop, ik hoop dat ik het nooit zal hoeven toepassen.' Ze glimlachte schalks en keek naar Akkarin. 'Want dat zou betekenen dat de Opperheer dood was, en ik ben nou juist gestopt met hopen dat dat zou gebeuren.'

Akkarins wenkbrauwen gingen de lucht in. Takan barstte in lachen uit.

'Ik mag haar, meester,' zei hij. 'U hebt een goede keuze gedaan door haar mentor te worden.'

Akkarin snoof zachtjes en ging er wat makkelijker bij staan. 'Je weet opperbest dat ik helemaal niets te kiezen had, Takan.' Hij liep naar de tafel en bekeek de voorwerpen.

'Nu, Sonea, wil ik dat je alle levende zaken op tafel onderzoekt en bedenkt hoe je de truc die ik je heb geleerd erop kan toepassen. Daarna heb ik nog een stapeltje boeken voor je die je door moet nemen.'

12

De prijs van geheimen

Terwijl Rothen opstond, schoof hij een van de raamschermen opzij en zuchtte. Eén kant van de hemel werd flauwtjes verlicht. De ochtend moest nog beginnen en hij was al klaarwakker.

Hij keek naar de villa van de Opperheer, die als een donkere schaduw opdoemde uit de bosrand. Sonea zou nu ook spoedig opstaan en zoals altijd naar het Badhuis gaan.

Hij had haar de afgelopen week goed in de gaten gehouden. Hoewel hij haar niet meer samen met Akkarin had gezien, was er iets in haar totaal veranderd.

Zo liep ze nu bijvoorbeeld vol zelfvertrouwen. In de middagpauze ging ze naar de tuin om te studeren, zodat hij haar vanuit een van de vensters van de universiteit kon bekijken. De afgelopen week was ze snel afgeleid geweest. Ze stond af en toe zomaar stil om het Gilde te bekijken met een bezorgde trek. Soms staarde ze in het niets, met een norse uitdrukking. Op die momenten leek ze zo volwassen dat hij haar nauwelijks herkende.

Maar wat hem de meeste angst inboezemde was de blik waarmee ze naar het huis van de Opperheer keek. Haar ogen stonden dan heel bedachtzaam, en hij miste iets in haar blik. Er was geen weerzin, geen angst meer op haar gezicht te bekennen.

Hij huiverde. Hoe kon ze naar Akkarins huis kijken zonder ook maar een spoortje van haat? Dat had ze altijd gehad sinds ze bij hem weg was. Waarom was dat verdwenen?

Rothen trommelde met zijn vingers op de vensterbank. Anderhalf jaar nu was hij gehoorzaam geweest en was hij, zoals Akkarin wenste, uit Sonea's buurt gebleven. De paar keer dat hij haar had aangesproken waren ze in een situatie geweest waarbij het andere aanwezigen opgevallen zou zijn als hij het niet had gedaan.

Ik heb nu al zo lang meegewerkt. Hij zal haar vast geen kwaad doen als ik haar één keertje alleen te spreken kan krijgen...

De hemel werd al wat lichter. De tuin werd langzaam helder. Hij hoefde alleen maar naar beneden te gaan zodat hij haar op kon vangen als ze naar het Badhuis liep.

Hij draaide zich om en begon zich aan te kleden. Bij de deur bleef hij even staan en zette zijn gedachten op een rijtje. *Een paar vragen,* dacht hij. *Dat is alles. Hij merkt het waarschijnlijk niet eens.*

De gang van het gebouw met de magiërsvertrekken was leeg en doodstil. Rothens laarzen roffelden ritmisch op de treden terwijl hij naar de uitgang ging. Hij liep de binnenplaats op in de richting van de tuinen. Hij koos een beschut hoekje uit, met een hoge haag langs het tuinpad. Vanuit de villa zou je het niet kunnen zien. Vrijwel de hele tuin was zichtbaar vanuit de universiteit, maar het was nog vroeg; geen enkele magiër zou zo vroeg al in zijn lokaal zijn.

Een halfuur later hoorde hij lichte voetstappen naderen. Hij zag haar tussen de bomen naderen en zuchtte van opluchting. Ze was laat voor haar doen, maar ze was nog niet van haar routine afgeweken. Toen sloeg de schrik hem om het hart. Als ze nu eens weigerde met hem te praten? Hij stond op van zijn bankje en liep naar de ingang van het hoekje, net toen ze de opening in de haag passeerde.

'Hallo, Sonea.'

Opgeschrikt keek ze hem met verbaasde ogen aan. 'Rothen!' fluisterde ze. 'Wat doe je hier in hemelsnaam zo vroeg?'

'Jou te zien krijgen, natuurlijk.'

Ze glimlachte bijna, toen kwam de vertrouwde ongeruste uitdrukking weer naar boven en ze wierp een snelle blik op de universiteit.

'Hoezo?'

'Gewoon, even weten hoe het met je gaat.'

Ze haalde haar schouders op. 'Niet slecht. Het is zo lang geleden. Ik ben eraan gewend geraakt, en ik kan hem steeds beter ontwijken.'

'Maar je zit er nu vrijwel elke avond.'

Haar blik schoot weg. 'Ja.' Ze aarzelde, en glimlachte toen zwakjes. 'Fijn te horen dat je een oogje in het zeil houdt, Rothen.'

'Niet zo goed als ik zou willen.' Rothen haalde diep adem. 'Ik moet je iets vragen. Is hij... hij laat je toch geen dingen doen die je eigenlijk niet wilt, Sonea?'

Ze sperde haar ogen open, fronste haar wenkbrauwen en keek naar de grond. 'Nee. Behalve zijn uitverkorene zijn en dat ik keihard moet studeren.'

Hij wachtte tot ze hem weer in de ogen keek. Er was een trekje om haar mond dat hij kende. Het was wel lang geleden, maar hij kende het nog van die keren dat ze...

... glimlachend de waarheid vertelde, maar dat hij op zijn klompen aanvoelde dat het niet de hele waarheid was!

Hij formuleerde zijn vraag anders. 'Heeft hij je gevraagd iets te doen waarvan ik niet zou willen dat je het deed?'

Weer trok ze een mondhoek op. 'Nee, Rothen. Dat heeft hij niet gedaan.'

Rothen knikte, al had haar antwoord hem niet gerustgesteld. Hij kon zijn vraag niet nóg een keer anders inkleden. *Misschien heeft Ezrille gelijk*, dacht hij. *Misschien maak ik me druk om niets.*

Sonea glimlachte droef. 'Ik wacht ook de hele tijd tot er iets vreselijks gebeurt,' zei ze, 'maar elke dag leer ik bij. Als het ooit tot een gevecht komt, zal ik moeilijk te verslaan zijn.' Ze keek snel in de richting van het huis van de Opperheer en deed een stap naar achteren. 'Maar laten we niemand een reden geven om daar nu al mee te beginnen.'

'Nee,' stemde hij in. 'Wees voorzichtig, Sonea.'

'Doe ik.' Ze draaide zich om alsof ze weg wilde lopen, maar aarzelde en keek hem over haar schouder aan. 'Pas jij ook maar goed op jezelf, Rothen. Maak je maar geen zorgen over mij. Nou ja, maak je maar zo weinig mogelijk zorgen.'

Een glimlachje lukte nog net. Toen hij haar weg zag lopen, schudde hij zijn hoofd en zuchtte. Ze had het onmogelijke gevraagd.

Ze was in het midden van de Arena aanbeland en merkte op hoe laag de zon al stond. Het was een lange dag geweest, maar het eind van de lessen was in zicht. Alleen dit laatste partijtje nog.

Ze wachtte tot de novicen die Balkan had uitgekozen hun plaats innamen. Twaalf van hen vormden een cirkel om haar heen, als de punten van een kompas. Ze draaide driehonderdzestig graden in de rondte en keek hen allen even in de ogen. Ze keken vol zelfvertrouwen terug, ongetwijfeld omdat ze met zoveel waren. Ze wou dat ze zich net zo zelfverzekerd voelde. Haar tegenstanders waren allemaal van het vierde en vijfde jaar, en de meesten studeerden af in Krijgskunst.

'Start,' riep heer Balkan.

Alle twaalf leerlingen vielen tegelijkertijd aan. Sonea wierp een sterk schild op en beantwoordde hen met een regen van krachttreffers. De novicen lieten hun schilden tot één enorm schild aaneen vloeien.

Dit zou niet gebeuren als het Ichani's waren geweest. Ze dacht terug aan Akkarins lessen.

'De Ichani's zijn geen teamvechters. Ze hebben elkaar jaar na jaar gewantrouwd en bestreden. Slechts weinigen weten hoe je je kracht kunt bundelen om een muur van kracht van een aantal magiërs te maken, of om samen te vechten.'

Ze hoopte maar dat ze nooit met die Ichani's zou hoeven vechten. Ze zou alleen hun spionnen moeten verslaan, en dan nog alleen als Akkarin dood was. Tenzij die laatste – die vrouw – een Ichani was. Maar Akkarin zou haar vast wel klein krijgen.

'Deze spionnen hebben een aangeboren angst voor Gildemagiërs, en Kariko kan die angst niet wegnemen. Als ze doden, wordt dat heel precies voorbereid en uitgevoerd, zodat ze zo min mogelijk de aandacht van het Gilde trekken. Ze vermeerderen hun kracht

slechts langzaam. Als je tegenover een van hen komt te staan, dan is een stille, snelle verrassingsaanval de beste manier om ze uit te schakelen.'

De novicen voerden hun aanval op en dwongen Sonea zich weer op het gevecht te concentreren. Ze vocht terug. Los van elkaar waren ze geen partij voor haar. Samen zouden ze haar mogelijk kunnen verslaan. Maar ze hoefde maar van één van hen het binnenschild aan te raken en ze zou de wedstrijd gewonnen hebben.

Er stond meer op het spel dan haar trots. Ze moest winnen, en snel ook, om haar kracht te sparen.

De afgelopen week had ze Akkarin avond na avond het grootste deel van haar kracht gegeven. De hele stad had het alleen maar over de moordenaar, want elke dag werden er nieuwe slachtoffers gevonden. Het was moeilijk in te schatten hoeveel kracht die Ichanivrouw had opgedaan in al die tijd. Maar Akkarin had alleen Sonea en Takan om energie uit te putten. Ze moest ervoor zorgen dat ze nog genoeg voor hem overhield.

Dat was echter makkelijker gezegd dan gedaan. Haar tegenstanders waren opmerkelijk goed ingevoerd in het combineren van hun schild. Ze dacht terug aan de eerste pogingen van haar eigen klas met deze techniek. Tot het moment dat ze de juiste reactie op elke aanval kenden en als één man konden reageren, was het makkelijk om verward te raken.

Ik moet dus iets onverwachts doen om hen van hun stuk te brengen. Iets dat ze nog nooit gezien hebben.

Zoiets als ze die avond met Regin en zijn vrienden had uitgevoerd, toen ze haar onverhoeds aanvielen in het bos. Maar ze kon deze novicen niet zomaar met fel licht verblinden, daarvoor was het nog te licht. Ze kon echter wel iets soortgelijks doen, zodat ze niet zouden weten waar ze was, om er dan een van achteren aan te vallen...

Ze onderdrukte een glimlach. Haar schild hoefde immers niet doorzichtig te zijn.

Met een kleine wilsverschuiving veranderde haar schild in een bal van wit licht. Het nadeel was echter, besefte ze te laat, dat ze hen dan ook niet kon zien!

En nu de misleiding. Ze vormde een paar andere schilden zoals die waaronder zij zat en stuurde ze diverse kanten op. Tegelijkertijd begon ze rond te wandelen.

Ze voelde dat de leerlingen onzeker werden in hun aanval en moest haar hand voor haar mond houden toen ze bedacht hoe de Arena eruit moest zien met al die witte lichtbollen die erin rond bewogen. Ze mocht echter onder geen beding terugslaan, of ze zouden erachter komen onder welk schild zij verborgen zat.

Toen de nepschilden haar tegenstanders naderden, voelde ze hoe die tegen de barrière van de tegenstanders opbotsten. Ze liet alle schilden, op één na, terugtrekken. Uiteraard begonnen de novicen dat ene oprukkende schild aan te vallen. Toen liet ze een van de andere schilden wankelen en verdwijnen: nog meer afleiding.

Terwijl ze haar eigen schild weer in een doorzichtig schild veranderde toen ze achter drie novicen stond, verzamelde ze al haar kracht en bestookte een van hen met een regen van krachttreffers. Hij schrok zich dood en zijn buren draaiden zich met een ruk om om haar ervan langs te geven. De rest van de novicen was echter nog in de weer met de witte lichtbollen, waardoor het samengestelde schild scheurde voor haar ogen.

'Stop!'

Sonea wendde zich tot Balkan. Verrast zag ze dat hij glimlachte.

'Interessante strategie, Sonea,' zei hij. 'Niet een die we vaak kunnen toepassen in de echte strijd, maar in de Arena heel effectief. Deze ronde is voor jou.'

Sonea boog. Ze wist dat haar meervoudige schildtechniek de volgende keer totaal geen kans meer zou maken. De gong van de universiteit weerklonk, het lesuur was over en Sonea hoorde een aantal novicen zuchtten van opluchting. Ze glimlachte, maar dat was omdat ze haar krachten had weten te sparen.

De novicen bogen voor heer Balkan en liepen de Arena uit. Er stonden twee magiërs bij de uitgang: Lorlen en Akkarin. De novicen bogen voor de hoge magiërs terwijl ze hen passeerden. Akkarin negeerde hen en wenkte Sonea.

Ze liep naar hen toe, maakte een buiging en begroette hen.

'Goed gedaan, Sonea,' zei Akkarin. 'Je schatte hun sterke punten goed in, zag hun zwakheden en verzon een originele aanpak.'

Ze keek blij en voelde zich zowaar blozen. 'Dank u wel.'

'Ik zou Balkans commentaar maar niet al te serieus opvatten,' voegde hij eraan toe. 'In de echte strijd gebruikt een magiër meestal een techniek die wérkt.'

Lorlen keek Akkarin doordringend aan. Het leek alsof hij hem dringend wat wilde vragen, maar niet durfde. *Of misschien wel tientallen vragen,* mijmerde Sonea. Ze voelde erg mee met de administrateur, tot ze zich herinnerde wat voor ring hij droeg. Die stelde Akkarin in staat om te ervaren wat Lorlen voelde, dacht en zag. Wist Lorlen dat wel? Als dat zo was, zou hij zich wel flink verraden voelen door zijn vriend. Kon Akkarin Lorlen maar vertellen waar het om draaide.

Maar als hij het Lorlen zou vertellen, zou hij dan ook moeten verklappen dat zij uit vrije wil zwarte magie had geleerd? Ze voelde zich plotseling erg ongemakkelijk.

Akkarin richtte zijn schreden naar de universiteit; Sonea en Lorlen volgden hem.

'Het Gilde zal zijn interesse in de moordenaar verliezen zodra Dannyl met de rebellerende magiër arriveert, Lorlen,' zei Akkarin.

Sonea had genoeg opgevangen over de opstandige tovenaars die Dannyl gevangen zou hebben. Nieuws over de dolende jonge magiër die hij naar het Gilde zou sturen verspreidde zich als een lopend vuurtje onder de novicen.

'Misschien,' antwoordde Lorlen. 'Maar ze vergeten het niet. Niemand kan zo'n slachting als deze vergeten. Het zou me niet verbazen als iemand het Gilde zou vragen er eindelijk eens iets tegen te doen.'

Akkarin zuchtte. 'Alsof een beetje magie het ons makkelijker maakt om één moordenaar te midden van duizenden inwoners te vinden.'

Lorlen opende zijn mond alsof hij iets wilde zeggen, maar herinnerde zich dat Sonea erbij was en hield zich in. Hij bleef zwijgen tot aan de trappen van de universiteit, toen nam hij afscheid en haastte zich weg. Akkarin draaide zich om en ging met Sonea naar zijn villa.

'Dus de Dieven hebben de spion nog steeds niet gevonden?' vroeg Sonea zacht.

Akkarin schudde het hoofd.

'Duurt dat altijd zo lang?'

Hij keek haar even aan en trok een wenkbrauw op. 'Je staat geloof ik te popelen om ons gevecht te zien, of niet?'

Ze schudde haar hoofd. 'Nee, dat niet. Maar ik denk wel dat hoe langer ze hier blijft, hoe meer mensen er vermoord zullen worden.' Ze zweeg. 'U weet dat mijn familie in het Noorderkwartier woont.'

Dat leek hem wat milder te stemmen. 'Ja. Maar er wonen duizenden mensen in de sloppen. De kans dat ze net een van jouw familieleden pakt is vrij klein, zeker als ze 's nachts binnen blijven en de deur goed afsluiten.'

'Dat doen ze natuurlijk.' Ze zuchtte. 'Maar ik maak me wel zorgen over Cery en mijn oude vrienden.'

'Ik weet zeker dat je dievenvriendje heel best voor zich zelf kan zorgen.'

Ze knikte. 'Dat denk ik eigenlijk ook.'

Toen ze langs de tuinen liepen, dacht ze aan haar ontmoeting van die ochtend. Het schuldgevoel stak de kop weer op. Ze had niet tegen Rothen gelogen, dat niet. Akkarin had haar nooit gevraagd zwarte magie te leren. Maar ze voelde zich vreselijk toen ze zich voorstelde hoe Rothen zich zou voelen als hij achter de hele waarheid kwam. Hij had zo veel voor haar gedaan, en soms was het net alsof ze hem niets dan ellende bezorgde. Misschien was het ook wel beter dat ze elkaar niet meer mochten zien.

Bovendien moest ze toegeven dat Akkarin er nog meer dan Rothen voor had gezorgd dat ze de allerbeste opleiding kreeg. Ze was nooit zo sterk in Krijgskunst geworden als hij haar niet achter de broek had gezeten. Het zag er nu zelfs naar uit dat ze haar vaardigheden in de strijd tegen de spionnen zou moeten inzetten.

Toen ze de villa bereikten en de deur open zwaaide, stond Akkarin even stil en keek hij omhoog. 'Ik geloof dat Takan al op ons wacht.' Hij ging naar binnen en liep naar het drankkastje. 'Ga maar vast naar boven.'

Naar boven lopend dacht ze even na over zijn opmerking bij de Arena. Had er niet een glimp van trots doorgeklonken in zijn stem? Was hij tevreden over haar als pupil? Het was een prettig idee. Misschien zou ze de titel ooit nog eens waardig zijn: uitverkorene van de Opperheer.

Zij, dat sloppenkind.

Ze vertraagde haar gang. Nu ze eraan dacht, had ze hem nog nooit een denigrerende opmerking horen maken over haar afkomst. Oké, hij had dreigende taal geuit, had haar gemanipuleerd en was wreed geweest, maar hij had haar er nooit aan herinnerd dat ze afkomstig was van het armste deel van de stad.

Maar hoe kon hij ook neerkijken op wie dan ook? schoot haar te binnen. *Hij was immers eens een slaaf geweest.*

Het schip behoorde tot de vloot van de koning van Elyne en was een stuk ruimer dan de Vindoschepen waarop Dannyl eerder gevaren had. Omdat het voornamelijk bedoeld was voor het vervoer van belangrijke personen in plaats van handelswaar, bevatte het meerdere kleine, maar comfortabele hutten.

Hoewel Dannyl erin geslaagd was het grootste deel van de dag te slapen, vond hij het moeilijk te stoppen met geeuwen toen hij was opgestaan en zich gewassen en aangekleed had. Een bediende bracht hem een bord met geroosterde harrel en diverse, mooi opgemaakte groenten. Het maal deed hem goed en na een beker sumi voelde hij zich weer helemaal wakker.

Door de patrijspoorten zag hij de zeilen van andere schepen oranje opgloeien in het licht van de ondergaande zon. Hij verliet zijn hut en liep de lange gang uit op weg naar Farands cel.

Het was natuurlijk geen echte cel. Hoewel het het kleinste en minst luxueus gemeubileerde hutje van het schip was, was het er prettig toeven. Dannyl klopte op de deur. Een kleine magiër met een rond gezicht begroette hem.

'Uw beurt, ambassadeur,' sprak heer Barene, kennelijk opgelucht dat zijn deel van de ploegendienst voorbij was. Hij keek naar Dannyl, schudde het hoofd, mompelde iets en vertrok.

Farand lag op bed. Hij keek naar Dannyl en glimlachte zwakjes. Twee borden stonden op een klein tafeltje. Aan de harrelbotjes te zien nam Dannyl aan dat ze hetzelfde maal hadden gehad als hij.

'Hoe voel je je nu, Farand?'

De jongeman geeuwde. 'Moe.'

Dannyl ging in een van de zachte fauteuils zitten. Hij wist dat Farand last had van slapeloosheid. *Daar zou ik in zijn plaats ook last van hebben*, dacht hij. *Als je weet dat je over een week dood kan zijn.*

Niet dat hij dacht dat het Gilde Farand werkelijk zou terechtstellen. Maar aangezien er in geen eeuwen een dolende magiër was opgepakt, kon je moeilijk zeggen wat er zou gebeuren. Het vervelendste was dat hij Farand wilde geruststellen, maar dat niet mocht doen. Als het anders uitpakte zou dat bijzonder wreed lijken.

'Wat heb je gedaan?'

'Met Barene gepraat. Nou ja, hij praatte tegen mij. Over jou.'

'Echt?'

Farand zuchtte. 'Royend heeft iedereen in geuren en kleuren verteld over jou en je minnaar.'

Dannyl verstijfde even. Het was dus begonnen.

'Het spijt me,' zei Farand.

Dannyl keek verbaasd op. 'Dat hoeft je niet te spijten, Farand. Het maakte onderdeel uit van ons bedrog. Zo zou hij ons eerder vertrouwen.'

Farand fronste zijn voorhoofd. 'Dat geloof ik niet.'

'Nee?' Dannyl dwong zichzelf te glimlachen. 'Wanneer we in Kyralia aankomen, zal de Opperheer dat bevestigen. Het was zijn idee om net te doen of Tayend en ik minnaars waren, zodat de opstandelingen iets hadden om ons mee te chanteren.'

'Maar wat hij hun verteld heeft is de waarheid,' zei Farand zachtjes. 'Toen ik jullie tweeën samen zag, was het zonneklaar. Maar maak je geen zorgen. Ik heb niemand verteld dat ik er zo over denk.' Hij gaapte weer. 'Toch denk ik steeds dat je het niet bij het rechte eind hebt wat het Gilde betreft.'

'Wat bedoel je?'

'Je vertelt me keer op keer dat het Gilde altijd eerlijk en redelijk is. Maar als ik kijk naar de manier waarop de magiërs reageren op dit nieuws over jou, denk ik dat ze in dit opzicht toch behoorlijk onredelijk zijn. En ik vind het ook niet eerlijk van jullie Opperheer dat hij je iets laat rondvertellen waarvan hij weet hoe andere magiërs erop reageren.' Zijn ogen vielen dicht, maar knipperend deed hij ze weer open. 'Ik ben doodop. En ik voel me ook niet zo lekker.'

'Ga dan maar even slapen.'

De jongeman sloot zijn ogen. Zijn ademhaling vertraagde op slag en Dannyl vermoedde dat hij in slaap was gevallen. *Geen gesprekken vannacht,* mijmerde hij. *Dan duurt die dus extra lang.*

Hij keek door de patrijspoort naar de andere schepen. Royend had zijn wraak dus uitgevoerd. *Het maakt niets uit of Farand denkt dat het waar is,* zei hij tegen zichzelf. *Als Akkarin bevestigt dat het allemaal maar onderdeel van de krijgslist was, zal niemand die Dem nog geloven.*

Maar had Farand nu gelijk of niet? Was het oneerlijk van Akkarin geweest om hem en Tayend op deze manier te gebruiken? Dannyl kon nu moeilijk meer ontkennen dat hij niet wist dat Tayend een van de makkers was. Zou iedereen nu verwachten dat hij Tayend voortaan uit de weg zou gaan? Wat zouden ze zeggen als hij dat niet deed?

Hij zuchtte. Hij haatte het met dit vooruitzicht te moeten leven. Hij haatte

139

het dat hij moest doen alsof Tayend niet meer voor hem betekende dan een nuttig assistentje. Maar hij wist ook dat hij niet zonder meer met de waarheid op de proppen kon komen, en de Kyraliaanse houding tegenover mannen-liefde kon veranderen. En bovendien miste hij Tayend nu al, alsof er een deel van hem in Elyne was achtergebleven.

Denk maar aan iets anders, zei hij tegen zichzelf.

Zijn gedachten dreven af naar het boek dat Tayend had 'geleend' van de Dem, en dat nu tussen Dannyls bagage zat. Hij had het tegen niemand gezegd, niet eens tegen Errend. Hoewel de vondst van het boek hem de moed had gegeven te erkennen dat het tijd was de rebellen te grijpen, hoefde hij niemand over het bestaan ervan te vertellen. En dat wilde hij zo houden. Want door de gewraakte passages te lezen, had hij de wet van het Gilde overtreden. De woorden kon hij niet vergeten...

... vallen eenvoudige handelingen zoals het maken van 'bloedstenen' of 'bloedjuwelen' die de kunst van mentale communicatie op afstand van de maker mogelijk maken...

Hij dacht aan de excentrieke Dem die Tayend en hij meer dan een jaar geleden in de bergen hadden bezocht, gedurende hun tweede reis op zoek naar informatie over oude magie. Behalve een indrukwekkende boekenver-zameling had hij een collectie vreemde en exotische voorwerpen getoond, met name een ring, waarin het symbool voor hogere magie in de roodglazen 'edelsteen' was gekerfd. Een ring die volgens de Dem de drager in staat stelde met een andere magiër te praten zonder dat ze konden worden afge-luisterd. Was de steen in de ring een van de bloedstenen?

Dannyl huiverde. Had hij een voorwerp van zwarte magie vastgehouden? Hij kreeg het er koud van. Hij had de ring zelfs om gehad.

... en het maken van 'voorraadstenen' of 'voorraadjuwelen' die magie op een bepaalde manier kunnen opslaan en vrijmaken.

Hij en Tayend waren de bergen ten noorden van Ladeiri's huis in getrok-ken naar de ruïnes van een oude stad. Ze hadden een verborgen tunnel ontdekt die volgens Tayends vertaling leidde naar de Spelonk van Opperste Straf. Dannyl was de tunnel gevolgd naar een ruimte met een koepel waarin duizenden fonkelende steentjes zaten. Die steentjes hadden hem met magi-sche treffers bestookt, en hij had het er ternauwernood levend vanaf ge-bracht.

Zijn huid tintelde. Was de koepel van de Spelonk soms van deze voor-raadstenen gemaakt? Had Akkarin dit bedoeld toen hij zei dat er politieke redenen waren om het bestaan van de spelonk geheim te houden? Het was een ruimte vol stenen van zwarte magie.

Akkarin had ook iets gezegd over de kracht die de spelonk aan het ver-liezen was. Hij wist klaarblijkelijk wat de spelonk was. Het herkennen en omgaan met zulke magie behoorde ook tot de verantwoordelijkheid van de Opperheer. Hij zou het boek aan Akkarin geven als hij terug was.

Farand kreunde in zijn slaap. Dannyl keek op. De jongeman was wasbleek en koortsig. De spanning van de gevangenneming eiste zijn tol. Toen Dannyl beter keek zag hij dat Farands lippen wat donkerder leken. Ze waren bijna blauw...

Dannyl liep naar het bed en schudde Farand wakker. Hij deed zijn ogen open, maar ze keken glazig voor zich uit.

Dannyl legde een hand op het voorhoofd van de jongeman, sloot zijn ogen en liet zijn geest naar binnen gaan. Hij hield zijn adem in toen hij de chaos in het lichaam van de jongeman in ogenschouw nam.

Iemand had hem vergiftigd.

Dannyl verzamelde al zijn kracht en stuurde Genezingsmagie het lichaam in, al wist hij niet waar hij moest beginnen. Hij stuurde het eerst naar het meest aangetaste orgaan. Maar het verval was niet te stoppen, want het bloed bracht het gif steeds verder het lichaam in.

Dit gaat mijn kennis te boven, dacht Dannyl wanhopig. *Ik heb een Genezer nodig.*

Hij dacht aan de andere twee magiërs op het schip. Geen van beiden was een Genezer. Beiden waren Elyneeërs. Hij dacht aan de waarschuwing van Dem Marane. *'Je snapt natuurlijk wel dat de koning hem eerder laat vermoorden dan dat het Gilde erachter komt wat hij weet.'*

Barene was hier geweest toen het maal werd gebracht. Had hij Farand het gif toegediend? Hij kon hem beter niet roepen, voor het geval dát. De andere magiër, heer Hemend, was dikke maatjes met de koning van Elyne. Dannyl vertrouwde hem ook al niet.

Er was maar één andere optie. Dannyl sloot zijn ogen.

Vinara!

Dannyl?

Ik heb je hulp nodig. Iemand heeft de dolende magiër vergiftigd.

De andere twee magiërs zouden dit gesprek op kunnen vangen, maar dat kon Dannyl niet schelen. Hij maakte een magisch slot op de deur. Al kon elke magiër er na verloop van tijd binnenkomen, het hielp in elk geval tegen het binnendringen van anderen op dit schip.

Vrouwe Vinara's persoonlijkheid werd steeds sterker; ze was erg bezorgd. *Beschrijf de symptomen.*

Dannyl liet haar een beeld van Farand zien, met zijn lijkbleke huid en stokkende ademhaling. Toen zond hij zijn geest weer in de jongeman en gaf zijn indrukken van daaruit aan haar door.

Je moet het gif eerst verwijderen, en dan de schade herstellen.

Terwijl zij hem instrueerde, begon Dannyl een pijnlijk en ingewikkeld proces. Eerst moest hij Farand laten overgeven. Toen nam hij een van de messen die bij het avondeten waren gebruikt, reinigde het en sleep het scherp met magie, voor hij een ader in de arm van Farand opensneed. Vinara legde uit hoe een haperend orgaan aan het werk kon worden gehouden, de effecten van de vergiftiging bestreden konden worden, en hoe het lichaam aangemoedigd kon worden meer schoon bloed te produceren, terwijl het besmette bloed langzaam weg sijpelde.

Het was een grote aanslag op Farands lichaam. Genezende magie kon de bouwstoffen voor bloed en weefsel niet aanmaken. Vetreserves en spierweefsel werden geplunderd. Wanneer hij ontwaakte – áls hij ontwaakte – zou Farand maar nauwelijks sterk genoeg zijn om adem te halen.

Toen Dannyl alles gedaan had wat hij kon, opende hij zijn ogen en werd zich weer van de hut bewust. Hij merkte nu pas dat er iemand op de deur stond te bonzen.

Weet jij wie dit gedaan heeft? vroeg Vinara.

Nee. Maar ik heb wel een idee waarom. Ik kan het onderzoeken...

Laat de andere magiërs het maar onderzoeken. Jij moet bij de patiënt blijven en hem bewaken.

Ik vertrouw hen helemaal niet. Zo, het hoge woord was eruit.

Hoe dan ook, Farand is jouw verantwoordelijkheid. Je kunt hem niet beschermen en tegelijkertijd naar de gifmenger zoeken. Wees waakzaam, Dannyl.

Ze had natuurlijk gelijk. Hij stond op, rechtte zijn schouders en maakte zich op voor de confrontatie met degene die op de deur stond te bonzen.

13

De moordenares

Zodra Sonea de ondergrondse kamer binnenkwam, viel haar blik op de voorwerpen op tafel. Een bakje met een paar stukjes gebroken glas. Ernaast lag een kapotte zilveren vork, een kom en een doek. Daarnaast stond weer het houten kistje waarin Akkarins mes bewaard werd.

Ze bedreef nu al twee weken zwarte magie. Haar vaardigheid was toegenomen en ze kon nu veel kracht in korte tijd onttrekken, of een beetje kracht via een speldenprikje. Ze had energie onttrokken aan kleine dieren, planten en zelfs aan water. Vanavond lagen er andere voorwerpen uitgestald en ze vroeg zich af wat Akkarin haar nu weer zou leren.

'Goedenavond, Sonea.'

Ze keek op. Akkarin leunde tegen de kist. Die stond open en er bleken een paar stokoude boeken in te liggen. Hij had er een staan bekijken. Ze maakte een buiging.

'Goedenavond, Opperheer.'

Hij deed het boek dicht, liep de kamer door en legde hem naast de andere voorwerpen op tafel. 'Heb je de verslagen van de Sachakaanse oorlog uit?'

'Bijna. Het is ongelooflijk dat het Gilde zoveel geschiedenisboeken is kwijtgeraakt.'

'Ze raakten ze niet kwijt,' corrigeerde hij haar. 'Ze werden aangepast. Die geschiedenisboeken die niet vernietigd werden, herschreef men, waarbij elke verwijzing naar hoge magie geschrapt werd.'

Sonea schudde het hoofd. Als ze erbij stilstond hoeveel moeite het Gilde eens gedaan had om elke vermelding van zwarte magie te laten verdwijnen, begreep ze wel waarom Akkarin niet stond te trappelen om het huidige Gilde in te lichten over zijn verleden. En toch geloofde ze niet dat Lorlen en de hoge magiërs zwarte kunst meteen weer blindelings zouden afwijzen als ze de reden begrepen waarom Akkarin het geleerd had, of als ze wisten hoe groot de dreiging van de Ichani's was.

Maar mij zouden ze beslist veroordelen, dacht ze opeens, *omdat ik ervoor kóós het te leren.*

'Vanavond wilde ik je leren om bloedjuwelen te maken,' zei Akkarin.

Bloedjuwelen? Haar hart sloeg over toen ze besefte waarnaar hij verwees. Ze zou een edelsteen leren maken zoals de steen in de tand van de spion, of in Lorlens ring.

'Een bloedsteen laat een magiër zien en horen wat de drager ziet en hoort – en denkt,' vertelde Akkarin. 'Als de drager niets ziet, dan kan de maker dat ook niet. De steen richt mentale communicatie ook op de maker, zodat niemand anders de gesprekken tussen maker en drager kan horen.

Maar er zijn wel beperkingen,' waarschuwde hij. 'De maker staat constant in contact met de steen. Een deel van het brein van de maker wordt onophoudelijk bestookt door beelden en gedachten van de drager, en dat kan behoorlijk storend zijn. Na een tijdje leer je ze echter blokkeren.

Als de steen eenmaal gemaakt is kan het contact met de drager niet verbroken worden, tenzij de steen vernietigd wordt. Als de drager de ring met de steen dus verliest, en iemand anders vindt hem en draagt hem, dan moet de maker maar verduren dat een ongewenst persoon zijn geest verstoort.' Hij glimlachte fijntjes. 'Takan vertelde me het verhaal van een Ichani die een slaaf had uitgekozen om door wilde limeks verscheurd te worden. Hij had de slaaf een steen gegeven zodat hij het schouwspel zonder gevaar kon ervaren. Een van de limeks slikte die steen in en de Ichani moest dagenlang de gedachten van de limek door zijn hoofd laten spoken.'

Zijn glimlach verdween en hij staarde in de verte. 'Maar de Ichani's zijn bedreven in het wrede gebruik van magie. Dakova maakte eens een steen van het bloed van een man, en liet de man zien hoe zijn broer gemarteld werd.' Hij vertrok zijn gezicht. 'Gelukkig zijn glazen bloedjuwelen makkelijk kapot te maken. Het lukte de broer de steen te vermorzelen.'

Hij wreef over zijn voorhoofd. 'Aangezien die band met een andere geest nogal storend werkt, is het aan te raden niet te veel stenen te maken. Momenteel heb ik er drie. Weet je wie ze dragen?'

Sonea knikte. 'Lorlen.'

'Ja.'

'En... Takan?' Ze dacht na. 'Al draagt hij geen ring.'

'Nee, dat klopt. Takans steen is verstopt.'

'Wie heeft de derde?'

'Een vriend op een nuttige plek.'

Ze haalde haar schouders op. 'Dat raad ik dus nooit. Maar waarom Lorlen?'

'Ik moest hem natuurlijk in de gaten houden. Rothen zou nooit iets uithalen dat jou in gevaar zou brengen. Maar Lorlen zou je wel kunnen opofferen als dat betekende dat het Gilde ermee gered kon worden.'

Opofferen? Ja, nogal wiedes. Ze huiverde. *Als ik in zijn schoenen stond zou ik waarschijnlijk precies hetzelfde doen.* Nu ze dit wist, wenste ze nog sterker dat Akkarin Lorlen de waarheid kon vertellen.

'Hij is heel nuttig gebleken,' voegde Akkarin eraan toe. 'Hij heeft veel contact met de kapitein van de Garde die de moorden onderzoekt. Ik heb daaruit kunnen berekenen hoe sterk elke spion is, gebaseerd op het aantal lijken dat gevonden werd.'

'Weet hij wat de steen is?'

'Hij weet wat de steen doet.'

Arme Lorlen, dacht ze. *Hij denkt dat zijn vriend verknocht is aan zwarte magie, en Akkarin kan al zijn gedachten nog lezen ook. Maar voor Akkarin zal het ook niet makkelijk zijn om altijd maar te merken hoe zijn vriend voor hem siddert en zijn werk afkeurt...*

Akkarin wendde zich naar de tafel. 'Kom eens hier.'

Ze ging aan de andere kant van de tafel staan, terwijl Akkarin het deksel van het kistje oplichtte. Hij haalde het mes eruit en overhandigde het aan haar.

'Toen ik Dakova voor de eerste keer een bloedjuweel zag maken, dacht ik dat er wel iets heel magisch in het bloed moest zitten. Pas jaren later merkte ik dat dat niet waar is. Het bloed geeft alleen aan wie de maker van de steen is.'

'Hebt u ze uit boeken leren maken?'

'Nee. Een groot deel van wat ik weet, leerde ik door de bestudering van een oeroud exemplaar van de ring die ik tijdens het eerste jaar van mijn onderzoek ben tegengekomen. Toen wist ik nog niet wat het was, maar later leende ik hem een tijdje om hem te bestuderen. Hoewel de maker allang gestorven was, en hij niet langer werkte, zat er nog genoeg magie in het glas om eruit af te kunnen leiden hoe de steen gewerkt moest hebben.'

'Hebt u hem nog?'

'Nee, ik heb hem aan zijn eigenaar teruggegeven. Jammer genoeg stierf hij spoedig daarna, en ik weet niet waar zijn enorme collectie antieke juwelen gebleven is.'

Ze knikte en bekeek de voorwerpen op tafel.

'Elk levend onderdeel van je lichaam kan gebruikt worden,' legde Akkarin uit. 'Haar ook, maar niet zo goed, want het grootste deel ervan is dood. Er bestaat een Sachakaans volksverhaal waarin tranen gebruikt worden, maar ik denk dat dat een romantisch fabeltje is. Je mag een stukje huid nemen, maar erg prettig lijkt me dat niet. Bloed is verreweg het makkelijkst.' Hij tikte op de schaal. 'Je hebt maar een paar druppels nodig.'

Sonea keek naar de schaal en naar het mes. Akkarin nam haar in stilte op. Ze bekeek haar linkerarm. Waar zou ze snijden? Ze draaide haar pols en zag opeens weer dat verbleekte litteken op haar handpalm waar ze zichzelf als kind eens aan een regenpijp gesneden had. Ze bracht de punt van het mes naar het litteken en maakte een sneetje in haar huid.

Pas toen het bloed uit de snede begon op te wellen, voelde ze een stekende pijn opkomen. Ze liet het bloed in de schaal druppelen.

'Genees nu jezelf,' zei Akkarin. 'Je moet je altijd zo snel mogelijk helen. Zelfs halfdichte wondjes zijn een opening in je barrière.'

Ze concentreerde zich op de wond. Het bloed stopte met stromen en langzaam sloten de randen van de snede zich weer tegen elkaar. Akkarin gaf haar een doek, waarmee ze het bloed van haar hand wreef.

Toen gaf hij haar een stukje glas. 'Houd dit in de lucht en laat het smelten. Het blijft beter in vorm als je het rond laat draaien.'

Sonea richtte haar wil op het scherfje en liet het in de lucht zweven. Ze stuurde er hitte omheen en liet het draaien. Het scherfje begon te gloeien en smolt langzaam tot een druppel.

'Eindelijk!' siste Akkarin.

Geschrokken verloor ze haar macht over de glasdruppel. Hij viel op tafel, waar hij een kras maakte.

'Oeps.'

Maar Akkarin had niets gemerkt. Zijn ogen waren weer op de verte gericht. Toen verscheen er een grimmige glimlach rond zijn lippen en hij pakte het mes.

'Takan heeft net bericht gehad. De Dieven hebben de spion ontdekt.'

Sonea's hart sloeg over.

'We gaan wel verder met de les als we terug zijn.' Hij liep naar het kastje en pakte er de brede leren riem met de schede uit die ze hem al die jaren geleden, toen ze hem bespioneerde, had zien dragen. Hij veegde het lemmet af aan de doek en stak het mes in de schede. Vervolgens trok hij zijn gewaad uit, waaronder hij een lang vest en een broek droeg. De riem met het mes deed hij om en hij haalde uit een andere kast een lange, versleten jas te voorschijn, plus een oude mantel voor Sonea, en een lantaarn.

'Laat niemand je kleren zien, bedek je goed,' zei hij toen hij haar de cape aanreikte. Het kledingstuk had een lange rij knoopjes aan de voorkant en twee inkepingen aan de zijkant om haar handen uit te steken.

Hij zweeg en bekeek haar gefronst. 'Ik zou je niet meenemen als het niet zo noodzakelijk was, maar als ik je toch moet voorbereiden op een ontmoeting met de spionnen, dan kan ik je dat het best meteen laten zien. Je moet echter wel precies doen wat ik zeg.'

Ze knikte. 'Ja, Opperheer.'

Akkarin liep naar de muur en de geheime deur naar de gangen erachter. Sonea volgde hem op de voet. De lantaarn sputterde even.

'Die vrouw mag jou niet zien,' vertelde hij terwijl ze door de tunnel liepen. 'Tavaka's meester heeft je waarschijnlijk gezien via de bloedsteen vóór ik die vertrapte. Als welke Ichani dan ook jou met mij ziet, denken ze dat ik je aan het trainen ben. Ze zullen je willen vermoorden voor je sterk en handig genoeg bent om jezelf te verdedigen.'

Hij zweeg toen ze bij de eerste blokkade kwamen en ze bleven zwijgen tot ze door het doolhof van gangen bij de met rotsen geblokkeerde tunnel kwamen. Akkarin gebaarde naar de hoop. 'Kijk ernaar met je geestesoog, en schuif de trap op zijn plaats.'

Met uitgestrekte zintuigen tastte Sonea de steenhoop af. Het bleef enige tijd een chaotische berg van puin, tot ze er plotseling een patroon in ontdekte. Net een grote versie van de houten puzzels die ze op de markt verkochten. Duw op een bepaalde plek en de puzzelstukjes glijden op hun plaats in een nieuwe vorm – of het gehele ding valt uiteen. Ze haalde er wat magie bij en begon de blokken te verschuiven. Het geluid van ketsende steenblokken echode door de hele gang, maar al snel lagen de treden op hun plaats.

'Goed zo,' mompelde Akkarin. Hij rende de trap met twee treden tegelijk op. Sonea volgde zo snel mogelijk. Boven aangekomen draaide ze zich om en liet de treden zich weer tot onregelmatige rotsblokken omvormen.

Het licht van de lantaarn scheen over de bekende bakstenen muren van het Dievenpad. Na ongeveer honderd passen kwamen ze bij de nis waar de gids hen vorige keer ontmoet had. Nu trad een kleiner persoontje uit de schaduwen naar voren. Het was een jongen van zo'n twaalf jaar oud, dacht Sonea. Zijn ogen stonden hard en argwanend – het waren de ogen van een volwassene. Hij bekeek hen goed, zag Akkarins laarzen en knikte. Zonder een woord gebaarde hij dat ze hem moesten volgen en begon de gangen door te lopen. Hoewel ze af en toe een zijgang in moesten, liepen ze min of meer in een rechte lijn. Hun gids stopte uiteindelijk bij een ladder en wees naar het luik erboven. Akkarin schoof een paneeltje voor het licht van de lantaarn en de plek werd in duisternis gehuld. Sonea hoorde zijn laars een sport van de ladder raken. Een zwak licht vulde de gang toen hij het luik voorzichtig opende en eronderdoor tuurde. Hij gebaarde naar haar en toen ze de ladder begon te beklimmen opende hij het luik helemaal en klom door het gat. Sonea deed even later hetzelfde. Het gat bleek zich in een steegje te bevinden. De huizen rondom haar waren hapsnap in elkaar gezet van allerlei bijeengeraapt materiaal. Sommige zagen eruit alsof ze elk moment in elkaar konden storten. De stank van afval en rioolwater was overweldigend. Ze kende deze omgeving maar al te goed. Het was de buitenste rand van de sloppen, waar de allerarmste sloppers een karig bestaan bij elkaar schraapten. Het was een droeve, maar gevaarlijke plek.

Een grofgebouwde man stapte uit de dichtstbijzijnde deur en slenterde naar hen toe. Sonea slaakte een zucht van verlichting toen het de man bleek te zijn die de vorige spion onder zijn hoede had gehad, Morren. Hij keek haar aan, en wendde zich tot Akkarin.

'Ze is net weg,' zei de man. 'We hebben twee uur lang een kraai op haar gezet. De sloppers hier zeggen dat ze hier al twee dagen rondhangt.' Hij wees naar een deur dichtbij.

'Maar hoe weet je dan dat ze vannacht terugkomt?'

'Effe rondgeneusd nadat ze de deur uit was. Liggen nog wat mooie spullen. Die komt wel terug.'

'Verder staat dat huis leeg?'

'Soms gebruiken wat zwervers en hoeren het. Maar we hebben ze duidelijk gemaakt dat ze hun heil vannacht maar ergens anders moeten zoeken.'

Akkarin knikte. 'We moeten even binnen kijken of er een goede plek voor een hinderlaag is. Let op dat er niemand binnenkomt.'

De man knikte. 'Die kamer rechts aan het eind is van haar.'

Sonea volgde Akkarin naar de deur. Die knarste protesterend toen hij hem opendeed. Ze liepen een trap van aangestampte aarde af die ondersteund werd door rottende balken, en slopen de gang beneden door.

Het was er donker en de vloer van aangestampte aarde was ongelijk. Akkarin deed het schuifpaneeltje van zijn lantaarn een stukje open. De aangrenzende kamers hadden geen deuren. In sommige lagen lappen en jutezakken. De muren waren met hout betimmerd, maar overal waren er planken afgevallen die, samen met de troep erboven, bergjes op de vloer vormden. De meeste kamers stonden leeg. Voor de laatste ingang rechts hing een jutezak. Akkarin wierp een indringende blik op de stof, schoof de jutezak toen opzij en deed het schuifje van de lamp geheel open.

De ruimte was verrassend groot. Een paar houten kratten en een brede plank vormden een tafel. Er hing een soort boekenplank tegen een muur, en in een van de hoeken lag een dunne matras en een stel dekens.

Akkarin begon de kamer rond te lopen en bekeek hem nauwgezet. Hij woelde tussen het beddengoed, en schudde het hoofd. 'Morren had het over waardevolle spullen. Neem niet aan dat hij dit bedoelde.'

Sonea onderdrukte een glimlach. Ze liep naar de dichtstbijzijnde muur en porde met een vinger tussen de schrootjes. Akkarin keek toe hoe ze zo de hele kamer afging. Bij de matras voelde ze iets zachts achter het hout.

De schrootjes waren makkelijk weg te halen. De oude zakken die erachter hingen waren bestreken met aangekoekte modder, maar die was er hier en daar afgevallen. Voorzichtig tilde ze een hoekje op. Daarachter was een alkoofje, groot genoeg voor een zittend kind. Het plafond bestond uit de bekende rottende planken. In het midden lag een bundeltje oude lappen.

Akkarin hurkte naast haar en grinnikte. 'Wel, wel. Maar goed dat ik je meegenomen heb.'

Sonea haalde haar schouders op. 'Ik heb in zo'n Hol gewoond, vroeger. Zo noemen sloppers deze gaten.'

Hij dacht na. 'Hoe lang?'

Ze keek omhoog en zag een waarderende blik in zijn ogen. 'Een hele winter. Het is lang geleden; als kind was ik nogal klein.' Ze keek weer naar de alkoof. 'Ik weet nog dat de kamer vol mensen was, en koud.'

'Maar nu zijn er nog maar een paar, zo te zien. Hoe komt dat?'

'De Zuiveringen. Die worden nooit gehouden voor de eerste sneeuw valt. Hier gaan de mensen heen die door het Gilde worden weggejaagd. De mensen waarvan de Huizen zeggen dat het gevaarlijke dieven zijn, terwijl het gewoon arme sloebers zijn. De Huizen houden nu eenmaal niet van kreupele bedelaars, die halen het aanzien van de stad omlaag. De echte Dieven hebben totaal geen last van de Zuivering...'

Achter hen klonk een zwak knarsend gepiep van een deur. Akkarin draaide zich bliksemsnel om.

'Dat is ze.'

'Hoe –'

'Omdat Morren ieder ander had tegengehouden.' Hij schoof het luikje voor de vlam en keek snel rond.

'Geen andere uitweg,' mompelde hij. Hij tilde een hoek van de modderige zak op. 'Pas je daar nog in?'

Ze nam de moeite niet te antwoorden. Ze draaide zich om en schoof zittend naar achteren. Toen ze haar benen tegen zich aandrukte, liet Akkarin de lap vallen en drukte er snel wat planken tegenaan.

Het was nu pikdonker. Het bonzen van haar hart was het enige wat ze in de stilte hoorde. Maar plotseling zag Sonea fel sterrenlicht.

'O, ben jij het weer,' zei de vrouw met een vreemd accent. 'Ik vroeg me al af wanneer je me een tweede kans zou geven je af te maken.'

De sterren werden nog feller en Sonea voelde de vibratie van magie. Ze besefte dat de sterretjes gaatjes in de jutezak en kieren tussen de planken waren. Ze leunde iets naar voren om een glimp van de kamer op te vangen.

'Je bent voorbereid, zie ik,' zei de vrouw.

'Natuurlijk,' antwoordde Akkarin.

'Maar ik ook,' zei ze. 'Je gore stadje is weer een beetje ruimer. En het Gilde is binnenkort een magiër armer.'

Op een plek waar de laag modder dun en verkruimeld was, kon Sonea bewegende figuren zien, verlicht door lichtflitsen. Ze krabde voorzichtig nog wat kruimels modder weg.

'Wat zal dat Gilde van je wel niet zeggen als hun leider vermoord op straat ligt? Denk je dat ze zullen uitzoeken waardoor hij gestorven is? Ik denk van niet.'

Sonea zag nu wie er sprak. Een vrouw in een hemd, rok en schort van een drabbige kleur stond aan de andere kant van de kamer. Sonea kon Akkarin niet zien. Ze bleef krabben aan de modderlaag van de zak om een nog beter zicht te krijgen. Hoe moest ze nou iets over het bestrijden van spionnen leren als ze het gevecht niet kon volgen?

'Ze hebben geen flauw idee wie achter hen aanzit,' vervolgde de Sachakaanse. 'Ik heb met het idee gespeeld om binnen te lopen en ze allemaal tegelijk het loodje te laten leggen, maar bij nader inzien is het toch aardiger om ze een voor een naar buiten te lokken en te vermoorden.'

'Ik raad je die tweede manier ook ten zeerste aan,' antwoordde Akkarin. 'Je hebt anders geen schijn van kans.'

De vrouw lachte. 'O, geen schijn van kans, hè?' sneerde ze. 'Maar ik weet toevallig dat Kariko gelijk heeft. Jouw Gilde kent geen hoge magie. Zwak en stom zijn ze – zo stom dat je geheim moet houden wat je weet, omdat ze je anders zouden ophangen.'

De kamer baadde in het licht terwijl de treffers tegen het schild van de vrouw ramden. Zij betaalde ze terug met gelijke munt. Een scheurend geluid weerklonk van boven. Sonea zag de vrouw snel naar boven kijken voor ze een stap opzij deed, in de richting van haar schuilplaats.

'Het feit dat wij onze kennis niet misbruiken, betekent nog niet dat we achterlijk zijn,' sprak Akkarin kalm. Hij verscheen in beeld, maar bleef lijnrecht tegenover de Sachakaanse staan.

'Maar ik heb de waarheid wel in de gedachten van je volk gelezen,' zei ze. 'Ik snap nu waarom je in je eentje achter me aanzit, en waarom niemand mag zien dat we in gevecht zijn. Nou, laat ze dit dan maar eens zien.'

Plotseling klonk het oorverdovende gekraak van versplinterend hout. Een regen van houten balken en dakpannen viel door het plafond heen, een dichte stofwolk veroorzakend. De vrouw gierde het uit en kwam dichter naar de alkoof toe. De Sachakaanse stopte pas toen er nog meer puin vlak naast haar viel en haar weg blokkeerde. Plotseling werd ze met een klap tegen de zijmuur gesmeten. Sonea voelde de schoktreffer van Akkarin natrillen door de vloer van haar hol, en het regende aardkluiten op haar rug.

De vrouw zette zich af tegen de muur, gromde iets en beende naar de hoop puin... en er dwars doorheen. Sonea knipperde verbaasd met haar ogen tot het tot haar doordrong dat het een illusie was. Geschrokken stelde ze vast dat de vrouw nu wel degelijk op haar afkwam.

Akkarin viel aan, en de vrouw vertraagde haar pas. Vlak voor haar schuilplaats bleef ze staan, en Sonea besefte dat zijzelf ook getroffen zou worden als Akkarin de vrouw nu aanviel. Snel trok ze een sterk schild rond zichzelf op.

De kamer vibreerde van magie toen de twee magiërs elkaar weer te lijf gingen. Stof en steentjes ranselden Sonea's rug. Ze strekte zich iets uit en voelde dat de balken die het plafond van de alkoof bijeenhielden aan het verzakken waren. Geschrokken vergrootte ze haar schild om ze extra steun te geven.

Een schampere lach trok haar aandacht. Turend door de kieren tussen de lappen zag ze dat Akkarin langzaam achteruitliep. Zijn treffers leken al niet meer zo krachtig. Zijdelings schoof hij naar de deur.

Zijn kracht raakt op, realiseerde ze zich meteen. De moed zonk haar in de schoenen toen hij nog dichter naar de deur toe schuifelde.

'Deze keer ontkom je me niet, mannetje,' zei de vrouw.

Een blokkade rees op in de deuropening. Akkarin kreeg iets radeloos in zijn blik. De vrouw leek groter en langer te worden. Maar in plaats van dichter naar Akkarin te gaan, deed ze een paar stappen in Sonea's richting.

Sonea zag wanhoop en paniek in Akkarins ogen. Maar toen de vrouw naar de alkoof reikte, zond hij onverwachts een krachtige treffer in haar richting.

Hij deed maar alsof, dacht Sonea. *Hij probeerde haar van me vandaan te houden.* Maar in plaats van haar bij de alkoof weg te lokken was ze er juist dichter naar toe gegaan. *Waarom? Vermoedt ze dat ik hier zit? Of is het iets anders?*

Ze tastte om zich heen en stuitte op de bundel lappen. Zelf in het duister stelde ze vast dat ze van goede kwaliteit waren. Ze maakte een piepklein bollichtje. Toen ze een van de lappen uitrolde zag ze dat het een sjaal was. Toen viel er een klein voorwerp uit de plooien – een zilveren zegelring. Ze pakte hem. Het was een mannenring, van het soort dat de edelen uit de Huizen droegen om hun status aan te geven. Een plat vlak aan de ene kant droeg de incal van het Huis Saril.

Toen explodeerde de alkoof in een wervelstorm van aarde en stof.

Sonea werd achterover geblazen. Ze rolde zich tot een bal op en trok haar schild weer strak om zich heen. Het gewicht dat op haar drukte nam toe, tot het stabiel bleef.

Toen daalde er stilte neer. Ze maakte weer een miniem bollichtje. Rondom haar was alleen maar aarde, dat op afstand werd gehouden door haar schild. Ze strekte haar ledematen tot ze weer in hurkzit zat en peinsde erover hoe het nu verder moest.

Ze was ingegraven. Ze kon het schild nog wel een tijdje vasthouden, maar de luchtvoorraad in het kleine hol raakte snel op. Ze zou zich ook wel naar buiten kunnen werken, maar dan kwam ze in het gevecht terecht.

Ik moet het hier dus zo lang mogelijk uithouden, besloot ze. *Ik kan dan wel niets meer van het gevecht zien, maar daar is niets aan te doen.*

Hoofdschuddend dacht ze na over hetgeen ze gezien had. De strijd was totaal niet zo gelopen als Akkarin voorspeld had. De vrouw was sterker dan de gebruikelijke spion, haar houding leek in niets op die van een slaaf en ze had naar de Ichani's verwezen met 'ons' en niet met 'mijn meesters'. Ze was een geschoold krijger. De slaven die hierheen gestuurd waren, hadden nooit de tijd gekregen om een goede tactiek te ontwikkelen.

Als deze vrouw geen slavin was, dan was er maar één ding dat ze wel kon zijn.

Een Ichani.

Sonea voelde haar maag verkrampen bij de gedachte. Akkarin vocht tegen een Ichani. Ze concentreerde zich en voelde de vibraties van magie niet ver van haar vandaan. De strijd was nog in volle gang.

De druk op haar schild begon af te nemen. Toen zag ze een klein gat in de wand verschijnen waar de aarde tussen haar schild en de voorhang vast had gezeten. Steeds meer korrels gleden van het schild en het gat werd groter. Erachter was de kamer te onderscheiden. De adem stokte in haar keel toen ze de Sachakaanse vlak voor zich met haar rug naar haar toe zag staan.

In paniek trok Sonea haar schild strakker om zich heen, maar daardoor kregen de aardkluiten de kans nog sneller langs de jute lap weg te glijden. Daarmee kwam Akkarin in beeld. Even flitsten zijn ogen in haar richting, maar zijn uitdrukking veranderde niet. Hij begon in haar richting te lopen.

Ineengedoken zag Sonea de rug van de vrouw zich spannen in concentratie terwijl Akkarin naderbij kwam.

Sonea voelde Akkarins magie langs haar schild glijden terwijl hij de vrouw met een magische ring omcirkelde om haar bij de alkoof vandaan te trekken. Maar de vrouw doorbrak de ring en deed nog een stap achteruit. Haar schild was nu zo dichtbij dat Sonea het hare zo dicht mogelijk tegen zich aan moest trekken. Het zou rampzalig zijn als de schilden elkaar raakten. Het schild van de vrouw was nu nog maar een handbreedte van het hare verwijderd en er werd een zoemend geluid hoorbaar dat gaandeweg sterker werd. Nog één stap achteruit en de vrouw zou haar ontdekken. Ze waren alleen door een hoopje aarde van elkaar gescheiden.

Als ik mijn schild ophef, dacht Sonea, *kan haar schild over me heen glijden zonder dat ze het merkt.*

Het schild van de vrouw was bolvormig, de makkelijkste manier om een schild om je heen te houden. Het beschermde de voeten van de magiërs door onder de voetzolen bijeen te komen, maar het was op die plek te zwak om een onderaardse aanval tegen te houden. Alle novices leerden het deel van een schild dat tegen een obstakel aan zou komen te verzwakken opdat het er ongehinderd overheen kon glijden, en de zwakke plek daarna zo snel mogelijk weer te dichten. Als deze vrouw hetzelfde had geleerd, zou ze zodra ze Sonea raakte haar schild over Sonea en het bergje aarde waaronder zij verborgen lag heen laten glijden. Ze hoefde nog maar één stap achteruit te zetten.

Maar ze zal het merken. Ze zal mijn aanwezigheid voelen...

Sonea hield haar adem in. *Maar dan zit ik wel in haar schild! Heel even, voor ze beseft wat er gebeurt, zal ze weerloos zijn! Ik moet iets hebben om...*

Sonea liet haar ogen razendsnel over de bodem van de alkoof glijden. Een afgebroken lat lag onder wat aarde vlakbij. Haar hart begon te bonzen terwijl ze bedacht wat ze ermee kon doen. Ze haalde diep adem en wachtte tot de vrouw haar voet zou verzetten. Ze hoefde niet lang te wachten.

Toen het Ichanischild over haar heen gleed, greep Sonea de lat en ramde het scherpe uiteinde van het versplinterde stuk hout in de nek van de vrouw. Die wilde zich omdraaien, maar daar had Sonea al op gerekend: ze drukte haar vrije hand tegen de wond en razendsnel onttrok ze zo veel mogelijk energie aan de vrouw.

De ogen van de Sachakaanse sperden zich open van afschuw toen het tot haar doordrong wat er gebeurde. Haar schild verdween, haar knieën knikten. Sonea verloor haast haar greep, smeet het stuk hout weg en sloeg haar arm om het middel van de vrouw. De Sachakaanse krijger was echter te zwaar en Sonea moest de vrouw op de grond laten vallen.

De krachtstroom die in Sonea was gevaren stopte abrupt. Ze trok haar hand van de wond en de vrouw gleed op haar rug. Haar ogen staarde nietsziend in het duister.

Dood. Een golf van opluchting ging door Sonea heen. *Het heeft gewerkt,* dacht ze. *Het heeft echt gewerkt.*

Toen keek ze naar haar hand. In het maanlicht dat door het ingestorte dak van de kamer naar binnen stroomde, zag het bloed dat eraan kleefde er zwart uit. Het gruwelijke van de zaak drong tot haar door. Ze klauterde overeind.

Ik heb iemand gedood met zwarte magie.

Het duizelde haar en ze strompelde voorwaarts. Ze wist dat ze te snel ademde, maar kon er niet mee ophouden. Iemand greep haar bij de schouders voor ze om zou vallen.

'Sonea,' zei een stem, 'haal diep adem. Hou de lucht vast en laat hem dan langzaam ontsnappen.'

Akkarin. Ze probeerde te doen wat hij zei. Het duurde even tot het lukte. Ondertussen haalde hij ergens een doek vandaan waarmee hij haar hand afveegde.

'Dat is een heel naar gevoel, zeker?'

Ze knikte.

'En zo hoort het ook.'

Ze knikte weer. Gedachten die elkaar tegenspraken tolden door haar hoofd.

Ze zou me vermoord hebben als ik het niet had gedaan. Ze zou anderen vermoord hebben. Dus waarom voelt het zo afschuwelijk dat ik dit gedaan heb?

Misschien omdat ik hierdoor eigenlijk een beetje op hen lijk.

Hoe loopt het met me af als er geen spionnen meer gedood hoeven worden en Takan het niet alleen aankan en ik andere manieren moet zoeken om aan kracht te komen om de Ichani's te bestrijden? Zal ik door de straten gaan zwerven, en hier en daar een arme sloeber of dief doodslaan? Zal ik de verdediging van Kyralia als rechtvaardiging gebruiken voor het doden van onschuldigen?

Sonea schudde haar hoofd vanwege de mengeling van emoties die haar bevingen. Ze had nog nooit zoveel twijfel gevoeld.

'Kijk me aan, Sonea.'

Hij draaide haar om. Met tegenzin keek ze hem in de ogen. Hij reikte naar haar en ze voelde hoe hij voorzichtig iets uit haar haar streek. Een klontje modder viel op de grond.

'Het is geen gemakkelijke keuze die je gemaakt hebt,' zei hij, 'maar je zult leren op jezelf te vertrouwen.' Hij keek omhoog. Ze volgde zijn blik en zag dat de volle maan in het midden van het gat in het dak hing.

Het Oog, dacht Sonea. *Het is open. Of het liet me dit doen omdat het geen slechte daad is, of ik word binnenkort waanzinnig.* Ze schudde haar hoofd. *Maar dat is toch allemaal maar bijgeloof.*

'We moeten hier nu zo snel mogelijk wegwezen,' zei hij. 'De Dieven ruimen het lijk wel op.'

Sonea knikte. Terwijl Akkarin voor haar uitliep raakte ze even haar haar aan. Haar hoofdhuid tintelde waar hij haar had aangeraakt. Zonder nog een blik te werpen op de dode Sachakaanse liep ze hem snel achterna, de kamer uit.

14

De getuige

r drukte iets zacht tegen Cery's rug. Iets warms. Een hand. Savara's hand, drong tot hem door.

Haar aanraking zette hem weer met beide benen op de grond. Hij was totaal van zijn stuk gebracht. Op het moment dat Sonea de Sachakaanse vrouw doodde, was de wereld om hem heen begonnen te draaien. In zijn verdoving was hij zich alleen maar bewust geweest van wat ze gedaan had.

Nou ja, alleen maar... Savara had iets gezegd. Hij had gefronst. Iets over dat Akkarin een leerling had. Hij draaide zich om naar de vrouw aan zijn zijde.

Ze glimlachte schalks. 'Nou, moet je me niet bedanken?'

Hij keek naar beneden. Ze zaten op een deel van het dak dat nog heel was. De bovenkant van het Hol had een goede plaats geleken om de strijd te volgen. Het dak bestond uit stukken hout en hier en daar een groepje dakpannen, maar er zaten gaten genoeg in. Zolang ze hun gewicht op de draagbalken hielden, zaten ze vrij veilig.

Helaas had noch Cery, noch Savara eraan gedacht dat de strijders hun hoge zitplaats wel eens onder hen vandaan zouden kunnen maaien.

Toen het dak instortte had iets Cery tegengehouden zodat hij niet in het strijdperk terechtkwam. Voor hij zich af kon vragen hoe het mogelijk was dat hij en Savara als het ware in de lucht boven de alkoof bleven zweven, waren ze naar het achterste stuk van het dak gekropen, om uit het zicht van de krijgers te blijven.

Alles rondom Savara leek nu op zijn plaats te vallen: hoe ze wist wanneer een nieuwe moordenaar de stad in kwam, hoe ze zoveel wist over de mensen met wie de Opperheer de strijd aanbond, en waarom ze zo absoluut zeker wist dat ze deze moordenaars zelf kon pakken...

'En, wanneer was je van plan geweest het allemaal uit te leggen?' vroeg hij.

Ze haalde haar schouders op. 'Wanneer je me genoeg vertrouwde. Als ik meteen in het begin had verteld dat ik een magiër was, had ik wel eens zoals zij kunnen eindigen.' Ze keek naar het lijk dat Gol en zijn mannen aan het wegslepen waren.

'Dat kan nog steeds,' zei hij. 'Een gewoon mens ziet geen verschil tussen jullie Sachakanen.'

Haar ogen flitsten van woede, maar haar stem was kalm als altijd. 'Niet alle magiërs in mijn land zijn als de Ichani's, Diefje. Onze samenleving kent vele groepen... partijen...' Gefrustreerd schudde ze het hoofd. 'Er bestaat geen woord dat het precies uitdrukt. De Ichani's zijn vogelvrijen, die naar de woestenij gestuurd zijn als straf. Ze zijn de onderlaag van de maatschappij. Je moet ons niet allemaal beoordelen zoals je hen beoordeelt.

Mijn eigen volk is altijd doodsbang geweest voor de dag dat de Ichani's zich zouden verenigen, maar we hebben geen invloed op de koning, en kunnen hem er niet van overtuigen dat er een eind moet komen aan die verbanningen. We hebben hen al honderden jaren in de smiezen gehouden, en degenen gedood die anderen zouden kunnen gaan overheersen. We hebben geprobeerd tegen te houden wat nu hier aan de gang is, maar we moeten uiterst voorzichtig te werk gaan, want in Sachaka hebben velen maar een klein excuus nodig om ons aan te vallen.'

'Wat is daar dan aan de hand?'

Ze aarzelde. 'Ik weet niet hoeveel ik je mag vertellen.' Tot Cery's plezier begon ze op haar onderlip te bijten als een kind dat door haar vader ondervraagd werd. Toen hij grinnikte, keek ze hem met een frons tussen haar wenkbrauwen aan. 'Wat nou?'

'Je lijkt me gewoon niet het type dat altijd om iemands goedkeuring verlegen zit.'

Ze keek hem strak aan en wendde haar blik toen af. Cery zag dat Gol en het lijk verdwenen waren.

'Je had niet verwacht haar hier te zien, hè?' zei ze zacht. 'Is het verwarrend, om je ex-geliefde iemand te zien doodmaken?'

Hij keek haar aan met een ongemakkelijke uitdrukking. 'Hoe weet je dat?'

Ze glimlachte. 'Het staat op je gezicht te lezen als je haar ziet of over haar praat.'

Hij keek rond in de kamer onder hen. Het beeld van Sonea die de vrouw aanviel flitste door zijn hoofd. Haar gezicht drukte vastbeslotenheid uit. Ze was behoorlijk veranderd: hij kende dat onzekere meisje nog dat zo van streek geweest was toen ze ontdekte dat ze magiërscapaciteiten had.

Toen herinnerde hij zich hoe de uitdrukking op haar gezicht veranderde toen Akkarin iets uit haar haar haalde.

'Ach, het was kalverliefde,' zei hij. 'Ik weet al eeuwen dat ze niet voor mij bestemd is.'

'Nee, dat wist je niet,' zei ze en het dak kraakte toen ze haar gewicht verplaatste. 'Dat weet je pas sinds vanavond.'

Hij wendde zijn gezicht weer naar haar. 'Hoe weet je –' Tot zijn verbazing was ze wat dichterbij komen zitten, haast tegen hem aan. Toen hij zijn hoofd draaide, legde ze haar hand in zijn nek, trok hem naar haar toe en kuste hem.

Haar lippen waren warm en stevig. Verlangen steeg in hem op. Hij stak zijn arm uit en probeerde haar tegen zich aan te trekken, maar het stuk hout waarop hij zat gleed opzij en hij voelde hoe hij zijn evenwicht verloor. Hun lippen verlieten elkaar toen hij achterover begon te hellen.

Iets hield hem tegen. Hij herkende de aanraking van magie. Savara glimlachte geheimzinnig, leunde voorover en greep zijn hemd. Ze drukte haar schouder tegen de dakrand en trok hem over zich heen. De steunbalken kraakten onheilspellend terwijl ze van het kapotte stuk weg rolden. Toen ze stopten, lag zij boven op hem. Ze glimlachte – met die adembenemende sensuele glimlach waar hij het altijd al zo warm van had gekregen.

'Nou,' zei hij. 'Dit is niet onprettig.'

Ze lachte zachtjes en boog zich voorover om hem te kussen. Hij aarzelde maar heel even toen een gevoel, een voorgevoel, door zijn hoofd ging.

Vanaf de dag dat Sonea haar magie ontdekte, hoorde ze ergens anders thuis. Ook Savara heeft magie. En zij hoort al ergens anders thuis...

Maar op dit moment kon hem dat geen barst schelen.

Lorlen knipperde met zijn ogen toen hij wakker werd. Zijn slaapkamer was vrijwel duister. Het licht van de volle maan lichtte zijn raamschermen op, en de gouden Gildesymbolen verschenen als zwarte vormen op het fijne papier.

Toen pas besefte hij waarom hij wakker was. Er stond iemand op zijn deur te bonzen.

Hoe laat is het? Hij ging rechtop zitten en masseerde zijn ogen in een poging de slaperigheid te verdrijven. Het gebons ging door. Hij zuchtte, stond op en liep wankelend naar de voordeur.

In de gang stond heer Osen, slordig gekleed en volkomen in paniek. 'Administrateur,' fluisterde hij. 'Heer Jolen en zijn gezin zijn vermoord.'

Lorlen staarde zijn assistent niet-begrijpend aan. Heer Jolen. Een van de Genezers. Een jonge man, onlangs getrouwd. *Vermoord?*

'Heer Balkan heeft alle hoge magiërs opgeroepen,' zei Osen opgewonden. 'U moet snel naar de Dagzaal komen. Wilt u dat ik terug ga om te melden dat u onderweg bent?'

Lorlen keek naar zijn nachtkleding. 'Ja, natuurlijk.'

Osen knikte en haastte zich weer weg. Lorlen sloot de deur en liep terug naar zijn slaapkamer. Hij nam een blauw gewaad uit de kast en begon zich aan te kleden.

Jolen was dood. Zijn gezinnetje ook. Vermoord, volgens Osen. Lorlens hoofd vulde zich met vragen. Hoe was dit mogelijk? Magiërs waren niet eenvoudig te doden. De moordenaar moest ofwel bijzonder slim zijn, of een andere magiër. *Of erger,* dacht hij. *Een zwarte magiër.*

Hij keek naar zijn ring terwijl de vreselijke mogelijkheden in zijn gedachten opkwamen.

Nee, zei hij tegen zichzelf. *Wacht nu maar tot je de bijzonderheden hebt gehoord.* Hij bond de gordel om zijn middel en ging op een holletje zijn kamer uit. Buiten de Magiërsvertrekken beende hij over de binnenplaats naar het gebouw dat de Zeven Bogen heette. De linker zaal van het gebouw was de Nachtzaal, waar de wekelijkse inloopavond werd gehouden. De middelste zaal was de Banketzaal. En rechts lag de Dagzaal, een plaats waar belangrijke gasten ontvangen konden worden. Toen Lorlen binnenkwam, kneep hij zijn ogen even dicht tegen het schitterende licht. De Nachtzaal was donkerblauw en zilver, maar de Dagzaal blonk van het goud dat afstak tegen allerlei tinten wit, en er dansten honderden bollichtjes. Het effect was verblindend.

Zeven heren stonden in het midden van de zaal. Heer Balkan en heer Sarrin knikten naar Lorlen. Directeur Jerrik sprak met de twee Studiehoofden, Peakin en Telano. Heer Osen stond bij de enige man die niet in een gewaad gekleed was.

Toen Lorlen kapitein Barran herkende, zonk de moed hem in de schoenen. Er was een magiër vermoord en de kapitein die de vreemde moorden onderzocht was aanwezig. Dat kon maar één ding betekenen.

Balkan kwam naar voren om hem te begroeten. 'Goedenavond, Lorlen.'

'Heer Balkan,' zei Lorlen met een knikje. 'Ik neem aan dat u mijn vragen wilt bewaren tot vrouwe Vinara, administrateur Kito en de Opperheer zijn gearriveerd.'

Balkan aarzelde. 'Ja. Maar ik heb de Opperheer niet opgeroepen. Ik zal mijn redenen zo uiteenzetten.'

Lorlen deed een verwoede poging verbaasd te kijken. 'Akkarin niet?'

'Nog niet.'

Ze draaiden zich om toen de deur geopend werd. Er kwam een magiër van de Vineilanden binnen. Kito's rol als buitenlands administrateur hield hem meestal buiten het Gilde en Kyralia in het algemeen. Hij was toevallig een paar dagen geleden van de Vineilanden teruggekeerd in verband met het proces van de dolende magiër die Dannyl hierheen zou brengen.

Lorlen herinnerde zich Akkarins voorspelling: *'Het Gilde zal zijn interesse in de moordenaar verliezen zodra Dannyl met die rebellerende magiër arriveert, Lorlen.'*

Als het zo erg is als ik vrees, dacht Lorlen, *zal er precies het tegenovergestelde plaatsvinden.*

Terwijl Balkan Kito begroette, kwam kapitein Barran naar Lorlen toe, met een grimmige blik op zijn gelaat.

'Goedenavond, administrateur. Dit is de eerste keer dat het Gilde mij verwittigt van een moord. Meestal is het andersom.'

'Is dat zo?' vroeg Lorlen verbaasd. 'Wie heeft u dan geroepen?'

'Heer Balkan. Het schijnt dat heer Jolen hem nog net mentaal heeft kunnen bereiken voor hij stierf.'

Lorlens hart sloeg over. Zou Balkan dan ook weten wie de moordenaar was? Toen hij zich naar de Krijger wendde, kwam juist vrouwe Vinara met ferme pas binnen. Ze keek de zaal rond om te zien wie aanwezig waren en knikte.

'Jullie zijn er allemaal. Mooi. Ik dacht dat we er beter bij konden gaan zitten. We moeten het over een ernstige en gruwelijke kwestie hebben.'

Vanuit alle hoeken van de zaal kwamen fauteuils aangezweefd. Barran keek gefascineerd maar ook vol ontzag toe hoe de stoelen uit zichzelf in een kring gingen staan. Toen iedereen zat keek Vinara Balkan aan.

'Ik denk dat heer Balkan moet beginnen, aangezien hij het eerst attent werd gemaakt op de moorden.'

Balkan knikte instemmend. Hij keek de kring rond. 'Drie uur geleden werd mijn aandacht getrokken door een mentale oproep van heer Jolen. Hij kwam heel zwak door, maar ik hoorde mijn naam en uit de toon sprak grote angst. Toen ik me erop concentreerde kon ik alleen nog maar achterhalen wie me riep, en ik kreeg het gevoel dat hij met magie aangevallen werd door een ander. Toen brak de communicatie abrupt af. Ik probeerde heer Jolen op te roepen, maar tevergeefs.

Ik vertelde vrouwe Vinara over dit contact en ze zei dat heer Jolen bij zijn gezin in de stad verbleef. Ook zij kon hem niet bereiken, dus besloot ik naar hun huis te gaan. Toen ik aanklopte kwam er geen bediende om de deur te openen. Ik maakte hem zelf open en stond oog in oog met een vreselijk schouwspel.'

Balkan keek nog somberder. 'Het hele huishouden was afgeslacht. Ik doorzocht de woning, en zowel zijn familieleden als zijn bedienden waren dood. Ik onderzocht de slachtoffers, maar ontdekte niet veel meer dan schrammen en blauwe plekken. Toen stuitte ik op Jolens lijk.' Hij zweeg even.

Heer Telano maakte een verward geluidje. 'Zijn lijk? Hoe komt het dat hij niet ontploft is? Heeft hij zichzelf uitgeput?'

Vinara staarde hoofdschuddend naar de vloer, zag Lorlen.

'Ik riep Vinara op om haar te vragen de slachtoffers te onderzoeken,' vervolgde Balkan. 'Nadat ze aangekomen was, haastte ik me naar de Garde om te horen of zij andere vreemde zaken in de buurt hadden aangetroffen. Kapitein Barran had dienst; hij had zojuist een getuige ondervraagd.' Balkan zweeg weer. 'Kapitein, ik denk dat u ons haar verhaal moet vertellen.'

De jonge kapitein keek de kring rond en schraapte zijn keel. 'Ja, mijne heren – en mevrouw.' Hij vouwde zijn handen. 'Wegens de toename van het aantal moorden heb ik de laatste tijd veel getuigen gesproken, maar weinigen hebben iets nuttigs gezien. Sommige mensen komen naar ons toe in de hoop dat het ons helpt als ze vertellen dat ze iets bijzonders hebben gezien – een of andere vreemdeling die gesignaleerd is. Ook deze vrouw kwam met dit verhaal, maar er was een detail dat mijn aandacht trok.

Ze was nog laat op pad nadat ze groenten en fruit had afgeleverd bij een van de huizen van de Binnencirkel. Halverwege hoorde ze gegil vanuit een huis – het huis van heer Jolen. Ze besloot snel door te lopen, maar al bij het volgende huis hoorde ze lawaai achter zich. Bang als ze was dook ze een donker portaal in. Ze zag een man verschijnen uit de bediende-ingang van het huis dat ze net gepasseerd was.'

Barran zweeg even en keek de kring rond. 'Ze zei dat die man het gewaad van een magiër aanhad. Een zwart magiërsgewaad.'

De hoge magiërs keken elkaar met een frons aan. Behalve Balkan en Osen keek iedereen ongelovig, merkte Lorlen op. Vinara leek niet verbaasd.

'Wist ze wel zeker dat het zwart was?' vroeg Sarrin. 'Ik bedoel, in het donker lijkt alles snel zwart.'

Barran knikte. 'Dat vroeg ik haar ook. Ze wist het zeker. Hij liep snel langs het portaal waarin zij schuilde. Ze beschreef het gewaad, met de incal op de mouw.'

Wie tot nu toe sceptisch gekeken had, kreeg een verschrikte blik in de ogen. Lorlen staarde Barran aan. De adem stokte hem in de keel.

'Maar dat kan toch n –' begon Sarrin, maar hij zweeg toen Balkan hem gebaarde te wachten.

'Ga verder, kapitein,' zei Balkan rustig. 'Vertel hun de rest.'

Barran knikte. 'Ze zei dat zijn handen bedekt waren met bloed en dat hij een mes in de hand had. Ze beschreef het goed. Een krom lemmet, met edelstenen in het heft.'

Er volgde een lange stilte, tot Sarrin diep ademhaalde. 'Hoe betrouwbaar is deze getuige? Kun je haar hier brengen?'

Barran haalde zijn schouders op. 'Ik heb haar naam en ik weet waar ze werkt. Om de waarheid te zeggen, hechtte ik weinig geloof aan haar verhaal tot ik hoorde wat heer Balkan in het huis had ontdekt. Nu kan ik mezelf wel voor mijn hoofd slaan dat ik haar niet meer vragen gesteld heb, of haar niet langer heb laten blijven.'

Balkan knikte. 'We vinden haar wel weer. Nu is het tijd om vrouwe Vinara te laten vertellen wat ze gevonden heeft.'

De Genezeres rechtte haar rug. 'Ja, ik vrees het ook. Heer Jolen was vaak bij zijn gezin zodat hij voor zijn zuster kon zorgen, wier zwangerschap niet gemakkelijk verliep. Ik onderzocht zijn lichaam het eerst en vond twee verontrustende zaken. Het eerste' – ze grabbelde in de zak van haar gewaad en haalde er een klein stukje zwarte stof uit, geborduurd met gouddraad – 'was dit, vastgeklemd in zijn rechterhand.'

Toen ze het omhoog hield, stokte de adem Lorlen in de keel. Het borduurwerk maakte deel uit van een symbool dat hij maar al te goed kende: de incal van de Opperheer. Vinara keek hem aan, maar haar ogen drukten medeleven uit.

'En je tweede ontdekking?' vroeg Balkan zacht.

Vinara aarzelde en haalde toen diep adem. 'Heer Jolens lichaam is nog intact omdat alle energie eruit gehaald was. De enige wond op zijn lichaam was een ondiep sneetje aan één kant van de hals. De andere lichamen droegen dezelfde snee. Mijn voorganger heeft me geleerd op deze merktekens te letten.' Ze keek de kring langzaam rond. 'Heer Jolen, zijn familie en bedienden werden gedood met zwarte magie.'

De kreten en uitroepen waren niet van de lucht, maar al spoedig werd het doodstil in de zaal. Lorlen kon ze haast horen denken over Akkarins kracht, en de kansen van het Gilde als ze het tegen hem zouden moeten opnemen. Angst en paniek tekenden zich af op hun gezichten.

Hij voelde zich vreemd kalm, en opgelucht. Al twee jaar had hij de last van Akkarins geheime misdrijf gedragen. Nu had het Gilde het door schade en schande zelf door gekregen. Hij keek naar de hoge magiërs. Moest hij opbiechten dat hij al langer van Akkarins misdrijf geweten had? *Alleen als het echt moet,* besloot hij.

Maar wat moest hij dán doen? Het Gilde was niet sterker dan anders, en Akkarin – stel dat hij ook deze misdaad op zijn geweten had – was er beslist niet zwakker op geworden. Hij voelde een bekende vrees opkomen die de opluchting verjoeg.

Om het Gilde te beschermen, moet ik alles op alles zetten om te voorkomen dat het Gilde een confrontatie aangaat met Akkarin. Maar als Akkarin dit gedaan heeft... Maar nee, dat hoeft helemaal niet zo te zijn. Ik weet dat andere zwarte magiërs ook heel wat moorden op Kyralianen op hun geweten hebben.

'Wat doen we nu?' vroeg Telano met een klein stemmetje.

Iedereen wendde zijn hoofd naar heer Balkan. Lorlen voelde zich heel even verontwaardigd. Was hij dan niet de leider van het Gilde, de plaatsvervanger van Akkarin? Toen keek Balkan hem vol verwachting aan, en hij voelde meteen spijt, want het bekende gewicht van zijn functie was weer helemaal terug.

'Wat stel je voor, administrateur? Jij kent hem tenslotte het best.'

Lorlen dwong zich een beetje rechterop te gaan zitten. Hij had al vaak geoefend wat hij moest zeggen als een situatie als deze zou ontstaan. 'We moeten uiterst voorzichtig zijn,' waarschuwde hij. 'Als Akkarin de moordenaar is, is hij nog sterker dan voorheen. Ik stel voor dat we het zeer zorgvuldig moeten overdenken voor we de strijd met hem aanbinden.'

'Hoe sterk is hij dan?' vroeg Telano.

'Hij kon met gemak twintig van onze allersterkste magiërs aan toen we hem op de proef stelden voor de functie van Opperheer,' antwoordde Balkan. 'Als er zwarte magie bij betrokken is kan onmogelijk voorspeld worden hoe sterk een magiër is.'

'Hoe lang zou hij daar eigenlijk al mee bezig zijn?' vroeg Vinara somber. Ze keek Lorlen aan. 'Heb jij ooit iets vreemds aan Akkarin opgemerkt, heer Lorlen?'

Lorlen hoefde niet zijn best te doen om geamuseerd te lijken door die vraag. 'Vreemd? Akkarin? Hij heeft zich altijd al hoogst mysterieus en geheimzinnig gedragen, zelfs tegenover mij.'

'Hij kan het al jaren bedreven hebben,' mompelde Sarrin. 'Hoe sterk zou hij dan nu zijn?'

'Wat me dwarszit is hoe hij aan die kennis gekomen is,' voegde Kito er zacht aan toe. 'Zou hij het gedurende zijn reizen geleerd hebben?'

Lorlen zuchtte toen ze alle mogelijkheden begonnen te bespreken waarover hij allang nagedacht had. Hij liet ze even, en net toen hij ze wilde onderbreken, nam Balkan het woord.

'Op dit moment lijkt het me van weinig belang hoe en wanneer hij zwarte magie heeft geleerd. Waar het om draait is of we hem kunnen verslaan bij een confrontatie.'

Lorlen knikte. 'Ik betwijfel of we veel kans maken. Ik zou eigenlijk willen zeggen dat we het stil moeten houden.'

'Bedoel je dat we dit moeten negeren?' riep Peakin uit. 'En ons Gilde in handen moeten laten van een zwarte magiër?'

'Nee.' Lorlen schudde het hoofd. 'Maar we hebben echt tijd nodig om na te gaan hoe we hem veilig uit kunnen schakelen als hij werkelijk de moordenaar is.'

'Wij worden er niet sterker op,' zei Vinara. 'Hij met de dag.'

'Lorlen heeft gelijk. Een zorgvuldige planning is essentieel,' antwoordde Balkan. 'Mijn voorganger heeft me verteld dat er middelen bestaan waarmee een zwarte magiër verslagen kan worden. Makkelijk is anders, maar onmogelijk is het ook weer niet.'

Lorlen voelde de hoop weer toenemen. Had hij maar eerder met de Krijger gesproken, in elk geval vóór Akkarin ontdekt had dat Lorlen van zijn geheim wist. Misschien hadden ze hem meteen kunnen uitschakelen. Misschien lukte het nu ook nog.

Maar toen schoot hem iets te binnen. Wilde hij dan werkelijk dat Akkarin gedood zou worden? Maar stel dat hij echt Jolen en zijn gezin had uitgemoord, moest hij dan niet gestraft worden?

Ja, maar we moeten er eerst heel zeker van zijn, zelfs bewijzen, dat hij het heeft gedaan.

'We moeten niet vergeten dat we nog niet zeker weten of hij de moord op zijn geweten heeft,' zei Lorlen. Hij keek naar Balkan. 'We hebben een getuige en een stukje stof. Is het niet mogelijk dat een andere magiër zich als Akkarin heeft verkleed? Kon hij dat lapje niet in de hand van de overledene hebben gestopt?' Toen herinnerde Lorlen zich iets. 'Laat me dat lapje nog eens zien.'

Vinara gaf het hem en Lorlen knikte toen hij het nauwkeurig bekeek. 'Kijk, het is eerder afgeknipt dan afgescheurd. Als Jolen dit echt had gedaan, had hij een mes of schaar in zijn hand gehad moeten hebben. Dan had hij zijn aanvaller toch makkelijk kunnen neersteken? En vinden jullie het ook niet vreemd dat de moordenaar niet merkte dat er een stuk uit zijn mouw werd geknipt? Een slimme moordenaar zou zo'n bewijsstuk nooit achterlaten, net zomin als hij de straat op zou lopen met het moordwapen open en bloot in zijn hand.'

'Dus je denkt dat een andere Gildemagiër ons probeerde te laten geloven dat Akkarin deze daad had gepleegd?' vroeg Vinara met een frons. 'Het is natuurlijk een mogelijkheid.'

'Of een magiër die niet tot het Gilde behoort,' voegde Lorlen eraan toe. 'Als Dannyl een dolende magiër in Elyne kan vinden, zullen er hier ook wel een stel rondlopen.'

'We hebben geen enkel bewijs van een dolende magiër in Kyralia,' protesteerde Sarrin. 'En die illegalen zijn ongevormd en hun kennis zou abominabel zijn. Hoe zou hij dan aan zwarte magie kunnen komen?'

Lorlen haalde zijn schouders op. 'Zoals elke magiër aan zwarte magie kan komen. In het geheim, dat lijkt me duidelijk. We moeten er niet aan denken, maar of die moordenaar nu Akkarin is of iemand anders, hij heeft hoe dan ook zwarte magie bedreven.'

De anderen dachten erover na.

'Dus Akkarin hoeft de moordenaar niet te zijn,' zei Sarrin. 'Als hij het niet is, moeten we volgens de normale gerechtelijke procedure te werk gaan en zal hij met ons meewerken.'

'Maar als hij het wel is, valt hij ons misschien aan,' zei Peakin.

'Dus wat doen we dan?'

Balkan stond op en begon te ijsberen. 'Sarrin heeft gelijk. Als hij onschuldig is, werkt hij mee. Is hij echter schuldig, dan denk ik dat we meteen in actie moeten komen. Het aantal doden dat vannacht gevonden is, waarbij geen enkele poging is gedaan bewijs te verdonkermanen, heeft alle kenmerken van een zwarte magiër die zich opmaakt voor de strijd. We moeten ons opmaken voor een strijd tegen hem, of het kan te laat zijn.'

Lorlens hart sloeg een slag over. 'Maar je zei zelf dat we tijd nodig hebben om een goed plan op te stellen.'

Balkan kreeg een grimmige uitdrukking. 'Ik zei dat het zorgvuldig beramen van een plan ervoor kan zorgen dat het lukt. Het is echter mijn plicht als hoofd van de Krijgers dat we er op elk moment klaar voor staan een gevaar tegemoet te treden. Volgens mijn voorgangers is een onverhoedse aanval, wanneer hij alleen is, de sleutel tot succes. Mijn bediende heeft me verteld dat er 's nachts slechts drie mensen in de villa van de Opperheer zijn: Akkarin, zijn bediende Takan en Sonea.'

'Sonea!' riep Vinara uit. 'Wat is haar rol in dit verhaal?'

'Ze heeft een hekel aan hem,' zei Osen. 'Ik durf zelfs te zeggen dat ze hem haat.'

Lorlen keek zijn assistent verbaasd aan.

'Hoe weet je dat?' vroeg Vinara.

Osen haalde zijn schouders op. 'Een observatie die ik maakte toen ze zijn uitverkorene werd. Zelfs nu mijdt ze zijn gezelschap.'

Vinara keek bedenkelijk. 'Ik vraag me af of ze ergens van weet. Ze zou een waardevolle getuige kunnen zijn.'

'En bondgenote,' voegde Balkan eraan toe. 'Zolang hij haar niet doodt vanwege haar kracht.'

Vinara huiverde. 'Hoe moeten we hen dan scheiden?'

Balkan glimlachte. 'Daar heb ik wel een ideetje voor.'

Hun gids voor de terugreis door de gangen was hetzelfde joch met de volwassen ogen. Terwijl ze achter hem aan liepen, voelde Sonea haar warrige gedachten langzaam kalmeren. Toen de gids hen alleen liet, zat ze weer boordevol vragen.

'Ze was een Ichani, toch?'

Akkarin keek haar even aan. 'Ja, een van de zwakkere. Onvoorstelbaar dat Kariko haar overgehaald heeft hier huis te houden. Omgekocht misschien, of chantage.'

'Zullen ze meer van haar kaliber sturen?'

Hij dacht na. 'Misschien. Had ik maar de kans gehad om haar gedachten te lezen.'

'Het spijt me.'

Zijn mond plooide zich aan één kant tot een glimlach. 'Je hoeft je niet te verontschuldigen. Ik vind het belangrijker dat je nog leeft.'

Ze glimlachte. Gedurende de terugtocht was hij afstandelijk geweest en in gedachten verzonken. Nu leek hij blij weer terug te zijn. Ze volgde hem de gang door. Ze bereikten de stapel rotsblokken. Zodra Akkarin ernaar keek, transformeerden ze zich tot een trap. Sonea wachtte tot Akkarin de treden begon af te dalen voor ze haar volgende vraag stelde.

'Waarom zou ze een ring van het Huis Saril en dure sjaals in die alkoof hebben verstopt?'

Halverwege de trap bleef hij staan en draaide zich naar haar om. 'Had ze die? Ik...' Hij leek haar niet meer te zien en staarde met gefronst voorhoofd langs haar heen. Toen verstarde zijn uitdrukking.

'Wat is er?' vroeg ze.

Hij hield een hand op om haar het zwijgen op te leggen. Terwijl Sonea keek, haalde hij kort en diep adem en zijn ogen sperden zich open. Toen uitte hij een vloek waarvan Sonea had gedacht dat alleen sloppers die kenden.

'Wat is er?' herhaalde ze.

'De hoge magiërs zijn in mijn villa. In de ondergrondse kamer.'

De adem stokte haar in de keel. Ze kreeg het ijskoud. 'Waarom?'

Akkarin staarde voor zich uit. 'Lorlen...'

Sonea voelde hoe haar maag zich samentrok. Lorlen zou toch zeker niet het Gilde tegen Akkarin hebben opgezet?

Iets in Akkarins uitdrukking zorgde ervoor dat verdere vragen ongesteld bleven. Hij was kennelijk diep aan het nadenken. Hij stond voor zware keuzes. Na een lange stilte zuchtte hij zwaar.

'Alles is veranderd,' zei hij tegen haar. 'Je zult moeten doen wat ik zeg, al lijkt het nog zo moeilijk.'

Zijn stem klonk gespannen. Ze knikte en probeerde een groeiende angst terug te dringen.

Akkarin kwam twee treden omhoog om oog in oog met haar te staan. 'Heer Jolen is vannacht vermoord, met zijn hele huishouden erbij, waarschijnlijk door de vrouw die je zojuist hebt gedood. Daarom had ze die ring en die sjaal van het Huis Saril – trofeeën of zo. Vinara vond een stuk van mijn gewaad in Jolens hand – die de Ichani waarschijnlijk bij dat eerste gevecht uit mijn gewaad heeft gesneden. Vinara weet dat ze gedood zijn door zwarte magie. Een getuige heeft iemand in mijn kleren het huis uit zien komen met een mes.' Hij keek de andere kant op. 'Hoe zou die Ichani in hemelsnaam aan mijn gewaad gekomen zijn...'

Sonea staarde hem aan. 'Dus het Gilde verdenkt u van een meervoudige moord?'

'Ze hebben dat in overweging genomen, ja. Balkan heeft terecht bedacht dat ik, als ik onschuldig ben, braaf zal meewerken, maar als ik schuldig ben meteen aangevallen moet worden. Ik heb even nagedacht hoe ik hieruit moet komen, en wat jij moet doen en zeggen, nu de situatie veranderd is.'

Hij zweeg even en zuchtte weer. 'Balkan wil me van jou en Takan scheiden. Hij heeft een boodschapper gestuurd met het nieuws van Jolens dood en het bevel meteen naar de hoge magiërs te komen. Toen hij hoorde dat ik niet aanwezig was, liet hij jou halen. Hij had niet besproken wat hij zou doen als jij ook niet thuis bleek te zijn, dus dacht ik dat hij dat wel meteen daarna zou doen.' Akkarin fronste zijn voorhoofd. 'Maar hij moet al een plan hebben gehad vóór hij dat hoorde.'

Sonea schudde haar hoofd. 'Dit is allemaal gebeurd terwijl we op de terugtocht waren, hè?'

Akkarin knikte. 'Ik kon je niets vertellen, want we hadden de gids nog bij ons.'

'En wat gaat Balkan nu doen?'

'Hij is teruggegaan naar de villa en doet huiszoeking.'

Sonea versteende toen ze dacht aan de boeken en voorwerpen die in de ondergrondse kamer lagen. 'O jee.'

'Ja. O jee. Ze zijn niet meteen naar de ondergrondse kamer gegaan. Maar toen ze boeken over zwarte magie in jouw kamer aantroffen, zijn ze alle hoeken en gaten gaan doorzoeken.'

Sonea verkilde tot op het bot. Boeken over zwarte magie. In haar kamer.

165

Ze weten het.

De toekomst die ze zich had voorgesteld vervloog. Nog twee jaar les, haar bul halen, een discipline kiezen, misschien de Genezers overhalen de armen gratis te helpen, misschien de koning overhalen om te stoppen met de Zuiveringen.

Dat zou allemaal niet meer gebeuren. Nooit meer.

Het Gilde wist dat ze zwarte magie wilde leren. De straf voor die misdaad was verbanning. Als ze erachter kwamen dat ze ook zwarte magie had gebruikt, om te doden nog wel...

Ze had echter wel een goede reden gehad om het te doen. Als de Ichani's aanvielen zou er sowieso niets terechtkomen van dat diploma en het stoppen van de Zuiveringen.

Maar wat zal Rothen van streek zijn.

Met veel moeite zette ze dat van zich af. Ze moest nadenken. Hoe zou het lopen nu het Gilde het wist? Zouden zij en Akkarin door mogen gaan met de bestrijding van de Ichani's?

Naar het Gilde konden ze niet terugkeren, dat was duidelijk. Ze moesten zich meteen verstoppen in de stad. Akkarin kende de Dieven, zij had ook nog wat kennissen. Ze keek Akkarin aan.

'Wat doen we nu?'

Hij keek de trap af. 'We gaan terug.'

Ze keek hem verbijsterd aan. 'Naar het Gilde?'

'Ja. We vertellen ze alles over de Ichani's.'

Haar hart sloeg over. 'Je zei dat ze je nooit zouden geloven.'

'Dat doen ze ook niet. Maar ik moet ze tenminste de kans geven.'

'Maar als ze je echt niet geloven?'

Akkarins blik werd onvast. 'Het spijt me dat ik je hierin betrokken heb, Sonea. Ik zal je beschermen zo goed als ik kan.'

Ze zuchtte en vervloekte zichzelf in stilte. 'U hoeft zich niet te verontschuldigen,' zei ze met vaste stem. 'Het was mijn eigen beslissing. Ik kende de risico's. Zeg maar wat ik moet doen, en ik doe het.'

Zijn ogen sperden zich open. Hij wilde wat zeggen, maar plotseling werd zijn blik weer onbestemd. 'Ze nemen Takan mee. Kom, we moeten ons haasten.'

Hij sprong de trap af. Sonea ging hem snel achterna. Toen hij in de gangen verdween, keek ze om.

'En de trap?'

'Laat maar.'

Ze zette het op een lopen. Zijn lange passen bijhouden was al moeilijk genoeg als hij een gewoon tempo aanhield, maar als hij er echt vaart achter zette, zoals nu, was het werkelijk een opgave. Ze vond dat hij wel een beetje meer rekening zou mogen houden met mensen die niet zulke lange benen hadden als hij.

166

'Twee mensen moeten beschermd worden bij dit alles,' zei hij. 'Takan en Lorlen. Zeg dus niets over Lorlens ring of over zijn voorkennis hiervan. We zullen hem later nog hard nodig hebben.'

Hij vertraagde zijn pas toen ze bij de deur van de ondergrondse kamer waren aangekomen. Hij deed zijn mantel uit, vouwde hem op en legde hem naast de deur. Toen maakte hij de riem met de schede los en legde hem erbovenop. Een bollichtje verscheen boven hun hoofd. Akkarin schoof het schuifje voor het licht in de lantaarn en zetten hem naast het stapeltje.

Toen bleef hij lang naar de deur van de kamer kijken, zijn ontblote armen gevouwen over zijn zwarte vest. Sonea stond doodstil naast hem.

Het was ongelooflijk dat dit gebeurd was. Morgen had ze les in het genezen van gebroken ribben. Over een paar weken zouden ze de halfjaarlijkse proefwerken krijgen. Ze had het vreemde gevoel dat ze alleen maar de deur door hoefde te gaan en haar bed op te zoeken om wakker te worden en te merken dat ze alles gedroomd had.

Maar achter die deur stond waarschijnlijk een hele bende magiërs die Akkarins terugkeer afwachtten. Ze wisten dat ook zij zwarte magie kende. Ze namen aan dat Akkarin heer Jolen had vermoord. Ze waren klaar voor de strijd.

En nog steeds bleef Akkarin stokstijf staan. Ze begon zich net af te vragen of hij van gedachten was veranderd, toen hij haar aankeek. 'Blijf hier staan tot ik je roep.' Toen kneep hij zijn ogen half samen en de deur gleed geluidloos open.

De ruggen van twee magiërs blokkeerden de weg naar de kamer. Verderop zag Sonea heer Balkan ijsberen. Heer Sarrin zat aan tafel en probeerde te raden waar de voorwerpen erop voor dienden.

Ze merkten niet dat de deur open was gegaan. Toen rilde een van de magiërs die voor de geheime deur stond en hij keek om. Toen hij Akkarin zag deinsde hij met wijd opengesperde ogen terug, zijn collega met zich meetrekkend.

Allen keken toe hoe Akkarin de kamer binnen schreed. Zelfs zonder zijn gewaad zag hij er indrukwekkend uit.

'Gut, wat een visite,' zei hij. 'Wat brengt jullie midden in de nacht hier?'

Balkans wenkbrauwen schoten de lucht in. Hij keek naar de trap. Daar weerklonken gehaaste voetstappen en Lorlen kwam hijgend binnen. De administrateur keek Akkarin aan, en hij had meteen zijn beheersing weer terug.

'Heer Jolen en zijn gezin zijn vannacht vermoord.' Lorlens stem klonk zelfverzekerd. 'Er zijn bewijzen die ons reden geven te geloven dat jij de moordenaar bent.'

'Juist ja,' zei Akkarin rustig. 'Wat een onverkwikkelijke zaak. Ik heb heer Jolen niet gedood, maar daar moeten jullie zelf maar achter komen.' Hij zweeg even. 'Kun je me uitleggen hoe Jolen gestorven is?'

'Met zwarte magie,' zei Lorlen. 'En aangezien we zojuist boeken over dat onderwerp in je huis hebben aangetroffen, zelfs in Sonea's kamer, hebben we des te meer reden om jou als verdachte aan te merken.'

Akkarin knikte langzaam. 'Dat zou ik denken.' Eén mondhoek trok iets omhoog. 'En jullie zullen je wel allemaal een ongeluk geschrokken zijn door die ontdekking. Wel, daar is helemaal geen reden voor. Ik zal het wel uitleggen.'

'Je werkt mee aan een onderzoek?' vroeg Lorlen.

'Natuurlijk.'

Dat was een pak van hun hart.

'Maar wel onder één voorwaarde,' zei Akkarin.

'En dat is?' antwoordde Lorlen op zijn hoede. Balkan keek hem even aan.

'Mijn bediende,' antwoordde Akkarin. 'Ik heb hem ooit beloofd dat zijn vrijheid hem nooit meer afgenomen zou worden. Breng hem hier.'

'En als we niet akkoord gaan?'

'Sonea zal in zijn plaats meegaan.'

Sonea voelde het zweet op haar huid prikken toen de magiërs haar in de deuropening zagen staan. Ze huiverde bij de gedachte aan wat ze wel niet zouden denken. Had ze zwarte magie geleerd? Was ze gevaarlijk of niet? Alleen Lorlen kon hopen dat ze tegen Akkarin in opstand zou komen; de rest had geen idee waarom ze de uitverkorene van de Opperheer geworden was.

'Laat hen allebei opbrengen, anders heeft hij twee bondgenoten in de buurt,' zei Sarrin.

'Takan is geen magiër,' zei Balkan rustig. 'Zolang hij geen contact heeft met Akkarin, vormt hij geen gevaar voor ons.' Hij keek zijn collega's aan. 'De vraag is: nemen we Sonea of Takan in hechtenis?'

'Sonea,' antwoordde Vinara zonder aarzelen. De anderen knikten.

'Goed dan,' zei Lorlen. Zijn ogen blikten in de verte. 'Ik heb opdracht gegeven hem hier te brengen.'

Er volgde een gespannen stilte. Uiteindelijk waren er voetstappen hoorbaar op de trap. Vastgehouden door een Krijger, verscheen Takan in de kamer. Hij was bleek en nerveus.

'Vergeef me, meester,' zei hij. 'Ik kon hen niet tegenhouden.'

'Weet ik,' zei Akkarin rustig. 'Je had zo wijs moeten zijn het niet eens te proberen, mijn vriend.' Hij liep kalm naar de tafel. 'De blokkades zijn opgeheven en de trap is open. Om de hoek bij de deur ligt alles wat je nodig hebt.'

Takan knikte. Ze keken elkaar aan, en de bediende knikte nogmaals. Akkarin wendde zich tot de geheime deur.

'Kom maar verder, Sonea. Als Takan vrijgelaten wordt, loop jij naar Lorlen.'

Ze haalde diep adem en stapte de kamer in. Ze keek naar de Krijger die Takan vasthield, en toen naar Lorlen.

168

De administrateur knikte. 'Laat hem gaan.'

Terwijl Takan wegliep van zijn bewaker, liep Sonea in Lorlens richting. Toen ze elkaar passeerden maakte Takan een buiging.

'Zorg goed voor mijn meester, vrouwe Sonea.'

Ze kreeg een brok in haar keel. 'Ik zal alles doen wat ik kan,' beloofde ze hem. Toen ze bij Lorlen kwam, zag ze de bediende vertrekken. Hij boog voor Akkarin en stapte de gang in. Nadat hij verdwenen was in de duisternis, gleed het deurpaneel weer op zijn plaats.

Akkarin wendde zich tot Lorlen en zijn blik gleed over de tafel en stoelen rondom hem. Het bovenkleed van zijn gewaad hing nog steeds over de rugleuning van een stoel. Hij pakte het kledingstuk op en trok het aan.

'Zo, administrateur. Hoe kunnen Sonea en ik je helpen bij je onderzoek?'

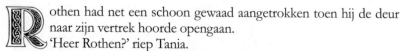

15

Slecht nieuws

Rothen had net een schoon gewaad aangetrokken toen hij de deur naar zijn vertrek hoorde opengaan.

'Heer Rothen?' riep Tania.

Hij haastte zich naar de andere kamer, want het had verontrust geklonken. Tania stond handenwringend midden in de kamer.

'Wat is er?' vroeg hij.

Met gepijnigde uitdrukking keek ze hem aan. 'De Opperheer en Sonea zijn vannacht gearresteerd.'

Hij haalde diep adem en er viel een pak van zijn hart. Eindelijk was Akkarin gearresteerd! Het Gilde moest zijn misdaad hebben ontdekt, een strijd hebben geleverd, en gewonnen hebben!

Maar waarom zou het Gilde Sonea dan ook in hechtenis genomen hebben?

Driemaal raden. De opwinding verdween en onmiddellijk sloeg de schrik hem om het hart.

'Waarom zijn ze gearresteerd?' dwong hij zichzelf te vragen.

Tania aarzelde. 'Ik hoorde het maar uit de vierde of vijfde hand. Misschien heb ik het mis.'

'Waarom?'

Haar gezicht betrok. 'Omdat de Opperheer heer Jolen en zijn gezin vermoord zou hebben, en omdat hij een bepaald soort magie geleerd zou hebben. Zwarte kunst of zo. Wat is dat?'

'De slechtste van alle soorten magie,' antwoordde Rothen somber. 'Maar Sonea dan? Waarom is zij gearresteerd?'

Tania spreidde haar handen. 'Geen idee. Als zijn medeplichtige misschien.'

Rothen zakte neer in een van de fauteuils van de ontvangstkamer. Hij zuchtte heel diep. Het Gilde moest natuurlijk wel onderzoeken of Sonea erbij betrokken was. Dat hoefde niet te betekenen dat ze schuldig was.

'Ik moet uw ontbijt nog klaarmaken,' zei Tania verontschuldigend. 'Maar toen ik het nieuws kreeg dacht ik dat u het wel zo snel mogelijk zou willen horen.'

'Maakt niet uit,' zei hij. 'Het ziet er niet naar uit dat ik vanmorgen tijd zal hebben om wat te eten.' Hij stond op en liep naar de deur. 'Ik kan beter even een babbeltje met Sonea gaan maken.'

Tania keek hem vol begrip aan. 'Dat dacht ik al. Laat me horen hoe het gaat.'

De jongeman die tegenover Dannyl in het rijtuig zat was akelig mager. Hoewel Farand voldoende opgeknapt was sinds hij een week geleden werd vergiftigd, zou het nog wel een tijdje duren eer hij weer helemaal de oude was. Maar hij leefde tenminste en daar was hij dankbaar voor.

Dannyl had dag en nacht over de jongeman gewaakt. Het was niet al te moeilijk om zijn slaapbehoefte met Genezingsmagie op te schuiven, maar uiteindelijk eiste het zijn tol. Na een week voelde hij zich net zo slecht als Farand eruitzag.

Het rijtuig reed door de Poort van het Gilde. Farand hield zijn adem in toen de universiteit in zicht kwam.

'Wat een prachtig gebouw,' verzuchtte hij.

'Ja.' Dannyl keek glimlachend naar buiten. Er stonden drie magiërs onder aan de trap: administrateur Lorlen, buitenlands administrateur Kito en vrouwe Vinara.

Dat was een kleine teleurstelling voor Dannyl. Hij had gehoopt dat de Opperheer hem op zou wachten. *Maar hij zal alles wel onder vier ogen willen bespreken.*

Het rijtuig reed door tot aan de trap, en Dannyl stapte uit. Farand werd bekeken met voorzichtige nieuwsgierigheid.

'Ambassadeur Dannyl,' begroette Lorlen hem. 'Welkom thuis.'

'Dank u, administrateur Lorlen. Goedemorgen, administrateur Kito, en vrouwe Vinara,' zei Dannyl met een knikje. 'Dit is Farand van Darellas.'

'Welkom, jonker Darellas,' zei Lorlen. 'Ik ben bang dat we de komende dagen in beslag genomen worden door een andere kwestie. We zullen het u zo gemakkelijk mogelijk maken en ons aan uw zaak wijden zodra de eerste opgelost is.'

'Dank u, administrateur,' zei Farand onzeker.

Lorlen knikte, draaide zich om en liep de trap weer op. Dannyl fronste zijn voorhoofd. Lorlen gedroeg zich vreemd. Hij leek nog geïrriteerder dan anders.

'Kom maar met me mee, Farand,' zei vrouwe Vinara. Ze bekeek Dannyl eens goed en haar oordeel was onverbiddelijk. 'Ga jij maar eens lekker slapen. Je moet duidelijk inhalen wat je gemist hebt.'

'Zeker, vrouwe Vinara,' stemde Dannyl meteen in. Terwijl ze Farand meenam keek hij Kito vragend aan.

'Wat is die andere kwestie waarover Lorlen het had?'

Kito zuchtte diep. 'Heer Jolen is gisternacht vermoord.'

'Vermoord?' Dannyl keek hem met grote ogen aan. 'Hoe dan?'

De magiër vertrok zijn gezicht. 'Met zwarte magie.'

Dannyl kreeg het plotseling ijskoud. Hij keek onwillekeurig naar het rijtuig waar het boek onder in zijn hutkoffer lag.

'Zwarte magie? Wie...?'

'De Opperheer is gearresteerd,' voegde Kito eraan toe.

'Akkarin!' Dannyl verstijfde van schrik. 'Hij toch niet?'

'Ik ben bang van wel. Het bewijs is overstelpend. Hij wil wel meewerken aan het onderzoek. Morgen is er een hoorzitting.'

Dannyl hoorde hem nauwelijks. Veel onverklaarbare gebeurtenissen vielen plotseling op hun plaats. Hij dacht aan het onderzoek waarom Lorlen hem gevraagd had, en waarmee hij plotseling had moeten stoppen, terwijl Rothen hem tegelijkertijd had gevraagd een onderzoek naar hetzelfde onderwerp te doen – vlak nadat Sonea Akkarins uitverkorene geworden was. Hij dacht aan wat het boek van de Dem had onthuld: oude magie was hoge magie was zwarte magie...

Hij had aangenomen dat Akkarins zoektocht geëindigd was voordat hij aan de zwarte magie was toegekomen.

Hij had het mis gehad.

Had Lorlen dit zien aankomen? Rothen ook? Was dit de reden geweest voor het onderzoek?

En ik wilde dat boek nog wel aan Akkarin geven!

'Na de hoorzitting zullen we over je dolende magiër praten,' zei Kito.

Dannyl knikte. 'Natuurlijk. Nou, ik zal Vinara's bevel maar eens uit gaan voeren.'

De Vindomagiër glimlachte. 'Welterusten dan.'

Dannyl liep naar de Magiërsvertrekken. Slapen? Hoe kon hij nu slapen na dit gehoord te hebben?

Ik ben met aanmoediging van Akkarin met het onderzoek doorgegaan, en nu zit ik met een boek over zwarte magie in mijn koffer. Zal dat genoeg zijn om van dezelfde misdaad beticht te worden? Ik kan het boek verstoppen. Ik geef het zeker niet aan Akkarin... en ik praat er ook niet over.

Er schoot hem nog iets te binnen, iets dat hem persoonlijk raakte. Wie zou Akkarin nog geloven als hij zou vertellen dat de relatie tussen Dannyl en Tayend alleen maar een lokkertje was geweest om de rebellen in de val te laten lopen?

De laatste keer dat Sonea in de Koepel was geweest was gedurende haar training voor de uitdaging. Het was een grote halve bol van steen, en was eens de oefenruimte voor de Krijgers geweest. Het Gilde gebruikte hem niet meer toen de Arena klaar was, maar Sonea had erin geoefend voor haar gevecht met Regin, zodat haar lessen niet door hem of zijn aanhangers zouden kunnen worden gezien. Akkarin had de muren voldoende verstevigd om er zeker van te zijn dat ze niet beschadigd werden. Ironisch genoeg zorgde diezelfde magie er nu voor dat uitbreken uit haar gevangenis onmogelijk was.

Niet dat ze plannen had in die richting. Ze had Akkarin beloofd dat ze alles zou doen wat hij haar opdroeg. Hij had alleen aangegeven dat ze Lorlen en Takan moest beschermen. Toen had hij haar ingeruild voor Takan. Dus was het de bedoeling dat ze hier zat.

Maar het kon ook dat hij haar wilde opofferen om zijn belofte aan zijn bediende te kunnen houden.

Nee, dacht ze, *hij heeft me nodig om zijn verhaal te bevestigen.* Met Takan was hij veel te hecht verbonden. Niemand zou de bediende geloven.

Ze liep door de Koepel heen en weer. De deur bleef open zodat er voldoende lucht circuleerde. Ervoor hielden twee magiërs de wacht, die haar in de gaten hielden zodra ze alleen was.

Maar ze was niet veel alleen geweest tot nu toe. Vinara, Balkan en Sarrin hadden haar alle drie ondervraagd over Akkarins activiteiten. Ze wilde niets vertellen voor Akkarin gereed was dat te doen, dus had ze geweigerd te antwoorden. Uiteindelijk hadden ze het opgegeven.

Nu ze eindelijk alleen was, vond ze het helemaal niet leuk. Ze bleef zich maar afvragen waar ze Akkarin weggeborgen hadden en of ze wel deed wat hij wilde door niets te zeggen. Ze had geen idee hoe laat het was, maar ze vermoedde dat het al ochtend was. Ze had geen oog dichtgedaan, maar ze betwijfelde of dat wel zo was geweest als er een fraai bed met een zachte matras had gestaan, in plaats van alleen de met zand bestrooide vloer.

Ze ving een beweging bij de deur op. Haar hart deed pijn toen ze zag wie het was.

Rothen.

Hij stapte de Koepel binnen. Zijn gezicht zat vol zorgrimpels. Toen ze hem in de ogen keek probeerde hij te glimlachen, en ze voelde zich zo schuldig als maar kon.

'Sonea,' zei hij. 'Hoe is het met je?'

Ze schudde haar hoofd. 'Dat is een rare vraag, Rothen.'

Hij keek de Koepel rond en knikte. 'Ja. Dat geloof ik ook.' Hij zuchtte en keek haar weer aan. 'Ze hebben nog niet besloten wat ze met je moeten doen. Lorlen zei dat ze boeken over zwarte magie in je kamer hadden gevonden. Waren ze daar expres door Akkarin of zijn bediende neergelegd?'

Ze zuchtte. 'Nee. Ik bestudeerde ze.'

'Waarom?'

'Om mijn vijand te leren kennen.'

Hij fronste het voorhoofd. 'Je weet dat alleen al het lézen van een boek over zwarte magie als een misdrijf wordt beschouwd.'

'Ja, dat weet ik.'

'En toch lees je ze?'

Ze keek hem strak aan. 'Sommige risico's zijn de moeite waard.'

'In de hoop dat we deze informatie konden gebruiken om hem te verslaan?'

Ze keek naar de grond. 'Niet echt.'

Hij zweeg even. 'Waarom dan, Sonea?'

'Ik kan het je niet vertellen. Nog niet.'

Rothen kwam naderbij. 'Waarom niet? Wat heeft hij je wijsgemaakt nu je zijn medeplichtige bent? We hebben oom Ranel en tante Jonna gevonden. Ze zijn springlevend en gezond, net als de kinderen. Ook met Dorrien gaat alles goed. Is er soms nog iemand die je wilt beschermen?'

Ze zuchtte. *Heel Kyralia.* 'Ik moet echt mijn mond houden, Rothen. Heus. Ik weet niet wat Akkarin de anderen heeft verteld, of wat hij wil dat ik vertel. Ik moet maar wachten tot de hoorzitting.'

Rothens ogen bliksemden van woede. 'Sinds wanneer maakt het jou uit wat hij wil?'

Ze bleef hem strak aankijken. 'Sinds ik heb gehoord waarom hij doet wat hij doet. Maar dat is zijn verhaal, niet het mijne. Als hij het vertelt, zul je het begrijpen.'

Hij keek haar argwanend aan. 'Ik kan het haast niet geloven. Maar ik zal het proberen. Is er nog iets dat ik voor je kan doen?'

Ze schudde haar hoofd, en aarzelde toen. Rothen wist dat Lorlen ook al meer dan twee jaar van Akkarins misdrijf op de hoogte was. Wat zou er gebeuren als hij dit aan het Gilde opbiechtte? Ze keek naar hem op.

'Ja toch,' zei ze. 'Bescherm Lorlen.'

Savara liet een hand over de lakens glijden en glimlachte. 'Mooi.'

Cery grinnikte. 'Een Dief moet ervoor zorgen dat zijn gasten zich welkom voelen.'

'Je bent niet zoals de andere Dieven,' merkte ze op. 'Hij heeft een heleboel geregeld, hè?'

'Wie?'

'De Opperheer.'

Cery ging verontwaardigd rechtop zitten. 'Lang niet alles.'

'Nee?'

'Het ging voor een deel om Sonea. Faren stemde erin toe haar uit de buurt van het Gilde houden, maar de andere Dieven wilden dat hij haar aangaf. Dus zeggen sommigen dat Faren zijn deel van de overeenkomst niet is nagekomen.'

'En dus?'

'Als ik weer zaken zou doen met Faren, zouden de anderen ook wel weer toenadering zoeken. Hij heeft me met een paar zaakjes geholpen.'

174

'Dus Akkarin had er niets mee te maken?'

'Nou, een beetje wel,' gaf Cery toe. 'Misschien zou ik er het lef niet voor hebben gehad als hij me geen zetje had gegeven. Als hij me niet alle nieuwtjes over andere Dieven had toegespeeld, zouden ze me tegen hebben gehouden. Maar je zegt geen nee tegen iemand die wel erg veel geheimen van je kent.'

Ze keek peinzend voor zich uit. 'Klinkt alsof hij er al heel lang mee bezig is.'

'Dat dacht ik nou ook.' Cery haalde zijn schouders op. 'Toen de moordenaar de andere Dieven woest maakte, bood ik aan hem te vinden. Dat vonden ze prachtig. Wisten zij veel dat ik er al maanden mee bezig was. Ze lachen zich rot dat ik hem nog niet gevonden heb, al hebben ze zelf ook geen geluk gehad.'

'Maar je hebt er toch al een heel stel gevonden?'

'Zij denken dat er maar eentje rondloopt.'

'O ja?'

'Ik dacht tenminste dat ze dat dachten.'

'En nu weten ze dat het er meer moeten zijn, omdat die laatste een vrouw was.'

'Waarschijnlijk wel.'

Hij keek zijn kamer rond. De boel was aardig ingericht, maar niets extravagants. Hij vond het geen prettig idee dat hij alles te danken had aan Akkarin.

'Ik heb geprobeerd me in andere zaken te specialiseren,' zei hij. 'Als er geen handel meer zit in het vinden van moordenaars voor magiërs, wil ik toch wel graag blijven leven en mijn zaakjes regelen.'

Ze glimlachte sluw en liet een vinger van zijn borst naar beneden glijden. 'Ik zie je ook het liefst levend en zaakjes regelend.'

Hij pakte haar hand en trok haar naar zich toe. 'O ja? En wat voor zaakjes doe jij eigenlijk?'

'Ik leg contact met mogelijke bondgenoten.' Ze legde een slanke arm om zijn schouders. 'Bij voorkeur heel nauw contact met één bondgenoot in het bijzonder.'

Haar kussen waren stevig en verleidelijk. Zijn hart begon weer sneller te slaan.

Toen klopte er iemand op de deur. Hij trok zich los uit haar omhelzing en grijnsde verontschuldigend. 'Moet er even heen.'

Ze pruilde. 'Moet dat echt?'

Hij knikte. 'Gol klopt nooit als het niet belangrijk is.'

'Dat hoop ik dan maar.'

Hij stond op, trok zijn broek en hemd aan en glipte de slaapkamer uit. Gol liep in Cery's ontvangstkamer op en neer, zonder zijn gebruikelijke domme grijns.

'De Opperheer is door het Gilde gearresteerd,' zei Gol. 'Sonea ook.'

Cery keek hem met grote ogen aan. 'Waarom?'

'Gisternacht is er een Gildemagiër vermoord. En een bende andere mensen in zijn huis. Ze denken dat de Opperheer het gedaan heeft.' Hij zweeg even. 'De hele stad weet ervan.'

Cery plofte verbijsterd neer in de dichtstbijzijnde stoel. Akkarin *gearresteerd*? Voor *moord*? En Sonea ook? Hij hoorde de deur van zijn slaapkamer piepend opengaan. Savara kwam geheel gekleed te voorschijn. Toen ze zijn uitdrukking zag fronste ze haar wenkbrauwen.

'Kan je het me vertellen?'

Hij glimlachte kort. 'De Opperheer is gearresteerd. Het Gilde verdenkt hem van de moord op een Gildemagiër gisternacht.'

Ze sperde haar ogen open. 'Hoe laat?'

Gol haalde zijn schouders op. 'Geen idee. Alle anderen in dat huis zijn ook vermoord. Met slechte magie of zoiets. Zwarte magie? Ja, dat was het.'

Ze slikte. 'Dus het is waar.'

'Wat is waar?' vroeg Cery.

'Sommige Ichani's zeggen dat het Gilde geen hoge magie meer kent en dat het Gilde daardoor zwak is. Akkarin gebruikt het wel degelijk, dus dachten we dat het niet waar was.' Ze zweeg even. 'Daarom doet hij dus alles in het geniep. Ik dacht dat hij niet wilde dat anderen wisten van zijn daden in het verleden, die hem in dit lastige parket hebben gebracht.'

Cery keek op. 'Welke daden in het verleden?'

Ze keek hem aan en lachte. 'O, er is meer over die Opperheer van jullie te vertellen dan je ooit zult weten...'

'Bijvoorbeeld?'

'Ja, daar mag ik me niet over uitlaten,' zei ze. 'Maar ik kan je wel vertellen dat –'

Ze zweeg toen er op de muur geklopt werd. Cery knikte naar Gol. De grote kerel liep naar de muur, keek door het spionnetje en schoof een schilderij opzij. Een van de jongens die Cery in dienst had voor allerlei karweitjes tuurde naar binnen.

'Er is een man die je wil spreken, Ceryni. Hij gaf een lang codewoord, en hij zegt dat hij slecht nieuws heeft over een vriend van je. Zegt dat het dringend is.'

Cery knikte en keek Savara aan. 'Ik kan beter even gaan zien wie dat is.'

Ze haalde haar schouders op en ging terug naar de slaapkamer. 'Dan kan ik beter even een bad nemen.'

Toen Cery zich omdraaide stond Gol te grijnzen.

'Haal die grijns van je smoel,' waarschuwde Cery.

'Jawel, Ceryni,' antwoordde de man nederig, maar de grijns was niet verdwenen toen hij Cery voorging door de tunnel.

Cery's kantoor was vlakbij. Er waren diverse manieren om erin en eruit te komen. Gol koos de standaardroute, waardoor Cery de gelegenheid kreeg de bezoeker in de wachtkamer door een spionnetje op te nemen.

Het was een Sachakaan, zag Cery ontzet. Toen herkende hij de mantel en zijn hart sloeg over. Waarom droeg deze man de cape die Akkarin de vorige avond gedragen had?

Toen de man zich omdraaide viel de mantel open zodat er een deel van het uniform van een bediende van het Gilde te zien was.

'Ik denk dat ik weet wie het is,' fluisterde Cery. Hij liep naar de deur van zijn kantoor. 'Laat hem binnen zodra ik zit.'

Even later zat Cery achter zijn bureau, en de man kwam binnen.

'Zo,' zei Cery. 'Je zou dus slecht nieuws over een vriend van me hebben.'

'Ja,' antwoordde de man. 'Ik ben Takan, bediende van de Opperheer. Hij is gearresteerd voor de moord op een Gildemagiër. Hij heeft me gestuurd om je te helpen.'

'Me te helpen? Hoe dan?'

'Ik kan via mijn geest contact met hem houden,' legde Takan uit, en raakte zijn voorhoofd aan.

'Ben je een magiër?'

Takan schudde van nee. 'We hebben een band, die hij lang geleden gesmeed heeft.'

Cery knikte. 'Vertel me dan maar iets wat alleen hij en ik weten.'

Takan richtte zijn blik op de verte. 'De laatste keer dat jullie elkaar ontmoetten, zei hij dat hij Sonea niet meer mee zou nemen.'

'Dat klopt.'

'Het spijt hem dat hij zich daar niet aan kon houden.'

'Sonea ook, lijkt me. Waar is zij voor gearresteerd?'

Takan zuchtte. 'Het leren van zwarte magie. Ze hebben boeken in haar kamer gevonden.'

'En die zwarte magie is...?'

'Verboden,' zei Takan. 'Het Gilde kan een uitwijzingsbevel tekenen.'

'En de Opperheer?'

Takan zag er nu werkelijk wanhopig uit. 'Hij wordt verdacht van moord en het gebruik van zwarte magie. Als hij schuldig bevonden wordt aan beide aanklachten, wordt hij geëxecuteerd.'

Cery knikte langzaam. 'Wanneer neemt het Gilde zijn besluit?'

'Morgen houden ze een hoorzitting om het bewijs te onderzoeken en om te beoordelen of hij schuldig is of niet.'

'En is hij dat?'

Takan keek op en zijn ogen flitsten van woede. 'Hij heeft heer Jolen niet vermoord!'

'En die aanklacht van zwarte magie?'

De bediende knikte. 'Ja, daar is hij schuldig aan. Als hij dat niet gebruikt had, zou hij de moordenaars niet hebben kunnen verslaan.'

'En Sonea? Is zij schuldig?'

Takan knikte nogmaals. 'Het Gilde heeft haar alleen beticht van het bestuderen van zwarte magie. Dat zou een lagere straf betekenen. Als ze de waarheid wisten, zou ze dezelfde aanklacht als Akkarin krijgen.'

'Ze heeft zwarte magie gebruikt om die vrouw te doden, hè?'

Takan keek verbaasd. 'Ja. Hoe weet je dat?'

'Gegokt. Moet ik mee naar de hoorzitting als getuige?'

Takan zette zijn blik weer op oneindig. 'Nee. Hij bedankt je voor het aanbod. Je moet niet laten merken dat je erbij betrokken bent. Als alles goed afloopt, kan hij je hulp in de toekomst beter gebruiken. Hij vraagt je echter wel om een gunst.'

'Ja?'

'Dat je ervoor zorgt dat de Garde het lijk van de moordenares vindt. En ervoor zorgt dat ze haar mes draagt.'

Cery lachte. 'Komt in de bus.'

Toen Lorlen uit zijn kantoorraam keek, zag hij dat Akkarin nog steeds in dezelfde houding zat als een uur geleden. Hij schudde het hoofd. Op de een of andere manier lukte het Akkarin om er nog steeds waardig en zelfverzekerd uit te zien, al zat hij dan op de vloer in de Arena, met zijn rug tegen een van de gebogen zuilen en met twintig magiërs die rond de Arena stonden en hem in het oog hielden.

Lorlen wendde zich af en nam zijn kantoor in ogenschouw. Balkan liep in het midden heen en weer. Lorlen had de Krijger nog nooit zo opgewonden gezien. Even ervoor had Lorlen hem iets horen mompelen over verraad. Dat was begrijpelijk. Lorlen wist dat Balkan een hoge pet van Akkarin op had.

Sarrin zat in een stoel en bladerde door een van de boeken uit Akkarins kist. Ze hadden besloten dat een van hen ze mocht lezen, al was het eigenlijk een misdrijf. Sarrins gezicht drukte een mengeling van afschuw en fascinatie uit. Ook hij mompelde af en toe in zichzelf.

Vinara stond rustig bij de boekenplanken. Ze had Akkarin een monster genoemd. Balkan had haar eraan herinnerd dat Akkarin misschien niets ergers misdreven had dan het lezen van boeken over zwarte magie. Ze was niet overtuigd.

Wanneer er echter over Sonea gesproken werd, was haar instelling heel wat onzekerder en leek ze van streek.

Lorlen keek naar de voorwerpen op zijn bureau: glasscherven, een half gesmolten zilveren vork, en een schaal waarin opgedroogd bloed zat. De anderen wisten niet wat ze daarmee aan moesten. Het kleine glazen druppeltje dat ze op tafel hadden gevonden bevestigde Lorlens idee. Was Akkarin bezig geweest een tweede ring zoals die van Lorlen te vormen, of was hij bezig Sonea te leren hoe ze dat moest doen?

Net als Sonea had Akkarin geweigerd hun vragen te beantwoorden. Hij was vastbesloten om te wachten tot het hele Gilde zich verzameld had op de hoorzitting voor hij zich uitsprak. Mooie medewerking verleende hij.

Nee, dat is niet eerlijk, dacht Lorlen. Hij keek naar de ring in zijn zak. Akkarin had Lorlen gevraagd hem af te doen, maar wel bij de hand te houden. Als Sarrin vorderde met het lezen van de boeken zou hij een dezer dagen stuiten op het hoofdstuk over ringen, en de ring die Lorlen droeg herkennen. Lorlen had met de gedachte gespeeld de ring weg te gooien, maar hij zag nu de voordelen van het contact met Akkarin. Zijn vroegere vriend leek nog steeds genegen hem te vertrouwen. Het enige nadeel was dat Akkarin Lorlen kon afluisteren als hij de ring om had, maar daar maakte hij zich nu weinig zorgen over. Lorlen kon immers beletten dat Akkarin hem hoorde door de ring af te doen.

Akkarin wilde geheimhouden dat Lorlen wist van zijn verboden praktijken.

Het Gilde heeft een leider nodig die ze vertrouwen, had Akkarin via de ring gezegd. *Te veel verandering en onzekerheid maken het Gilde nog zwakker.*

Rothen en Sonea waren de enige andere mensen die ervan wisten. Sonea had gezwegen en Rothen had beloofd niets over Lorlens betrokkenheid te vertellen als daar anderen geen schade door werd toegebracht. Van zijn kant had Lorlen Rothen toestemming gegeven Sonea te bezoeken.

Iedereen keek op toen er beleefd geklopt werd. Lorlen liet de deur vanzelf opengaan en kapitein Barran kwam binnen, met heer Osen op de hielen. De gardist boog en begroette hen allen, maar wendde zich tot Lorlen.

'Ik ben langs geweest bij de winkel waar de getuige werkt,' zei hij. 'De eigenaar vertelde dat ze niet was komen opdagen. We hebben haar op haar huisadres opgezocht, maar ze was die nacht niet thuisgekomen.'

De hoge magiërs keken elkaar veelbetekenend aan.

'Dank u, kapitein,' zei Lorlen. 'Nog iets?'

De jongeman schudde het hoofd. 'Nee. Morgenochtend meld ik me weer, tenzij ik meer informatie over de zaak binnenkrijg.'

'Dank u. Tot morgen.'

Toen de deur zich sloot zuchtte Vinara. 'Die gardist vindt haar lichaam dus binnen een dag of twee. Die moordenaar had het behoorlijk druk gisteren.'

Balkan schudde het hoofd. 'Dit klopt niet. Hoe kon hij nu van die groentemeid weten? Als hij haar ontdekt had toen ze in dat portiek stond, had hij er wel meteen voor gezorgd dat ze het Gardebureau niet bereikte.'

'Tenzij hij haar niet meer in kon halen,' zei Sarrin. 'En toen ze het bureau verliet, verzekerde hij zich ervan dat ze die getuigenis niet kon herhalen.'

Balkan zuchtte. 'Zo werkt een zwarte magiër volgens mij niet. Als hij het zo belangrijk vond geen bewijs achter te laten, waarom was hij dan eerder op de avond zo slordig? Waarom had hij zich niet vermomd? Waarom –'

Hij zweeg toen er weer geklopt werd. Lorlen liet de deur openzwaaien. Tot zijn verbazing stapte Dannyl naar binnen, licht gebogen en met donkere wallen onder zijn ogen.

'Administrateur,' zei Dannyl. 'Kan ik u even onder vier ogen spreken?'

Lorlen fronste verstoord zijn wenkbrauwen. 'Gaat dit over de dolende magiër, ambassadeur?'

'Ten dele.' Dannyl keek naar de anderen en koos zijn woorden voorzichtig. 'Maar niet uitsluitend. Ik zou u niet storen als ik niet wist dat dit een ernstige zaak betreft.'

Vinara stond op. 'Ik heb toch al genoeg van al die gissingen,' zei ze. Ze keek Sarrin en Balkan betekenisvol aan. 'Als je ons nodig hebt, roep je ons maar.'

Dannyl stapte opzij en knikte toen de drie andere magiërs het kantoor verlieten. Lorlen ging achter zijn bureau zitten.

'Wat is die dringende zaak dan wel?' vroeg hij.

Dannyl kwam naderbij. 'Ik weet niet precies waar ik moet beginnen. Ik zit in een moeilijke positie. Twee moeilijke posities, eigenlijk.' Hij zweeg even. 'Hoewel u schreef dat u mij niet meer nodig had voor dat onderzoek, ging ik door met het zoeken naar oude magie omdat ik geboeid was geraakt door het onderwerp. Toen de Opperheer dat hoorde moedigde hij me aan ermee door te gaan, maar tegen die tijd had ik alle bronnen in Elyne al onderzocht. Tenminste, dat dacht ik.'

Lorlen fronste zijn voorhoofd. Had Akkarin Dannyl *aangemoedigd* om door te gaan?

'Toen ik en mijn assistent de opstandelingen gevonden hadden, ontdekten we een boek dat Dem Marane in zijn bezit had.' Dannyl haalde vanonder zijn gewaad een oud boek te voorschijn. Hij legde het op Lorlens bureau. 'Het gaf een antwoord op vele vragen die we over oude magie hadden. Het beschrijft een vorm van oude magie die hoge magie genoemd wordt, maar ook bekendstaat als zwarte magie. Dit boek bevat aanwijzingen hoe die magie bedreven wordt.'

Lorlen staarde naar het boek. Was dit toeval of wist Akkarin dat de opstandelingen in bezit waren van dit boek? Had hij soms samengewerkt met de rebellen? Had hij zo zwarte magie geleerd?

Als dat zo was, waarom had hij hen dan op laten pakken?

'Dus u begrijpt wel,' zei Dannyl, 'dat ik in een lastig parket zit. Sommigen zullen het zo uitleggen dat ik zwarte magie heb onderzocht met toestemming van de Opperheer, en dat ik de opstandelingen moest pakken zodat Akkarin nog meer kennis kon verkrijgen.' Hij vertrok zijn gezicht. 'Bovendien heb ik dat boek ten dele gelezen, dus heb ik de wet overtreden. Maar ik wist niet dat het over zwarte magie ging tot ik eenmaal een stuk gelezen had.'

Lorlen schudde het hoofd. Geen wonder dat Dannyl zich zorgen maakte. 'Ik begrijp je ongerustheid. Jij kon niet vermoeden waartoe dat onderzoek zou leiden. Dat wist ik niet eens. Als iemand jou wil verdenken, dan moeten ze mij ook verdenken.'

'Moet ik dit allemaal uitleggen op de hoorzitting?'

'Ik zal het bespreken met de hoge magiërs, maar ik denk niet dat het nodig is,' antwoordde Lorlen.

Dannyl keek opgelucht. 'Maar er is nog iets,' bekende hij kleintjes.

Nog meer? Lorlen bedwong zijn gekreun. 'Nou?'

Dannyl richtte zijn ogen op de vloer. 'Toen de Opperheer me opdroeg de opstandelingen te vinden, stelde hij voor dat mijn assistent en ik ons op een bepaalde frivole manier zouden gedragen, waarmee wij gechanteerd zouden kunnen worden. Akkarin zei dat hij het Gilde zou verzekeren dat dit intieme gedrag maar flauwekul was, en als doel had om ervoor te zorgen dat de rebelse magiërs ons zouden vertrouwen.' Dannyl keek op. 'Maar nu blijkt dat Akkarin niet langer in de positie is om dat te doen.'

Weer speelde Akkarins opmerking bij de Arena door Lorlens hoofd. *'Het Gilde zal zijn interesse in de moordenaar verliezen zodra Dannyl met de rebellerende magiër arriveert, Lorlen.'*

Had hij gezinspeeld op meer dan het bestaan van de opstandelingen? Wat was dat voor gedrag dat Dannyl verzonnen had om het vertrouwen van die rebellen te winnen?

Hij keek naar Dannyl; die keek weg omdat hij zich leek te schamen. Langzaam voegde Lorlen stukjes roddel bij elkaar die hij her en der opgevangen had, tot hij begreep hoe Dannyl en Tayend zich gedragen hadden.

Interessant, dacht hij. *En gewaagd bovendien, als je dacht aan de problemen die Dannyl als novice had meegemaakt.*

Wat moest hij zeggen? Lorlen wreef over zijn slapen. Akkarin was altijd zoveel beter geweest in het oplossen van dit soort problemen.

'Je bent dus bang dat niemand zal geloven wat Akkarin over jou zegt, omdat er ernstige twijfels zijn over zijn integriteit.'

'Ja.'

'Is de integriteit van de rebellen dan zoveel groter?' Lorlen schudde het hoofd. 'Ik weet wel zeker van niet. Als je je zo'n zorgen maakt over Akkarins geloofwaardigheid, waarom laat je de mensen dan niet geloven dat het je eigen idee was?'

Dannyl sperde zijn ogen open. Hij rechtte zijn rug en knikte. 'Natuurlijk, dat is het. Dank u, administrateur.'

Lorlen wuifde het weg en bekeek Dannyl wat nauwkeuriger. 'Je ziet eruit alsof je in geen week geslapen hebt.'

'Heb ik ook niet. Ik wilde niet dat iemand de kans kreeg om al het werk dat ik gedaan had om Farands leven te redden zou verpesten.'

Lorlen fronste zijn voorhoofd. 'Dan zou ik maar snel teruggaan naar mijn kamer en goed uitrusten. Misschien hebben we je morgen nodig.'

De jonge magiër lachte zwakjes. Hij knikte naar het boek op Lorlens tafel.

'Nu ik die last van mijn schouders gelegd heb, zal slapen wel geen probleem meer zijn. Nogmaals mijn dank, administrateur.'

Toen hij weg was, slaakte Lorlen een diepe zucht. *Ten minste één magiër die lekker zal slapen vannacht.*

16

De hoorzitting

Sonea's eerste gedachte die dag was dat Viola haar was vergeten te wekken, en dat ze te laat voor de les zou zijn. Ze knipperde een paar maal met haar ogen om de doezeligheid van de slaap te verdrijven. Opeens voelde ze zand tussen haar vingers en ze zag de vaag verlichte stenen muur van de Koepel rondom haar, en toen wist ze het weer.

Dat ze überhaupt geslapen had verbaasde haar, want het laatste wat ze zich herinnerde van de nacht ervoor was dat ze in het donker onophoudelijk had liggen denken aan de dag die zou volgen. Ze had al haar wilskracht nodig gehad om het niet mentaal uit te schreeuwen naar Akkarin, om te vragen of ze het Gilde al iets mocht vertellen, of simpelweg te vragen waar hij was, en of hij goed behandeld werd... en of hij nog leefde.

In haar ergste momenten van twijfel dacht ze dat het Gilde al een uitspraak had gedaan, zonder het haar te vertellen. Het Gilde uit het verleden was angstwekkend zorgvuldig te werk gegaan om de Geallieerde Landen van zwarte magie te ontdoen. Die magiërs, die allang dood waren, zouden Akkarin op staande voet geëxecuteerd hebben.

En mij ook, dacht ze, en ze huiverde.

Ze wenste weer dat ze met hem mocht praten. Hij had gezegd dat hij het Gilde over de Ichani's zou vertellen. Zou hij toegeven dat hij zwarte magie geleerd had? Zou hij hun laten weten dat hij het haar geleerd had? Of zou hij ontkennen dat hij zwarte magie kende? Of het toegeven wat hem betrof, maar zeggen dat zij geen kwaad had gedaan?

Maar dat had ze wél. Het beeld van de dode Ichanivrouw spookte door haar hoofd. Het ging gepaard met sterke, maar tegenstrijdige gevoelens.

Je bent een moordenares, beschuldigde een stemmetje in haar gedachten haar.

Ik moest wel, dacht ze als verweer. *Er was geen keus. Ze zou me gedood hebben.*

Maar je zou het sowieso gedaan hebben, antwoordde haar geweten, *zelfs al was er een keus geweest.*

Ja. Om het Gilde te beschermen. En Kyralia. Toen fronste ze haar voorhoofd.

Sinds wanneer maak ik me zo druk over doden? Als ik in de sloppen was aangevallen, zou ik ook zonder aarzeling gedood hebben. Misschien heb ik dat zelfs al gedaan. Ik heb geen idee of die schurk die me van de straat een steegje in sleurde mijn messteken overleefd heeft.

Dat is wat anders. Je had toen nog geen magie, merkte haar geweten op.

Ze bleef maar denken dat ze, ondanks alle voordelen die haar magie haar gegeven had, had moeten vermijden dat ze iemand moest doden. Maar de Ichani's hadden toch ook magie ingezet?

Ze moest tegengehouden worden. Ik zat toevallig in een situatie waarin ik haar voor altijd kon tegenhouden. Dat doden zit me niet zozeer dwars, alleen dat ik dat wel móést.

Haar geweten zweeg.

Nou, spreek me dan tegen, dacht ze. *Ik heb liever dat je het me moeilijk maakt, dan dat ik iemand vermoord en me er niet rot over voel.*

Nog steeds niets.

Geweldig. Ze schudde haar hoofd. *Misschien is dat oude bijgeloof over dat Oog wel waar. Ik zit niet alleen in mezelf te praten, maar nu weiger ik ook nog om terug te praten tegen mezelf. Als dat geen waanzin is, weet ik het niet meer.*

Een geluid wekte haar uit haar gemijmer. Ze ging rechtop zitten en zag de wachters opzij stappen om heer Osen door te laten. Hij bleef staan bij de ingang. Boven zijn hoofd zweefde een bollichtje dat de hele ronde ruimte met licht vulde.

'De hoorzitting staat op het punt te beginnen, Sonea. Ik zal je naar de Gildehal brengen.'

Plotseling voelde ze haar hart in haar keel bonzen. Ze stond op, klopte het zand van haar kleren en liep naar de deur. Osen stapte opzij en liet haar door.

Een paar treden leidden naar een andere open deur. Ze stopte op de drempel toen ze verderop de wachtende kring van magiërs zag. Het waren de Genezers en Alchemisten die haar zouden begeleiden. De Krijgers en de sterkere magiërs van het Gilde zouden Akkarin in hun midden houden, vermoedde ze.

Ze keken haar aandachtig aan toen ze in het midden van de kring kwam staan. Ze kreeg een kleur van al dat wantrouwen en dat misprijzen dat ze om zich heen voelde. Ze draaide zich om en zag dat de twee wachters de cirkel gesloten hadden. Osen stapte door een opening in de kring en ging voor haar staan.

'Sonea,' zei hij. 'Je mentor is beschuldigd van moord en het bedrijven van zwarte magie. Jij zult ondervraagd worden over jouw kennis van deze zaken. Begrijp je dat?'

Ze slikte om haar droge keel te smeren. 'Ja, heer.'

'Vanwege de vondst van boeken over zwarte magie in jouw kamer, zal jij ook in staat van beschuldiging gesteld worden.'

Dus zij zou ook veroordeeld worden.

184

'Ik begrijp het,' antwoordde ze.

Osen knikte. Hij wendde zich naar de tuinen naast de universiteit. 'Op naar de Gildehal dan maar.'

Haar escorte volgde haar in hetzelfde tempo over het pad naast de universiteit. Het terrein was verlaten en griezelig stil. Alleen hun voetstappen en af en toe een vogel verbraken de stilte. Ze dacht aan de magiërsgezinnen en de bedienden die op het terrein woonden. Waren ze weggestuurd, voor het geval Akkarin het hele Gilde in zijn macht zou proberen te krijgen?

Toen het gezelschap bijna bij de ingang was, stond Osen plotseling stil. De magiërs dromden om hem samen en wisselden ongeruste blikken uit. Ze begreep dat ze naar een mentaal gesprek luisterden, en scherpte haar zintuigen.

... zegt dat hij niet binnenkomt tot Sonea er is, stuurde Lorlen.

Dus wat doen we? vroeg Osen.

Wachten. We nemen zo een beslissing.

Sonea voelde zich iets beter: Akkarin weigerde de Gildehal te betreden zonder haar! Hij wilde dat ze erbij was. Osen en de anderen waren erg gespannen; ze waren duidelijk bevreesd voor wat Akkarin zou doen indien Lorlen weigerde. Ze hadden geen idee hoe sterk Akkarin was.

Net zomin als ik, dacht ze nuchter.

Terwijl ze wachtten probeerde ze zijn kracht in te schatten. Hij had twee weken lang vóór het gevecht met de Ichanivrouw dagelijks energie van haar en Takan gekregen. Sonea had geen idee hoe sterk hij daarvóór was geweest, maar het gevecht had hoe dan ook veel van zijn krachten gevraagd. Dan nog kon hij enkele malen zoveel kracht als een gewone Gildemagiër hebben, maar ze betwijfelde of hij genoeg kracht bezat om het hele Gilde te verslaan.

En ik?

Ze wist dat ze veel sterker was geworden sinds ze de energie van de Ichanivrouw had overgenomen, maar ze kon niet precies zeggen hoe machtig haar dat maakte. Niet zo krachtig als Akkarin, gokte ze. Hij was aan de winnende hand geweest in het gevecht, dus toen Sonea erbij kwam, moest de Ichani al behoorlijk wat kracht verloren hebben. De kracht die Sonea uit haar onttrokken had kon nooit zoveel zijn als hij al bezat.

Tenzij de Ichani zich zwakker had voorgedaan dan ze was...

Breng haar binnen.

Lorlen klonk niet erg gelukkig. Osen gromde zacht van afkeuring en liep toen verder met haar en de anderen. Toen ze de voorzijde van de universiteit naderden, begon Sonea's hart weer sneller te bonzen, maar nu van verwachting.

Voor de trap van het gebouw stond een menigte magiërs. Ze draaiden zich en masse om zodra ze Sonea en haar escorte zagen naderen, en gingen uiteen toen ze de trap op gingen.

Akkarin stond midden in de grote hal. Ze voelde een siddering toen ze

185

hem zag. Eén mondhoek krulde op de bekende wijze toen hij haar ontdekte. Ze glimlachte bijna ten antwoord, maar hield haar gezicht in de plooi toen ze de strakke gezichten zag van de magiërs die rondom hem stonden.

De Hal was afgeladen. Akkarins escorte bestond uit ruim vijftig man, de meesten van hen Krijgers. Vrijwel alle hoge magiërs waren aanwezig; ze keken nerveus en kwaad. Heer Balkan had een dreigende blik.

Lorlen stapte naar voren en sprak Akkarin toe. 'Jullie mogen samen naar binnen gaan,' zei hij op waarschuwende toon. 'Maar jullie blijven buiten elkaars bereik.'

Akkarin knikte, draaide zich om en wenkte haar. Verbaasd zag ze haar escorte een stap terugdoen om haar door te laten.

Overal steeg gemompel op toen ze de kring van magiërs betrad die om Akkarin heen stonden. Naast hem bleef ze staan, maar wel zo ver van hem af dat ze elkaars hand niet konden pakken. Akkarin keek naar Lorlen en glimlachte.

'Welnu, administrateur, laten we eens zien of we dit misverstand uit de weg kunnen ruimen.'

Hij draaide zich om en ging met Sonea op weg naar de Gildehal.

Rothen had zich nog nooit zo ellendig gevoeld. Er leek geen einde te komen aan de dag. Hij was doodsbang voor de hoorzitting, maar wilde tegelijkertijd dat die zo snel mogelijk zou beginnen. Hij had grote behoefte aan Akkarins verontschuldigingen, en aan de verklaring waarom Sonea deze overtreding had kunnen begaan. Hij wilde Akkarin gestraft zien worden voor wat hij Sonea had aangedaan. Toch stond hij te trillen bij het idee van de straf die Sonea eventueel zou krijgen.

Twee lange rijen magiërs stonden in lengterichting in de Gildehal. Achter hen stonden twee rijen novicen, klaar om hun kracht te geven als het nodig mocht zijn. Geroezemoes vulde de zaal terwijl iedereen wachtte op de dingen die komen gingen.

'Daar zijn ze,' mompelde Dannyl.

Twee gestalten kwamen de hal binnenlopen. De een droeg een zwart gewaad, de ander het bruin van een novice. Akkarin liep net zo zelfverzekerd als hij altijd deed. Sonea... Rothen had meteen met haar te doen toen hij zag hoe ze haar blik op de vloer gericht hield, met een angstige, maar zelfbewuste uitdrukking op haar gezicht.

Hierna volgde de nors kijkende hoge magiërs, die erg op hun hoede leken. Toen Akkarin en Sonea het einde van het gangpad bereikten, hielden ze halt. Rothen was blij dat Sonea de afstand tussen haar en de Opperheer bewaarde. De hoge magiërs stapten rond het paar en vormden een rij voor de boven elkaar gerangschikte rijen stoelen aan de voorzijde van de hal. De magiërs die het paar hadden geëscorteerd gingen in een kring om de twee heen staan.

186

Rothen en Dannyl namen net als alle andere magiërs en novicen hun plaats op de tribunes aan de zijkanten van de hal in. Toen iedereen zat sloeg Lorlen op een kleine gong.

'Knielt allen neer voor koning Merin, heerser van Kyralia,' sprak hij.

Sonea keek verbaasd op. Haar blik ging naar de stoelen helemaal bovenaan, waar de koning stond, geflankeerd door twee magiërs. Een oranje mantel van zijdeachtige stof hing over zijn schouders, met de koninklijke mulloek die er overal in gouddraad op geborduurd was. Een enorme halvemaan van goud hing op zijn borst – het rijksinsigne.

Toen het hele gezelschap knielde, hield Rothen Sonea nauwlettend in het oog. Ze keek snel naar Akkarin en toen ze zag dat ook hij ging knielen, deed ze hem precies na. Vervolgens keek ze weer naar de koning.

Hij vermoedde wat ze dacht. Hier stond de man die elk jaar opdracht gaf tot de Zuivering, de man die tweeënhalf jaar geleden haar familie en buren uit hun huis gejaagd had.

De koning liet zijn ogen over de zaal glijden en bleef hangen bij Akkarin. Uit zijn uitdrukking was niets op te maken. Zijn blik gleed naar Sonea en ze boog haar hoofd. Tevredengesteld deed hij een stap achteruit en ging zitten.

Na enige tijd stonden de magiërs weer op. De hoge magiërs bestegen de trap naar hun stoelen aan het hoofd van de zaal. Akkarin bleef geknield zitten tot de rust was weergekeerd en stond toen pas op.

Lorlen keek de zaal door en knikte. 'Deze zitting wordt gehouden om recht te spreken over Akkarin van de familie Delvon, Huis Velan, Opperheer van het Magiërsgilde, en over Sonea, zijn novice. Akkarin wordt verdacht van moord op heer Jolen van Huis Saril, zijn gezin en bedienden, en van het zoeken naar, leren van en bedrijven van zwarte magie. Sonea wordt verdacht van het zoeken naar kennis van zwarte magie.

Het betreft hier ernstige misdrijven. De wettige en overtuigende bewijzen dienen nog geleverd worden. Ik roep de eerste getuige op, heer Balkan, Hoofd der Krijgers.'

Balkan stond op uit zijn zetel en liep het trapje naast de tribune af. Hij keek de koning aan en knielde. 'Ik zweer de waarheid te spreken en niets anders dan de waarheid.'

De koning bleef strak voor zich uit kijken en gaf er geen blijk van dat hij Balkans woorden gehoord had.

De Krijger ging rechtop staan en richtte zich tot de verzamelde magiërs. 'Twee nachten geleden hoorde ik een zwakke oproep van heer Jolen. Hij zat in moeilijkheden, dat was duidelijk. Toen ik hem niet meer kon bereiken snelde ik naar zijn huis in de stad.

Ik trof heer Jolen en zijn gehele huishouden dood aan. Elke man, vrouw, elk kind, zij het familie of bediende, was overleden. Bij nader onderzoek zag ik dat de moordenaar via het raam van heer Jolens kamer moet zijn binnengekomen, en ik nam aan dat hij het eerste slachtoffer moet zijn geweest.

De doodsoorzaak onderzocht ik niet zelf, dat was de taak van vrouwe Vinara. Toen zij arriveerde liep ik snel naar het hoofdbureau van de Stadsgarde. Toen ik daar aankwam hoorde ik dat kapitein Barran, degene die belast is met het onderzoek naar de moorden in deze stad, zojuist een getuige had ondervraagd.'

Balkan zweeg en keek Lorlen aan. 'Maar alvorens we kapitein Barran naar voren roepen, stel ik voor dat we vrouwe Vinara haar relaas laten doen.'

Lorlen knikte. 'Ik roep op als getuige vrouwe Vinara, Hoofd der Genezers.'

Vrouwe Vinara stond op en liep sierlijk het trapje af. Ze draaide zich om, knielde voor de koning en legde ook de eed af.

'Toen ik aankwam bij het huis van heer Jolen begon ik meteen de lichamen van de negenentwintig slachtoffers te onderzoeken. Ze hadden allemaal een paar blauwe plekken en schrammen rond hun nek, en geen andere verwondingen. Ze waren niet gewurgd, verstikt of vergiftigd. Het lichaam van heer Jolen was nog intact, en daar dat niet normaal is bij een magiër, kreeg ik een eerste ingeving betreffende de doodsoorzaak. Uit nader onderzoek bleek dat alle energie aan het lichaam onttrokken was, en daaruit kon ik alleen maar concluderen dat heer Jolen zich tot zijn laatste snik verweerd had, of dat de energie hem ontnomen was. Onderzoek van de andere lichamen wezen op die laatste mogelijkheid. Alle slachtoffers waren ontdaan van energie, en aangezien alleen heer Jolen hen opzettelijk had kunnen uitputten, bleef maar één oorzaak over voor dit verschijnsel.' Ze zweeg even, met grimmig gelaat. 'Heer Jolen, zijn gezin en bedienden werden gedood door zwarte magie.'

Overal in de zaal werd op lage toon gemompeld. Rothen huiverde. Het was erg makkelijk om zich Akkarin voor te stellen als insluiper, die op zijn slachtoffers afsprong waarna hij ze vermoordde. Hij keek naar de Opperheer. Akkarin keek rustig naar Vinara, die haar verhaal vervolgde.

'Een gedetailleerd onderzoek van Jolens lichaam bracht zwakke vingerafdrukken in bloed aan het licht.' Ze keek naar Akkarin. 'Bovendien kwam dit te voorschijn; het zat vastgeklemd in de rechterhand.'

Vinara keek opzij en wenkte. Een magiër naderde met een doosje. Ze opende het en haalde er een stukje zwarte stof uit.

Goudborduursel schitterde in het licht. Er was genoeg van de incal te zien om hem te herkennen als die van de Opperheer. Het gekraak van banken en geruis van gewaden vulde de hal toen de magiërs op hun zitplaats verschoven, en het rumoer werd heviger.

Vinara legde het lapje over het doosje en gaf beide terug aan haar assistent. Hij bleef aan de zijkant staan. Vinara keek naar Akkarin, die nu fronste, en keek over haar schouder om naar Lorlen te knikken.

'Ik roep op als getuige kapitein Barran, inspecteur van de Garde,' zei Lorlen.

Het geroezemoes bedaarde weer toen van de zijkant een man in het garde-uniform naar voren kwam, knielde voor de koning en de eed uitsprak. Rothen gokte dat de man midden twintig was. De rang van kapitein was hoog voor iemand van zijn leeftijd, maar zulke posities werden wel vaker gegeven aan jongelieden uit de Huizen, als ze talent bleken te hebben en hard werkten.

De kapitein schraapte zijn keel. 'Een halfuur voordat heer Balkan bij me kwam, was een jonge vrouw het hoofdbureau binnengekomen die beweerde de moordenaar gezien te hebben die de stad de laatste maanden onveilig maakt. Ze vertelde dat ze op weg was naar huis van een van de Huizen waar ze fruit en groenten bezorgd had. Ze droeg de lege mand en had een pasje voor de Binnencirkel. Toen ze langs het huis van heer Jolen kwam, hoorde ze daar vreselijk gegil. Het geschreeuw stopte snel en ze haastte zich voort, maar bij het volgende huis hoorde ze achter zich een deur dichtslaan. Ze verborg zich in een portiek en zag een man die uit de bediende-ingang van heer Jolens huis kwam. Hij droeg een zwart magiërsgewaad met een incal op de mouw. Zijn handen waren met bloed besmeurd, en hij droeg een krom mes, met edelstenen in het handvat.'

Overal klonken uitroepen van de tribune toen het Gilde zijn afschuw liet blijken. Rothen knikte toen hij zich het mes herinnerde dat Sonea had beschreven, in de tijd toen ze Akkarin bespioneerde. Lorlen stak een hand op en het lawaai stierf weg.

'Wat hebt u toen gedaan?'

'Ik heb haar naam en de naam van haar bedrijf genoteerd. Op uw verzoek heb ik haar de volgende dag opgezocht. Haar werkgever zei dat ze niet op haar werk was verschenen en gaf me haar huisadres. Haar familie was bezorgd, want ze was de vorige nacht ook niet thuisgekomen. Ik was bang dat ze vermoord was. Later die dag vonden we haar lichaam. Net als bij de meeste andere moorden waren er geen bloederige wonden, op een nekwondje en dat ene ondiepe sneetje in de hals na.'

Hij richtte zijn ogen op Akkarin, die kalm en uiterlijk onbewogen het verhaal had aangehoord.

'Hoewel ik haar kon identificeren als de getuige, riepen we de ouders naar het hoofdbureau van de Stadsgarde om er zeker van te zijn. Ze zeiden echter dat deze vrouw hun dochter helemaal niet was, maar de kleding was tot ieders verbazing wél van hun kind. We hadden die dag nog een ander dood meisje gevonden, naakt en waarschijnlijk gewurgd. Ze waren erg van streek, want dit bleek wel hun dochter te zijn. Vreemder was dat het geklede lijk een mes bij zich had dat er net zo uitzag als het mes dat de getuige had beschreven. De integriteit van de getuige, en haar verhaal, lijkt me hoe dan ook in het geding.' De kapitein keek Lorlen aan. 'Dit is alles wat ik u tot nu toe vertellen kan.'

De administrateur stond op. 'Ik schors de zitting even om ons te kunnen beraden en de bewijzen te bekijken. Vrouwe Vinara, heer Balkan en heer Sarrin zullen mij hun standpunt meedelen.'

Meteen begon de zaal te gonzen van de stemmen van magiërs die in groepjes discussieerden en speculeerden.

Yaldin wendde zich tot Dannyl en Rothen. 'Dat mes kan daar neergelegd zijn toen ze vermoord was.'

Dannyl schudde het hoofd. 'Misschien, maar waarom zou ze hebben gelogen over wie ze was? Waarom droeg ze de kleren van een ander? Werd ze betaald of omgekocht om de kleren van de ander te stelen, en had ze niet door dat zij ook vermoord zou worden? Maar dat zou betekenen dat alles van tevoren beraamd was.'

'Dat slaat nergens op. Waarom zou Akkarin een getuige voor zichzelf regelen die een belastende verklaring tegen hem zou afleggen?' vroeg Yaldin.

Dannyl haalde diep adem. 'Voor het geval er andere getuigen waren. Als deze getuigenis dubieus was, zouden andere gelijkluidende verklaringen in twijfel getrokken worden.'

Yaldin grinnikte. 'Ver gezocht, maar het kan. Of er loopt een andere zwarte magiër rond die Akkarin wil laten opdraaien voor zijn daden. Akkarin is misschien toch onschuldig.'

Rothen schudde het hoofd.

'Je bent het er niet mee eens?' vroeg Dannyl.

'Akkarin gebruikt zwarte magie,' zei Rothen tegen hem.

'Dat weet je niet. Ze hebben boeken over zwarte magie in zijn werkkamer gevonden,' wees Dannyl hem terecht. 'Dat bewijst nog niet dat hij het ook gebruikt.'

Rothen fronste zijn voorhoofd. *Maar ik weet toevallig dat hij dat wel doet. Ik heb bewijs. Ik mag het alleen tegen niemand vertellen. Lorlen heeft me laten beloven dat we het geheimhouden, en Sonea wil dat ik Lorlen help.*

Eerst geloofde Rothen dat de administrateur hen beiden wilde beschermen. Later besefte hij dat het de positie van de administrateur zou verzwakken als uitkwam dat hij al jaren van de praktijken van de Opperheer weet had. Als het Gilde Lorlen zou verdenken van medeplichtigheid met Akkarin, zou het zijn vertrouwen kwijtraken in iemand op wie ze echt konden rekenen.

Tenzij... probeerde Lorlen nog steeds een confrontatie met Akkarin te voorkomen door erop aan te sturen dat hij onschuldig was? Rothen schudde het hoofd. Eén misdrijf was zonder meer bewezen: Akkarin en Sonea waren allebei in het bezit geweest van verboden boeken. Dat alleen al zou tot hun uitwijzing uit het Gilde leiden. Dat zou Lorlen nooit kunnen tegenhouden.

De moed zonk Rothen in de schoenen. Sonea in ballingschap, dat deed pijn. Na alles wat ze doorstaan had – het idee dat het Gilde haar wilde doden, het bijna verliezen van haar kracht, gevangenschap, de chantage door Fergun, de eindeloze pesterijen van de andere novicen, de minachting van andere magiërs, de gijzeling door Akkarin, het bewust opgeven van Dorriens liefde – zou ze nu alles verliezen waar ze zo hard voor gewerkt had.

Hij haalde diep adem en richtte zich weer op de vraag wat Lorlen precies van plan was. Misschien hoopte Lorlen dat Akkarin akkoord zou gaan met verbanning en op zou hoepelen. Als Akkarin de doodstraf onder ogen moest zien, zou hij wel eens in verzet kunnen komen. En als Akkarin het Gilde aanviel, zou Sonea hem waarschijnlijk helpen. Ze zou kunnen sterven in de strijd! Bij nader inzien was het toch beter om hen allebei te verbannen.

Maar als het Gilde Akkarin zou verdrijven, waren ze verplicht zijn krachten te blokkeren. Rothen betwijfelde of Akkarin dat zou accepteren. Was er dan geen manier om dit op te lossen zonder dat het op een gevecht zou uitdraaien?

Vaag had Rothen opgemerkt dat Dannyl was weggegaan om met heer Sarrin te praten, en dat ook Yaldin ander gezelschap had gezocht, Rothen met zijn gedachten alleen latend.

Na een minuut of vijftien schalde Lorlens stem weer door de zaal. 'Ik verzoek u terug te gaan naar uw plaats; ik heropen hierbij de zitting.'

Dannyl kwam weer naast Rothen zitten met een zelfvoldane glimlach. 'Heb ik je al eens verteld hoe geweldig ik het vind om ambassadeur te zijn?'

Rothen knikte. 'Een keer of honderd.'

'Ze luisteren eindelijk naar wat ik zeg.'

Zodra de magiërs hun plaats weer hadden ingenomen, keerde de rust terug in de zaal. Lorlen keek naar het Hoofd der Krijgers.

'Ik roep heer Balkan op om zijn getuigenis te vervolgen.'

De Krijger rechtte zijn rug. 'Twee nachten geleden, na mijn en Vinara's bezoek aan het huis van de moorden, werd besloten dat de Opperheer ondervraagd moest worden. Ik kwam er al snel achter dat zijn villa leeg was, op zijn bediende Takan na, en ik gaf bevel tot huiszoeking.'

Hij keek naar Sonea. 'De eerste schokkende ontdekking deden we in Sonea's kamer. Daar vonden we drie boeken over zwarte magie. Uit één ervan staken witte strookjes papier met aantekeningen in haar handschrift.'

Hij zweeg even, en een afkeurend gemompel werd hoorbaar. Rothen dwong zichzelf naar Sonea te kijken. Haar ogen waren gericht op de vloer, maar haar mond had een vastberaden trek. Hij dacht aan haar excuus: '*Om mijn vijand te leren kennen.*'

'We doorzochten het huis. Geen enkele deur was op slot, op één na. Hij was geblokkeerd door krachtige magie en hij scheen naar een ondergrondse kamer te leiden. De bediende van de Opperheer beweerde met klem dat het een opslagkelder was en dat hij er ook niet mocht komen. Heer Garrel beval de bediende om de klink naar beneden te doen, want hij had het sterke vermoeden dat de man loog. Toen de bediende weigerde, pakte heer Garrel Takans hand en legde die op de klink. De deur zwaaide open en we gingen een grote ruimte binnen. Er stond een kast met nog meer boeken over zwarte magie. Sommige ervan waren zeer oud. Een aantal van deze boeken was gekopieerd door de Opperheer. Een ervan bevatte de resultaten van zijn eigen experimenten en gebruik van zwarte magie. Op de tafel...' Balkan stopte toen de woedende kreten van de tribune te luid werden.

Dannyl wendde zich tot Rothen, de ogen wijd opengesperd. '*Gebruik* van zwarte magie,' herhaalde hij. 'Je weet wat dat betekent.'

Rothen knikte. Hij had moeite met ademhalen. Het Gilde moest Akkarin terechtstellen, zo schreef de wet voor. Het zou Lorlen niet meer lukken een confrontatie uit te stellen.

En ik heb niets meer te verliezen als ik probeer Sonea van de verbanning te redden.

Vanaf zijn plaats zag Lorlen al die schuddende hoofden en verontwaardigde gebaren. Andere magiërs zaten sprakeloos na te denken over deze onthullingen.

Akkarin leek alles onbewogen in zich op te nemen.

Lorlen dacht na over hoe de zitting tot nu toe verlopen was. Zoals hij had vermoed, vonden de magiërs na het horen van het verhaal van kapitein Barran het bewijs niet meer zo overtuigend, en wisten ze ook niet meer zo zeker of Akkarin wel de moordenaar was. Sommigen vroegen zich af waarom de Opperheer zomaar de straat op zou lopen als hij net bijna dertig moorden had gepleegd. Anderen konden zich voorstellen dat Akkarin opzettelijk voor een getuige gezorgd had die naderhand in diskrediet gebracht zou worden, zodat eventuele andere getuigen ook niet meer op hun woord geloofd zouden worden. Maar daarvoor was natuurlijk geen enkel bewijs. Verscheidene magiërs hadden de nette rechte kanten van het lapje opgemerkt. Akkarin zou het heus wel hebben opgemerkt als Jolen een schaar had gepakt om een keurig hoekje uit zijn gewaad te knippen. En dan zou hij zo'n belastend bewijsstuk heus niet vergeten mee te nemen.

Lorlen wist zeker dat men Akkarin nooit van moord verdacht zou hebben als die boeken over zwarte magie niet gevonden waren. Maar nu het Gilde Akkarins geheim kende, zou het hem tot alles in staat achten. Die moordaanklacht deed er niet toe. Als het Gilde volgens de wet handelde, zou executie het gevolg zijn.

Lorlen trommelde met zijn vingers op de armleuning van zijn stoel. In Akkarins verslagen stonden onrustbarende verwijzingen naar een groep magiërs die zwarte magie gebruikte. Sarrin was bang dat die groep nog bestond. Akkarin had gezegd dat er een goede verklaring bestond voor wat hij deed.

Nu zou Lorlen eindelijk kunnen vragen wat dat dan was.

Hij stond op en vroeg om stilte door zijn hand te heffen. Opvallend snel stierf het rumoer weg. Iedereen was razend benieuwd naar de ondervraging van Akkarin.

'Beschikt nog iemand anders over bewijs dat betrekking heeft op deze zitting?'

Het was even stil. Toen klonk er een stem van rechts.

'Ik, administrateur.'

Rothens stem was kalm en helder. Alle gezichten in de zaal wendden zich tot de Alchemist. Lorlen staarde hem ontzet aan.

'Heer Rothen,' slaagde hij erin uit te brengen. 'Komt u alstublieft naar beneden.'

Rothen daalde het trapje af en ging naast Balkan staan. Hij keek naar Akkarin, en de woede was van zijn gelaat af te lezen. Toen Lorlen zijn blik volgde merkte hij dat Akkarin hem strak aankeek. Hij deed zijn hand in zijn zak en wurmde snel de ring om.

Ik heb hem echt gevraagd erover te zwijgen, zei Lorlen.

Misschien heb je het niet vriendelijk genoeg gevraagd.

Rothen knielde en zwoer de waarheid te spreken. Hij ging weer rechtop staan en keek de hoge magiërs aan. 'Sonea heeft me twee jaar geleden al verteld dat de Opperheer zwarte magie bedreef.'

De zaal vulde zich met gefluister en gemompel.

'Ze was er getuige van geweest dat hij kracht aan zijn bediende onttrok. Al begreep ze niet wat ze had gezien, ik begreep het wel. Ik...' Hij keek naar de grond. 'Ik had veel gehoord over de kracht van de Opperheer en was bang voor wat hij zou doen als het Gilde hem uit zou dagen. Ik heb lang geaarzeld om het te zeggen. Voor ik een besluit kon nemen, kwam Akkarin erachter dat we van zijn geheim wisten. Hij nam Sonea meteen onder zijn hoede als novice, en sinds die tijd is ze zijn gijzelaar, want hij wist dat ik zijn misdrijf dan nooit zou onthullen.'

Uitroepen van woede en ongeloof weerklonken, en Lorlen zuchtte van opluchting. Rothen had hem niet verraden en had niets geriskeerd door zijn eigen aandeel te verklappen. Toen begreep hij waarom Rothen het geheim had opgebiecht. Door te vertellen dat Sonea Akkarins gijzelaar was, had hij haar hoop op gratie gegeven.

Lorlen keek de zaal door. De schok en bezorgdheid was van de gezichten af te lezen. Hij zag hoe Dannyl Rothen met open mond aanstaarde. Hij zag ook dat de novicen Sonea nu met sympathie en bewondering bekeken. Ze hadden lang gedacht dat haar rol als uitverkorene haar niet toekwam. Maar ze was eigenlijk zijn gevangene geweest.

En is ze dat nog? vroeg Lorlen zich af.

Nee.

Lorlen keek van Akkarin naar Sonea. Hij herinnerde zich hoe ze elk bevel van Akkarin gehoorzaamd had in de ondergrondse kamer. Hij herinnerde zich haar uitdrukking toen ze zich bij Akkarin had gevoegd in de hal van het gebouw. Hij kreeg iets ongeduldigs over zich. Lorlen hief nogmaals zijn hand. Met tegenzin staakten de magiërs hun gesprekken.

Hij keek Rothen aan. 'Hebt u hier nog iets aan toe te voegen, heer Rothen?'

'Nee, administrateur.'

Lorlen keek de zaal in. 'Nog iemand die iets heeft aan te dragen op deze zitting?'

Toen er geen antwoord kwam, keek hij naar Akkarin die beneden hem stond. 'Akkarin van Huis Velan, zult u onze vragen naar waarheid beantwoorden?'

Akkarins mondhoek trilde even. 'Jazeker.'

'Zweer het dan.'

Akkarin wierp een blik boven Lorlen hoofd en viel op één knie neer. 'Ik zweer dat alles dat ik tijdens deze zitting zal zeggen de waarheid en niets dan de waarheid is.'

Je kon een speld horen vallen. Terwijl Akkarin opstond, richtte Lorlen zijn aandacht op Sonea.

'Sonea, zul jij onze vragen naar waarheid beantwoorden?'

Haar ogen sperden zich open. 'Dat zal ik doen.'

Ze knielde neer en sprak de eed uit. Toen ze weer was gaan staan, zette Lorlen de vragen die hij wilde stellen even op een rijtje. *Eerst maar de beschuldigingen*, besloot hij.

'Akkarin,' zei hij terwijl hij zijn oude vriend aankeek. 'Heb je heer Jolen vermoord?'

'Nee.'

'Heb je zwarte magie bestudeerd en uitgevoerd?'

'Ja.'

Gemompel steeg op, maar dat duurde maar kort.

'Hoe lang heb je al zwarte magie bestudeerd en bedreven?'

Een minieme frons trok over Akkarins gezicht. 'De eerste keer... moet zo'n acht jaar geleden zijn geweest, voor ik naar het Gilde terugkeerde.'

Het leek of iedereen de adem inhield na die onthulling, maar al snel begon iedereen te speculeren.

'Heb je het jezelf geleerd, of heb je je kennis van een ander?'

'Ik heb het van een andere magiër geleerd.'

'Wie was deze magiër?'

'Zijn naam heb ik nooit gehoord. Ik weet alleen dat hij een Sachakaan was.'

'Dus hij was niet van het Gilde.'

'Nee.'

Sachakaan? Lorlen slikte en een akelig voorgevoel vatte post in zijn maag.

'Wil je ons alsjeblieft vertellen hoe het kwam dat je zwarte magie leerde van een Sachakaanse magiër?'

Akkarin glimlachte. 'Ik dacht dat je het nooit zou vragen.'

17

De verschrikkelijke waarheid

Sonea deed haar ogen dicht toen Akkarin zijn verhaal begon. Hij deed in het kort verslag van zijn zoektocht naar oude magische kennis, en hoe wat hij opgediept had hem naar Sachaka had geleid. Er klonk enige zelfspot door in zijn stem, alsof hij nu inzag hoe dwaas hij als jongeman was geweest.

Toen beschreef hij zijn ontmoeting met de Ichani's en met Dakova. Alhoewel ze hem dit stuk al eerder had horen vertellen, werd ze destijds zo in beslag genomen door wat hij schetste, dat ze dat spoortje ontzetting en afschuw in zijn stem gemist had. Met verbitterde stem vervolgde hij over de jaren waarin hij als slaaf gediend had en over de wrede praktijken van de Ichani's.

Ze besefte dat hij waarschijnlijk nooit iemand over die tijd uit zijn leven verteld had, tot die dag bij de bron dat hij haar zijn relaas had gedaan. Jarenlang had hij dat alles voor zichzelf gehouden, en niet alleen omdat eruit zou blijken dat hij zwarte magie kende en gebruikte. Wat hem overkomen was kwelde hem nog steeds, en was te vernederend.

Ze opende haar ogen en ze verwachtte haast die pijn ook in zijn ogen te zien, maar hoewel hij een ernstige blik had, was er geen emotie op zijn gezicht te lezen.

Voor de magiërs in de zaal leek hij kalm en beheerst. Zij voelden de spanning in zijn stem blijkbaar niet. Die zou zij een paar maanden geleden evenmin hebben opgemerkt. Op de een of andere manier was ze zo gewend geraakt aan zijn manier van doen, dat ze nu iets van zijn onderliggende gevoelens opmerkte.

Berouw sprak uit zijn stem toen hij vertelde van de Ichani die hem aangeboden had zwarte magie te leren in ruil voor de moord op zijn meester. Hij legde uit dat hij niet had verwacht het er levend vanaf te brengen, want al zou het hem lukken Dakova te doden, de broer van Dakova, Kariko, zou ogenblikkelijk de achtervolging inzetten. Hij had het over hoe hij de andere slaven vermoordde, en vervolgens hoe hij met zoveel kracht in zich Dakova

195

afmaakte. Hij beschreef zijn tocht naar huis in een paar korte zinnen. De bitterheid in zijn stem verdween toen hij sprak over zijn opluchting het Gilde weer te zien, en hoezeer hij ernaar verlangde die hele episode over Sachaka en zwarte magie te vergeten. Hij had de functie van Opperheer aangenomen zodat hij het te druk zou hebben om ergens anders aan te denken, maar ook om de Ichani's beter in het oog te kunnen houden.

Hij zweeg even en zei toen: 'Twee jaar na mijn verkiezing hoorde ik geruchten over vreemde, rituele moorden in de stad. De Garde zei dat de slachtoffers een speciaal teken hadden om aan te geven dat ze door de Dieven waren gestraft. Niets was minder waar.

Ik volgde deze zaken nauwlettend, en vermomde me zodat ik ongemerkt in de sloppen kon rondlopen, waar de moorden waren gepleegd. Ik luisterde en stelde vragen. En toen ik de moordenaar uiteindelijk vond, bleken mijn vermoedens over zijn identiteit juist: een zwarte magiër uit Sachaka.

Gelukkig was hij zwak en versloeg ik hem met gemak. Ik las zijn gedachten en ontdekte dat hij een slaaf was, bevrijd en opgeleid in zwarte magie in ruil voor het uitvoeren van een gevaarlijke missie. Kariko had hem gestuurd om de kracht van het Gilde in te schatten en als het even kon mij te vermoorden.

Dakova had Kariko veel verteld over wat hij van me wist, waaronder dat het Gilde zwarte magie verboden had en veel minder krachtig was dan voorheen. Maar Kariko durfde het Gilde niet in zijn eentje aan te vallen. Hij moest dus anderen overtuigen met hem mee te doen. Als hij kon bewijzen dat het Gilde zo zwak was als zijn broer had beweerd, zou hij probleemloos bondgenoten onder de Ichani's vinden.'

Akkarin keek op. Sonea volgde zijn blik, die op de koning was gericht. De vorst keek zeer aandachtig naar Akkarin. Sonea voelde een sprankje hoop. Al geloofde de koning niet het hele verhaal, hij zou toch wel zo verstandig zijn het na te laten trekken. Misschien liet hij Akkarin in leven totdat...

Plotseling richtte de koning zijn ogen op haar. Zij staarde terug in die groene ogen die haar strak aankeken. Ze slikte en deed haar best om haar ogen niet neer te slaan. *Het is waar*, dacht ze, in de hoop dat die gedachte hem op de een of andere manier bereikte. *Geloof hem.*

'Wat heb je gedaan met de slaaf die je in de stad hebt gevonden?' vroeg Lorlen.

Sonea keek naar de administrateur voor ze haar blik weer op Akkarin vestigde.

'Ik kon hem moeilijk vrijlaten zodat hij door kon gaan met het vermoorden van de inwoners van Imardin,' zei Akkarin. 'Naar het Gilde brengen was ook geen optie. Hij zou alles wat hij zag meteen aan Kariko doorbrieven, ook onze zwakke punten. Ik had geen keus. Ik moest hem doden.'

Lorlens wenkbrauwen schoten omhoog. Voor hij nog meer vragen kon stellen, vervolgde Akkarin zijn relaas, op waarschuwende toon.

196

'De afgelopen vijf jaar heb ik negen van deze spionnen gevonden en gedood. Via hen heb ik Kariko's pogingen om de Ichani's te verenigen tweemaal zien mislukken. Maar ik vrees dat hij deze keer succes zal hebben.' Akkarin kneep zijn ogen tot spleetjes. 'De laatste spion die hij stuurde was een vrouw, maar ze was geen slavin. Ze was een Ichani, die ongetwijfeld heer Jolens gedachten gelezen had en zo alles te weten gekomen was wat ik zo vurig voor de Sachakanen verborgen wilde houden. Als zij Jolens dood natuurlijk had willen laten lijken, en de familie en bedienden had gespaard, zou geen van ons meteen op onderzoek zijn uitgegaan, en ik zou niet geweten hebben dat de Ichani's nu de waarheid over het Gilde kenden. In plaats daarvan deed ze het voorkomen dat ik hem had gedood, waardoor ik gedwongen zou zijn u allen over de Ichani's en hun plannen te vertellen.' Hij schudde het hoofd. 'Ik hoop nu alleen maar dat u daar uw voordeel mee doet.'

'Dus je denkt dat deze Ichanivrouw heer Jolen vermoord heeft?'

'Ja.'

'En deze spionnen zijn de verklaring waarom je het bedrijven van zwarte magie weer hebt opgepakt?'

'Ja.'

'Waarom heb je ons in hemelsnaam dan vijf jaar geleden niet ingelicht?'

'De dreiging was toen nog niet zo groot. Ik hoopte dat ik, door de spionnen uit te roeien, de andere Ichani's uiteindelijk zou kunnen laten geloven dat het Gilde niet zo zwak was als Kariko beweerde. Of dat Kariko uiteindelijk zijn pogingen om hun steun te winnen op zou geven. Of dat een van de Ichani's hem zou vermoorden; hij stond tenslotte niet meer onder bescherming van zijn broer.'

'Toch had je dat ons moeten laten beslissen.'

'Het risico was te groot,' antwoordde Akkarin. 'Als ik publiekelijk zou worden aangeklaagd voor het gebruik van zwarte magie, zouden de Ichani's hiervan horen en weten dat Kariko gelijk had. Als ik jullie daarentegen had weten te overtuigen, zouden jullie tot de conclusie zijn gekomen dat het leren van zwarte magie ook voor jullie de enige mogelijkheid was om Kyralia te beschermen. Dat wilde ik niet op mijn geweten hebben.'

De hoge magiërs wierpen elkaar snelle blikken toe. Lorlen keek bedachtzaam.

'Je hebt zwarte magie gebruikt om jezelf meer kracht te geven, zodat je in staat was deze spionnen en de Ichanivrouw te overwinnen,' zei hij langzaam.

'Ja,' knikte Akkarin. 'Maar het was kracht die met instemming geschonken was door mijn bediende, en sinds kort door Sonea.'

Sonea hoorde dat velen de adem inhielden.

'Je hebt zwarte magie op Sonea uitgevoerd?' vroeg vrouwe Vinara schor.

'Nee.' Akkarin glimlachte. 'Dat was helemaal niet nodig. Ze is magiër en kan haar kracht aan iedereen geven via de gebruikelijke manier.'

Lorlen fronste zijn wenkbrauwen en keek Sonea aan. 'Hoeveel wist ze hiervan voor ze dit allemaal hoorde?'

'Alles,' zei Akkarin. 'Ze had, zoals heer Rothen verteld heeft, bij toeval meer ontdekt dan ze had mogen weten, en ik moest maatregelen treffen om haar en haar mentor hierover te laten zwijgen. Ik heb onlangs besloten haar de waarheid te vertellen.'

'Waarom?'

'Het drong tot me door dat er behalve ikzelf nog iemand over de dreiging van de Ichani's moest weten.'

Lorlen kneep zijn ogen nadenkend samen. 'En dus koos je een novice? Geen magiër, of een van de hoge magiërs?'

'Ja. Ze is oersterk, en haar kennis van de sloppen kwam me uitstekend van pas.'

'Hoe heb je haar over kunnen halen?'

'Ik heb haar meegenomen om haar een van de spionnen te laten zien. Ik leerde haar zijn gedachten te lezen. Ze zag blijkbaar meer dan genoeg om in te zien dat wat ik haar over mijn ervaringen in Sachaka verteld had de waarheid was.'

Het gemompel nam in hevigheid toe toen de implicatie van wat hij vertelde doordrong. De blikken van de hoge magiërs richtten zich op Sonea. Ze voelde dat ze een kleur kreeg en wendde haar gezicht af.

'Je hebt mij ooit verteld dat je niemand anders die vaardigheid kon leren,' zei Lorlen. 'Je hebt dus gelogen.'

'Nee, dat was geen leugen,' zei Akkarin glimlachend. 'Ik kon dat in die tijd niemand leren, omdat jullie dan zouden inzien dat ik het ook geleerd had, en jullie zouden me vervolgens vragen waar en hoe ik dat geleerd had.'

Lorlen fronste zijn voorhoofd. 'Wat heb je Sonea nog meer geleerd?'

Bij die vraag verstijfde Sonea onmiddellijk.

Akkarin aarzelde. 'Ik heb haar een aantal boeken laten lezen, zodat ze onze vijand beter leerde kennen.'

'Die boeken uit de kist? Waar heb je die eigenlijk vandaan?'

'Ik heb ze in de gangen onder de universiteit gevonden. Ze zijn daar door het Gilde verstopt nadat zwarte magie verboden was, voor het geval de kennis die ze bevatten eens weer nodig zou zijn. Ik neem aan dat jullie er genoeg in gebladerd hebben om dit te geloven.'

Lorlen keek even naar heer Sarrin.

De oude Alchemist knikte. 'Het is waar, volgens de verslagen die ik in de kist heb gevonden. Ik heb ze nauwkeurig gelezen en ze lijken mij geen vervalsing. Er wordt in verteld hoe normaal het gebruik van zwarte magie was voor het door het Gilde in de ban werd gedaan. Magiërs hadden leerlingen, die hun kracht schonken in ruil voor kennis. Een van die leerlingen doodde zijn meester en vermoordde duizenden anderen om heerser van het land te worden. Na zijn dood besloot het Gilde dat het uit moest zijn met zwarte magie.'

Het gemompel in de zaal ging over in geroep.

'Waar zijn de bewijzen voor dit verhaal?'

'Waarom hebben we nooit eerder van die Ichani's gehoord?'

Lorlen hief met boos gelaat beide armen en de zaal bedaarde. 'Hebben de hoge magiërs nog vragen voor Akkarin?'

'Jazeker,' bulderde Balkan. 'Hoeveel van die vogelvrije magiërs zijn er eigenlijk?'

'Tussen de tien en de twintig,' antwoordde Akkarin. Er klonk gelach in de zaal. 'Elke dag onttrekken ze kracht aan hun slaven, die stuk voor stuk net zoveel magische kracht bezitten als ieder van ons hier. Stel je een Ichani-magiër voor met tien slaven. Als hij om de andere dag de kracht van de helft van zijn slaven zou opnemen, zou hij binnen enkele weken honderden keren sterker zijn dan welke Gildemagiër dan ook.'

Het werd plotseling muisstil in de zaal.

'Maar die kracht wordt natuurlijk minder als die verbruikt wordt,' zei Balkan. 'Na een gevecht is zo'n magiër een stuk zwakker.'

'Klopt,' zei Akkarin.

Balkan dacht na. 'Een slimme aanvaller zou eerst die slaven doden.'

'Hoe komt het dat we nooit eerder van die Ichani's hebben gehoord?' De stem van administrateur Kito echode door de zaal. 'Elk jaar gaan er honderden kooplieden naar Sachaka. Ze schijnen wel eens magiërs in Arvice ontmoet te hebben, maar geen zwarte magiërs.'

'De Ichani's zijn vogelvrijen. Ze leven in de woeste verlaten gebieden en in Arvice worden ze doodgezwegen,' antwoordde Akkarin. 'Het hof van Arvice is een politiek mijnenveld. De magiërs van Sachaka laten anderen niet weten hoeveel kracht ze hebben. Dus tegen kooplui en ambassadeurs uit het buitenland zullen ze nooit het achterste van hun tong laten zien.'

'Waarom willen die Ichani's eigenlijk zo graag Kyralia aanvallen?' vroeg Balkan.

Akkarin haalde zijn schouders op. 'Om allerlei redenen. De voornaamste zou kunnen zijn dat ze het woeste land willen verlaten en weer status en macht in Arvice willen krijgen. Anderen zijn geobsedeerd door wraak voor de Sachakaanse oorlog.'

Balkan trok een bedachtzaam gezicht. 'Een expeditie naar Arvice zou dit kunnen bevestigen.'

'Iedereen die ook maar in de verte lijkt op een Gildemagiër zal onmiddellijk door de Ichani's gedood worden,' waarschuwde Akkarin. 'En trouwens, ik denk dat maar heel weinig mensen in Arvice op de hoogte zijn van Kariko's plannen.'

'Hoe moeten we dan achter de waarheid komen?' sprak Vinara. 'Ben je bereid tot een waarheidslezing?'

'Nee.'

'Nou, dan zie ik niet in waarom we je verhaal zouden moeten geloven.'

'Degene die de lezing uitvoert komt op die manier ook achter het geheim van zwarte magie,' verklaarde Akkarin. 'Ik wil dat niemand aandoen.'

Vinara kneep haar ogen samen. Ze keek naar Sonea. 'Misschien Sonea dan?'

'Nee.'

'Maar ze weet toch al alles van zwarte magie?'

'Welnee,' antwoordde hij. 'Ik heb alleen wat informatie met haar gedeeld die niet verder bekend mag worden, tenzij de nood aan de man komt.'

Sonea's hart begon te bonzen. Ze keek naar de vloer. Hij had over haar gelogen.

'Is dat verhaal van Rothen waar?' vroeg Vinara.

'Ja, dat klopt.'

'Dus je geeft toe dat je Sonea alleen hebt uitverkoren om haar en Rothen zo te dwingen te zwijgen?'

'Nee, ik heb haar ook gekozen vanwege haar grote potentieel. Een enorme bron van kracht die schandelijk verwaarloosd is. Ze is eerlijk, werkt erg hard en is uitzonderlijk begaafd.'

Sonea keek verrast naar hem op. Ze kreeg de neiging om triomfantelijk te grijnzen, maar bedwong het net op tijd.

En toen versteende ze weer toen ze inzag wat hij aan het doen was.

Hij probeerde hen ervan te overtuigen dat ze haar in het Gilde moesten houden omdat ze haar wel eens heel hard nodig zouden kunnen hebben als de tijd daar was. En al geloofden ze hem niet, dan nog zouden ze haar uit medelijden laten blijven. Ze was zijn gijzelaar geweest. Ze was overgehaald hem te helpen. Het Gilde zou haar misschien wel gratie verlenen. Ze had welbeschouwd alleen maar een stel oude boeken gelezen, en dan nog alleen omdat Akkarin haar daartoe had aangezet.

Ze slikte. Akkarin kwam hierdoor wel in een kwaad daglicht te staan. En hij moedigde hen aan dat ook zo te zien. Sinds de dag dat ze de waarheid over de Ichani's had gehoord, had ze de hoop gekoesterd dat het Gilde hem zou vergeven. Maar ze vroeg zich nu af of Akkarin niet wat realistischer was geweest dan zij.

Als hij niet hoopte op vergeving, wat was dan zijn bedoeling? Hij was toch niet van plan zich door hen te laten executeren?

Nee, als het zover zou komen, zou hij zich een weg naar buiten vechten en vluchten. Zou hij het halen?

Ze berekende weer hoeveel kracht het gevecht met die Ichanivrouw hem gekost moest hebben. En het zweet brak haar uit toen ze inzag dat hij misschien op dit moment te zwak was om het Gilde de baas te kunnen en te ontvluchten.

Tenzij ze hem al haar kracht kon geven, ook die ze had onttrokken aan de Ichanivrouw. Ze hoefde hem alleen maar aan te raken en hem de kracht te sturen. De Krijgers om haar heen zouden haar echter dwingen daarmee op te houden. Ze zou tegen hen moeten vechten.

Als ze dat deed zouden ze echter merken dat ze meer kracht bezat dan ze ooit voor mogelijk hadden gehouden.

En dan zouden ze wel drie keer nadenken voor ze haar gratie verleenden.

Dus kon ze Akkarin alleen redden door haar eigen gebruik van zwarte magie toe te geven.

'Sonea.'

Ze keek op en zag dat Lorlen haar streng aankeek.

'Ja, administrateur?'

'Heeft Akkarin jou geleerd een waarheidslezing te doen bij iemand die daarvoor geen toestemming gaf?'

'Ja.'

'En je weet zeker dat wat je in de geest van die spion gezien hebt de waarheid was?'

'Ik weet het zeker.'

'Waar was je op de avond dat heer Jolen stierf?'

'Ik was bij de Opperheer in de ondergrondse kamer.'

Lorlen fronste zijn voorhoofd. 'Wat deed je daar?'

Sonea aarzelde. Nu was het tijd om het doek op te trekken. Maar Akkarin zou een reden kunnen hebben om dat niet toe te staan.

Hij wil dat er iemand in het Gilde is die de waarheid kent.

Maar wat kan ik in hemelsnaam doen als hij dood is? We kunnen veel beter samen ontsnappen. Als het Gilde onze hulp nodig heeft, kunnen ze ons oproepen via Lorlens bloedring.

'Sonea?'

Als ik één ding weet, is het wel dat ik hen ervan moet weerhouden Akkarin terecht te stellen.

Ze haalde diep adem en keek Lorlen recht in de ogen. 'Hij leerde me zwarte magie.'

Uitroepen en gesis weergalmden door de zaal. Uit haar ooghoeken zag ze hoe Akkarin haar verbijsterd aanstaarde, maar ze bleef Lorlen aankijken. Haar hart bonsde, en ze voelde zich misselijk worden, maar ze dwong zichzelf door te gaan. 'Ik heb hem zelf gevraagd mij te onderwijzen. Eerst weigerde hij. Maar toen hij door de Ichanispion gewond was geraakt –'

'Je vroeg hem zélf om jou zwarte magie te leren?' riep Vinara uit.

Sonea knikte. 'Ja, vrouwe. Toen de Opperheer gewond was, drong het tot me door dat er niemand was die tegen de vijand kon blijven vechten als hij zou sterven.'

Lorlen keek Akkarin aan. 'En die zal er nu inderdaad niet meer zijn.'

Ze kreeg kippenvel toen ze dat hoorde. Lorlen had uiteraard begrepen wat Akkarin had willen doen. De wetenschap dat haar vermoedens juist waren geweest gaf haar een bitter soort vreugde. Ze keek naar Akkarin en schrok van de woede die van zijn gezicht af straalde. Ze keek snel de andere kant op. *Ik had beloofd te doen wat hij zei.* Ze voelde de twijfel toenemen. *Heb ik iets verkeerds gedaan? Heb ik zojuist een plannetje dat ik niet doorhad in duigen laten vallen?*

Maar Akkarin zal toch wel begrijpen dat ik doorhad dat hij zichzelf opofferde zodat ik in het Gilde kon blijven? Hij moet toch geweten hebben dat ik hem nooit in de steek zou laten?

'Sonea.'

Met bonzend hart dwong ze zichzelf Lorlen aan te kijken.

'Heeft Akkarin heer Jolen vermoord?'

'Nee.'

'Heeft hij de getuige vermoord?'

Ze aarzelde. 'Dat weet ik niet. Ik heb die getuige niet gezien, dus kan ik dat niet zeggen. Ik kan wel zeggen dat ik hem nooit een vrouw heb zien doden.'

Lorlen knikte en keek naar de hoge magiërs. 'Nog vragen?'

'Ja,' zei Balkan. 'Toen we naar de villa gingen, was jij noch Akkarin thuis. Jullie kwamen samen aan toen wij al een tijdje stonden te wachten. Waar waren jullie geweest?'

'We zijn naar de stad geweest.'

'Waarom?'

'Om met een andere spion af te rekenen.'

'Heeft Akkarin deze spion gedood?'

'Nee.'

Balkan fronste zijn voorhoofd maar zei niets meer. Lorlen keek naar de hoge magiërs, en liet toen zijn ogen over het publiek in de Gildehal glijden. 'Zijn er verder nog vragen?'

Doodse stilte. Sonea haalde opgelucht adem.

'We zullen nu de zitting schorsen om te bespreken –'

'Wacht!'

Lorlen wendde zich weer naar de voorzijde. 'Ja, heer Balkan?'

'Nog één vraagje. Voor Sonea.'

Ze richtte met moeite haar ogen op Balkan.

'Heb jij die Ichanivrouw soms gedood?'

Ze kreeg het ijskoud. Ze keek naar Akkarin, maar die staarde hardnekkig naar de vloer, met een strakke uitdrukking op zijn gezicht.

Wat maakt het nog uit? dacht ze. *Alleen dat ik hiermee aantoon dat ik geloof dat hij de waarheid gesproken heeft.*

Ze rechtte haar rug en keek heer Balkan in de ogen. 'Ja.'

De zaal echode van uitroepen. Balkan zuchtte en wreef zijn slapen. 'Ik zei toch dat jullie hen niet naast elkaar moesten laten staan,' mompelde hij.

18

Het vonnis van het Gilde

Zodra Lorlen weer een schorsing had aangekondigd, haastte Dannyl zich naar Rothen. Hij had gezien hoe zijn vriend reageerde op Sonea's bevestigende antwoord: alsof hij een slag in zijn gezicht had gekregen. Nu staarde Rothen zonder iets te zien naar de vloer voor hem. Dannyl legde een hand op zijn schouder.

'Jullie tweeën zullen me altijd blijven verbazen,' zei hij vriendelijk. 'Waarom heb je me nooit de echte reden verteld waarom Sonea jou als mentor verloor?'

Rothen schudde zijn hoofd. 'Dat kon ik niet. Hij had misschien wel... nou ja, ik denk dat hij het al gedaan heeft.' Hij keek naar Sonea en zuchtte. 'Het is allemaal mijn schuld. Ik heb haar tenslotte overgehaald tot het Gilde toe te treden.'

'Nee, dat slaat nergens op. Hoe had je kunnen weten dat dit zou gebeuren?'

'Kijk, ik heb met haar gepraat over waar ze in geloofde voor ze hier kwam. Ik heb haar geleerd om verder te kijken, zodat ze haar plaats te midden van ons zou accepteren. Ze heeft waarschijnlijk hetzelfde gedaan voor...'

'Wat maakt het allemaal uit? Ze had waarschijnlijk goede redenen waarom ze het deed.'

Rothen keek op, totaal ontmoedigd. 'Nee, het maakt inderdaad niet uit. Maar ze heeft zojuist wel haar doodvonnis getekend.'

Dannyl liet zijn ogen over de gezichten van de hoge magiërs en de koning glijden. Ze zagen er onthutst en ongerust uit. Toen richtte hij zijn blik op Sonea en Akkarin. Sonea stond nog altijd rechtop, met een vastberaden uitdrukking op haar gezicht, hoewel hij niet wist in hoeverre die geforceerd was. De Opperheer keek... heel beheerst. Maar er trilde een spiertje in zijn kaak, wat ingehouden woede verraadde.

Het was niet zijn bedoeling geweest dat Sonea zoveel zou onthullen, besefte Dannyl.

Maar desondanks stonden hij en Sonea nu dichter bij elkaar. Nog twee stapjes en ze zouden elkaar kunnen aanraken.

Dannyl knikte. 'Ik weet het zo net nog niet, Rothen.'

Zodra de hoge magiërs weer naar hun zetels waren teruggekeerd, spraken ze uit wat de leden van hun discipline hadden opgemerkt. Lorlen luisterde aandachtig.

'Velen vinden het hele verhaal moeilijk te geloven,' zei Vinara. 'Maar anderen hebben erop gewezen dat als hij zijn daden met een verzonnen verhaal had willen rechtvaardigen hij ongetwijfeld met iets beters op de proppen was gekomen.'

'Ook de Krijgers vinden het behoorlijk verwarrend,' voegde Balkan eraan toe. 'Ze zeggen dat we de mogelijkheid dat hij de waarheid spreekt echter niet mogen uitsluiten: misschien staan we echt aan de vooravond van een nieuwe inval vanuit Sachaka. Daarom moeten we het nader onderzoeken.'

Sarrin knikte. 'Daar zijn de Alchemisten het mee eens. Men vroeg me of er informatie in de boeken staat waarmee we onszelf kunnen verdedigen als er een inval plaatsvindt. Ik vrees dat ik die niet ben tegengekomen. Als Akkarin de waarheid vertelt, zullen we hem nodig hebben.'

'Ik zou Akkarin ook nog verder aan de tand willen voelen,' zei Balkan. 'Normaliter zou ik willen dat hij vastgehouden wordt tot zijn bewering bewezen is.'

'Maar welke gevangenis is sterk genoeg voor hem?' vroeg Vinara.

'Tja.' Balkan klemde zijn lippen opeen. Hij keek Lorlen aan. 'Denk je dat hij meewerkt?'

Lorlen haalde zijn schouders op. 'Tot nu toe heeft hij dat gedaan.'

'Dat zegt nog niks,' zei Vinara. 'Misschien hebben we de hele tijd precies gedaan wat hij in zijn hoofd had. Hij zou wel eens tegen kunnen stribbelen als we een andere weg bewandelen.'

Sarrin fronste het voorhoofd. 'Als hij ons met zijn kracht had kunnen sturen, had hij dat allang gedaan.'

'Dat wil hij blijkbaar niet,' zei Balkan. 'Al kan zijn verhaal over die Sachakaanse magiërs bedoeld zijn om ons zand in de ogen te strooien.'

'Waarom zou hij dat willen?' vroeg Vinara.

'Ja, dat weet ik ook niet,' zei Balkan en hij haalde zijn schouders op.

'Maar hem laten gaan is geen optie,' zei Vinara beslist. 'Akkarin heeft uit vrije wil toegegeven dat hij zwarte magie heeft bedreven. Of hij nu al dan niet de moorden heeft gepleegd, we mogen niet toestaan dat iemand van zijn niveau een van de belangrijkste wetten overtreedt. Akkarin moet gestraft worden.'

'De enig juiste straf hiervoor is de doodstraf,' bracht Sarrin haar in herinnering. 'Zou jij vrolijk blijven meewerken als je wist dat dit je boven het hoofd hing?'

'Hij werkt vast en zeker ook niet mee aan het inperken van zijn krachten.' Vinara zuchtte. 'Hoe sterk is hij, Balkan?'

De Krijger dacht erover na. 'Dat hangt ervan af. Is het wel waar wat hij ons heeft verteld? Hij zei dat een zwarte magiër met tien slaven in een paar weken zo sterk kon worden als honderden Gildemagiërs. Hij is nu acht jaar terug in Kyralia, al zegt hij dat hij pas vijf jaar geleden weer met zwarte magie begonnen is. In vijf jaar tijd kan je jezelf behoorlijk sterk maken, al was het maar met één bediende, tot kort geleden.'

'Hij heeft met negen slaven gevochten in die periode,' zei Sarrin. 'Dus dat zou hem weer verzwakt moeten hebben.'

Balkan knikte. 'Misschien is hij niet zo sterk als we vrezen. Maar als hij gelogen heeft kan de zaak anders liggen. Dan heeft hij al veel langer krachten verzameld. Dan heeft hij misschien wel mensen gedood om hun kracht. Denk eens aan heer Jolen en zijn gezin.' Balkan zuchtte. 'Al was ik zeker van zijn kracht en overtuigd van zijn eerlijkheid, dan blijft er nog één factor die het onmogelijk maakt te voorspellen wat er gebeurt als we onze kracht tegen hem zouden gebruiken.'

'Wat bedoel je?' vroeg Vinara.

Balkan gebaarde met zijn hoofd naar links. 'Kijk eens naar Sonea. Voel je het niet?'

Ze richtten hun aandacht op de novice.

'Kracht,' zei Sarrin.

'Precies,' zei Balkan. 'En behoorlijk veel ook. Ze heeft nog niet geleerd haar kracht te verhullen zoals hij.' Hij zweeg even. 'Ze zei dat hij haar twee nachten geleden lesgaf in zwarte magie. Ik heb geen idee hoe lang zo'n training duurt, maar hij heeft beweerd dat je de essentie in één les kunt leren. Bij die oefening in de Arena van vorige week bemerkte ik nog niet zo'n enorme aura van kracht bij haar. Ik weet zeker dat ik het gevoeld zou hebben. Ik heb dus het vermoeden dat die vrouw, die zij zegt te hebben gedood, de bron is van die plotselinge toename. Sonea zou niet zo krachtig zijn geworden als ze een gewone burger gedood had.'

Weer bekeken ze Sonea peinzend.

'Waarom probeerde Akkarin te verhullen dat Sonea erbij betrokken was?' vroeg Sarrin zich hardop af.

'En waarom besloot zij het ons te vertellen?' voegde Vinara eraan toe.

'Misschien wilde hij dat er ten minste één iemand in leven bleef om de Sachakanen te bestrijden,' opperde Sarrin.

'Misschien wilde hij haar alleen beschermen,' zei Vinara.

'Heer Balkan?' vroeg iemand van bovenaf.

'Ja, Sire?' antwoordde de Krijger verbaasd.

Iedereen keek de koning aan. Hij leunde over de leeg gebleven stoel van de Opperheer, met priemende groene ogen. 'Denken jullie dat het Gilde in staat is Akkarin uit de Geallieerde Landen te verdrijven?'

Balkan aarzelde. 'Ik durf het niet te zeggen, majesteit. Als het ons al zou lukken, dan zouden we er alle magiërs bij moeten betrekken. En als deze Sachakaanse magiërs werkelijk bestaan, dan zullen ze dat als de perfecte kans zien om een inval te doen.'

De jonge koning dacht daarover na. 'Administrateur Lorlen,' vroeg hij toen, 'denk je dat hij meewerkt als hem bevolen wordt de Geallieerde Landen te verlaten?'

Lorlen zette grote ogen op. 'U bedoelt... verbanning?'

'Ja.'

De hoge magiërs keken elkaar peinzend aan.

'Het dichtstbijzijnde niet-geallieerde land is Sachaka,' merkte Balkan op. 'Als zijn verhaal waar is...'

Lorlen fronste zijn wenkbrauwen, en stopte zijn handen in zijn zakken. Hij raakte de ring met zijn vingers aan.

Akkarin?

Ja?

Ga je akkoord met verbanning?

In plaats van me hieruit te vechten? Lorlen voelde dat Akkarin glimlachte. *Ik hoopte op een beter aanbod.*

Stilte.

Akkarin? Je weet waar ze je anders heen sturen.

Ja.

Zal ik ze overhalen je ergens anders heen te brengen?

Nee, dan brengen ze me te ver van Kyralia. Het Gilde heeft de magiërs die me zouden escorteren trouwens veel te hard nodig bij een inval van de Ichani's.

Weer viel er een stilte. Lorlen keek tersluiks naar de anderen. Ze keken hem vol verwachting aan.

Akkarin? De koning wacht op een antwoord.

Goed dan. Maar probeer in hemelsnaam Sonea hier te houden.

Ik doe mijn best.

'Ik denk dat we hem kunnen vragen rustig te vertrekken,' zei Lorlen. 'Als we de confrontatie willen vermijden, is gevangenschap het enige andere alternatief.'

De koning knikte. 'Iemand opsluiten die je niet de baas kunt, lijkt me geen optie. Maar hij moet wel gestraft worden, zoals vrouwe Vinara aanstipte. En er zal toch een onderzoek ingesteld moeten worden naar die dreiging vanuit Sachaka. Als die inderdaad aanwezig is, moeten we hem kunnen opsporen en om raad vragen.'

Balkan fronste zijn voorhoofd. 'Ik zit nog steeds met een aantal vragen voor Akkarin.'

'Stel die dan maar op weg naar de grens.' De koning keek kil op hem neer. De anderen wisselden verontruste blikken, maar er kwam geen protest over hun lippen.

'Mag ik nog iets zeggen, Sire?'

Iedereen richtte de ogen op Rothen, die beneden aan de trap stond.

'Toegestaan,' zei de koning.

'Dank u.' Rothen neigde zijn hoofd en keek toen de hoge magiërs een voor een aan.

'Ik verzoek u rekening te houden met Sonea's jeugd en beïnvloedbaarheid, wanneer u haar veroordeelt. Ze is een tijd een soort gevangene geweest. Ik weet niet hoe hij haar heeft overgehaald zijn bondgenote te worden. Ze draagt het hart op de juiste plaats, maar toen ik haar overhaalde zich bij het Gilde aan te sluiten, moedigde ik haar ook aan om haar wantrouwen jegens de magiërs terzijde te schuiven. Misschien is ze daardoor wel een makkelijke prooi voor Akkarin geworden.' Hij glimlachte zwakjes. 'Ik denk dat ze, als ze door krijgt dat ze bedrogen is, zichzelf erger zal straffen dan wij ons kunnen indenken.'

Lorlen keek naar de koning. Die knikte.

'Ik zal uw woorden in gedachten houden, heer...?'

'Rothen.'

'Dank u, heer Rothen.'

Rothen knielde, stond op en ging terug naar zijn zitplaats.

De heerser zag hem gaan, en trommelde ongeduldig met zijn vingers op de stoelleuning van de lege stoel voor hem. 'Hoe denken jullie dat die novice van de Opperheer zal reageren op de verbanning van haar mentor?'

Sonea werd door een doodse stilte omhuld. De Krijgers die haar en Akkarin omringden hadden zo'n dichte haag om hen gevormd dat alle geluiden uit de hal geweerd werden. Ze had de hoge magiërs met elkaar zien discussiëren, maar niets gehoord van wat ze zeiden. Na een lange schorsing keerden ze eindelijk terug naar hun zetels.

Akkarin schoof dichter naar haar toe, maar bleef recht voor zich uit kijken. 'Dat was wel het slechtste moment dat je kon kiezen om ongehoorzaam te zijn.'

Zijn stem klonk zo kwaad dat ze ineenkromp. 'Had u nu heus gedacht dat ik zomaar zou toekijken hoe ze u de doodstraf zouden geven?' zei ze.

Er viel een lange stilte voor hij antwoordde: 'Ik wil graag dat je hier blijft om de strijd voort te zetten.'

'Hoe kan ik dat nu doen als het Gilde me voortdurend op de vingers kijkt?'

'Een kleine kans is beter dan geen. Ze zullen je uiteindelijk toch de ruimte moeten geven.'

'Als ze mij wilden houden, zouden ze u nooit in leven laten,' sprak ze fel. 'Ik laat me niet gebruiken als excuus om u ter dood te brengen.'

Hij draaide zich naar haar toe, maar stopte toen er plotseling weer geroezemoes te horen was. Lorlen was terug en sloeg op zijn gong.

'Het is tijd om te bepalen of Akkarin van de familie Delvon, van Huis Velan, Opperheer van het Magiërsgilde, en Sonea, zijn novice, schuldig of onschuldig zijn aan de misdrijven waarvan zij verdacht worden.'

Hij stak een hand op. Er verscheen een lichtbol boven hen, die naar het plafond zweefde. De andere hoge magiërs volgden zijn voorbeeld en stuurden samen met de andere magiërs nog honderden lichtbollen naar boven, zodat de hal in een zee van licht baadde.

'Bent u stellig van mening,' sprak Lorlen, 'dat Akkarin van de familie Delvon, van Huis Velan, schuldig is aan de moord op heer Jolen, zijn gezin en zijn bedienden?'

Enkele van de lichtbollen kleurden rood, maar het overgrote deel bleef wit. De hoge magiërs keken lange tijd naar boven, en Sonea begreep dat ze de bollen telden. Toen ze heer Lorlen aankeken schudden ze als één man hun hoofd.

'De meerderheid is daarvan niet overtuigd,' verklaarde Lorlen. 'Bent u stellig van mening dat Akkarin van de familie Delvon, van Huis Velan, schuldig is aan het opzettelijk zoeken naar, bestuderen en bedrijven van, en – met inachtneming van eerdere beschuldigingen – doden met zwarte magie?'

Direct kleurden alle bollen rood. Lorlen wachtte niet tot ze geteld waren.

'De meerderheid acht hem daaraan schuldig,' riep Lorlen. 'Bent u stellig van mening dat Sonea, novice van de Opperheer, schuldig is aan het opzettelijk zoeken naar, het bestuderen en bedrijven van en doden met zwarte magie?'

De bollen bleven rood.

Lorlen knikte langzaam. 'De meerderheid acht haar daaraan schuldig. De wettelijke straf voor dit misdrijf is executie. Wij, de hoge magiërs, hebben de wenselijkheid van deze straf besproken in het licht van de redenen voor deze misdrijven, indien deze waar zijn. Wij zijn van mening dat het vonnis en de eventuele uitvoering daarvan opgeschort dienen te worden, tot er klaarheid is over die mogelijke inval van Sachakanen. Echter, de misdrijven zijn toch zo ernstig dat onmiddellijke maatregelen vereist zijn.' Hij zweeg even. 'Als straf voor Akkarin hebben wij verbanning gekozen.'

Gemompel steeg op in de hal toen dit vonnis weerklonken had. Sonea hoorde nog wat flauwe protesten, maar niemand vocht de straf aan.

'Akkarin van de familie Delvon, van Huis Velan, u bent niet langer welkom in de Geallieerde Landen. U zult onder geleide naar het dichtstbijzijnde niet-geallieerde land gebracht worden, om daar verder in ballingschap te leven. Gaat u akkoord met deze uitspraak?'

'Als het de wens van de koning is,' zei hij knielend.

De vorst trok zijn wenkbrauwen op. 'Jazeker.'

'Dan zal ik gaan.'

Stilte daalde neer in de hal toen Akkarin weer ging staan.

Lorlens zucht van opluchting was voor iedereen hoorbaar. Hij wendde zich tot Sonea.

'Sonea. Wij, de hoge magiërs, hebben besloten jou een tweede kans te geven. Je zult hier bij ons blijven onder twee voorwaarden: je moet zweren nooit of te nimmer meer zwarte magie te bedrijven, en je zult het terrein van het Gilde niet meer verlaten en nooit anderen onderwijzen. Ga je akkoord met dit vonnis?'

Sonea staarde Lorlen ongelovig aan. Het Gilde had Akkarin verbannen, maar haar vergeven, terwijl ze exact dezelfde misdrijven hadden begaan.

Maar het was natuurlijk niet hetzelfde. Akkarin was de leider, dus wogen zijn misdrijven zwaarder, omdat van hem verwacht werd dat hij de normen en waarden van het Gilde uitdroeg. Zij was een meisje, makkelijk te beïnvloeden, zeker omdat ze maar een sloppenkind was. Die zijn zonder veel moeite om te kopen. Ze dachten dat ze op het slechte pad was gebracht, en dat Akkarin zich uit vrije wil bekwaamd had in zwarte magie. Maar het was andersom: zíj had het uit vrije wil willen leren, en híj was er juist toe gedwongen geweest.

Dus zouden ze haar in de betrekkelijke veiligheid van het Gilde laten blijven, terwijl Akkarin naar het dichtstbijzijnde niet-geallieerde land werd verbannen, en dat was... De adem stokte haar in de keel.

Sachaka.

Plotseling kreeg ze geen lucht meer. Ze stuurden hem recht in handen van zijn vijand! Ze wisten maar al te goed dat hij zou sterven als zijn verhaal waar was.

En op die manier lopen ze ook geen gevaar dat er een strijd volgt die ze zouden verliezen!

'Sonea,' herhaalde Lorlen. 'Ga je akkoord met dit vonnis?'

'Nee.'

Verbaasd merkte ze hoe kwaad haar stem klonk. Lorlen staarde haar ongelovig aan, en keek verward naar Akkarin.

'Blijf hier,' zei Akkarin tegen haar. 'Het heeft geen zin dat we allebei vertrekken.'

Wel als we naar Sachaka moeten, dacht ze. *Dan kunnen we het misschien samen overleven.* Ze kon hem helpen sterker te worden. In zijn eentje zou hij alleen maar verzwakken. Ze klampte zich vast aan dit idee en keek hem diep in de ogen.

'Ik heb Takan beloofd dat ik goed voor u zou zorgen. Daar houd ik me aan.'

Hij kneep zijn ogen boos samen. 'Sonea –'

'En vertel me niet dat ik alleen maar in de weg zal lopen,' viel ze hem fluisterend in de rede, zodat de anderen het niet konden horen. 'Dat heeft me eerder niet tegengehouden, en nu evenmin. Ik weet heel goed waarom ze u wegsturen. Ik ga met u mee, of u dat nu wilt of niet.' Ze wendde zich tot Lorlen en sprak met luide stem zodat iedereen haar kon horen: 'Als u Opperheer Akkarin in ballingschap stuurt, moet u dat met mij ook doen. Zodat hij, wanneer u tot bezinning komt, misschien nog in leven is en in staat is u te helpen.'

Het publiek was met stomheid geslagen. Lorlen staarde haar aan en keek vervolgens naar de hoge magiërs. Verslagenheid en verwarring waren van hun gezichten te lezen.

'Nee, Sonea!' zei Rothen. 'Blijf nou hier!'

Sonea werd haast onpasselijk toen ze hem hoorde smeken. Ze dwong zichzelf Rothen aan te kijken. 'Het spijt me, Rothen,' zei ze, 'maar ik kan niet blijven.'

Lorlen haalde diep adem. 'Sonea, ik wil je nog één kans geven. Ga je akkoord met dit vonnis?'

'Nee.'

'Dan veroordeel ik hierbij Akkarin van de familie Delvon, van Huis Velan, voormalig Opperheer van het Magiërsgilde, en Sonea, voormalig uitverkorene van de Opperheer, tot ballingschap op grond van de misdrijven van het leren en bedrijven van en doden met zwarte magie.'

Hij wendde zich tot heer Balkan en fluisterde iets dat niemand anders kon verstaan. Toen verliet hij zijn stoel en liep naar beneden, de kring van Krijgers in. Eén pas van Akkarin af bleef hij staan. Hij reikte naar voren en greep het zwarte gewaad met twee handen vast. Sonea hoorde de stof scheuren toen hij trok.

'Hierbij verban ik je, Akkarin. Verlaat het land en keer niet weer.'

Akkarin staarde Lorlen aan, maar sprak geen woord.

De administrateur stapte naar Sonea toe. Hij keek haar even aan, nam haar mouw en scheurde hem.

'Hierbij verban ik je, Sonea. Verlaat het land en keer niet weer.'

Hij draaide zich op zijn hakken om en beende weg. Sonea keek naar de scheur in haar mouw. Hij was maar klein, één vinger lang. Een klein gebaar, maar definitief.

De hoge magiërs stonden op en verlieten hun tribune. Sonea keek angstig toe hoe heer Balkan de kring in stapte en naar Akkarin liep. Toen ook hij het gewaad scheurde en de rituele woorden sprak, vormde de rest van het college een lange rij, en Sonea wist dat ze op hun beurt wachtten.

Toen Balkan haar bereikte dwong ze zichzelf hem aan te kijken terwijl hij een scheur in haar gewaad maakte. Ze moest al haar moed bijeenrapen, maar het lukte haar hem aan te kijken, net als alle andere magiërs die volgden.

Toen alle hoge magiërs dit ritueel volbracht hadden, zuchtte Sonea opgelucht. Maar toen stond de rest van het Gilde op van hun banken op de tribune. In plaats van de hal te verlaten, kwamen ze een voor een op haar en Akkarin af. Het zag ernaar uit dat dit ritueel nog ontelbare malen herhaald ging worden.

Dat bracht haar van haar stuk. Ze deed haar uiterste best hen allemaal aan te kijken. Ze klemde haar lippen op elkaar als magiërs die haar les hadden gegeven haar kleren scheurden, met een afkeurende uitdrukking op hun gezicht. Vrouwe Tya kwam naar voren, sprak de rituele woorden haast onhoorbaar uit, en weg was ze weer. Heer Yikmo keek haar onderzoekend aan en schudde droef het hoofd. Tenslotte wachtten er nog maar enkele magiërs op hun beurt. Ze keek op toen ze de kring in kwamen en haar maag keerde zich om. Rothen en Dannyl.

Haar vroegere mentor liep langzaam op Akkarin af. Hij keek hem zwijgend aan, met ogen die brandden van woede. Akkarins lippen bewogen. Sonea verstond niet wat hij zei, maar het vuur in Rothens ogen verdween. Rothen antwoordde iets en Akkarin knikte. Met een frons maakte Rothen een scheur in Akkarins gewaad. Hij sprak de rituele woorden en hield zijn ogen neergeslagen terwijl hij naar Sonea toe schuifelde.

De aanblik die hij bood benam haar de adem. Rothen zag er afgetobd en verwilderd uit. Hij keek haar aan en ze zag tranen in zijn bleekblauwe ogen verschijnen.

'Waarom toch, Sonea?' fluisterde hij hees.

Ook zij voelde tranen opwellen. Ze kneep haar ogen dicht en slikte ze weg. 'Ze stuurden hem zijn dood tegemoet.'

'En jij dan?'

'Met z'n tweeën kunnen we het overleven, maar iemand in zijn eentje gaat er beslist aan onderdoor. Als de Gildemagiërs de waarheid niet willen horen, moeten ze die maar voelen. Als het zover is, komen we wel terug.'

Hij haalde diep adem, stapte naar voren en omhelsde haar. 'Pas goed op jezelf, Sonea.'

'Dat doe ik toch altijd, Rothen.'

Ze verslikte zich haast in zijn naam. Hij stapte de kring uit, en het drong tot haar door dat hij geen scheur in haar kleding had gemaakt. Ze voelde een eenzame traan langs haar wang biggelen en veegde hem snel weg toen Dannyl voor haar kwam staan.

'Sonea.'

Ze dwong zichzelf hem aan te kijken. Dannyl keek haar recht in de ogen. 'Sachakanen, hè?'

Ze knikte, want ze vertrouwde haar stem niet meer.

Hij kneep zijn lippen op elkaar. 'We zullen het allemaal wel uitzoeken.' Hij klopte haar op de schouder en liep kalm weg om zich bij Rothen te voegen.

Ze verloor hen uit het oog toen de kring Krijgers zich in een rij opstelde om eveneens het ritueel te volbrengen. Toen ze klaar waren, zag ze dat alle magiërs twee rijen gevormd hadden in het verlengde van de deuren van de Gildehal. Achter hen stonden de leerlingen opgesteld. Ze was allang blij dat die uitgesloten waren van het ritueel. Stel je voor dat Regin tegenover haar had gestaan...

De hoge magiërs vormden een tweede kring om de Krijgers heen, met Lorlen aan het hoofd. Toen de administrateur in de richting van de uitgang begon te lopen, volgde het dubbele escorte hem op de voet, en met Akkarin en Sonea tussen zich in verlieten ze, langs de rijen magiërs lopend, de Gildehal.

Buiten, onder aan de trap, stond een groep paarden, vastgehouden door paardenknechten, in een kring opgesteld. Twee paarden stonden in het midden. Akkarin liep naar het stel toe, en Sonea volgde hem. Toen hij zich in het zadel van het grootste dier hees, aarzelde ze en keek weifelend naar het andere paard.

'Twijfel je nu aan je besluit?'

Sonea draaide zich om naar heer Osen, die naast zijn rijdier stond, met de teugels in zijn hand. Ze schudde haar hoofd. 'Nee, alleen... ik heb nog nooit op een paard gezeten.'

Osen keek om naar de menigte magiërs die de Gildehal uit stroomde en leidde zijn paard zo dat het hun zicht op Sonea ontnam.

'Leg je linkerhand voor op het zadel, en zet de teen van de linkervoet hierin.' Hij pakte de stijgbeugel van haar paard vast en hield het stil. Sonea deed zoals haar gezegd werd en volgde zijn verdere instructies op, en het lukte haar zowaar om in het zadel terecht te komen.

'Maak je maar geen zorgen over het mennen,' zei hij. 'Ze loopt gewoon achter de andere aan.'

'Dank u, heer Osen.'

Hij keek op, knikte kort en steeg toen zelf op.

Vanuit deze positie kon ze de magiërs zich zien verzamelen. De hoge magiërs stonden in een rij aan de voet van de trappen van de universiteit, op heer Balkan na, die de Krijgers te paard vergezelde. Sonea zocht even naar de koning, maar die was nergens te bekennen.

Lorlen liep langzaam op Akkarin af. 'Je hebt een soort herkansing gekregen, Akkarin. Gebruik die goed.'

Akkarin keek hem aan. 'Dat geldt ook voor jou, mijn vriend, al vermoed ik dat jou meer problemen te wachten staan dan mij. Maar we spreken elkaar nog wel.'

Lorlen lachte moeizaam. 'Dat denk ik ook.'

Hij draaide zich om en ging weer tussen de andere hoge magiërs staan. Hij knikte naar Balkan, die daarop zijn hakken in de flanken van het paard zette. De rest van de Krijgers volgde hem.

Toen haar paard zijn eerste stappen zette, greep Sonea verschrikt de pommel van haar zadel vast. Ze keek naar Akkarin, maar zijn ogen waren gericht op de Poort van het Gilde. Toen ze die gepasseerd waren, durfde ze zich een stukje om te draaien voor een laatste blik op de universiteit, die zo statig te midden van de andere gebouwen stond.

Ze werd bevangen door droefenis en spijt.

Ik had er aan moeten denken dat dit mijn thuis is, dacht ze. *Zal ik het ooit nog in deze staat weerzien? Of,* voegde een somber stemmetje eraan toe, *kom ik alleen terug om te zien hoe het in rokende puinhopen veranderd is...*

Deel Twee

19

Een verzoek

onea verschoof in haar zadel en strekte haar pijnlijke dijbeenspieren. Hoewel ze elke nacht zelf haar pijntjes genas, hoefde ze maar even te rijden of de zadelpijn kwam terug. Heer Osen had dan wel verteld dat ze eerder zou wennen aan het rijden als ze zichzelf niet steeds van de kramp afhielp, maar ze zag het nut van pijn verbijten niet in als het paard toch binnenkort van haar afgenomen zou worden.

Ze zuchtte en nam de bergen in de verte in zich op. De vorige dag waren ze aan de horizon verschenenen. De vage, donkere lijn was geleidelijk groter geworden en deze ochtend onthulde de zon hellingen van scherpe rotsen en bossen die helemaal naar de top door groeiden. De bergen leken woest en onbegaanbaar, maar nu zij en hun escorte de lage heuvels aan de voet van het gebergte bereikt hadden, kon Sonea een wit lint kronkelend tussen twee toppen zien verdwijnen. Ergens aan het eind van die weg stond het Fort en begon Sachaka.

Het geleidelijk veranderende landschap boeide haar zeer. Ze was nooit buiten de stadsmuren van Imardin geweest. Reizen was een nieuwe ervaring en ze zou ervan hebben genoten als de omstandigheden maar anders waren geweest.

Eerst liep de weg langs velden die met verschillende groenten en graansoorten beplant waren. De arbeiders die de grond bewerkten en de gewassen plantten of oogsten, bestonden uit mannen en vrouwen, jong en oud. En zowel volwassenen als kinderen hoedden vee langs de weg. Kleine huisjes waren omringd door lapjes grond. Sonea vroeg zich af of de bewoners het prettig vonden om zo'n geïsoleerd bestaan te leiden.

Af en toe had de weg hen te midden van groepen huizen gebracht. In een van die dorpjes had heer Balkan een van zijn Krijgers erop uitgestuurd om eten en drinken in te slaan. En 's middags hadden ze op een afgesproken plaats een magiër en een stel boeren ontmoet, die nieuwe paarden voor hen hadden. Ze wisselden hun paarden om zodat ze 's nachts door konden rijden. Het escorte stopte niet om te pauzeren of te slapen, en ze nam aan dat ze hun vermoeidheid wegtoverden met geneeskunst. Toen ze heer Osen vroeg waarom ze hun paarden dan niet met geneeskunst onvermoeibaar maakten, vertelde hij haar dat dieren minder goed tegen mentale vermoeidheid konden dan mensen.

Tot nu toe had ze geen last gehad van het gebrek aan slaap. De eerste nacht was helder geweest en de maan en de sterren verlichtten hun pad. Sonea doezelde soms wel weg, zo goed en zo kwaad als het kon te paard. De volgende nacht bedekten wolken de hemel en ze hadden onder een grote groep bollichtjes gereisd.

Met een blik op de bergen, die nu wel erg dichtbij voor hen opdoemden, vroeg Sonea zich af of ze nog een derde nacht in Kyralia zouden doorbrengen.

'Halt!'

Het klepperen van de hoeven op het pad veranderde in geschuifel toen de groep stopte. Haar paard ging naast dat van Akkarin staan. Sonea voelde een sprankje hoop toen Akkarin haar even aankeek. Hij had nog geen woord gesproken sinds ze Imardin achter zich hadden gelaten, noch tegen haar, noch tegen de anderen. Ook nu zei hij niets, en hij richtte zijn blik op heer Balkan.

Het Hoofd der Krijgers overhandigde iets aan een van zijn magiërs. Geld om eten te kopen in het volgende dorp, vermoedde Sonea. Ze keek om zich heen en het bleek dat ze op een kruispunt stonden. Eén weg leidde naar de bergen, het andere, smallere pad daalde af naar een schaars bebost valleitje, waar wat huisjes knus tegen elkaar geleund stonden aan een klein riviertje.

'Heer Balkan,' zei Akkarin.

Alle hoofden draaiden zich onmiddellijk naar hem om. Sonea bedwong haar glimlach toen ze de verraste en lichtelijk zenuwachtige gezichten zag. *Hij heeft dus eindelijk besloten te praten.*

Balkan bleef op zijn hoede. 'Ja?'

'Als we Sachaka in deze gewaden binnenrijden, zullen we herkend worden. Mogen we alstublieft normale kleding aantrekken voor we de grens overgaan?'

Balkans blik gleed over Sonea, en terug naar Akkarin. Hij knikte en wendde zich tot de wachtende Krijger. 'Ook twee stel kleren. Niets opzichtigs, zonder toeters en bellen.'

De magiër knikte, schatte even de maten van Sonea en Akkarin en reed weg.

Sonea voelde de steen in haar maag groeien. Betekende het dan dat ze dicht bij de pas waren? Zouden ze vandaag al de grens bereiken? Ze keek omhoog langs de bergen en huiverde.

Ze had onophoudelijk gehoopt een mentale oproep van Lorlen te krijgen die hun vroeg terug te keren, maar eigenlijk wist ze wel dat die kans te verwaarlozen was. De manier waarop ze uit Imardin hadden moeten vertrekken gaf aan dat zij en Akkarin nooit meer welkom zouden zijn in Kyralia.

Haar gezicht betrok bij de herinnering. Balkan had een kronkelende route door de stad gekozen, zodat elke wijk hen te zien kon krijgen. Bij elke kruising van hoofdstraten hadden ze stilgestaan en had Balkan met luide stem geroepen wat hun misdrijven waren, en welke straf het Gilde hun daarvoor gegeven had. Akkarin had zich opgevreten van woede. Hij had de magiërs uitgescholden voor idioten en had geweigerd nog een woord met hen te wisselen.

De optocht had overal hele menigten aangetrokken, en tegen de tijd dat ze de Noordpoort bereikten had een nieuwsgierige drom sloppenbewoners hen opgewacht. Toen er stenen naar hen werden geworpen, trok Sonea snel een schild op.

Een verschrikkelijk gevoel van verraad beving haar terwijl de beledigingen de lucht in werden geslingerd en rotte eieren en groente hun schild besmeurden. Maar dat gevoel was snel verdwenen. De sloppers zagen hen gewoon als twee slechte magiërs van het Gilde, waaraan ze sowieso een hekel hadden, en namen de gelegenheid te baat om magiërs uit te jouwen nu het toegestaan was.

Sonea draaide zich om in het zadel en keek uit over de weg die ze hadden afgelegd. De stad lag ver achter de horizon. De Krijgers achter haar hielden haar scherp in de gaten.

Tussen hen reed heer Osen. De frons tussen zijn wenkbrauwen werd dieper toen hun ogen elkaar ontmoetten. Hij had een paar maal tijdens de reis een praatje met haar aangeknoopt, meestal over het paard dat ze bereed. Af en toe had hij erop gezinspeeld dat het Gilde haar misschien zou toestaan naar Imardin terug te keren als ze van gedachte veranderde. Ze had besloten niet op die hints te reageren.

Maar angst, het ongemak en Akkarins zwijgzaamheid waren een aanslag op dat besluit. Ze wendde zich af van Osen en dacht na over Akkarin. Haar pogingen met hem te praten werden met ijzige stilte beantwoord. Hij was vastbesloten haar te negeren.

Toch bekeek hij haar zo af en toe. Als ze niets liet merken, duurde dat vrij lang, maar als ze terug keek wendde hij zijn blik snel af. Het was raadselachtig, al wekte het ook haar woede op. Dat hij naar haar keek kon haar niet schelen, maar dat hij niet wilde dat ze het merkte zat haar niet lekker. Sonea glimlachte wrang. Begon ze nu echt die indringende blikken te missen, die het haar zo moeilijk maakten haar ogen niet neer te slaan?

Ze kwam tot bezinning. Hij wilde natuurlijk dat ze zich onwelkom voelde, zodat ze met haar staart tussen haar benen naar het Gilde terug zou hollen zodra het mocht. Maar wilde hij haar echt niet in zijn buurt hebben? Ze had zich vaak afgevraagd of hij haar echt verantwoordelijk hield voor de ontdekking van hun geheim. Zou Balkan zich niet met geweld toegang hebben verschaft tot zijn ondergrondse kamer als in haar kamer geen boeken over zwarte magie waren gevonden? Akkarin had haar steeds verteld ze goed te verbergen. Dat had ze ook altijd gedaan voor ze haar kamer verliet, maar blijkbaar niet goed genoeg.

Misschien vond hij wel dat hij beter af was zonder haar.

Dan heeft hij het mis, zei ze tegen zichzelf. Zonder metgezel uit wie hij kracht kon putten, zou hij alleen maar kracht verliezen, elke keer dat hij magie gebruikte. Met haar aan zijn zijde zou hij een eventuele Ichani-aanval kunnen afslaan. *Het maakt niet uit of hij het al dan niet leuk vindt dat ik met hem meereis.*

Hoewel het een stuk prettiger zou zijn als hij dat wel vond.

Zou hij wat toeschietelijker worden zodra ze Sachaka bereikt hadden, en het geen zin meer had om haar over te halen terug te keren? Zou hij haar keuze accepteren, of zou hij nog weken blijven mokken omdat ze hem niet had gehoorzaamd? Begreep hij dan niet dat ze alles had opgegeven om hem te redden?

Ze schudde het hoofd. Het maakte allemaal niet uit. Ze wilde zijn dankbaarheid niet eens. Hij mocht zo zwijgzaam en knorrig zijn als hij wilde. Ze wilde alleen maar dat hij het overleefde, en niet alleen omdat hij dan terug kon gaan en het Gilde kon helpen de Ichani's te verslaan. Als hij haar echt koud gelaten had, zou ze in Imardin gebleven zijn, zelfs als ze dan gevangene van het Gilde was geworden. Nee, ze was meegegaan omdat ze hem niet kon verlaten na alles wat hij had moeten doorstaan.

Ik ben de plaatsvervanger van Takan geworden, dacht ze plotseling. De vroegere slaaf was Akkarin gevolgd uit Sachaka, nu volgde zij hem naar Sachaka toe. Waarom riep hij zoveel toewijding in mensen op?

Toewijding? Ik? Voor Akkarin? Ze moest haar lachen inhouden. *Er is ook zoveel veranderd. Ik ben inmiddels best een beetje op hem gesteld geraakt.*

Toen sloeg haar hart over.

Of was het al meer dan dat?

Ze dacht goed over die vraag na. Als het meer was geworden, dan zou ze dat toch wel eerder hebben gemerkt? Toen schoot haar die nacht dat ze de Ichani doodde in gedachten. Nadat het voorbij was had Akkarin iets uit haar haar geveegd. Die aanraking had haar een vreemd gevoel gegeven. Licht. Blij.

Maar dat was natuurlijk de nasleep van het gevecht geweest. Vanzelfsprekend was je altijd blij als je op het randje van de dood had gebalanceerd. Dat betekende niet dat ze...

Ik hoef alleen maar naar hem te kijken en dan weet ik het.

Maar dat durfde ze toch niet aan. Stel je voor dat het waar was? Stel je voor dat hun blikken elkaar zouden kruisen en hij er een dwaze uitdrukking in zou lezen? Dan zou hij natuurlijk helemaal vastbesloten zijn zonder haar verder te reizen.

Er werd gemompeld onder de Krijgers. Ze keek op en zag dat de man die boodschappen gedaan had was teruggekeerd. Over de knieën van de man lag een jutezak en een hoop stof. Hij gaf de bundel stof aan Balkan.

Balkan maakte hem los en hield een grof geweven hemd, een nauwe broek en een lange trui op die Sonea de vrouwen op het veld had zien dragen. Hij keek Akkarin aan.

'Zoiets?'

Akkarin knikte. 'Heel redelijk.'

Balkan rolde de kleren weer op en gooide het bundeltje naar Akkarin. Sonea aarzelde toen Akkarin afsteeg, maar dwong haar stijve lijf hetzelfde te doen. Toen haar voeten de grond raakten, duwde Akkarin het lange hemd en een tweede broek in haar handen.

'Draai jullie om,' beval Balkan.

Sonea zag hoe de andere magiërs haar hun rug toe keerden. Ze hoorde het scheuren van zijde en zag hoe Akkarin het bovenste deel van zijn gewaad afscheurde en op de grond liet vallen. De stof glansde in het zonlicht. De verscheurde repen fladderden weg toen de wind er vat op kreeg. Akkarin bleef er even naar kijken met een uitdrukkingsloos gezicht voor hij rechtop ging staan en de band van zijn broek pakte.

Sonea draaide zich met een rood hoofd om. Ze keek naar haar kleren en slikte.

Hup nu maar, des te eerder ben ik ervan af.

Ze haalde diep adem, maakte haar gordel los en trok snel het bovenste deel van haar kleren uit. Haar paard deed nerveus een paar stappen opzij toen ze het gewaad op de grond smeet en snel het lange hemd aantrok. Ze was blij dat het tot haar knieën kwam, want zo was het aantrekken van de broek niet zo vernederend. Toen ze zich omdraaide, bestudeerde Akkarin de teugels van zijn paard. Hij keek haar even aan en steeg toen weer op.

Balkan, zag ze, had hen aldoor in de gaten gehouden. *Tja, iemand moet nu eenmaal een oogje in het zeil houden,* dacht ze bitter. Ze liep naar haar paard, zette haar voet in de stijgbeugel en hees zich met moeite in het zadel.

Wat zag Akkarin er vreemd uit in die grove kleren. Zijn hemd hing als een zak over zijn hoekige lichaam. Zijn kin was bedekt met een stoppel-baard. In niets was hij de imposante Opperheer die het Gilde zo lang onder de duim gehouden had.

Ze keek naar zichzelf en snoof zacht. Niet dat zij een toonbeeld van elegantie was. Het hemd was waarschijnlijk een afdankertje van een boerin. Het ruwe weefsel schuurde over haar huid, maar het was niet slechter dan dat waarin ze had rondgelopen voor ze het Gilde betrad.

'Trek?'

Sonea schrok toen ze merkte dat heer Osen zijn paard naast het hare had geleid. Hij hield haar een homp volkorenbrood voor en een mok. Ze nam ze gretig aan en begon te eten, de droge happen brood wegspoelend met aangelengde wijn. De wijn was goedkoop en zuur, maar hij stilde de pijn in haar spieren een beetje. Ze gaf de lege mok terug.

Toen ook het escorte gegeten had, gaven ze hun paarden de sporen om de reis dravend te voltooien. Ze smoorde een kreun en bereidde zich voor op nog vele uren rijden met steeds pijnlijker spieren.

Toen Gol Cery's ontvangstkamer binnenkwam gleden zijn ogen over Savara. Hij knikte en wendde zich tot Cery.

'Takan zegt dat ze vlak bij de grens zijn,' vertelde hij. 'Morgenavond zijn ze bij het Fort.'

Cery knikte. Hij had Takan een comfortabele suite onder de grond gegeven waar hij veilig kon logeren, en had bedienden aangenomen die nog niet van de mysterieuze vrouw gehoord hadden. Cery zelf verloor haar de laatste tijd niet uit het oog. Savara had hem met de hand op het hart laten beloven dat Takan niet te horen zou krijgen dat zij in zijn buurt was. Ze had terecht aangenomen dat Akkarin in direct contact stond met zijn bediende, en als Akkarin gevangengenomen zou worden door de Ichani's, zouden die te weten komen dat zij in Kyralia verbleef. 'Tussen mijn volk en de Ichani's botert het helemaal niet,' had ze verklaard. Ze zei niet waarom dat zo was, en Cery wist dat het weinig zin had om door te vragen.

Gol ging zitten en zuchtte. 'Wat doen we nu?'

'Niets,' antwoordde Cery.

Gol fronste zijn voorhoofd. 'En als er nu een andere moordenaar de stad in komt?'

Cery keek naar Savara en glimlachte. 'Die kunnen we wel aan. Ik heb Savara de volgende beloofd.'

Tot zijn verbazing schudde ze het hoofd. 'Ik kan je nu niet helpen. Niet zolang Akkarin weg is. De Ichani's hebben zó door dat anderen hen op het spoor zijn als er maar slaven blijven sterven.'

Cery keek haar ernstig aan. 'Dat zou ze ervan weerhouden nog meer slaven te sturen, dus.'

'Misschien. Maar ik heb hoe dan ook de opdracht geen aandacht op mijn volk te richten.'

'Zo. Nou, dan zullen wij de klus moeten klaren. Enig idee hoe wij ze kunnen vermoorden?'

'Waarschijnlijk is dat niet eens nodig. Binnenkort krijgen ze degene waarvoor ze de slaven gestuurd hebben thuisbezorgd en weten ze wat ze wilden weten.'

'Dus ze zaten alleen achter Akkarin aan?' vroeg Gol.

'Ja en nee,' legde ze uit. 'Als ze kunnen, vermoorden ze hem, dat klopt. Maar nu ze begrijpen hoe zwak het Gilde is, zullen ze daar de prioriteit leggen.'

Gol staarde haar aan. 'Gaan ze het Gilde aanvallen?'

'Ja.'

'Wanneer?'

'Vrij snel. Het Gilde zou tijd hebben gehad om zich voor te bereiden als ze hem stilletjes hadden weggestuurd. Maar nu weet de hele wereld ervan.'

Cery zuchtte en masseerde zijn slapen. 'Die achterlijke optocht.'

'Nee,' corrigeerde ze. 'Het was natuurlijk oerstom om zo luid en duidelijk om te roepen wat Akkarin gedaan had en wat zijn straf was, maar de Ichani's wisten het al voordat dat gebeurde.' Ze schudde haar hoofd. 'De Gildemagiërs hebben mentale vergaderingen over Akkarin gehouden, en de Ichani's hebben alles woord voor woord kunnen volgen.'

'Heeft het Gilde nog een kans?' vroeg Gol.

'Eerlijk gezegd niet.'

Gol zette grote ogen op. 'Het Gilde kan hen niet stoppen?'

'Niet zonder hoge magie.'

Cery stond op en begon te ijsberen. 'Hoeveel Ichani's zijn er?'

'Achtentwintig, maar degenen voor wie je het meest beducht moet zijn behoren tot een groepje van tien.'

'Ach nee! Tien maar?'

'Ieder van hen is honderd keer sterker dan een Gildemagiër. Samen kunnen ze het Gilde makkelijk aan.'

'O.' Cery ijsbeerde verder. 'Je zei dat je die Ichanivrouw in je eentje had kunnen verslaan. Dus je bent veel sterker dan een Gildemagiër.'

Ze glimlachte. 'Veel sterker.'

Cery zag dat Gol bleek om zijn neus werd. 'En hoe zit dat met de rest van je volk?'

'Die zijn even sterk of nog wat sterker dan ik.'

Cery kauwde nadenkend op zijn onderlip. 'Wat zouden jouw mensen in ruil voor hun hulp aan Kyralia willen hebben?'

Ze glimlachte. 'Jouw volk zal net zomin de hulp van mijn volk willen hebben als de heerschappij van de Ichani's. Wij gebruiken ook wat het Gilde zwarte magie noemt.'

Cery wuifde het weg. 'Als de Ichani's komen zullen ze wel anders piepen.'

'Misschien. Maar mijn volk zal toch niet in de bres springen.'

'Maar je hebt ooit gezegd dat zij ook niet willen dat de Ichani's Kyralia aanvallen.'

'Klopt. Maar ze zullen niet tussenbeide komen als ze daardoor zelf in gevaar komen. We zijn maar een van de vele groepjes in Sachaka, en heel veel machtige volkeren zouden ons graag kapotmaken. We kunnen maar een klein beetje helpen.'

'Wil jíj ons helpen?' vroeg Gol.

Ze zuchtte diep. 'Ik wou dat ik dat kon. Maar ik heb opdracht gekregen me niet met dit conflict te bemoeien. Mijn opdracht is' – ze keek Cery aan – 'naar huis terug te keren.'

223

Cery knikte langzaam. Ze moest ervandoor. Hij had al zoiets vermoed, die nacht op het dak. Het zou niet makkelijk zijn afscheid te nemen, maar ook hij kon het zich niet permitteren het hart boven het verstand te laten gaan.

'Wanneer?'

Ze keek naar de grond. 'Meteen. Het is een lange reis. De Ichani's houden de Kyraliaanse grens in de gaten. Ik zal via Elyne moeten reizen. Maar...' Ze glimlachte sluw. 'Ik denk niet dat het veel verschil maakt of ik nu vannacht of morgenochtend vertrek.'

Gol bedekte zijn mond en kuchte.

'Nou, daar denk ik heel anders over,' zei Cery. 'Het maakt verdomd veel uit. Dus in het belang van Kyralia moet ik je vragen vannacht nog te gaan. Onder het genot van een beetje geroosterde rasoek en een flesje Anuren Donkerrood bijvoorbeeld...'

Haar wenkbrauwen schoten omhoog. 'Anuren Donker? Jullie Dieven hebben meer smaak dan ik dacht.'

'Ach, ik heb een handeltje met een paar dranksmokkelaars.'

Ze lachte breeduit. 'Als ik het niet dacht.'

Rothen zuchtte toen er geklopt werd en met zijn wil opende hij de deur. Hij nam niet de moeite om te zien wie het was.

'Nu al weer terug, Dannyl? Je hebt meer tijd bij mij doorgebracht dan in je eigen kamer, sinds je terugkeer. Heb je geen rebellen of geheime missies om je bezig te houden?'

Dannyl grinnikte. 'Volgende week pas. En in de tussentijd kan ik mooi even bijpraten met een oude vriend, voor ik weer naar verre oorden vertrek.' Hij stapte naar een van de stoelen die in een halve kring waren opgesteld, ging tegenover Rothen zitten en strekte zijn lange benen. 'Ik heb zo'n vermoeden dat je vanavond niet naar de Nachtzaal komt.'

Rothen keek op en zag het begrip in Dannyls ogen. 'Nee.'

Dannyl zuchtte. 'Maar ik moet helaas wel gaan. De laatste roddels, je weet wel. Maar...'

Makkelijk is anders, maakte Rothen de zin in gedachten af. Dannyl had hem verteld waar Akkarins plan om de opstandelingen te vangen op was gebaseerd. Wat Dem Marane over Dannyl beweerd had, was inmiddels iedereen in het Gilde ter ore gekomen. Hoewel de meeste magiërs dat soort geruchten wegwuifden, waren er altijd wel een paar die smulden van schandaaltjes en ervan uitgingen dat er een kern van waarheid in zat. Rothen had zelf die schattende en afkeurende blikken moeten doorstaan toen het Gilde vraagtekens stelde bij het verblijf van Sonea in zijn kamers. Die roddels met opgeheven hoofd tegemoet treden was belangrijk geweest, en het had geholpen dat Yaldin en Ezrille hem hadden gesteund.

Zoals ik Dannyl nu zou moeten steunen.

224

Rothen haalde diep adem en stond op. 'Nou, dan moesten we maar eens gaan, anders is het leukste deel van de avond al voorbij.'

Dannyl keek hem met grote ogen aan. 'Maar ik dacht dat je...'

'Of je nu wilt of niet, ik heb twee oude novices waar ik op moet letten.' Rothen haalde zijn schouders op. 'En geen van jullie twee komen ermee weg om een beetje in deze kamer te gaan zitten sippen.'

Dannyl stond op. 'Weet je het zeker?'

'Ja.'

'Dank je.'

Rothen glimlachte om de opluchting in Dannyls stem. Hij was blij dat zijn vriend privé altijd de oude gebleven was. Dannyl scheen het zelf niet te merken, maar in het openbaar trad hij anders op dan vroeger. Er klonk zelfvertrouwen en autoriteit in zijn stem door, en in combinatie met zijn indrukwekkende lengte werd hij niet meer over het hoofd gezien.

Wat een beetje verantwoordelijkheid al niet doet voor een mens, mijmerde Rothen.

Dannyl volgde Rothen de gang op en de trap af naar de uitgang van de Magiërsvertrekken. De zon ging onder en de binnenplaats baadde in oranjerood licht. Ze staken over naar de Nachtzaal.

Binnen was het warm en rumoerig. Rothen zag dat veel aanwezigen hun komst opmerkten en ophielden met hun gesprek. Het duurde niet lang of de eerste nieuwsgierigen kwamen op hen af en vroegen honderduit over de dolende magiërs. Dat duurde ongeveer een uur en Rothen stelde vast dat er nauwelijks argwanende blikken op Dannyl werden geworpen. Dannyl antwoordde eerst nogal aarzelend maar zijn zelfvertrouwen groeide snel. Nadat een groepje Genezers was vertrokken, aan wie hij Vinara's instructies om de rebel van vergiftiging te redden had uitgelegd, wendde Dannyl zich met een verontschuldigende glimlach tot Rothen.

'Ik ben bang dat ik alle aandacht voor me heb opgeëist, vriend.'

Rothen haalde zijn schouders op. 'Wat voor aandacht? Niemand heeft me naar Sonea gevraagd tot nu toe.'

'Nee. Misschien laten ze je gewoon een tijdje met rust.'

'Dat is onwaarschijnlijk. Het komt gewoon doordat...'

'Goedenavond, ambassadeur Dannyl.'

Ze draaiden zich om en zagen heer Garrel op hen afkomen. Rothen fronste zijn voorhoofd toen de Krijger hen toeknikte. Hij was nooit gek geweest op Garrel, en vond nog steeds dat hij zijn pupil, Regin, wel wat minder had kunnen aanmoedigen om Sonea te kwellen.

'Heer Garrel,' antwoordde Dannyl.

'Welkom terug,' zei de Krijger. 'Blij om weer thuis te zijn?'

'Ja, altijd leuk om mijn oude vrienden weer te zien natuurlijk.'

Garrel wierp een snelle blik op Rothen. 'En u hebt ons een grote dienst bewezen. Naast dat grote persoonlijke offer natuurlijk.' Hij boog zich iets voorover. 'Ik bewonder uw moed. Ikzelf zou zo'n risico nooit genomen hebben. Maar ik ben dan ook meer voor rechtstreekse actie en heb niet zoveel op met trucjes.'

'En u bent daar ook veel beter in, heb ik vernomen,' antwoordde Dannyl zoetsappig.

Rothen draaide zich af om een glimlach te verbergen. Terwijl het gesprek voortkabbelde, was hij eigenlijk blij dat hij meegekomen was naar de Nacht-zaal. Het werk aan het hof van Elyne had Dannyl meer geleerd dan er alleen indrukwekkend uit te zien.

'Heer Garrel,' klonk het toen. Een jonge Alchemist tikte op de schouder van de Krijger. Het was heer Larkin, de leraar Bouwkunde.

'Ja?' zei Garrel.

'Ik dacht dat u wel zou willen weten dat heer Larsin zich liet ontvallen dat hij u wil spreken over de vorderingen van uw pupil bij Ziekten.'

De Krijger fronste het voorhoofd. 'Dan kan ik hem beter meteen even gaan opzoeken. Goedenavond, heer Rothen, ambassadeur Dannyl.'

Terwijl Garrel weg wandelde, vertrok Larkin zijn gezicht. 'Ik dacht dat u wel wat hulp kon gebruiken,' zei de jonge Alchemist. 'Niet dat u dat nodig heeft, ambassadeur. Maar er zijn diverse mensen die een onderbreking tij-dens een gesprek met heer Garrel wel op prijs stellen. Hoe eerder hoe beter, meestal.'

'Bedankt, heer Larkin,' zei Dannyl. Hij keek Rothen aan en glimlachte scheef. 'Ik dacht dat wij de enige twee waren...'

'O, maar het kost heel wat oefening om je gesprekspartner zo'n onge-makkelijk gevoel te geven dat hij zelf het gesprek afbreekt. Garrel dacht vermoedelijk dat u een makkelijk doelwit was, na die laatste storm in een glas water.'

Dannyl trok verbaasd zijn wenkbrauwen op. 'Denk je?'

'Nou ja, het is niet te vergelijken met.... met het bedrijven van zwarte magie, maar...' zei de jonge magiër. Hij keek naar Rothen en kreeg een kleur. 'Excuseer me, ambassadeur, heer Rothen. Ik zag net dat heer Sarrin gebaar-de dat hij me even wilde spreken.' Larkin knikte naar hen en haastte zich weg.

Dannyl keek de zaal rond. 'Wat interessant. Sarrin is nergens te beken-nen.'

'Ja,' antwoordde Rothen. 'Heel interessant. Vooral dat stukje over jouw eventuele hoop op redding. Die had je totaal niet nodig, Dannyl. Ik geloof eigenlijk dat ik zelf helemaal niet had hoeven meekomen.' Hij zuchtte. 'Ben ik dan nergens meer goed voor...'

Dannyl grinnikte en klopte Rothen op de schouder. 'Het is ook niet makkelijk, om al je novicen te zien vertrekken naar verre oorden.'   •

Rothen haalde zijn schouders op en vertrok zijn glimlach in een grimas. 'Zeker als dat verre oord Sachaka is...'

20

De uitvoering van het vonnis

Toen Dannyl het kantoor van administrateur Lorlen bereikte, haalde hij even diep adem en rechtte zijn schouders. Het verzoek om een onderhoud met de hoge magiërs was eerder gekomen dan hij had verwacht, en hij had het onaangename gevoel dat hij wel wat meer voorbereidingstijd had kunnen gebruiken. Hij keek naar het document met zijn rapportage en haalde zijn schouders op. Het was nu te laat om er nog iets aan te veranderen.

Hij klopte op de deur. Die zwaaide meteen open en Dannyl stapte naar binnen. Hij knikte naar de magiërs die al in de stoelen van de ontvangstkamer zaten. Vrouwe Vinara en heer Sarrin waren aanwezig, evenals Kito, de administrateur in het buitenland. Zoals gewoonlijk zat heer Lorlen achter zijn bureau.

'Ga toch zitten, Dannyl,' zei Lorlen. 'Ik zou graag hebben gewacht op heer Balkan voor ik je vroeg naar de details van de gevangenneming van de opstandelingen, maar het onderzoek naar Akkarins beweringen duldt geen vertraging. We stellen jouw rapport dus niet uit, misschien werpt het zelfs enig licht op Akkarins activiteiten. Vertel ons dus eerst maar eens wat Akkarins opdracht behelsde.'

'Zo'n zes weken geleden ontving ik een brief van hem.' Dannyl opende het mapje en viste de brief eruit. Hij liet hem naar Lorlens bureau zweven. De administrateur plukte hem uit de lucht en las hem hardop voor.

'"Sinds enige jaren houd ik een kleine groep Hovelingen van Elyne in de gaten bij hun pogingen om magie te leren zonder de steun en kennis van het Gilde. Onlangs heb ik vernomen dat ze op zeker front succes hebben geboekt. Nu ten minste een van hen erin geslaagd is zijn krachten te ontwikkelen, is het Gilde verplicht deze zaak aan te pakken. Onder aan deze brief vind je informatie over dit groepje. Je relatie met Tayend van Tremmelin kan nuttig blijken om hen ervan te overtuigen dat je te vertrouwen bent.
Het is mogelijk dat de rebellen die persoonlijke informatie tegen je zullen gebruiken

227

wanneer je hen aangehouden hebt. Ik verzeker je dat ik tegenover iedereen zal verklaren dat ik jou gevraagd heb hun deze indruk te geven zodat jij je doel kon bereiken.'''

Zoals Dannyl had verwacht wisselden de magiërs vragende blikken uit.

'Ik neem aan dat hij je werkrelatie met die geleerde bedoelde?' vroeg Sarrin.

Dannyl hief zijn handen. 'Ja en nee. Ik denk dat hij ook doelde op de geruchten over een persoonlijke relatie. Tayend is, zoals de Elyneeërs zeggen, een makker.' Sarrins wenkbrauwen gingen even omhoog, maar noch hij, noch de anderen keken vreemd op bij die term. 'De Elyneeërs hebben al sinds hij me bij mijn onderzoek begon te helpen geruchten verspreid over de inhoud van onze samenwerking.'

'En jij deed geen moeite dit bij de rebellen van de hand te wijzen, zodat ze jou konden chanteren als jij hen last zou bezorgen?' vroeg Sarrin.

'Precies.'

'Akkarin was toch een beetje vaag in die brief. Hij kan ook bedoeld hebben dat jij hen moest aanmoedigen in de gedachte dat jij en je assistent verbannen of ter dood gebracht zouden worden als men zou ontdekken dat jij onderwijs in magie had gegeven.'

Dannyl knikte. 'Ik heb daar natuurlijk ook aan gedacht, maar ik veronderstel dat dat niet voldoende zou zijn geweest voor de rebellen om mij mee te chanteren.' Tot Dannyls opluchting knikte Kito.

'Dus Akkarin zou het Gilde vertellen dat hij jou gevraagd had om net te doen of je een liefdesrelatie met je assistent had,' zei Vinara. 'Maar toen je terugkwam was hij gearresteerd. Administrateur Lorlen heeft je toen voorgesteld net te doen of dat bedrog je eigen idee was.'

'Dat klopt, ja.'

De Genezeres trok haar wenkbrauwen op. 'En heeft dat gewerkt?'

Dannyl haalde zijn schouders op. 'Over het algemeen wel, dacht ik. Wat dacht u zelf?'

Ze knikte. 'De meesten hebben je verhaal geaccepteerd.'

'En de rest?'

'Staat bekend als een stel stokers.'

Dannyl knikte. Hij vroeg zich af of Vinara ook Garrel tot die stokers rekende.

Lorlen leunde voorover, steunend op zijn ellebogen. 'Zo, en vertel ons nu eens hoe je de opstandelingen op het spoor kwam.'

Dannyl vervolgde zijn verhaal, met zijn ontmoeting met Dem Marane en het bezoek aan het huis van de Dem. Hij beschreef wat hij Farand had geleerd, en hoe het boek dat de rebellen aan Tayend geleend hadden hem overtuigd had van de kwaadwillendheid van de rebellen.

'Ik twijfelde of ik moest wachten met de arrestatie tot ze me zouden vragen om hen ook te onderwijzen, nadat ik Farand Beheersing had bijgebracht,' vertelde Dannyl. 'Dan zou ik misschien nog meer rebellennamen kunnen horen. Maar toen ik dat boek zag vond ik het risico te groot. Ik mocht het boek houden van de Dem, dus het was zo goed als zeker dat ze nog meer exemplaren hadden. Als de hele groep in het niets zou verdwijnen zodra Farand Beheersing kende, zouden ze met hem en die boeken aan de slag kunnen gaan en zouden we pas goed met die dolende magiërs in ons maag zitten.' Dannyl vertrok zijn gezicht. 'Ik wist natuurlijk niet dat er hier al genoeg gaande was op het vlak van zwarte magie.'

Sarrin ging verzitten en fronste zijn voorhoofd. 'Denk je dat Akkarin dit boek kende?'

'Geen idee,' antwoordde Dannyl. 'Ik weet tenslotte ook niet hoe hij aan de weet was gekomen dat er rebellen aan het hof waren.'

'Misschien ontdekte hij Farands krachten op dezelfde manier als hij die van Sonea voelde voordat ze Beheersing had geleerd,' meende Vinara.

'Zo diep in Elyne?' vroeg Sarrin.

Vinara haalde haar schouders op. 'Hij heeft unieke kwaliteiten, ongetwijfeld opgedaan door het gebruik van zwarte magie. Waarom niet?'

Sarrin keek bedenkelijk. 'Je hebt het over een "onderzoek" dat je deed met die geleerde. Wat was dat voor onderzoek, ambassadeur?'

'Onderzoek naar oude magie,' antwoordde Dannyl. Hij keek de kamer rond. Toen zijn blik Lorlen bereikte, glimlachte die zwakjes.

'Ik heb hun verteld dat je daarmee op mijn verzoek mee begonnen bent,' zei Lorlen.

Dannyl knikte. 'Ja, al weet ik nog steeds niet waarom.'

'Ik wilde wat kennis hervinden die Akkarin verloren had. Maar Akkarin kwam erachter en vertelde me dat hij het daar niet mee eens was. Ik heb jou vervolgens geschreven dat het onderzoek niet langer nodig was.'

'En je bent er niettemin gewoon mee doorgegaan, is het niet?' vroeg Sarrin aan Dannyl.

'Het was geen opdracht,' zei Lorlen. 'Ik zei alleen dat het onderzoek niet langer nodig was. Ik geloof dat Dannyl uit eigen interesse verder is gegaan.'

'Dat klopt,' zei Dannyl. 'Later hoorde Akkarin dat ik ermee door was gegaan en riep me terug naar het Gilde. Hij leek blij met mijn vorderingen en moedigde me aan verder te zoeken. Helaas kwam ik verder niet veel te weten. De enige bronnen die ik nog niet had geraadpleegd lagen in Sachaka, en Akkarin verbood me nadrukkelijk daarheen te gaan.'

Sarrin leunde achterover in zijn stoel. 'Interessant. Hij keurde het onderzoek eerst af, en moedigde het toen weer aan. Misschien had je iets gevonden waarvoor hij bang was dat je het zou ontdekken, maar zag hij dat je niet begreep wat de betekenis ervan was. Dus kon je zonder gevaar verder zoeken.'

'Daar heb ik ook aan gedacht,' vertelde Dannyl. 'Pas toen ik het boek van de rebellen onder ogen kreeg, begreep ik dat de oude magie waarnaar ik had gezocht eigenlijk zwarte magie was. Ik neem aan dat hij niet wilde dat ik daar achter zou komen.'

Sarrin schudde het hoofd. 'Nee. Als dat het geval was, zou hij ook niet gewild hebben dat je dat boek las. Dus wist hij waarschijnlijk niet dat Dem Marane in bezit van dat boek was. Dan was de arrestatie van de rebellen geen dekmantel om dat boek in bezit te krijgen.' Hij fronste zijn voorhoofd. 'Het kan informatie bevatten waarvan hij niet op de hoogte is. Hoe boeiend.'

Dannyl keek de magiërs een voor een aan om hun gedachten te peilen. 'Mag ik iets vragen?'

Lorlen glimlachte. 'Natuurlijk, ambassadeur.'

'Hebt u al iets ontdekt dat bewijst dat Akkarins verhaal waar is?'

De administrateur keek nu heel wat ernstiger. 'Nog niet.' Hij aarzelde. 'Ondanks Akkarins waarschuwing zien we geen andere mogelijkheid om achter de waarheid te komen dan door spionnen naar Sachaka te sturen.'

Dannyl knikte. 'Ik neem aan dat hun identiteit geheim moet blijven, ook onder de leden van het Gilde.'

'Ja,' zei Lorlen. 'Maar enkelen, waaronder jij, zullen het mogen weten, omdat ze toch wel hun vermoedens zullen hebben over de afwezigheid van bepaalde magiërs.'

Dannyl verstrakte. 'Echt?'

'Een van de spionnen is je mentor, heer Rothen.'

Er leek geen einde aan de klim te komen. De ochtendzon had steile, dicht beboste hellingen aan alle kanten onthuld. Hoewel de weg goed onderhouden was, en het wegdek onlangs vernieuwd leek, was alles eromheen één grote wildernis. Als de stoet die nacht al een huis was gepasseerd, was het goed verborgen geweest in de duisternis.

De weg slingerde over de bergachtige hellingen en daalde af in steile ravijnen. Af en toe zag Sonea een puntje van de rotspartijen erboven. De lucht werd steeds kouder en ze werd gedwongen om zich te hullen in een warmtebarrière om te beletten dat ze constant rilde.

Ze verlangde naar het einde van de tocht, maar ze was er tegelijkertijd doodsbenauwd voor. Het onophoudelijke stijgen veranderde haar zit, en een hele andere groep spieren begon nu te protesteren. Bovendien had de ruwe stof van haar broek haar huid pijnlijk open geschuurd en moest ze elke paar uur een Genezingssessie toepassen om de pijn te verzachten.

'Halt!'

Sonea zuchtte opgelucht bij het horen van Balkans bevel. Alleen in de ochtend hadden ze een pauze genomen, en die was maar kort geweest. Sonea voelde hoe haar paard diep ademhaalde toen het mocht stoppen en de lucht snuivend uitblies.

Een aantal Krijgers steeg af om de paarden te verzorgen. Akkarin staarde in de verte. Ze volgde zijn blik en zag dat het land onder aan de berg zichtbaar was door een opening tussen de bomen. Heuvels golfden naar alle kanten, maar in de verte veranderden ze geleidelijk in een laagvlakte. Smalle rivieren en beekjes glinsterden in de groeven ertussen. Alles gloeide in het warme licht van de namiddagzon. De horizon was een mistige rand. Daarachter lag ergens Imardin. Haar thuis.

Iedere stap die haar paard zette bracht haar verder weg van alles dat ze ooit gekend had: haar familie, haar vrienden, Cery, Rothen en Dorrien. De namen van de mensen die ze had leren waarderen in de afgelopen jaren weerklonken in haar hoofd: Tania, Dannyl, Tya en Yikmo – en zelfs een paar leerlingen. Misschien zou ze hen allemaal nooit meer zien. Ze had niet eens de kans gehad afscheid van hen te nemen. Ze slikte wat weg, maar haar ogen begonnen te prikken.

Ze sloot ze en dwong zichzelf langzaam en regelmatig adem te halen. *Dit is niet het moment om te gaan huilen. Niet nu, onder de ogen van Balkan en die andere Krijgers. En ik zou me rot schamen tegenover Akkarin.* Ze slikte nogmaals en deed haar ogen weer open.

Ze zag Akkarin, en merkte een snelle verandering in zijn gezicht op. Heel even. Vlak voor het bekende strakke masker zijn gezicht weer bedekte, had ze een uitdrukking van frustratie, van verbittering opgemerkt. Ze keek naar de grond, in de war van wat ze gezien had.

Osen begon brood uit te delen, koude ingemaakte groenten en repen gedroogd vlees. Akkarin nam zijn deel zwijgend aan en zonk weg in getob. Sonea kauwde langzaam, vastbesloten alle gedachten aan het Gilde uit haar hoofd te bannen en zich toe te leggen op de dagen die komen gingen. Hoe zouden ze in Sachaka aan eten komen? Achter de pas zou de woeste grond beginnen. Misschien konden ze voedsel kopen. Zou Balkan hun geld meegeven?

Osen verscheen weer en bood haar een mok met aangelengde wijn aan. Ze dronk het snel op en gaf de mok terug. Hij bleef even staan alsof hij iets wilde zeggen. Snel ging ze rechtop zitten en keek de andere kant op. Ze hoorde een zucht en voetstappen die in de richting van zijn paard verdwenen.

'Voorwaarts,' riep Balkan.

Openingen tussen de bomen kwamen nu vaker voor. Daarachter zag ze grote kale rotsplateaus. Een kille wind deed de staarten van de paarden opwaaien. De zon zakte gestaag naar de horizon. De weg werd vlak en ging tussen twee hoge, gladde rotswanden door. Voor hen lag een door de ondergaande zon oranje gevlekte, enorme, onverzettelijke steenkolos met rijen kleine vierkante gaten erin.

Het Fort.

Sonea staarde naar het gebouw terwijl ze stap voor stap naderbij kwamen. Van haar geschiedenislessen wist ze dat het Fort snel na de Sachakaanse

Oorlog was gebouwd. Het was veel groter dan ze het zich had voorgesteld, zo op het oog twee à drie keer groter dan het hoogste universiteitsgebouw. De hoge rotszuil vulde de spleet tussen de twee gladde rotswanden op. De enige weg om aan de andere kant te komen was via dit gebouw.

Er waren geen spleten of metselwerk te zien, en toch was het gebouwd voor heer Coren ontdekt had hoe je rots moest smelten. Ze schudde verbaasd haar hoofd. Die bouwkundigen van lang geleden hadden het Fort zeker uit de berg laten hakken.

Twee enorme metalen deuren zwaaiden langzaam open toen ze naderden. Twee gestalten stapten naar buiten. Een droeg het uniform van een kapitein van de garde, de ander het rode krijgersgewaad. Sonea sperde haar ogen open en staarde ongelovig naar de Krijger.

'Heer Balkan,' zei Fergun terwijl de kapitein beleefd een buiging maakte, 'dit is kapitein Larwen.'

Ach, natuurlijk, dacht ze. *Fergun werd naar een verafgelegen Fort gestuurd omdat hij me gechanteerd had. Ik had er niet aan gedacht dat het dit fort zou zijn.*

Toen de kapitein heer Balkan begroette, sloeg Sonea haar ogen neer en vervloekte haar lot. Fergun had vast en zeker lang naar dit ogenblik uitgekeken. Hij had veel op het spel gezet om het Gilde ervan te overtuigen dat ze geen leerlingen die niet uit de Huizen kwamen moesten aannemen. *Nu blijken zijn beweringen dat sloppers niet te vertrouwen zijn toch te kloppen,* dacht ze.

Maar zo zat het niet. Ze had alleen zwarte magie geleerd om het Gilde en Kyralia te redden.

Hij had op zijn manier gedacht het Gilde te redden. Een sprankje genegenheid voor hem steeg in haar op. Waren zij en haar vroegere vijand werkelijk zo verschillend?

Ja, dacht ze toen. *Ik probeer heel Kyralia te redden. Hij wilde alleen beletten dat Kyralianen uit de lagere standen magie zouden leren.*

Vanuit haar ooghoek zag ze hem naar haar staren.

Negeer hem, zei ze tegen zichzelf. *Hij is het niet waard.*

Maar waarom zou ze? Hij was geen haar beter dan zij. Ze vermande zich, rechtte haar rug en keek terug zonder haar blik neer te slaan. Zijn lippen krulden van minachting en zijn ogen glommen van voldoening.

Je vindt jezelf wel geweldig, hè?, dacht ze en stuurde haar gedachten naar hem uit, *maar luister eens even. Ik ben sterker dan jij. Zelfs zonder de verboden magie die ik heb bestudeerd, zou ik je op ieder moment in de Arena kunnen verslaan, Krijgertje.*

Hij kneep zijn ogen half samen en zijn kaken verstijfden van haat.

Koeltjes keek ze terug. Ik heb een magiër gedood die, net als jij, joeg op de hulpelozen. Ik zou het zo weer doen als dat de enige manier was om Kyralia te redden. Als je denkt dat ik bang voor je ben, heb je het mis, magiër. Je bent een nul, een bekrompen mannetje, een...

Fergun keek opeens de kapitein naast hem aan, alsof die iets belangrijks had gezegd. Ze wachtte tot hij haar weer aankeek, maar dat deed hij niet. De formaliteiten werden beëindigd en de kapitein blies op een fluitje terwijl hij opzij ging. De gevangenen en hun escorte reden het Fort binnen.

De brede hal weerklonk van het echoënde gekletter van paardenhoeven. Halverwege de gang versperden enorme stenen platen de helft van de doorgang. Achter elkaar konden ze verder rijden tot ze een stel zware metalen deuren bereikten, die langzaam open zwaaiden. Hierna liepen de paarden verder over een houten vloer die de hoefslag dof deed klinken. Een voor een reden ze vervolgens nogmaals door een smalle stenen gang.

Sonea voelde een zuchtje koelte op haar gezicht. Ze keek omhoog en zag nog twee openstaande metalen deuren die naar de volgende stenen gang leidden, zo smal als een ravijn. Aan de andere kant van het Fort was de nacht al gevallen. Hoge muren werden verlicht door twee rijen lampen.

Terwijl het escorte naar de binnenplaats reed, voelde Sonea hoe fel haar hart bonsde. Ze waren door het Fort heen gegaan, dat betekende dat haar paard nu op Sachakaanse grond liep. Ze keek naar beneden.

Sachakaanse *rots*, verbeterde ze zichzelf.

De weg voor hen was onverlicht.

Ze draaide zich om en bekeek het Fort. Achter een aantal raampjes zag ze de silhouetten van mensen die er gelegerd waren.

Het hoefgetrappel werd zachter. Haar paard stopte bij de anderen.

'Stijg af.'

Terwijl Akkarin afsteeg, begreep Sonea pas dat het bevel alleen voor haar en Akkarin was bedoeld. Ze liet zich op de grond glijden, met een vertrokken gezicht door de stijfheid van haar benen. Heer Osen reikte vanuit het zadel naar de teugels en leidde de beide paarden weg.

Nu stonden alleen zij en Akkarin nog in de kring van Krijgers. Boven Balkans hoofd verscheen een bollicht dat het stuk grond helder verlichtte.

'Prent de gezichten van deze twee magiërs goed in jullie geheugen,' riep Balkan naar alle kanten. 'Het zijn Akkarin, ex-Opperheer van het Magiërsgilde en Sonea, ex-novice van de Opperheer. Ze zijn uit het Gilde gezet en verbannen uit de Geallieerde Landen omdat ze zwarte magie hebben bedreven.'

Sonea versteende. Dit was dus de laatste maal dat ze die rituele woorden hoorde. Ze keek tersluiks naar de duistere weg buiten het lamplicht.

'Wacht!'

Haar hart sloeg over. Osen stapte voorwaarts.

'Ja, heer Osen?'

'Ik wil nog even met Sonea praten voor ze vertrekt.'

Balkan knikte minzaam. 'Ga je gang.'

Sonea zuchtte terwijl Osen afsteeg en voor haar ging staan. Hij had een gespannen uitdrukking.

'Sonea, dit is je allerlaatste kans.' Hij sprak zachtjes, misschien om het escorte het niet te laten horen. 'Ga met me mee terug.'

Ze schudde haar hoofd. 'Nee.'

Hij wendde zich tot Akkarin. 'Zou jij willen dat ze deze kans liet schieten?'

Akkarin trok zijn wenkbrauwen op. 'Nee, maar ze schijnt vastbesloten om hem links te laten liggen. Ik betwijfel of ik haar van gedachten kan laten veranderen.'

Osen fronste zijn voorhoofd en keek Sonea nogmaals aan. Hij deed zijn mond open, maar zag in dat het geen zin zou hebben en schudde het hoofd. Hij keek Akkarin aan.

'Pas dan maar goed op haar,' mompelde hij.

Akkarin staarde uitdrukkingsloos naar de magiër. Osen draaide zich snel om en steeg weer op.

Op het teken van Balkan weken de Krijgers die de weg naar Sachaka geblokkeerd hadden uiteen.

'Gaat heen uit de Geallieerde Landen,' sprak Balkan. Zijn stem klonk noch boos, noch spijtig.

'Kom, Sonea,' zei Akkarin zacht. 'We hebben nog een eind te gaan.'

Ze keek naar hem. Er viel weinig van zijn gezicht te lezen. Toen hij zich van haar afdraaide en begon te lopen, volgde ze hem op de voet.

Er steeg gemompel achter haar op. '... Sonea. Kom mijn land niet meer binnen.'

Sonea huiverde en richtte haar blik op de steeds duister wordende weg voor zich.

Toen de laatste zonnestralen de tuin verlieten, draaide Lorlen zich om van het raam van zijn kantoor en begon rond te drentelen. Hij liep altijd dezelfde route: van stoel naar stoel en dan terug naar zijn bureau. Hij stopte, keek naar de stapel papier en zuchtte.

Waarom hadden ze Akkarin uitgerekend naar Sachaka gestuurd, terwijl er zoveel andere plaatsen waren?

Hij wist wel waarom. Hij wist domweg zeker dat de koning hoopte dat Akkarin om zou komen in Sachaka. Akkarin had een van de belangrijkste Gildewetten overtreden. Hoe graag de koning Akkarin ook had gemogen, hij wist dat er niets gevaarlijker was dan een magiër die de wet niet eerbiedigde en te sterk was om onder controle te houden. Als het Gilde Akkarin dan niet ter dood kon brengen, dan moesten ze hem maar naar de magiërs sturen die dat wel konden: de Ichani's.

Natuurlijk, misschien bestonden die Ichani's helemaal niet. Dan had het Gilde een zwarte magiër vrijgelaten. En dan zou hij sterker dan ooit terugkeren. Maar dat risico hadden ze moeten nemen.

Als de Ichani's echter wel bestonden, dan was het ook niet zo slim om de enige magiër die hun informatie kon geven over die dodelijke vijand naar het land te sturen waar hij het leven kon verliezen. Maar Akkarin was niet de enige. Sonea was er ook nog.

234

En daar had de koning ten onrechte geen rekening mee gehouden. Hij had aangenomen dat dat vroegere sloppenkind, dat door meerdere magiërs gemanipuleerd was, uiteraard hier zou blijven en vroeg of laat wel door zou slaan. Lorlen glimlachte toen hij zich haar boze weigering herinnerde.

'Als u Opperheer Akkarin in ballingschap stuurt, moet u dat ook met mij doen. Zodat hij, wanneer u tot bezinning komt, misschien nog in leven is en in staat is u te helpen.'

De koning was kwaad geweest over haar weigering. *Wat had u dan verwacht?* had Lorlen willen uitroepen. *Loyaliteit? Van iemand die eens tussen degenen leefde die u elk jaar tijdens de Zuivering de stad uit drijft?* Uiteindelijk was de koning tot de conclusie gekomen dat als ze dan het vonnis van het Gilde en haar vorst niet wilde accepteren, ze ook maar verbannen moest worden.

Lorlen zuchtte en begon weer te ijsberen. Eigenlijk had het Gilde Sonea ook niet nodig om hun meer over de Ichani's te vertellen, aangezien hij Akkarins ring had... mits Akkarin in leven bleef natuurlijk. Maar als Lorlen plotseling met informatie over de Ichani's op de proppen kwam, zou hij uiteindelijk toch moeten vertellen hoe hij daaraan kwam. En die ring was een verboden middel, met zwarte magie gemaakt. Hoe zou het Gilde reageren op het feit dat hun administrateur zo'n ding in bezit had en nog gebruikte ook?

Ik moet hem eigenlijk weggooien, dacht hij. Maar hij wist dat hij dat niet zou doen. Hij nam de ring tussen zijn vingers, bekeek hem, en deed hem om.

Akkarin? Ben je daar?

Niets.

Lorlen had nu al verscheidene keren tevergeefs contact gezocht met Akkarin. Soms leek hij een zwak gevoel van woede of angst door te krijgen, maar hij nam aan dat dat alleen zijn verbeelding maar was. De stilte was een kwelling. Als hij Osens mentale rapporten over de reis niet had gehad, zou Lorlen hem misschien al dood hebben verklaard.

Lorlen beëindigde de reis door zijn kamer door achter zijn bureau te kruipen en in zijn stoel neer te ploffen. Hij deed de ring af en stak hem weer in zijn zak. Direct daarna werd er kort op zijn deur geklopt.

'Binnen.'

'Bericht van de koning, heer.'

Een bediende kwam binnen, boog en zette een houten cilinder op het bureaublad. De incal van de koning was in de stop gegraveerd en de lak was bestoven met poedergoud.

'Dank je. Ga maar.'

De bediende boog nogmaals en vertrok. Lorlen verbrak het zegel en rolde een kort stukje perkament open.

Zo zo, de koning wil het dus over Sachaka hebben, dacht Lorlen terwijl hij het briefje las. Hij rolde het briefje weer op, stopte het in de koker en deed hem in de la die gereserveerd was voor koninklijke missiven.

Een gesprek met de koning was onverwacht aantrekkelijk. Wat hij het liefste wilde was de mogelijkheid om iets te kunnen doen, hoe weinig ook. Te lang had hij zich moeten inhouden en had hij hulpeloos terzijde gestaan. Hij stond op en verstarde toen hij aan de rand van zijn geest zijn naam hoorde roepen.

Lorlen!

Osen. Lorlen voelde dat ook andere magiërs meeluisterden, wakker geschud door de luide roep, maar spoedig weer met hun eigen zaken bezig.

Ja, Osen?

Het is achter de rug. Ze zijn in Sachaka.

De moed zonk Lorlen in de schoenen. *Kun je Fergun en de kapitein vragen of iemand in het Fort of in de nabijheid ervan iets ongewoons heeft opgemerkt in Sachaka, de laatste tijd?*

Ik zal ernaar informeren, u hoort het morgen. Larwen heeft gevraagd of er een aantal magiërs hier mag blijven, voor het geval Akkarin en Sonea proberen terug te keren.

Heb je uitgelegd dat dat geen barst uitmaakt?

Nee, ik wilde ze niet nerveuzer maken dan ze nu al zijn.

Lorlen dacht na over het verzoek van de kapitein. *Ik zal het besluit aan Balkan overlaten.*

Dan zeg ik hem dat. Een stilte. *Ik moet ervandoor.*

Het beeld van een zaal met een groot haardvuur en magiërs, die hun plaats aan een grote eettafel innamen, bereikte Lorlens geest. Hij glimlachte.

Eet smakelijk, Osen. Bedankt voor de informatie.

Bedankt voor de informatie, antwoordde een andere stem. Lorlen zette grote ogen op.

Wie was dat? vroeg Osen.

Weet ik niet, antwoordde Lorlen. Hij dacht terug aan hun gesprek en huiverde. Als er iemand bij de grens in een hinderlaag lag, klaar om bezoekers te overvallen, wist die nu dat Akkarin en Sonea op weg waren.

Toen herinnerde hij zich wat de magiërs hier de afgelopen dagen allemaal met elkaar besproken hadden. *Hoe hebben we zo stom kunnen zijn!* dacht Lorlen. *Geen van ons heeft zich afgevraagd wat het zou kunnen betekenen als Akkarins verhaal wáár is!*

Balkan, riep hij.

Ja?

Zeg tegen je manschappen dat alle mentale communicatie vanaf dit moment verboden is. Ik zal de rest van het Gilde inlichten.

Toen Osen en Balkan verdwenen waren, haalde Lorlen Akkarins ring weer uit zijn zak. Met bevende hand schoof hij hem om zijn vinger.

Akkarin?

Maar stilte was het enige antwoord.

21

Een gevaarlijke weg

Dag negen, vijfde maand.
Vanochtend werden we gedwongen te stoppen omdat onze weg geblokkeerd werd
door een aardverschuiving. De knechten hebben de hele dag gegraven, maar ik vrees
dat we morgen pas weer verder kunnen. Ik ben helemaal naar boven geklauterd.
De bergen vormen nu een donkere lijn aan de horizon. Voor me zie ik stoffige
heuvels naar het noorden gaan. Deze woeste grond lijkt wel eindeloos. Het is me
volkomen duidelijk waarom Kyraliaanse kooplieden zo weinig zaken met Sachaka
doen. Het is een onmogelijke reis, en Riko zei dat het voor de Sachakanen mak-
kelijker is om met de noordoostelijke landen handel te drijven. En dan, ze wan-
trouwen het Gilde natuurlijk...

Rothen onderbrak zijn lectuur voor een klop op de deur. Hij zuchtte, legde
het boek neer en dwong de deur zich te openen. Dannyl kwam met gefronst
voorhoofd de kamer binnen.

'Ha, Dannyl,' zei Rothen. 'Een kopje sumi?'

Dannyl sloot de deur achter zich, liep naar Rothen en staarde hem aan.
'Je hebt zelf *aangeboden* naar Sachaka te gaan?'

'Aha.' Rothen sloot het boek. 'Dus ze hebben het je verteld.'

'Ja.' Dannyl leek over zijn woorden te struikelen. 'Ik hoef niet te vragen
waarom. Je gaat Sonea zoeken, ja toch?'

Rothen haalde zijn schouders op. 'Zoiets.' Hij bood Dannyl een stoel aan.
'Ga alsjeblieft zitten. Zelfs ík voel me ongemakkelijk wanneer je zo boven
me uittorent.'

Dannyl nam plaats en keek Rothen vragend aan. 'Ik sta paf dat de hoge
magiërs het zomaar met je eens waren. Ze moeten toch geweten hebben dat
Sonea vinden voor jou veel belangrijker is dan te onderzoeken of die Ichani's bestaan.'

Rothen glimlachte. 'Ja, daar hebben ze het wel over gehad. Ik heb ze
gezegd dat als ik zou moeten kiezen tussen de missie vervullen of Sonea
redden, ik dan voor Sonea zou kiezen. Ze vonden dat goed omdat ik nu

eenmaal een gerede kans maak haar over te halen om terug te keren, en omdat ik natuurlijk niet de enige spion ben.'

'Waarom heb je me er niets over verteld?'

'Ik heb vanmorgen pas met hen gesproken.'

'Maar de plannen had je vast al veel langer.'

'Gisteravond pas. Toen ik jou zo met Garrel in de weer zag, kwam ik tot de conclusie dat je mijn hulp bepaald niet meer nodig hebt.' Rothen glimlachte. 'Mijn steun misschien, maar niet mijn hulp. Sonea kan mijn hulp echter wel gebruiken. Ik heb zo lang niets voor haar kunnen doen. Nu krijg ik eindelijk de kans.'

Dannyl knikte, maar vrolijk keek hij niet. 'En als dat verhaal van Akkarin nu eens waar is? Als je een land vol zwarte magiërs tegemoet gaat? Hij zei dat elke Gildemagiër die Sachaka betreedt onmiddellijk vermoord wordt.'

Rothen keek wat serieuzer. Het wás natuurlijk een gevaarlijke opdracht. Hij was behoorlijk bang voor de mogelijkheid dat hij de tovenaars die Akkarin beschreven had zou tegenkomen. Maar aan de andere kant, als die Ichani's niet bestonden, moest Akkarin een reden gehad hebben ze te verzinnen. Misschien had hij ze alleen verzonnen om het Gilde te bewegen hem te laten gaan. Misschien maakte het deel uit van een groter bedrog. Dan zou hij alle moeite hebben gedaan om de waarheid te verhullen. Misschien was hij zelf wel de grote zwarte magiër die elke Gildemagiër die Sachaka betrad vermoordde! Hij had natuurlijk op zijn vingers kunnen natellen dat het Gilde zijn beweringen zou laten natrekken. Door hun dit verhaal op te dissen, verzekerde hij zich ervan dat het Gilde spionnen naar Sachaka zou sturen. Rothen fronste zijn voorhoofd. Dus misschien liepen ze recht in Akkarins val, zodat hij hun krachten op zou kunnen zuigen...

'Rothen?'

Hij keek Dannyl met een wrange glimlach aan. 'Ik weet dat het een hachelijke onderneming wordt. We wandelen heus Sachaka niet binnen met wapperende gewaden en bollichten boven ons hoofd. We zullen alles doen om zo min mogelijk op te vallen.' Hij wees op het boek. 'Elk verslag van reizen naar Sachaka is voor ons gekopieerd. We gaan met kooplieden en hun knechten praten. We krijgen een cursus van een meesterspion, gestuurd door de koning, die ons zal leren praten en gedragen als gewone mensen.'

Ondanks alles moest Dannyl daarom lachen. 'Dat zou Sonea erg amusant vinden.'

Rothen voelde een steek van verdriet. 'Ja. Eens zou ze dat erg leuk hebben gevonden.' Hij zuchtte. 'Wel, vertel me nu maar eens over jouw gesprek met de hoge magiërs. Nog lastige vragen gehad?'

Dannyl ging verzitten. 'Een paar. Ik denk niet dat ze zo blij zijn met Tayend, maar dat hadden we wel verwacht.'

'Ja,' beaamde Rothen. Hij keek Dannyl aandachtig aan. 'Maar jij bent er wel blij mee.'

'Hij is mijn beste vriend.' Dannyl keek Rothen ietwat uitdagend aan. 'Gaan ze ervan uit dat ik hem nu uit de weg ga?'

Rothen haalde zijn schouders op. 'Je weet wat voor geroddel het oplevert als je dat niet doet. Maar je kunt je leven niet laten bepalen door roddel en achterklap, en Elyne is Elyne. Iedereen weet dat de omgangsvormen daar anders zijn dan hier.'

Dannyls wenkbrauwen gingen omhoog. 'Wat hier netjes lijkt zou daar als onbeleefd worden opgevat.'

'Zo is het. Wil je nu een kop sumi?'

Dannyl glimlachte. 'Ja, graag.'

Rothen stond op en liep naar het kastje waarop de bekers stonden, maar halverwege bleef hij als aan de grond genageld staan.

Magiërs, luister naar me, allemaal! Het was de stem van Lorlen. *Vanaf nu mag er geen mentale communicatie worden gevoerd, tenzij het een noodgeval betreft. Als je echt niet anders dan op deze manier kunt spreken, let dan op wat je zegt. Als je een andere magiër op deze manier hoort spreken, waarschuw dan dat het een verboden communicatievorm betreft.*

'Nou,' zei Dannyl, 'ik vind het niet leuk om te zeggen, maar ik maak me steeds ongeruster.'

'Waarover?'

'Over hetgeen Akkarin ons verteld heeft. Het zou wel eens waar kunnen zijn.'

Terwijl Cery Savara's glas bijschonk, verstijfde ze en staarde in de verte.

'Wat is er?' vroeg hij.

Ze knipperde met haar ogen. 'Dat Gilde van je heeft eindelijk een verstandige beslissing genomen.'

'O?'

Ze glimlachte. 'Bevel om geen gedachtegesprekken meer te voeren.'

Cery vulde ook zijn eigen glas bij. 'Is dat zo nuttig dan?'

'Als ze dat een week geleden besloten hadden, zou dat erg veel gescheeld hebben.' Ze nam haar glas op. 'Maar nu kunnen de Ichani's de plannen van het Gilde in elk geval niet meer afluisteren.'

'Maar hij ook niet.'

Ze haalde haar schouders op. 'Nee, maar dat maakt niet meer uit.'

Cery liet zijn ogen over haar heen glijden. Ze had ergens een fantastische, nauwsluitende jurk vandaan getoverd, van fijne, zachte stof die dieppaars geverfd was. De kleur deed haar huid goed uitkomen. Haar ogen gloeiden als goud wanneer ze hem aankeek. Maar nu had ze haar ogen neergeslagen en haar mond samengeknepen tot een dun lijntje.

'Savara...'

'Vraag me nou niet om te blijven.' Ze keek op en boorde haar blik in de zijne. 'Ik moet gaan. Ik moet mijn volk gehoorzamen.'

'Maar ik –'

'Ik kan niet langer blijven.' Ze stond op en begon heen en weer te lopen. 'Ik zou willen dat het kon. Zou jij met mij naar mijn land willen gaan, in de wetenschap wat jouw land te wachten staat? Nee, je moet je eigen volk beschermen. Ik moet –'

'Hé! Laat mij nou eindelijk eens mijn zin afmaken!'

Ze zweeg en lachte een beetje beschaamd. 'Sorry. Ga je gang.'

'Ik wilde je alleen vertellen dat ik snap wat er aan de hand is. Ik wil natuurlijk liever dat je blijft, maar ik zou je nooit tegenhouden.' Hij glimlachte wrang. 'Alsof ik je ooit zou kunnen weerhouden van wat dan ook.'

Ze keek verbaasd en gebaarde naar de tafel. 'Maar je nodigde me uit voor een maaltijd om te proberen me over te halen.'

Hij schudde het hoofd. 'Ik wilde je alleen maar bedanken voor al je hulp, en ik moest het een beetje goedmaken dat je niet de kans gekregen hebt een van die slaven af te maken.'

'Poeh,' zei ze nuffig. 'Dat kost je wel meer dan een maaltijd en een glas wijn.'

Hij grinnikte. 'Echt waar? Hm, weet je, wij Dieven houden ons altijd graag aan een afspraak. Zou je het me vergeven als ik het op een andere manier goedmaak?'

Haar ogen flitsten en ze glimlachte sluw. 'O, ik kan wel iets bedenken, hoor.' Ze stond op en liep naar hem toe om hem een kus te geven. 'Een paar ideetjes heb ik al.'

Hij glimlachte, sloeg een arm om haar middel en trok haar schrijlings op schoot. 'Weet je zeker dat ik je niet kan overhalen om te blijven?' vroeg hij zacht.

Ze hield haar hoofd scheef en dacht na. 'Eén nachtje dan. Omdat je het zo lief vraagt.'

De weg die Sachaka in voerde was donker en stil. Akkarin had maar één keer wat gezegd, om Sonea te waarschuwen geen licht te maken of hardop te praten. Sinds dat moment was het enige geluid het echoën van hun voetstappen en het verre gehuil van de wind ergens ver boven hen.

Ze keek naar haar laarzen, de enige zaken die nog van haar novice-uniform over waren. Zouden de Ichani's ze herkennen? Ze vroeg zich af of ze ze weg zou moeten gooien, maar het idee om op blote voeten over de koude rotsachtige bodem te lopen stond haar erg tegen.

Toen haar ogen aan het duister waren gewend, begon ze meer te zien van de weg die ze bewandelden. Twee steile rotswanden bevonden zich aan weerszijden, golvend en plooiend als zware gordijnen. Als ze omhoog keek, zag ze die wanden wel honderd voet de lucht in steken, maar langzamerhand werden ze minder hoog.

Na een paar bochten was de linker wand opeens verdwenen. Een donkere, weidse vlakte kwam in zicht. Ze bleven staan en staarden naar het land aan hun voeten.

Een eindeloze duisternis liep van de voet van de bergen naar de gloed aan de horizon. Terwijl ze daar stonden werd de gloed feller. Een schijfje wit begon op te zwellen. Licht overstroomde het land. Een maan – die niet helemaal vol meer was – ontsteeg langzaam de horizon. Sonea hield haar adem in. De bergen leken op hakkelige brokken zilver. Hellingen liepen als uitgeslagen klauwen uit in de vlakte. Waar de rotsen eindigden, begon een boomloos, troosteloos landschap. Hier en daar hadden bergstroompjes de aarde weggespoeld en waren er vertakte en kronkelende spleten ontstaan die zich uitstrekten tot aan de horizon. Verderop ontwaarde ze vreemde, bolle heuvels, als bevroren rimpelingen in een vijver.

Dit was het woeste land van Sachaka. Een niemandsland.

Ze voelde een hand op haar arm. Verbaasd liet ze zich door Akkarin de schaduw in trekken.

'Zo kunnen ze ons zien,' mompelde hij. 'We moeten van de weg af.'

Vooruitkijkend, begreep ze niet hoe dat mogelijk was. De weg boog af naar rechts en liep daar door een bergwand heen. Steile, vrijwel verticale rotswanden rezen op aan beide kanten.

Ze voelde Akkarins hand nog steeds om haar arm. Ze realiseerde zich dat haar hart heel snel klopte, maar niet alleen van angst. Hij echter hield zijn aandacht alleen op het klif boven de weg gericht.

'We moeten maar hopen dat ze daar geen wachtposten hebben neergezet,' zei hij.

Hij liet haar los en stapte de weg op. Sonea volgde. Toen ze een punt bereikten waar de linker wand het grootste deel van de rechter overschaduwde, draaide hij zich snel om en greep haar bij haar schouders.

Ze had een vermoeden van wat hij wilde doen en zette zich schrap. En inderdaad begonnen ze langzaam op te stijgen, gedragen door een magische schijf onder hun voeten. Ze keek snel naar opzij, want zo dicht was ze nog nooit bij Akkarin geweest.

Hij stopte hun stijging vlak onder de top, en gluurde over de rand. Toen hij zeker wist dat het veilig was, leviteerde hij hen over de rand heen en zette hen zacht neer op de rotsachtige ondergrond.

Sonea keek verschrikt rond. De helling aan de andere kant was niet zo'n afgrond als waarlangs ze naar boven waren gekomen, maar nog steeds behoorlijk steil. Spleten en scherpe uitsteeksels staken uit het oppervlak omhoog en op andere stukken was de grond zo schuin dat ze niet zag hoe ze daar konden lopen zonder weg te glijden. Hoe konden ze hier naar beneden komen, bij niets anders dan het licht van de maan?

Akkarin begon te lopen en ging, tastend met zijn voet, de helling af. Sonea haalde diep adem en volgde hem. Vanaf dat moment kon ze aan niets anders denken dan het over en langs uitsteeksels klimmen, over diepe spleten heen springen en haar evenwicht behouden op de verraderlijke helling. Tijd bestond niet meer voor haar. Het was makkelijker om gewoon Akkarin achterna te gaan, en hopen dat ze het volgende obstakel zou overleven.

De maan stond nu hoog aan de hemel, en ze had haar pijnlijke spieren al meerdere malen genezen, toen Akkarin eindelijk stopte op een brede richel. Ze nam aan dat er een bijzonder brede spleet of een andere belemmering voor hen lag. Toen merkte ze dat hij over haar schouder naar achteren keek.

Plotseling greep hij haar armen en dwong haar te hurken. Haar hart sloeg over.

'Laag blijven,' siste hij. Hij keek achter zich. 'Misschien steken we af tegen de hemel.'

Ze kroop ineen met bonzend hart. Hij staarde gehurkt naar de weg die ze afgelegd hadden, en wees naar de grillig gevormde helling waar ze vandaan kwamen. Ze zocht naar iets wat ze gemist had. Maar ze zag niets bijzonders en schudde het hoofd.

'Waar dan?'

'Hij zit achter die rots die eruitziet als een mulloek,' zei hij zacht. 'Wacht even... daar.'

Vijf- of zeshonderd stappen terug zag ze een bewegende schaduw. Hij danste de helling af met geoefende sprongetjes.

'Wie is dat?'

'Een van Kariko's bondgenoten zeker.'

Een Ichani, dacht Sonea. *Nu al! Hij mag ons niet zien, Akkarin is nog niet sterk genoeg.* Ze werd misselijk van de spanning.

'We moeten er razendsnel vandoor,' zei Akkarin. 'Hij ligt een klein uur op ons achter. We moeten de afstand groter maken.'

Ineengedoken kroop hij langs een richel naar een overhangend stuk rots dat een spleet open liet. Hij kroop erin, wurmde zich naar de andere kant, kwam overeind en rende naar beneden. Sonea haastte zich zo snel ze kon, en behield gelukkig haar evenwicht, hoewel een regen van losse stenen onder haar laarzen vandaan schoot.

Ze moest haar uiterste best doen hem bij te houden. Hij vloog om enorme zwerfkeien heen, liep in een drafje over glibberige hellingen vol scherpe steentjes en hield nauwelijks in voor een sprong over diepe spleten die ze op hun pad vonden. Elke stap was een test voor Sonea's reflexen en evenwichtsgevoel.

Toen Akkarin stopte achter een enorme kei liep ze haast tegen hem op. Nogmaals keek hij achter zich, en na een tijdje ontdekte zij hun achtervolger ook. De man was nog steeds niet verder weg, zag ze met wanhoop.

Maar altijd nog beter dan dichterbij, zei ze tot zichzelf.

'Het wordt tijd dat we een vals spoor trekken,' mompelde Akkarin. Hij liep om het rotsblok heen. Sonea hield haar adem in toen ze zag hoe diep de spleet aan hun voeten was. Een deel was als steile helling nog begaanbaar, maar na een pas of twintig veranderde hij in een diep ravijn met gladde wanden die naar een duistere diepte gingen.

'Ik loop een kwartiertje naar links en ga dan naar de rand. Hij zal aannemen dat we daar het ravijn zijn ingegaan. Jij leviteert naar de andere kant en blijft parallel aan de bergen. Blijf zo veel mogelijk in de schaduw, al kom je daardoor soms wat langzamer vooruit.'

Ze knikte. Hij draaide zich om en rende de nacht in. Even voelde ze zich doodsbang, zo alleen, maar ze haalde diep adem en ging aan het werk.

Rechtop staand, vormde ze een magische schijf onder haar voeten en tilde zichzelf de lucht in. Toen ze over de bergspleet zweefde keek ze per ongeluk naar beneden. Griezelig diep was hij. Ze richtte haar blik op de andere kant en zweefde over het ravijn heen. Toen ze weer vaste grond onder haar voeten had, zuchtte ze van opluchting. Ze had nooit hoogtevrees gehad, maar vergeleken met de diepte van dat ravijn waren de hoogste gebouwen in de stad zoiets als de trappen van de universiteit.

Vanaf daar begon ze de ruwe bergwand af te dalen. In de schaduw blijven was kinderlijk eenvoudig. De maan was nu vlak boven hen, maar de helling van de berg was geërodeerd tot een soort reuzentrap. Ze begon de treden af te springen.

In de schaduw was alles natuurlijk ook minder goed te zien. Meer dan eens viel ze bijna in een spelonk of spleet. Na een eindeloze tocht van springen en rennen, keek ze op en zag dat de maan nu boven de toppen van de bergen stond.

Ze huiverde toen ze zich realiseerde hoe lang geleden Akkarin van haar was weggegaan. Ze dacht na over zijn plan. Een kwartiertje aan de linkerkant van het ravijn naar beneden plus een kwartier weer terug naar het rotsblok: dat betekende dat hij maar een halfuur achter was. Maar als die achtervolger nu ook maar een halfuur achter hen had gezeten, in plaats van een uur? Dan kwamen ze elkaar precies bij de rand tegen!

Ze merkte dat ze minder snel vooruit kwam en dwong zichzelf een hoger tempo aan te nemen. Akkarin was niet dood. Als hij gepakt was zou hij wel schreeuwen dat ze moest gaan rennen.

Maar als hij haar nu eens in de steek gelaten had?

Doe niet zo achterlijk, dacht ze boos. *Hij zou me heus niet tussen de Ichani's achterlaten.*

Tenzij... tenzij hij de achtervolger meegelokt had, wetende dat hij gedood zou worden, maar dat zij kon ontsnappen.

Ze keek om. Haar pad liep om de berg heen, en ze kon niet verder achter zich zien. Ze liep door. *Niet speculeren*, dacht ze, *maar concentreren*.

De woorden verlieten haar gedachten niet en ze werden een zichzelf herhalend ritme. Na een tijdje zei ze ze zacht voor zichzelf op. Stap voor stap kwam ze verder. Toen rende ze om een uitsteeksel heen en stapte bijna een diep ravijn in.

Met beide armen kon ze op het nippertje een vooruitspringende rotspunt vastpakken; ze sloeg er een been omheen om meer houvast te krijgen.

Haar hart bonsde in haar keel terwijl ze haar andere been weer op het pad zette en moeizaam balancerend bleef staan. Het pad hield plotseling op aan de rand van een enorme kloof. Angstig staarde ze naar de wand aan de overkant en bedacht wat ze moest doen. Ze kon naar de overkant leviteren, maar dan zou iedereen haar kunnen zien.

Het geluid van haastige voetstappen was alles wat ze nodig had. Ze deed een stap terug voor een aanloopje, maar een arm duwde haar hardhandig naar voren. Een hand werd op haar mond gelegd om haar het schreeuwen te beletten. Ze viel voorover van de rand van het pad waarop ze had gestaan.

Toen voelde ze magie rondom haar opstijgen en ze merkte hoe haar val vertraagde. En tegelijkertijd rook ze een bekende geur.

Akkarin.

Zijn armen waren stevig om haar heen geslagen. Ze wentelden rond in de lucht en begonnen op te stijgen. De scherpe rotspunten die uit de wanden van het ravijn staken schoten voorbij. Ze maakten een grote zwaai en ze zag een gapend gat van diepe duisternis voor zich. Ze zweefden erin.

Toen Akkarin haar losliet voelde ze dat ze op een ongelijkmatige bodem stond. Ze wankelde en sloeg haar armen uit. Met één hand tegen de wand hervond ze haar evenwicht. Ze voelde zich licht in het hoofd en het duizelde haar, maar desondanks had ze moeite niet in een hysterische lach uit te barsten.

'Geef me je kracht. Onmiddellijk.'

Akkarin was een schaduw in het duister en zijn stem klonk zowel smekend als gebiedend. Ze deed haar best haar ademhaling onder controle te krijgen.

'Ik –'

'Nu!' zei hij dwingend. 'De Ichani kan jouw kracht voelen. Snel.'

Ze stak haar handen uit. Zijn vingers tastten licht langs de hare en ze verstrengelden zich. Ze sloot haar ogen en zond hem een gestage stroom energie. Toen het tot haar doordrong wat Akkarin gezegd had, liet ze de energie sneller stromen tot het uit haar gutste.

'Stop, Sonea.'

Ze opende haar ogen en voelde zich opeens uitgeput.

'Je hebt te veel gegeven,' zei hij. 'Je bent doodop.'

Ze geeuwde. 'Ik heb het niet nodig.'

'O nee? En hoe denk je nu verder te gaan?' Hij zuchtte. 'Ik kan je Genezen natuurlijk, maar misschien moesten we hier maar even blijven. Als de Ichani had gezien waar we heen gingen, was hij hier allang geweest. En we hebben in geen dagen geslapen.'

Ze huiverde en keek omhoog. 'Hij was zo dicht bij me!'

'Ja. Ik nam een ander pad dan het jouwe zodat ik hem in de gaten kon houden. Ik zag hoe hij je foutloos volgde, maar hij merkte mijn spoor niet op, hoewel ik een paar maal vlak voor je langs ben gegaan. Ik heb hem van nabij kunnen observeren. Hij voelde je kracht. Je bent niet gewend je extra kracht binnen te houden; af en toe ontglipt er wat uit je Beheersing.'

'O.'

'Maar gelukkig haalde ik hem in vlak voor je het ravijn in duikelde. Eén tel later en hij had je te pakken gehad.'

'O.'

'Ga jij nu maar slapen, ik houd de wacht.'

Ze zuchtte opgelucht. Ze was al bekaf geweest voor ze hem haar kracht gegeven had. Een miniem bollichtje verscheen en ze bleken in een smalle grot in de ravijnwand te zitten. Iets dieper was de vloer bezaaid met stukken rots en stenen. Ze wilde graag gaan liggen en keek wanhopig naar de vloer. Op een betrekkelijk schoon stukje schoof ze nog wat stukken rots opzij en ging liggen. Comfortabel was anders. Ze glimlachte mismoedig toen ze zich herinnerde dat ze in haar begintijd bij het Gilde op de vloer van Rothens kamer geslapen had omdat ze niet gewend was aan zachte bedden.

Akkarin zat gehurkt bij de ingang. Toen zijn bollichtje uitging, begreep ze niet hoe ze ooit in slaap zou kunnen vallen nu ze wist dat die Ichani daarbuiten op zoek naar haar was.

Maar de uitputting eiste al spoedig zijn tol en haar gedachten dreven weg van alle zorgen en angst.

22

Wikken en wegen

Toen de grote Gilderijtuigen de ringweg langs de paleismuur op reden, keek Lorlen enigszins benauwd op. Het was lang geleden dat hij het paleis bezocht had. Zaken tussen de koning en het Gilde werden altijd door de Opperheer behandeld. De twee magiërs die de koning altijd in zijn nabijheid had, waren alleen aangesteld ter bescherming en voor dagelijks overleg, dus zij ontvingen geen opdrachten die het Gilde aangingen.

Alsof ik nog niet genoeg te doen heb, dacht Lorlen. De koning had de wens geuit alle hoge magiërs vandaag te ontmoeten, dus daar zaten ze dan.

Vrouwe Vinara keek rustig voor zich uit, maar heer Sarrin had een zorgelijke blik. Buitenlands administrateur Kito trommelde met de vingers van zijn ene hand op de andere. Lorlen wist niet zeker of dat ongeduld of nervositeit aangaf. Niet voor de eerste keer wenste hij dat Kito's plichten voorschreven dat hij vaker op het Gilde aanwezig was. Dan was hij meer vertrouwd geweest met de persoonlijke tics en maniertjes van Kito.

Het rijtuig reed langzamer toen het de bocht naar de paleisingang nam. De twee enorme hekken van zwartgelakt metaal zwaaiden naar binnen open. Twee wachters stonden ernaast. Aan beide zijden van de ingang stonden nog meer paleiswachten opgesteld, die bogen toen Lorlens rijtuig de enorme binnenplaats op reed.

Beelden van koningen uit vroeger tijden stonden trots rond de binnenplaats opgesteld. De twee rijtuigen stopten bij de fraai bewerkte paleisdeuren. Een wachter stapte naar voren en maakte een diepe buiging toen Lorlen uitstapte.

Lorlen keek even naar de tweede koets die achter zijn rijtuig stilhield, en liep op de hofmeester bij de deur af. De taak van de hofmeester was het formele welkom heten van elke bezoeker aan het paleis om daar later verslag van te doen. Lorlen vond het als jongen al uitermate boeiend dat de hofmeesters een speciaal schrift ontwikkeld hadden om alles zo snel en gedetailleerd mogelijk te kunnen noteren.

De hofmeester maakte een sierlijke buiging. 'Welkom, administrateur Lorlen. Het is me een eer u te mogen begroeten.' Zijn wakkere ogen schoten van de ene naar de andere magiër terwijl hij hen begroette. 'Welkom in het paleis.'

'Dank u,' antwoordde Lorlen. 'De koning heeft ons ontboden.'

'Dat is me verteld.' De man hield een schrijfplankje in de hand. Hij trok een velletje papier uit een sleuf aan de zijkant en krabbelde er met een inktstaafje snel wat tekens op. Een jongen die in de buurt stond dook op hen af, maakte een buiging en nam het velletje aan.

'Uw aller gids,' zei de hofmeester. 'Hij zal u naar koning Merin begeleiden.'

De jongen liep snel vooruit naar een van de grote paleisdeuren en trok hem open, waarna hij opzij stapte. Lorlen liep voorop naar de entree van het paleis.

De ronde hal was gebaseerd op die van de universiteit en ook hier bevonden zich dus fragiele wenteltrappen. Maar het waren er veel meer dan in het Gilde en bovendien waren ze verguld en verlicht door vele hanglampen. Een enorme klok klikte en zoemde in het midden van de hal. Ze volgden de knaap de trap op naar de tweede etage.

Hun gids leidde hen door een ingewikkeld stelsel van gangen, overlopen en zalen met enorme deuren. Na een lange tocht en de beklimming van een smalle glazen wenteltrap kwamen ze bij een deur van normale proporties, waarvoor twee wachters stonden. De jongen vroeg hun beleefd even te wachten en glipte langs de wachters. Even later verscheen hij weer met de mededeling dat de koning hen kon ontvangen.

Toen Lorlen de kamer binnen stapte trokken de lange smalle ramen meteen zijn aandacht. Het uitzicht was geweldig: de hele stad en de landerijen erachter waren te zien. Hij begreep dat ze in een van de paleistorens waren beland. Hij wierp een blik op het noorden en verwachtte haast de donkere bergruggen van het Staalgebergte te zien, maar nee, de grens lag natuurlijk veel verderop, achter de horizon.

De koning zat in een grote gemakkelijke fauteuil aan de andere kant van de kamer. De adviseurs stonden elk aan een kant met een ernstige uitdrukking op hun gelaat. Heer Mirken was de oudste van de twee; heer Rolden was ongeveer even oud als de koning en was zowel diens vriend als beschermer.

'Majesteit,' begroette Lorlen hem. Hij viel op een knie en hoorde het ruisen van de gewaden van de anderen die zijn voorbeeld volgden.

'Welkom administrateur Lorlen,' antwoordde de koning, 'en andere hoge magiërs natuurlijk. Sta toch op.'

Lorlen en de anderen kwamen omhoog.

'Ik wilde graag de beweringen van de voormalige Opperheer met u bespreken,' begon de koning. Hij liet zijn blik van de ene hoge magiër naar de andere glijden, en er verscheen een frons op zijn voorhoofd. 'Waar is heer Balkan?'

'Het Hoofd van de Krijgers is momenteel in het Noordelijk Fort, majesteit,' legde Lorlen uit, 'met de magiërs die Akkarin naar de grens hebben geëscorteerd.'

'En wanneer is hij weer terug?'

'Het was zijn voornemen te blijven voor het geval Akkarin terug wil keren via het fort, of tot duidelijk is of die Ichani's over wie hij sprak inderdaad bestaan en zo ja, of ze Kyralia binnen willen vallen.'

De koning fronste nu ook zijn wenkbrauwen. 'Ik heb hem hier nodig, ik moet van alles met hem overleggen.' Hij aarzelde. 'Mijn adviseurs hebben me laten weten dat u alle mentale communicatie hebt stopgezet. Wat is daarvoor de reden?'

'Gisteravond hoorde ik een stem van een magiër die ik niet kon thuisbrengen.' Lorlen huiverde toen hij eraan dacht. 'Hij heeft minimaal één gesprek dat ik met mijn assistent hield letterlijk gevolgd.'

De koning kneep zijn ogen half dicht. 'En wat zei die vreemdeling?'

'Ik bedankte heer Osen, die me verteld had dat Akkarin en Sonea in Sachaka waren aangekomen. De vreemdeling herhaalde mijn dankwoorden.'

'En dat was alles?'

'Ja.'

'Je weet dus niet zeker of die vreemdeling een Ichani was.' De koning trommelde met zijn vingers op de armleuning van zijn stoel. 'Maar als de Ichani bestaan en meegeluisterd hebben, hebben ze de afgelopen dagen heel wat op kunnen vangen.'

'Helaas wel, ja.'

'En als ik heer Balkan opdracht geef het Fort te verlaten, weten ze dat uiteraard ook. Zijn die Krijgers van hem in staat om het Fort te verdedigen als hij terugkeert naar het Gilde?'

'Dat durf ik niet te zeggen. Ik kan het hem vragen, maar als zijn antwoord nee luidt, en hij komt toch terug, weet iedereen dat het Fort kwetsbaar is voor een aanval.'

De koning knikte. 'Ik begrijp het. Roep hem toch maar op. Als hij denkt niet te kunnen vertrekken, laat hem dan maar blijven.'

Lorlen maakte geestelijk contact met Balkan. Het antwoord kwam onmiddellijk.

Lorlen?

Als je terug zou keren naar Imardin, kunnen je mannen het fort dan verdedigen?

Ja. Ik heb heer Makin geleerd hoe hij de mannen moet opstellen bij een aanval van een zwarte magiër.

Mooi. Kom dan onmiddellijk terug. De koning heeft behoefte aan advies.

Over een uur ben ik weg.

Lorlen knikte en keek de koning aan. 'Hij vertrouwt erop dat ze het Fort kunnen verdedigen. Over een dag of twee, drie is hij hier.'

De koning knikte goedkeurend. 'Welnu, vertel me alles over uw onderzoek.'

Lorlen sloeg zijn handen achter zijn rug ineen. 'De afgelopen dagen hebben we een aantal kooplieden gezocht die Sachaka vroeger bezocht hebben, en een van hen heeft van die Ichani's gehoord. Hij dacht dat het bandieten of rovers waren. In het woeste grensgebied schijnen regelmatig kooplui en hun waren verdwenen te zijn. Men nam aan dat ze verdwaald waren. Dat is alles wat we te weten zijn gekomen. We hebben drie magiërs uitgezocht die naar Sachaka gaan om informatie te verzamelen. Ze vertrekken over drie dagen.'

'En welke beveiligingsmaatregelen hebben jullie in gedachten voor het geval dat verhaal van Akkarin waar blijkt te zijn?'

Lorlen keek zijn collega's even aan. 'Als die Ichani's inderdaad honderd keer zo sterk als een Gildemagiër zijn, dan weet ik niet of we wel wat kunnen doen. We zijn met ruim driehonderd man, als ik de magiërs uit het buitenland meetel. Akkarin schatte dat er tien tot twintig Ichani's zouden komen. Al zijn het er tien, dan zouden we nog ruim zeshonderd magiërs moeten optrommelen of opleiden. Hoewel er veel magisch potentieel in de lagere klasse zit, betwijfel ik of we er zevenhonderd nieuwe magiërs zullen aantreffen – nog daargelaten dat we nauwelijks tijd hebben om hen op te leiden.'

De koning was bleek weggetrokken. 'En er is geen andere manier?'

Lorlen aarzelde. 'Er ís wel een manier, maar die zou ook gevaar op kunnen leveren.'

De koning gebaarde dat Lorlen verder moest gaan.

Lorlen keek heer Sarrin aan. 'Het Hoofd van Alchemie heeft Akkarins boeken bestudeerd. Wat hij ervan opgestoken heeft is zeer verhelderend, maar ook verontrustend.'

'Hoe komt dat, heer Sarrin?'

De oude magiër kwam naar voren. 'Er staat duidelijk dat zwarte magie pas vijf eeuwen geleden door het Gilde verboden werd. Voor die tijd was het een gewoon vak en stond het bekend als "hoge magie". Nadat het vak geschrapt werd, werden verslagen herschreven of vernietigd om alle verwijzingen ernaar te verhullen. De boeken in Akkarins bezit waren onder de universiteit verstopt, voor het geval dat Kyralia wederom door een machtige tegenstander aangevallen zou worden.'

'Dus jullie voorgangers hadden daar de bedoeling mee om zwarte magie weer toe te staan als er een oorlog dreigde?'

'Daar ziet het naar uit.'

De koning dacht er even over na. Lorlen was blij om te zien dat de koning er behoorlijk bang en ongerust uitzag. Geen enkele heerser zou spontaan onbeperkte macht aan zijn magiërs geven.

'En hoe lang zou het duren om die hoge magie te leren?'

Sarrin spreidde zijn handen. 'Dat weet ik niet. Langer dan een dag. Ik geloof dat het Sonea een week kostte, maar ze had natuurlijk Akkarin als leraar. Als je het uit een boek moet leren is het altijd wat moeilijker.' Hij zweeg even. 'Ik zou het ook niet aanraden, tenzij uitzonderlijke omstandigheden het vereisen.'

'Hoezo?' vroeg de koning.

'Er is altijd het gevaar dat het uiteindelijk een verderfelijk effect op ons eigen volk zal hebben.'

De koning knikte. 'Maar het schijnt Akkarin niet echt aangetast te hebben. Als hij het Gilde over had willen nemen, of mijn troon, dan had hij daar de afgelopen acht jaar alle kans toe gehad.'

'Dat is waar,' beaamde Lorlen. 'Akkarin was mijn beste vriend, van de dag dat we novicen werden, en hij is altijd eerlijk en betrouwbaar geweest. Ambitieus, ja, dat wel, maar nooit vals of harteloos.' Hij schudde het hoofd. 'Maar het Gilde omvat veel leden, en ik kan niet garanderen dat alle magiërs evenveel beheersing kunnen opbrengen als onbeperkte kracht opeens voor het grijpen ligt.'

De koning knikte weer. 'Misschien is het dan voldoende als slechts een paar betrouwbare magiërs de kunst leren... natuurlijk alleen als de situatie wanhopig dreigt te worden. Het draait allemaal om bewijs. Jullie moeten er zo snel mogelijk achter zien te komen of dat verhaal van Akkarin op waarheid berust.' Hij keek Lorlen ernstig aan. 'Is er nog iets dat ik moet weten?'

Lorlen wierp een blik op de anderen en schudde het hoofd. 'Ik zou willen dat we meer en vooral geruststellend nieuws hadden, majesteit, maar helaas is dat niet het geval.'

'Dan kunt u allen vertrekken, maar ik zou graag zien dat de administrateur nog even bleef. Ik wil iets meer weten over Akkarin en die novice van hem.'

Lorlen knikte naar de anderen. Ze maakten een buiging en verlieten de kamer. De koning gebaarde naar zijn adviseurs dat ze bij de deur plaats moesten nemen. Hijzelf stond op en liep naar het raam met uitzicht op het noorden. Lorlen volgde hem en bleef op beleefde afstand staan. De koning leunde op de vensterbank en zuchtte.

'Ik heb Akkarin altijd zo integer gevonden,' mompelde hij. 'En nu hoop ik haast dat ik een dwaas ben geweest, en hem fout beoordeeld heb.'

'Ik begrijp het, Sire,' zei Lorlen. 'Maar ik ben bang dat we onze beste bondgenoot in handen van de vijand gespeeld hebben.'

De koning knikte droef. 'Maar het moest gebeuren. Ik hoop dat hij het overleeft, administrateur, en niet alleen omdat we hem misschien nog nodig hebben. Voor mij was hij ook een vriend geworden.'

Pijn was het eerste wat Sonea voelde toen ze wakker werd. Vooral haar benen en rug kon ze nauwelijks bewegen, maar ook haar schouders en armen waren bont en blauw. Toen ze zichzelf onderzocht, bleek het voornamelijk om spierpijn te gaan van spieren waarvan ze nooit geweten had dat ze ze bezat, en die ze nu onophoudelijk gebruikt had. Verder had ze kramp in bepaalde lichaamsdelen die ze onbewust ver van het contact met de harde ondergrond had willen houden.

Ze concentreerde zich op haar kracht en genas zelf de ergste ongemakken. Terwijl de pijn verminderde, voelde ze de honger beginnen te knagen. Ze probeerde zich te herinneren wanneer ze voor het laatst gegeten had, maar het enige wat haar te binnen schoot was wat er de vorige avond gebeurd was.

Ik weet alleen nog dat ik met Akkarin een grot in ben gegaan.

Ze deed haar ogen voorzichtig open. Twee rotswanden verhieven zich en kwamen bij het plafond samen. De grot. Ze tuurde door haar ooghaartjes naar de ingang. Akkarin zat een paar stappen verderop. Terwijl ze gluurde keek hij naar haar en zijn ene mondhoek krulde omhoog, in dat halve glimlachje dat ze zo goed kende.

Hij glimlacht naar me.

Ze wist niet of hij zag dat ze wakker was en ze wilde niet dat hij ophield met glimlachen, dus bleef ze stil liggen. Hij keek nog even naar haar, maar toen hij zijn hoofd wegdraaide werd de lach vervangen door een bezorgde trek.

Ze kneep haar ogen dicht. Ze moest opstaan, maar had geen zin zich te bewegen. Als ze dat deed, begon de dag en zouden ze weer moeten klimmen en rennen om te ontkomen aan de Ichani's. En Akkarin zou weer stug en bits worden.

Ze opende haar ogen helemaal en keek weer naar hem. De huid van zijn gezicht stond strak en hij had blauwe wallen onder zijn ogen. De schaduw van baardhaartjes benadrukte zijn hoekige kaken en jukbeenderen. Hij zag er mager en vermoeid uit. Had hij wel geslapen? Of had hij de hele nacht de wacht gehouden en over haar gewaakt?

Hij keek haar aan en zijn mond kreeg een smalende trek. 'Hè, hè, we worden wakker.' Hij stond op. 'Opstaan. We moeten zo ver mogelijk van de pas vandaan zien te komen.'

Ook goedemorgen, dacht Sonea. Ze rolde om en werkte zichzelf stijfjes omhoog tot ze stond.

'Hoe laat is het?'

'Het schemert al.'

Ze had de hele dag geslapen! Ze keek nog eens naar de kringen onder zijn ogen.

'Hebt u wel geslapen?'

'Ik hield de wacht.'

'We moeten om de beurt de wacht houden.'

Hij antwoordde niet. Ze wankelde naar de ingang van de grot. Het duizelde haar toen ze zag hoe diep het ravijn was. Hij legde een hand op haar schouder en ze voelde de vibraties die de magie bewerkstelligde onder haar voeten.

'Laat mij het maar doen,' bood ze aan.

Hij negeerde haar opmerking. Magie tilde hen op van de bodem van de grot en hoog boven het ravijn. Ze keek naar zijn gezicht toen ze omhoog gingen; hij zag er nog steeds gespannen uit. Morgen zou ze erop staan de eerste wacht te nemen, besloot ze, want het was duidelijk dat hij haar niet zou wekken zodat hij zelf even kon rusten.

Toen hij hen boven op het klif liet landen, nam hij zijn hand van haar schouder. Ze volgde terwijl hij de grond afzocht. Ze nam aan dat hij naar Ichanisporen op zoek was, dus hield ze afstand. Nadat ze een paar honderd stappen heuvelopwaarts waren gelopen, draaide hij zich om en liep hij in tegengestelde richting terug.

Ze draaide zich ook om, en de adem stokte haar in de keel. Daar lag het woeste en ledige land, zo ver het oog reikte. Ondanks het schemerlicht waren de kleuren nog steeds levendig.

Donkere, roestkleurige aarde lag aan de voet van de bergen, maar waar stromen het land doorkliefd hadden zag ze linten van zwarte en bleekgele klei. Als ze haar ogen bijna samenkneep zag ze overal pollen ruw gras op het oppervlak en hier en daar wilde bosjes hakhout en boompjes, verwrongen door de genadeloze wind.

Het was een naargeestig landschap, maar er schemerde toch een wild soort schoonheid doorheen. De kleuren waren zo intens en vreemd. Zelfs de hemel was van een ander soort blauw dan thuis.

'Daar was ik al bang voor. Hij is naar het zuiden gegaan in plaats van naar het woeste land.'

Verbaasd keek ze hoe Akkarin zich omdraaide en langs haar liep, de heuvel op. Ze zuchtte en liep hem maar weer achterna.

Een afmattende klim volgde. Akkarin leek niet te willen leviteren, en beklom liever de uitsteeksels in de rotsen, die wat van grote treden weg hadden. Hij stopte niet om te pauzeren, en toen de laatste zonnestralen achter de bergen verdwenen waren, was ze net zo stijf en moe als toen ze wakker werd.

Ze wilde zo graag even rusten. Al bleven ze maar even staan! Al liep hij maar met wat minder grote passen! Misschien zou hij zijn tempo iets vertragen als ze hem tot praten wist te verleiden.

'Waar gaan we heen?'

Akkarin aarzelde, maar stopte niet en keek haar niet aan.

'Weg van de pas.'

'En dan?'

'Ergens waar het veilig is.'

'Hebt u al iets in gedachten?'

'Als het maar ver van Sachaka en de Geallieerde Landen is.'

Sonea bleef staan en keek strak naar zijn rug. Weg van Sachaka en Kyralia? Hij wilde niet in de buurt blijven zodat hij kon helpen als de Ichani's Kyralia aanvielen?

Bij nader inzien was dat ook niet zo gek. Wat zouden ze kunnen doen? Ze waren toch geen partij voor de Ichani's. En het Gilde al helemaal niet. En het Gilde wilde niet eens dat zij zouden helpen. Dus waarom zouden ze blijven?

Maar het kwam haar toch vreemd voor dat hij het zo snel opgaf. Zíjzelf zou niet zo snel het bijltje erbij neergooien. Ze zou vechten, al zat het er dik in dat ze zou verliezen.

Maar als dat inhield dat ze Akkarin moest verlaten?

Akkarin keek om. 'Eigenlijk ben ik van plan om Kariko's groep te vinden en wat spioneerwerk te verrichten,' zei hij. 'Als ik ze vind zal ik wat beelden doorsturen naar het Gilde.'

Sonea staarde naar hem en schudde haar hoofd. Hij had haar alleen maar op de proef gesteld! Ze was zowel opgelucht als kwaad toen dat tot haar doordrong. Pas toen dacht ze na over wat hij had gezegd en ze verstijfde van schrik.

'Maar die Ichani's zullen u horen! Ze voelen vast dat u ze in de gaten houdt,' zei ze. 'Ze zullen –'

Hij keek haar scherp aan. 'Waarom ben je eigenlijk met mij meegegaan, Sonea?'

Sonea keek ietwat benauwd terug. Zijn ogen schitterden vervaarlijk. Ze voelde zich gekwetst en langzaam werd ze boos.

'U hebt meer aan mij dan het Gilde,' zei ze koel.

Hij kneep zijn ogen tot spleetjes. 'O ja? Wat heb ik nou aan een half volleerd, ongehoorzaam leerlingetje, dat alleen maar bescherming nodig heeft.'

Ongehoorzaam. Dus dat zit hem dwars. Ze rechtte haar rug. 'Als u dat onhandige plannetje echt uit wil gaan voeren, dan hebt u me inderdaad hard nodig,' beet ze terug.

Er flikkerde iets in zijn ogen, maar hij bleef haar strak aankijken. 'Onhandig of niet, waarom zou ik je verder in mijn plannen betrekken als je ze toch al bij voorbaat neersabelt?'

'Ik werk alleen niet mee aan plannen die u het leven kunnen kosten.'

Hij knipperde even met zijn ogen en keek haar toen scherp aan. Ze sloeg haar ogen geen seconde neer. Plotseling draaide hij zich om en begon weer te klimmen.

'Jouw aanwezigheid heeft alles een stuk ingewikkelder gemaakt. Ik kan niet doen wat ik wilde doen. Ik moet helemaal opnieuw bedenken hoe ik... hoe we het moeten aanpakken.'

Sonea kwam snel achter hem aan. 'U wilde de Ichani's toch niet echt bespieden en wat u zag aan het Gilde overbrieven, hè?'

'Ja en nee.'

'Want als ze u horen, weten ze in een mum van tijd waar we verscholen zitten.'

'Natuurlijk,' antwoordde hij.

En als ze hem vingen, zouden ze geen slaaf meer van hem maken. Ze zouden hem afslachten. Plotseling begreep Sonea wat hij van plan was geweest het Gilde te laten zien. Een ijskoude rilling trok over haar ruggengraat.

'Tja, als *die* beelden het Gilde niet overtuigen van het bestaan van de Ichani's weet ik het ook niet meer.' Hij bleef even stilstaan. 'Ik bedoelde niet helemaal dat ik van plan was mezelf op te offeren voor dat doel,' zei hij stijfjes. 'Als ik via Lorlen communiceer kunnen de Ichani's er niets van horen.'

Lorlens ring. Ze kreeg een kop als een boei. 'O ja,' antwoordde ze schaapachtig.

Wat een idioot ben ik toch, dacht ze. *Nou ja, zo klonk ik in elk geval wel. Misschien kan ik beter mijn mond houden.*

Maar hoe hoger ze klommen, hoe dieper ze over zijn plan nadacht. Er was geen reden waarom ze het niet zouden proberen. Ze wilde er weer over beginnen, maar bedwong zich. Wanneer ze weer zouden stoppen, kon ze het hem vragen.

Net toen de toenemende duisternis hun bijna alle licht ontnam, bereikten ze het uiteinde van een steil klif. Akkarin keek uit over het land dat zich aan hun voeten uitstrekte. Hij ging zitten en zij hurkte naast hem. Heel vaag ving ze de geur van zijn zweet op. Ze voelde zijn kalme aanwezigheid en was zich bewust van de stilte tussen hen. Nu ze over het bespieden van de Ichani's moest beginnen, kon ze geen woord over haar lippen krijgen.

Wat héb ik toch? vroeg ze zichzelf af.

Je bent verliefd, fluisterde een stemmetje in haar hoofd.

Welnee. Doe niet zo achterlijk, antwoordde ze. *Ik ben niet verliefd. En hij al helemaal niet. Ik ben het halfvolleerde, ongehoorzame leerlingetje. Hoe eerder ik die belachelijke gedachte uit mijn hoofd krijg, hoe beter.*

'We hebben gezelschap.' Akkarin tilde zijn hand op en wees.

Een donkere vorm maakte zich los van de schaduw van een groot rotsblok verderop. Het was moeilijk te zeggen hoe ver het was. In de stad had ze nooit afstanden leren schatten.

De schokkerige bewegingen hadden niets menselijks.

'Het is een dier,' zei ze.

'Ja,' antwoordde Akkarin zacht. 'Een djiel. Een klein soort limek, dat getemd is. De Ichani's trainen ze om sporen te volgen en te jagen. Kijk, de eigenaar komt er ook bij.'

Een gedaante stapte het maanlicht in en liep geruisloos achter de snuffelende djiel aan.

'Nog een Ichani?'

'Waarschijnlijk wel.'

Ze voelde haar hart bonzen, maar dat had nu niets met liefde te maken. Een Ichani voor hen, één achter hen.

'Kan hij ons vinden?'

'Als haar djiel onze geur oppikt.'

Haar? Sonea keek nog eens goed. De manier van lopen deed inderdaad vrouwelijk aan, besloot ze. Ze keek naar Akkarin. Zijn voorhoofd was gefronst.

'En nu?' vroeg ze.

Hij keek naar beneden langs het klif. 'Ik wil niet telkens kracht verspillen door te leviteren, maar hogerop zitten we wel een stuk veiliger. We moeten goed uitkijken naar een spleet of spelonk in het gesteente terwijl we omhooggaan.'

'En dan?'

'Dan gaan we water en voedsel zoeken.'

'Daarboven?' zei ze verbaasd.

'Het ziet er misschien verlaten uit, maar er is wel wat leven als je weet waar je moet zoeken. Hoe zuidelijker we gaan, hoe makkelijker het wordt.'

'We gaan dus naar het zuiden?'

'Ja. Zuidwaarts.'

Hij stond op en stak een hand uit. Ze pakte hem en liet zich optrekken. Terwijl hij zich omdraaide gleden zijn vingers uit de hare; haar huid tintelde waar hij haar had aangeraakt. Sonea keek naar haar hand en zuchtte.

Ze moest die belachelijke ideeën zo snel mogelijk uit haar gedachten zien te bannen.

Dannyl zuchtte van opluchting toen de deur van zijn kamer achter hem dichtviel. Hij plofte neer in een van zijn ontvangstkamerstoelen en dimde zijn bollicht tot een flauw schijnsel.

Eindelijk alleen. Maar om te zeggen dat hij zich nu beter voelde, nee. Hij begon rusteloos zijn kamer op en neer te lopen, kijkend naar het meubilair en de ingelijste kaarten en plattegronden die hij vroeger verzamelde en in zijn kamer had opgehangen.

Ik mis Tayend, dacht hij. *Ik mis het urenlange praten en samen een fles wijn soldaat maken. Ik mis het om in mijn kamer te zitten werken aan ons onderzoek. Ik mis... alles.*

Hij verlangde er verschrikkelijk naar om Tayend alles over het verhaal van Akkarin te vertellen. De slimmerik zou elk detail nauwkeurig uitwerken, en verborgen betekenissen of inconsistenties aanwijzen. Hij zou er meer uithalen dan welke magiër dan ook.

Maar Dannyl was tegelijkertijd blij dat Tayend niet bij hem was. Als Akkarins verhaal waar was, hoopte Dannyl dat Tayend zo ver mogelijk uit de buurt van het Gilde zou blijven.

Hij overdacht alles wat hij over zwarte magie gehoord had ter voorbereiding van zijn functie als ambassadeur en wat hij opgestoken had uit het boek van de Dem. Door zwarte magie te gebruiken kon een magiër kracht uit een ander putten. Iemand met de gave van magie had meer kracht te bieden dan een ander, wat niet meteen inhield dat een magiër het meest geschikt was als gever van kracht. Een magiër zou, als hij verslagen was, nog maar weinig kracht in zich hebben. Dus iemand met de gave voor magie die daar nog geen gebruik van gemaakt had, kwam het meest in aanmerking om te worden afgetapt.

En Tayend voldeed precies aan die beschrijving.

Dannyl zuchtte. Hij werd verscheurd door de wens naar Elyne te reizen om te zien of Tayend niet in gevaar was, maar hij wilde ook Kyralia en het Gilde niet zomaar in de steek laten.

Hij dacht aan Rothen en glimlachte wrang. *Eens zou ik meteen meegedaan hebben met dat groepje spionnen. Nu aarzel ik, omdat ik weet hoe ik me zou voelen als Tayend zo'n gevaarlijke tocht zou ondernemen. Ik zou het hem niet aandoen, tenzij er geen enkele keus was.*

Hij ging achter zijn bureau zitten en haalde pen, papier en inkt te voorschijn. Hij dacht even na over wat hij zonder gevaar op schrift kon zetten.

Aan Tayend van Tremmelin
Zoals je ongetwijfeld hebt vernomen, is het Gilde in rep en roer. Toen ik aankwam was net de Opperheer gearresteerd op verdenking van het gebruik van zwarte magie. Je zult wel snappen dat dat een bar slechte timing was gezien ons werk, maar met enig oponthoud zijn we er toch wel uitgekomen.

Hij vertelde het verhaal van Akkarin en legde uit dat hij echt niet naar Elyne terug kon komen voor hij er zeker van was dat het Gilde niet in gevaar was.

Het zou me verbazen, en me natuurlijk kwaad maken, als ik niet binnen een paar maanden terug kan reizen. Het was erg leuk om Rothen weer te spreken, maar ik heb opeens het gevoel dat ik hier niet meer thuis hoor. Ik voel me een bezoeker die wacht op een kans om naar huis terug te keren. Als deze kwestie achter de rug is, vraag ik Lorlen om een vaste aanstelling als Ambassadeur van Elyne.
Met vriendschappelijke groet,
Ambassadeur Dannyl

Hij leunde achterover in zijn stoel en las de brief nog eens nauwkeurig door. Hij was formeler uitgevallen dan hij gewild had, maar het was te link om meer persoonlijke noten toe te voegen. Als er meer mensen als Farand in de

Geallieerde Landen rondliepen, met de taak om de mentale gesprekken van magiërs af te luisteren, dan zouden er ook mensen in dienst zijn die post onderschepten en de inhoud doorgaven.

Hij stond op en rekte zich uit. Het zou nog wel een paar maanden duren eer hij Kyralia mocht verlaten. Als Akkarin het allemaal niet verzonnen had, zou het Gilde zo veel mogelijk magiërs in de strijd willen werpen. Nee, dat kon wel eens een halfjaartje gaan duren.

Als het allemaal waar is, dacht hij huiverend, *zou het wel eens kunnen dat ik Elyne nooit weer terugzie.*

23

Spioneren

oewel buiten de zomerse hitte zijn hoogtepunt bereikte, was het in de universiteit aangenaam koel. Rothen ontspande zich in een van de grote, gemakkelijke stoelen in het kantoor van de administrateur en keek naar zijn metgezellen. Heer Solend, de geschiedkundige, leek een vreemde keuze voor een spion, maar wie zou de slaperig uitziende oude man nu verdenken van het vergaren van inlichtingen voor het Gilde? De andere spion, heer Yikmo, was de leraar Krijgsvaardigheden die Sonea onder zijn hoede had gehad.

Solend kwam uit Elyne, en Yikmo van de Vineilanden, en dus was Rothen de enige Kyraliaanse magiër die voor de taak was uitgekozen. Rothen verwachtte dat het voor hem wat lastiger zou zijn dan voor de anderen om de Sachakanen te laten praten, als ze tenminste echt zo'n hekel aan Kyralianen hadden als Akkarin beweerde.

Lorlen trommelde met zijn vingers op de stoelleuning. Ze wachtten al een tijdje op een beroepsspion voor wie de koning gezorgd had, en die hen voor ze vertrokken zou leren hoe je je moest vermommen en hoe je het best inlichtingen kon verzamelen. Er werd geklopt en iedereen keek wie het was. Een boodschapper beende de kamer in, maakte een buiging en maakte bekend dat Raaf van Huis Tellen opgehouden was en zijn verontschuldigingen aanbood.

Lorlen knikte. 'Dank u. U kunt gaan.'

De boodschapper maakte nog een buiging, aarzelde en nam de kamer in ogenschouw.

'Tocht het vaak op de meest onverwachte momenten in deze kamer, heer?'

Lorlen keek de man scherp aan. Hij wilde bits antwoorden maar hield zich in, glimlachte en leunde achterover in zijn stoel. 'Goedemiddag, Raaf!'

De man maakte weer een buiging.

'Waar heb je dat uniform vandaan?'

'O, ik heb een hele verzameling.'

Dus zo ziet een echte spion eruit, mijmerde Rothen. Hij had een sluwe, slimme en slanke knaap voor ogen gehad. Maar Raaf zag er ondanks zijn naam maar erg gewoontjes uit.

'Een nuttige hobby, in jouw beroep,' merkte Lorlen op.

'O, zeer.' De man huiverde. 'Wilt u dat ik de bron van die tocht probeer op te sporen?'

Lorlen knikte, en de spion begon de kamer te onderzoeken en betastte een van de muren zeer nauwkeurig. Hij stopte, pakte een zakdoek, tilde de lijst van een schilderij op, glimlachte en stopte zijn hand erachter.

Een deel van de muur gleed opzij.

'Daar komt die tocht vandaan,' zei Raaf. Hij wendde zich tot Lorlen en er gleed een teleurgestelde blik over zijn gezicht. 'Maar ik zie dat u er al van wist.' Hij bewoog zijn hand weer en het paneel gleed terug.

'Iedereen kent de gangen tussen de muren van de universiteit,' zei Lorlen. 'Maar niet iedereen weet waar de ingangen zijn. Het gebruik ervan is verboden, al heb ik het idee dat de vroegere Opperheer dat gebod vaak overtrad.'

Rothen bedwong een glimlach. Ondanks Lorlens zorgeloze manier van doen, was er een rimpel tussen zijn wenkbrauwen ontstaan en zijn ogen gleden steeds weer naar het schilderij. Rothen nam aan dat de administrateur zich afvroeg of Akkarin hem ooit bespied had.

Raaf naderde het bureau van de administrateur. 'Waarom mogen ze niet worden gebruikt?'

'Op bepaalde plaatsen zijn ze bouwvallig. Als novicen zouden zien dat magiërs ze gebruikten, zouden ze waarschijnlijk hetzelfde willen doen, nog voordat ze zichzelf kunnen beveiligen tegen instortingen.'

Raaf glimlachte. 'Dat is ongetwijfeld de officiële reden. Maar het gaat er natuurlijk om dat u niet wilt dat novicen en magiërs elkaar bespioneren.'

Lorlen haalde zijn schouders op. 'Dat zou best wel eens in het hoofd van mijn voorganger kunnen zijn opgekomen toen hij de regel instelde.'

'Maar misschien wilt u dat wel weer terugdraaien als de voorspellingen van de voormalige Opperheer bewaarheid worden...' Raaf keek naar Solend, en toen naar Yikmo. Toen Rothen met dezelfde vorsende blik bekeken werd, vroeg hij zich af hoe de spion hem zou vermommen. Van zijn gezicht was niets af te lezen. 'Het zouden wel eens handige vluchtgangen kunnen zijn,' voegde Raaf eraan toe. Hij wendde zich weer tot Lorlen. 'Ik heb alle boeken, rapporten en kaarten bestudeerd die u me toegezonden heeft. Om vast te stellen of die Ichani's bestaan is geen heksentoer, zeker als ze inderdaad leven waar de vroegere Opperheer aangaf. Het is niet nodig drie magiërs naar Sachaka te sturen.'

'Hoeveel zouden we er volgens jou dan moeten sturen?' vroeg Lorlen.

'Niet één,' antwoordde Raaf. 'U moet niet-magiërs sturen. Als de Ichani's bestaan en een van uw magiërs gevangennemen, zullen ze juist alles over jullie te weten komen.'

'Niet meer dan ze te weten komen wanneer ze Akkarin te pakken krijgen,' merkte Lorlen op.

'Ik heb het idee dat hij genoeg over Sachaka weet om op zichzelf te passen,' antwoordde Raaf. 'Terwijl deze magiërs hier dat niet kunnen.'

'En daarom hebben we jou ingehuurd om ze wat tips te geven,' zei Lorlen rustig. 'En het sturen van magiërs heeft één voordeel: ze kunnen mentaal bespreken wat ze ontdekt hebben.'

'En als ze dat doen, vallen ze meteen door de mand.'

'Ze hebben opdracht gekregen het alleen in uiterste noodzaak te doen.'

Raaf knikte langzaam. 'Dan zou ik daar nog een belangrijk advies aan toe willen voegen.'

'Ja?'

Hij keek naar Rothen. 'Stuur slechts een van deze drie heren, kies twee anderen en laat die onafhankelijk van elkaar op pad gaan. Uw spionnen kunnen beter niet weten wie u nog meer gestuurd heeft. Als er dan een gepakt wordt kan hij niet vertellen wie de anderen zijn.'

Lorlen knikte langzaam. 'Wie van deze drie zou jij kiezen?'

Raaf wendde zich tot Yikmo. 'U bent een Krijger, heer. Als ze u te pakken krijgen en uw gedachten lezen komen ze te veel te weten over de krijgsgeheimen van het Gilde.' Hij wendde zich tot Solend. 'Vergeeft u me alstublieft, heer, maar u bent te oud. Geen koopman zou een man van uw leeftijd op zo'n tocht vol ontberingen sturen.' Hij keek Rothen aan en fronste zijn voorhoofd. 'U bent heer Rothen, niet?'

Rothen knikte.

'Als uw vroegere novice gevangen wordt en haar gedachten worden gelezen, zouden de Ichani's u kunnen herkennen. Ze weet echter niet dat u van plan bent Sachaka binnen te gaan, en het maakt waarschijnlijk weinig uit dat ze u kent, zolang u maar uit handen van de Ichani's blijft.' Hij zweeg en knikte. 'U hebt een gezicht dat vertrouwen wekt. Ik zou u kiezen.'

Toen Raaf zich weer tot Lorlen wendde, deed Rothen dat ook. De administrateur keek de spion en zijn drie collega's in spe aan en knikte.

'Ik vertrouw geheel op je raad.' Hij keek naar Solend en Yikmo. 'Bedankt allebei voor jullie aanbod. Ik spreek nog met jullie. En nu lijkt het me het beste als alleen Rothen te horen krijgt wat Raaf heeft voorbereid.'

De twee magiërs stonden op. Rothen bekeek hun gezichten of hij er een teken van ergernis op kon ontdekken, maar ze leken alleen teleurgesteld. Hij wachtte tot ze waren vertrokken en wendde zich weer tot Raaf, die hem nauwlettend opnam.

'Zo,' begon Raaf. 'Waar geeft u de voorkeur aan? De grijze haren wegwerken, of meteen een witte bos?'

Terwijl Sonea even op adem probeerde te komen, keek ze om zich heen. De hemel was gestreept met luchtige oranje wolken, en de lucht koelde merkbaar af. Ze nam aan dat Akkarin binnen niet al te lange tijd een plek zou kiezen om te rusten.

Drie nachten lang, sinds ze aan de Ichani's ontkomen waren, had ze Akkarin over de bergen gevolgd. Ze begonnen elke dag tegen de schemering, liepen tot ze geen hand voor ogen meer konden zien, en pauzeerden tot de maan hoog aan de hemel stond. Daarna zetten ze de tocht voort zo snel ze durfden en stopten pas wanneer de maan achter de toppen verdwenen was.

Tijdens die donkerste uren van de tweede nacht had ze Akkarin aangeboden de kracht die ze weer verzameld had van haar af te nemen. Hij aarzelde voor hij het aanbod aannam. Daarna had ze gezegd dat zij de wacht zou houden tot de middag van de volgende dag. Hij begon tegen te sputteren, maar ze zei botweg dat ze er geen vertrouwen in had dat hij haar zou wekken wanneer het haar beurt was. Bij Geneeskunde was de novicen meer dan eens verteld hoe gevaarlijk het was om overmatig gebruik te maken van magie om wakker te blijven, en Akkarin zag er met zijn holle ogen afgepeigerd uit.

Toen hij niet ging liggen om te slapen, had ze aangenomen dat dit zijn manier was om haar aanbod te weigeren. Zij was echter ook opgebleven, tot ze tegen de middag toegegeven had aan haar vermoeidheid. Toen ze de daarop volgende nacht weer opbleef om de wacht te houden, was hij kreunend tegen een rotsblok in slaap gesukkeld. Ruim voor de middag schrok hij wakker en was de rest van de dag waakzaam gebleven.

De derde nacht ontdekte ze de werkelijke reden waarom hij weigerde te slapen.

Ze zaten tegen een rotswand geleund die beschutting bood tegen de wind. Het was vlak voor de dageraad. Sonea merkte dat hij wegdoezelde en was blij dat hij eindelijk even sliep. Maar al vrij snel begon hij met zijn hoofd van links naar rechts te rollen, en zijn ogen bewogen snel heen en weer achter de oogleden. Zijn gezicht verstrakte alsof hij pijn leed en ze rilde bij die aanblik. Hij werd met een ruk wakker, staarde verdwaasd naar het rotsachtige landschap en huiverde.

Een nachtmerrie. Ze wilde dat ze hem had kunnen troosten, maar ze zag aan zijn gedrag dat medeleven het laatste was waar hij nu behoefte aan had. *Trouwens*, dacht ze, *hij heeft wel eens lekkerder geroken.* De geur van vers zweet was veranderd in de muffe, zure stank van een ongewassen lichaam. En ze wist dat zij nauwelijks beter kon ruiken. Ze hadden hier en daar wel een bronnetje of poeltje gevonden om te drinken, maar die waren te klein om zich in te wassen. Ze dacht weemoedig aan warme baden en schone gewaden, en aan fruit en groente – en raka.

Een kreet wekte haar uit haar mijmeringen en ze schrok op. Akkarin stond een eindje verderop stil te kijken naar een groep vogels die boven hen rondcirkelde. Plotseling viel er een recht naar beneden, en nog een.

Hij ving de vogels met gemak op. Toen ze bij hem kwam had hij ze al geplukt en zette hij zich juist aan de minder plezierige taak van het schoonmaken. Hij deed het snel en efficiënt, wat erop wees dat hij het vaker had gedaan. Het was vreemd om hem magie te zien gebruiken voor zo'n huishoudelijk karweitje, maar tenslotte had ze ook nooit een magiër zien aarzelen bij het openen en sluiten van een deur of het laten zweven van voorwerpen als hij te lui was om op te staan.

Elke keer dat hij een dier ving en roosterde, of wanneer zij het water zuiverde, dacht ze eraan dat ze hier nooit hadden kunnen overleven zonder magie. Ten eerste hadden ze nooit zo snel vooruit kunnen komen. Een gewone man of vrouw had omwegen moeten maken om aan de andere kant van diepe ravijnen te komen, en tegen de steile kliffen op moeten klauteren die op hun pad lagen. Hoewel Akkarin zo min mogelijk magie probeerde te gebruiken, hadden ze de Ichani die hen volgde nooit voor kunnen blijven zonder levitatie.

Terwijl Akkarin de vogels begon te roosteren in een hittebol, hoorde Sonea een zacht geklater vlakbij. Ze zocht met haar blik de rotswand af en ontdekte een klein stroompje water dat uit een rotsspleet kwam en op een vlak stuk rots spetterde. Een stel vogels dronk en badderde in het poeltje.

Ze rende naar de rotswand, joeg de vogels weg, ving wat water op in haar tot een kommetje gevouwen handen en dronk. Ze hoorde voetstappen achter zich en glimlachte naar Akkarin. 'Het is schoon en fris.'

Hij hield de twee vogels op die hij gevangen had. Ze waren veranderd in kleine, stomende hoopjes gebraden vlees. 'Ze zijn gaar.'

Ze knikte. 'Wacht even.' Snel keek ze om zich heen om een passende kei te vinden en toog aan het werk. Ze was haar lessen in het vormen van steen niet vergeten en maakte een grote kom van de kei die ze onder het straaltje water zette.

Ze gingen zitten om te eten. De bergvogels waren maar magere beestjes, maar ze smaakten erg lekker. Ze zoog het merg uit de dunne botjes en probeerde niet te letten op het zeurende gevoel in haar maag dat aangaf dat haar honger nog niet gestild was.

Akkarin stond op en liep weg. De hemel was inmiddels diep donkerblauw geworden en ze zag hem nauwelijks. Ze hoorde wat gespetter en geklok – hij had blijkbaar de kom opgepakt om uit te drinken.

'Vannacht ga ik proberen onze achtervolgers te bespionteren,' zei hij toen hij terug was.

Sonea keek naar zijn gestalte die in schaduw was gehuld en haar hartslag versnelde. 'Zitten ze ons dan nog steeds achterna?'

'Ik weet het niet. Kom eens hier.'

Ze stond op en liep naar hem toe.

'Kijk eens naar beneden, een beetje naar rechts. Zie je het?'

De berghelling liep steil af naar beneden. Waar hij zich voortzette in spleten en ravijnen, zag Sonea een lichtje. Er bewoog iets rond het licht... iets op vier poten.

Zo'n kleine tamme limek, dacht ze meteen. Ze zag nu ook een grotere gedaante bewegen.

'Ze zijn veel verder weg dan eerst,' merkte ze op.

'Ja,' zei Akkarin, 'en volgens mij zijn ze ons spoor kwijt. Dan zijn we voorlopig veilig.'

Sonea verstijfde toen ze nog een gestalte in het schijnsel van het licht ontwaarde. 'Ze zijn met z'n tweeën.'

'Dan zal die ene die jou haast te pakken had de vrouw wel hebben ontmoet.'

'Waarom hebben ze licht gemaakt?' vroeg ze zich hardop af. 'Iedereen kan hen zien, van mijlenver. Denkt u dat ze ons willen lokken?'

Hij dacht na. 'Lijkt me niet. Ze weten waarschijnlijk niet eens dat we zo ver boven hen zitten. Ze zijn binnen een kring van rotsen gestopt. Als we lager zaten hadden we dat licht niet ontdekt.'

'Het is wel link om ze te besluipen, alleen om Lorlen de waarheid te tonen.'

'Ja,' zei hij. 'Maar daar is het me niet alleen om te doen. Misschien kom ik er ook achter hoe de Ichani's Kyralia willen aanvallen. De Noorderpas wordt geblokkeerd dor het Fort, maar de Zuiderpas is open. Als ze vanuit het zuiden aanvallen, heeft het Gilde geen enkele waarschuwing dat ze eraan komen.'

'De Zuiderpas?' Sonea fronste haar wenkbrauwen. 'Daar woont de zoon van Rothen.' Dat zou betekenen dat Dorrien in groot gevaar was.

'Hij woont er vlakbij, niet aan de weg of bij de pas. De Ichani's zullen zich wel voordoen als een groepje reizigers uit het buitenland. Als ze al worden opgemerkt, hoort Dorrien er pas dagen later van.'

'Tenzij Lorlen hem opdracht gegeven heeft een oogje in het zeil te houden, of reizigers te ondervragen.'

Akkarin gaf geen antwoord. Hij bleef zwijgend de verre Ichani's observeren. De hemel lichtte al wat op aan de horizon. Toen het eerste schijfje van de maan verscheen, sprak hij weer.

'We moeten hen tegen de wind in besluipen, anders ruikt die djiel ons.'

Sonea keek weer naar de kom water. Hij was allang weer vol gestroomd. 'Over ruiken gesproken... als we nog tijd hebben kunnen we daar wel wat aan doen.'

Ze liep naar de kom, maakte het water met een beetje magie warm en keek snel naar hem op. 'Omdraaien, en niet spieken.'

Een klein glimlachje speelde om zijn lippen. Hij draaide haar zijn rug toe en sloeg zijn armen over elkaar. Met haar ogen op hem gericht deed ze haar kleren uit en waste zichzelf. Ze moest de kom een paar keer vol laten lopen om haar kleren uit te spoelen. Ze droogde ze met magie. Met het laatste spoelwater waste ze haar haar. Ze zuchtte van opluchting. Ze droogde alles in één keer en schudde het haar uit haar ogen.

'Uw beurt.'

Akkarin draaide zich om en naderde de kom. Sonea ging met haar rug naar hem toe zitten. Ze was vreselijk nieuwsgierig maar kon zich beheersen en begon met haar vingers de klitten uit haar haar te kammen.

'Dat is beter,' zei hij na een tijdje met een zucht.

Ze keek even om en schrok toen bleek dat zijn hemd nog steeds op de grond lag. Ze zag zijn ontblote bovenlijf en kreeg een kop als vuur.

Ze draaide zich snel weer om. *Doe toch niet zo gestoord,* zei ze boos tegen zichzelf. *Of je nooit eerder een ontbloot mannenlijf gezien hebt.* De sjouwers op de markt droegen nauwelijks meer dan een kort broekje in de zomerse hitte. Daar had ze zich nooit verlegen bij gevoeld.

Nee, zei een stemmetje in haar achterhoofd, *maar als je op een van die sjouwers verkikkerd was geweest, had je je waarschijnlijk wel anders gevoeld.*

Ze zuchtte. Ze wilde dit helemaal niet voelen. Het maakte het allemaal nog ingewikkelder dan het al was. Ze haalde diep adem en blies de lucht langzaam uit. Ze wou dat ze weer op pad gingen, zodat ze al haar aandacht aan het lopen kon geven.

Toen ze opkeek was hij gelukkig weer helemaal aangekleed.

'Wat ik zeggen wou, hou maar op met dat "u",' zei hij zonder haar aan te kijken. 'Ik ben allang je Opperheer niet meer, dus doe maar gewoon.'

Gewoon? Misschien ook wel, met de buigingen was het sinds hun arrestatie immers ook afgelopen geweest.

'Kom je nog?' vroeg Akkarin.

Ze stond op en volgde hem de helling af. De afdaling leek haar hoofd weer helder te maken. Ze daalden vrij snel, recht op de Ichani's en hun licht af. Na ongeveer een uur vertraagde Akkarin zijn pas en stopte. Zijn ogen waren op een punt in de verte gericht.

'Wat is er?' vroeg ze zacht.

'Lorlen heeft de ring omgedaan,' zei hij na een lange stilte.

'Draagt hij hem dan niet altijd?'

'Nee. Tot nu toe is het een geheim. Sarrin heeft die boeken gelezen, dus die zou hem herkend hebben. Lorlen doet hem meestal een paar keer per avond om.' Hij sloop weer verder. 'Ik wou dat ik wat glas had,' mompelde hij. 'Dan kon ik een ring voor jou maken.'

Sonea knikte, al was ze dolgelukkig dat dat nu niet mogelijk was. Een bloedring zou te veel van haar gedachten onthullen. Tot ze die vreemde gevoelens voor hem kwijt was, wilde ze niet dat Akkarin een kijkje in haar geest kon nemen.

Langzaam slopen ze verder. Na een pas of honderd legde hij een vinger tegen zijn lippen. Om de haverklap stopten ze om Akkarin de kans te geven de windrichting te bepalen.

Sonea zag iets schitteren tussen twee rotsblokken en begreep dat ze er waren.

Vage stemmen klonken duidelijker naarmate ze naderbij kropen. De eerste stem die ze hoorde was die van de man; hij had een vet accent.

'... meer kans dan mij, met die djiel.'

'Het is een slim beest,' antwoordde de vrouw. 'Waarom neem jij er dan niet een, Parika?'

'Heb ik gehad. Vorig jaar had ik een nieuwe slavin te pakken. Nou, je weet hoe die nieuwe zijn. Ze ging ervandoor en toen de djiel haar vond heeft ze hem afgemaakt. Hij had zijn tanden nog wel in haar benen gezet, dus heel ver kwam ze ook niet.'

'En toen heb je haar helemaal verrot geschopt zeker?'

'Nee.' Parika klonk gelaten. 'Al had ik er verdomd veel zin in. Maar goeie slaven worden schaars. Rennen kan ze niet meer, dus heb ik verder geen last van d'r.'

De vrouw gromde. 'Last heb je d'r altijd van, zelfs al zijn ze trouw. Lastig of achterlijk, een van de twee.'

'Maar je hebt ze nou eenmaal nodig.'

'Hmm. Ik vind het maar niks om in mijn eentje te reizen, zonder iemand om me te bedienen,' zei de vrouw.

'Sneller gaat het wel.'

'Die Kyralianen zullen me straks meer ophouden. Ik ben haast blij dat ik ze nog niet gevonden heb. Heb een hekel aan gevangen magiërs.'

'Ze zijn erg slap, Avala. Die geven niet veel problemen.'

'Als ze dood zijn nog minder.'

De koude rillingen liepen Sonea over de rug, en ze had het 't liefst meteen op een lopen gezet.

'Hij wil ze levend hebben.'

'Waarom gaat hij ze dan zelf niet achterna?'

De man grinnikte. 'Hij staat waarschijnlijk te springen, maar hij vertrouwt de anderen niet.'

'Ja, maar ik vertrouw hém niet, Parika. Misschien heeft hij ons op pad gestuurd om ons uit de weg te ruimen.'

De man zei niets terug. Sonea hoorde het ruisen van kleren en voetstappen.

'Weet je, ik vind eigenlijk dat ik mijn best gedaan heb,' zei Avala. 'Ik ben lang genoeg weggeweest en dadelijk mis ik de actie nog. Ik ga terug naar de anderen. Als hij ze wil hebben, gaat hij zelf maar op jacht.' Ze zweeg even. 'En jij?'

'Ik ga terug naar de Zuiderpas,' antwoordde Parika. 'Ik zie je daarna wel weer.'

Avala bromde wat. 'Goede jacht dan.'

'Goede jacht.'

Sonea hoorde voetstappen die langzaam wegstierven. Akkarin keek haar aan en bewoog zijn hoofd in de richting waaruit ze waren gekomen. Ze volgde hem, en langzaam en stilletjes slopen ze bij de rotsblokken vandaan. Toen ze honderd passen gevorderd waren, begon hij sneller te lopen. In plaats van de helling weer op te klauteren, liep hij in zuidelijke richting.

'Waar gaan we heen?' vroeg Sonea.

'Zuidwaarts,' antwoordde Akkarin. 'Avala wilde zo snel mogelijk terug naar de anderen, alsof ze iets mis zou lopen. Als ze teruggaat naar Kariko zonder Parika, die naar de Zuiderpas gaat, betekent dat dat Kariko via de Noorderpas binnen wil vallen.'

'Maar ze zeiden dat ze elkaar snel weer zouden zien.'

'In Kyralia, denk ik. Het heeft ons vier dagen gekost om hier te komen, en het kost Avala evenveel tijd om terug te keren. Als we er de pas inzetten, zijn we ruim voor Parika bij de Zuiderpas. Als die nou maar niet door andere Ichani's wordt bewaakt.'

'Dus we gaan terug naar Kyralia?'

'Ja.'

'Zonder toestemming van het Gilde?'

'Jep. We sluipen in het geheim de grens over. Als ze mijn hulp inroepen, wil ik er zo snel mogelijk zijn om in te kunnen grijpen. Genoeg gepraat. We moeten zo veel mogelijk afstand tussen Parika en ons krijgen vannacht.'

'Ik denk dat dat alles was voor vanavond,' zei Lorlen. Hij liet de hand van Balkan en Vinara los en leunde achterover in zijn stoel. Toen de anderen Sarrins hand loslieten keken ze hem vragend aan.

'Waarom heb je ons nooit eerder over die ring verteld?' vroeg Sarrin.

Lorlen deed de ring af en legde hem voor zich. Hij keek er even naar en zuchtte.

'Ik wist niet wat ik ermee aan moest,' zei hij eerlijk. 'Het is een onderdeel van zwarte magie, maar het doet niemand kwaad en het is onze enige mogelijkheid om met Akkarin in contact te komen.'

Sarrin pakte de ring op en bekeek hem, zonder de steen aan te raken. 'Een bloedjuweel. Vreemde magie. Daardoor blijft de maker dus met de drager in contact. En ziet wat de drager ziet, hoort wat de drager hoort en neemt op wat de drager denkt.'

Balkan fronste zijn voorhoofd. 'Zo onschuldig klinkt me dat niet in de oren. Alles wat je weet, weet hij ook.'

'Hij kan mijn geest niet lezen,' zei Lorlen. 'Alleen oppervlakkige gedachten pikt hij op.'

'Dat kan al erg genoeg zijn, als je toevallig aan iets denkt dat hij niet weet of mag weten,' zei Balkan. 'Ik vind niet dat je die ring nog kunt dragen, Lorlen.'

De anderen vonden dat ook. Lorlen gaf zuchtend toe.

'Als jullie het er dan allemaal mee eens zijn.'

'Maar wat doen we ermee?' vroeg Vinara.

'We verstoppen hem ergens op een plaats die wij alleen kennen,' zei Balkan.

'Waar dan?'

Lorlen kreeg een paniekerig gevoel. Als hij verborgen werd, moest het wel ergens zijn waar ze hem snel konden pakken als ze Akkarin moesten oproepen.

'De bibliotheek?'

Balkan knikte langzaam. 'Ja. In de kast met oude boeken en kaarten. Ik leg hem daar wel als ik naar mijn kamer ga. Maar laten we nog even doornemen wat we dankzij Akkarin opgevangen hebben. Wat weten we nu?'

'Dat Sonea nog leeft,' antwoordde Vinara. 'Dat zij en Akkarin een vrouw, Avala, en een man, Parika, hebben afgeluisterd. Die hadden het over een derde man.'

'Kariko?' opperde Lorlen.

'Mogelijk,' antwoordde Balkan. 'Maar ze hebben helaas zijn naam niet genoemd.'

'Erg onattent van ze,' mompelde Sarrin.

'Ze hadden het over slaven, dus dat klopt wel,' zei Vinara.

'Ze hadden het ook over het jagen op Kyralianen.'

'Sonea en Akkarin?'

'Waarschijnlijk wel. Tenzij het een list van Akkarin zelf is,' zei Balkan. 'Hij kan twee mensen hebben gehuurd die een tekstje van hem oplezen.'

'Waarom zou hij het dan zo vaag hebben gehouden?' vroeg Sarrin. 'Waarom zou hij dan niet duidelijker over Kariko of de invasie zijn geweest?'

'Ik neem aan dat hij daar zijn redenen voor heeft,' zei Balkan en gaapte.

Vinara keek hem vorsend aan. 'Heb je wel geslapen sinds je terug bent?'

De Krijger haalde zijn schouders op. 'Heel even.' Hij keek Lorlen aan. 'Dat gesprek met de koning is een latertje geworden.'

'Denkt hij er nog steeds over om een van ons zwarte magie te laten leren?' vroeg Sarrin.

Balkan zuchtte. 'Ja, alles liever dan Akkarin terugroepen. Hij vindt Akkarin onbetrouwbaar omdat hij de wet van het Gilde heeft overtreden.'

'Maar als een van ons het leerde, dan zou die toch ook de wet overtreden!'

'Niet als we een uitzondering maken.'

Sarrin snoof. 'Wat zwarte magie betreft mogen er geen uitzonderingen worden gemaakt.'

'Maar we hebben geen keus. Het is misschien de enige mogelijkheid om ons tegen die Ichani's te verdedigen. Als een van ons vrijwillig aan honderd magiërs kracht zou onttrekken, zou hij in twee weken sterk genoeg zijn om het tegen tien Ichani's op te nemen.'

Sarrin rilde. 'Je kunt niemand met zoveel kracht opzadelen.'

'De koning weet dat je er zo over denkt,' zei Balkan. 'En daarom denkt hij dat jij de beste kandidaat bent.'

Sarrin staarde de Krijger met afschuw aan. 'Ik?'

'Ja.'

'Dat kan ik niet.... Ik... ik moet weigeren.'

'Een bevel van de koning weigeren?' vroeg Lorlen. 'En toezien hoe het Gilde en Imardin in handen vallen van een stelletje barbaarse magiërs?'

Sarrin staarde doodsbleek naar de ring.

'We snappen dat het een hele last voor je is,' zei Lorlen vriendelijk, 'en we zouden het ook niet vragen als er een andere keus was. De spionnen vertrekken over twee dagen. Hopelijk ontdekken zij eindelijk of Akkarin de waarheid heeft gesproken.'

Balkan knikte. 'Ik zou ook versterkingen naar het Fort willen sturen. Als dat gesprekje echt is, lijkt het erop dat die vrouw bij de "actie" in het noorden wil zijn.'

'En de Zuiderpas dan?' vroeg Vinara. 'Parika ging daar naar toe.'

Balkan dacht na. 'Dat weet ik nog niet. Het is daar niet zo makkelijk te verdedigen als het Fort, maar we kunnen de weg die daar begint natuurlijk wel alvast laten bewaken.'

De Krijger gaapte nogmaals. Hij vocht tegen zijn vermoeidheid, dat was duidelijk. Lorlen ontving een betekenisvolle blik van Vinara.

'Het is al laat,' besloot hij. 'Zullen we hierover morgen maar verder praten?' De anderen knikten. 'Allemaal bedankt dat jullie zo snel hierheen wilden komen. Ik zie jullie morgenochtend.'

Toen het drietal opstond en afscheid nam, kon Lorlen een steek van teleurstelling niet onderdrukken. Hij had gehoopt dat Akkarin hun iets zou tonen waardoor zijn verhaal onomstotelijk waar was gebleken. Het gesprek tussen de Sachakanen had niet echt veel opgeleverd, maar het wees wel op wat zwakke plekken in de verdediging van Kyralia.

En meer zou er niet komen, want de ring was weg, en daarmee het enige mogelijke contact met Akkarin.

24

Geheimen ontsluierd

Het geruis van zijden gewaden en het geschuifel van gelaarsde voeten was een onophoudelijk achtergrondgeluid in de Gildehal, zelfs tijdens Lorlens korte toespraak. *We zijn allemaal rusteloos,* mijmerde Dannyl. *Te weinig vragen zijn beantwoord tijdens deze bijeenkomst.*

Men slaakte een collectieve zucht toen Lorlen de vergadering voor beëindigd verklaarde.

'Er zal een korte pauze worden gehouden voor de hoorzitting over de opstandige magiërs van Elyne begint,' liet de administrateur nog weten.

Bij die woorden kreeg Dannyl kramp in zijn maag. Hij keek Rothen aan. 'Bijna tijd om de roddelaars onder ogen te komen.'

Rothen glimlachte. 'Maak je nou maar geen zorgen, Dannyl. Iedereen ziet wat een capabel man je bent geworden sinds je vertrek naar Elyne.'

Dannyl keek zijn mentor verbaasd aan. Capabel? 'Je bedoelt dat ik een onhandige prutser was voor ik vertrok?'

Rothen grinnikte. 'Natuurlijk niet, anders was je nooit gekozen voor die functie. Je bent alleen capabeler dan ooit, en je straalt iets uit. Of komt dat doordat je stiekem felgekleurde kleding onder je gewaad draagt?'

Dannyl lachte. 'Als je denkt dat je alleen door met je kleren te pronken uitstraling hebt, had je me dat wel eens eerder mogen vertellen. Al blijf ik erbij dat we sommige gebruiken beter aan de Elyneeërs kunnen overlaten.'

De oudere man knikte instemmend. 'Nou, hup, naar beneden dan. Laat je neus zien voordat ze zonder jou beginnen.'

Dannyl stond op en schuifelde naar het eind van de rij. Toen hij de trap afliep zag hij dat buitenlands administrateur Kito hetzelfde deed om de zitting en het proces te leiden. De magiër keek snel naar links waar een rij mannen en vrouwen onder escorte werd binnen geleid. Dannyl herkende de groep van Dem Marane. Royend liep naast zijn vrouw. Toen hij Dannyl zag, kneep hij zijn ogen bijna samen.

Dannyl bleef de man rustig aankijken. De haat in Royends ogen was nieuw. De Dem was die avond dat hij gearresteerd werd natuurlijk kwaad geweest, maar tijdens de reis naar Kyralia en het voorarrest was die boosheid kennelijk omgezet in een sterkere emotie.

Ik begrijp die haat wel, dacht Dannyl. *Ik heb hem in de val laten lopen. Het kan hem niet schelen dat ik ook alleen maar mijn werk deed en een bevel opvolgde. Ik ben voor hem de man die zijn dromen aan gort heeft geslagen.*

Farand stond aan de andere zijde van de hal tussen twee Alchemisten. De jongeman keek zenuwachtig om zich heen, maar bang leek hij niet. Een zware klap richtte aller ogen op de achterzijde van de hal waar een van de twee grote deuren open zwaaide. Zes Elyneeërs schreden over het midden-pad. Dannyl herkende de twee magiërs die aanwezig waren geweest op het schip dat de rebellen naar Kyralia had gebracht, heer Barene en Hemend. De anderen waren afgevaardigden van de koning van Elyne.

Terwijl Kito de nieuwkomers naar hun plaatsen begeleidde, overdacht Dannyl welke plaats hem het best zou uitkomen. Hij besloot naast Farand te gaan staan, want hij wist dat dit als een gebaar van steun zou worden opgevat. Toen allen hun plaats hadden ingenomen, sloeg Lorlen op een kleine gong en het rumoer bedaarde snel. Kito keek rond en knikte.

'Deze zitting wordt gehouden om recht te spreken over Farand van Darellas, Royend en Kaslie van Marane, en hun samenzweerders...'

Dannyl ving geluiden op uit een onverwachte hoek. Helemaal op de bovenste rij van de hoge magiërs had een van de adviseurs van de koning plaatsgenomen.

Ach natuurlijk, dacht hij, *onze koning moet natuurlijk zeker weten dat iemand uit een ander land die zijn eigen kleine Gilde wil stichten streng gestraft zal worden...*

'... Farand van Darellas wordt verdacht van het bestuderen van magische boeken buiten het Gilde om,' vervolgde Kito. 'Deze mannen en vrouwen worden ervan verdacht magie te willen bedrijven. De Dem van Marane wordt bovendien verdacht van het in bezit hebben van boeken over zwarte magie.'

Kito zweeg en keek de hal rond. 'Het bewijs van deze verdenkingen zal aan ons ter beoordeling worden voorgelegd. Ik roep de eerste getuige op, de Tweede Gildeambassadeur van Elyne, Dannyl.'

Dannyl haalde diep adem en stapte naar voren. Hij ging naast Kito staan. 'Ik zweer dat alles wat ik tijdens deze zitting zeg de waarheid zal zijn.' Hij zweeg even. 'Zeven weken geleden ontving ik de opdracht van de voorma-lige Opperheer om een groep rebellen te zoeken en te arresteren. Ze zouden buiten het Gilde om magie bestuderen.'

Het publiek luisterde stil terwijl Dannyl het hele verhaal uit de doeken deed. Hij had al weken lopen nadenken hoeveel hij zou moeten vertellen als hij op het punt kwam hoe hij de rebellen ervan wilde overtuigen hem te vertrouwen. Het voltallige Gilde zou inmiddels de geruchten die de Dem de wereld in had gestuurd gehoord hebben, dus veel details hoefde hij niet te vertellen. Maar helemaal overslaan kon ook weer niet.

Dus vertelde hij dat hij de Dem een 'vals geheim' had verteld, zodat hij zou denken dat hij Dannyl kon chanteren. Toen beschreef hij zijn ontmoeting met Farand. De gezichten van de hovelingen uit Elyne verstrakten toen hij vertelde dat Farand toegang tot het Gilde was geweigerd nadat hij bij toeval iets had gehoord dat de koning geheim wilde houden. Dannyl legde uit dat Farand het gevaar liep controle over zijn kracht te verliezen, en wat daarvan de gevolgen zouden kunnen zijn.

Dannyl ging verder met het verhaal over het boek dat Tayend had mogen lenen van de Dem. De inhoud daarvan was zo schokkend gebleken dat hij had besloten de rebellen onmiddellijk te arresteren, in plaats van te wachten tot hij meer namen verzameld had. Hij eindigde met de opmerking dat hij waarschijnlijk niet alle leden van de groep te pakken gekregen had.

Kito wendde zich tot heer Sarrin, die bevestigde dat het meegenomen boek zwarte magie bevatte. Vervolgens werd Farand naar voren geleid.

'Farand van Darellas, zweer je de waarheid en niets dan de waarheid te spreken tijdens deze zitting?' vroeg Kito.

'Dat zweer ik.'

'Klopt het verhaal van ambassadeur Dannyl dat betrekking heeft op jouw kwestie?'

De jongeman knikte. 'Ja.'

'Hoe ben je lid geworden van de rebellengroep van Dem Marane?'

'Mijn zuster is met hem getrouwd. Hij vond het doodzonde dat ik geen echte magiër mocht worden. Hij moedigde me aan om mentale gesprekken af te luisteren.'

'En zo, begrijp ik, ben je erachter gekomen hoe je je krachten vrij kon laten.'

'Ja, dat hoorde ik via mentale communicatie.'

'Heb je getwijfeld voor je toepaste wat je had gehoord?'

'Ja. Mijn zuster wilde niet dat ik magie zou leren. Nou ja, eerst wel, maar toen kregen we door dat het wel eens uit de hand zou kunnen lopen of gevaarlijk kon worden omdat we er te weinig van afwisten.'

'En waarom heb je het dan toch gedaan?'

'Royend zei dat als ik er eenmaal mee begonnen was, het steeds eenvoudiger zou worden.'

'Hoe lang komen de Dem en zijn vrienden al bijeen met de bedoeling magie te leren?'

'Dat weet ik niet. Langer dan ik hem ken.'

'En hoe lang ken je hem?'

'Vijf jaar. Sinds mijn zus een relatie met hem kreeg.'

'Ontbreken er hier leden van de groep?'

'Er waren er meer, maar ik weet niet hoe ze heten.'

'Denk jij dat de Dem zelf magie wilde leren?'

Farand aarzelde, en sloeg zijn ogen neer. 'Ja.'

Dannyl voelde mee met de jongeman. Hij had ervoor gekozen mee te werken, in de wetenschap dat zijn zwager en zijn vrienden hoe dan ook gestraft zouden worden, maar het was natuurlijk niet makkelijk.

'En de anderen van de groep?'

'Dat weet ik niet zeker. Sommigen waarschijnlijk wel. Anderen kwamen er alleen bij voor de spanning, denk ik. Mijn zus was er alleen bij vanwege Royend en mij.'

'Heb je hier nog iets aan toe te voegen?'

Farand schudde het hoofd.

Kito knikte en wendde zich tot de tribune. 'Ik wil hieraan toevoegen dat ik een waarheidslezing op Farand heb uitgevoerd en ik bevestig hierbij dat alles wat hij verteld heeft waar is.'

Er steeg wat gemompel op. Dannyl keek verrast naar Farand. Het toestaan van een waarheidslezing betekent dat je graag alle medewerking verleent.

Kito draaide zich om naar de hoge magiërs. 'Hebt u nog vragen of commentaar?' Men schudde het hoofd. 'Je kunt weer naar je plaats gaan, Farand. Ik roep nu Royend van Marane op.'

De Dem liep naar voren.

'Royend van Marane, zweert u de waarheid en niets dan de waarheid te spreken?'

'Ik zweer het.'

'Klopt het wat ambassadeur Dannyl vertelde over uw aandeel in deze zaak?'

'Nee.'

Dannyl hield zijn adem in en bereidde zich voor op het onvermijdelijke.

'Op wat voor manier heeft hij het volgens u onjuist weergegeven?'

'Hij zei dat hij een "vals geheim" verzonnen had over een heimelijke liefdesaffaire met zijn assistent. Maar dat is niet vals of verzonnen, dat is waar. Iedereen die die twee samen heeft gezien kon vaststellen dat het meer was dan een... list. Zo goed kan geen acteur spelen.'

'Is dit het enige wat volgens u niet klopt?'

De Dem staarde naar Dannyl. 'Zelfs Dem Tremmelin, Tayends vader, gelooft dat het waar is.'

'Dem Marane, wilt u alstublieft de vraag beantwoorden?'

De Dem negeerde hem. 'Waarom vraagt u hem niet of hij een makker is. Hij heeft gezworen de waarheid te spreken! Ik wil het hem graag horen ontkennen.'

Kito kneep zijn ogen halfdicht. 'Deze zitting wordt gehouden om te beoordelen of de wet aangaande het leren van magie buiten de bepalingen van het Gilde om overtreden is, niet of ambassadeur Dannyl bij oneerbare of perverse praktijken betrokken is. Voor de laatste maal, beantwoord de vraag, Dem Marane.'

Dannyl stond bijna te trillen op zijn benen. Oneerbaar, pervers. Het was volkomen duidelijk dat wat het Gilde ook voor mening over hem had – en over zijn verhaal – die als een blad aan een boom zou omslaan als de waarheid aan het licht kwam.

En de Dem wist dat. 'Als hij daarover gelogen heeft, dan kan hij wel over alles gelogen hebben!' schreeuwde de Dem. 'Denk daaraan, als jullie me in mijn kist leggen. Ik beantwoord jullie vragen níét!'

'Goed dan,' zei Kito. 'Gaat u maar terug naar uw plaats. Ik roep nu Kaslie van Marane op ter ondervraging.'

De vrouw van de Dem was zenuwachtig, maar werkte goed mee. Ze vertelde dat de rebellen al een jaar of tien bijeenkwamen, maar verzekerde het Gilde dat hun interesse altijd puur theoretisch geweest was. Hierna werden de andere rebellen ondervraagd, en ook zij beweerden dat ze alleen over magie gesproken hadden, en het niet wilden leren om te gebruiken.

Er volgde nog een korte discussie waarin de vergiftiging van Farand aan de orde kwam. Het verbaasde Dannyl niet dat het onderzoek van de Elynese magiërs geen dader had opgeleverd. Aan het gezicht van vrouwe Vinara te zien was de zaak daarmee nog niet afgedaan.

Kito liet een stiltebarrière rond de verdachten aanleggen terwijl het Gilde hun schuld en het vonnis bepaalde. De hal galmde van de stemmen. Na een lange schorsing vroeg Kito iedereen weer naar zijn plaats te gaan. De stilte-barrière werd verwijderd.

'Het is tijd om recht te spreken,' verklaarde hij. Hij hield een hand op en er verscheen een bollichtje, dat langzaam naar het plafond zweefde. Dannyl deed hetzelfde, en zijn lichtje voegde zich bij de lichtjes van de rest van het Gilde.

'Bent u van mening dat Farand van Darellas schuldig of onschuldig is aan het leren van magie buiten het Gilde om? Rood is schuldig, wit onschuldig.'

Alle bollichtjes werden rood.

Kito knikte. 'Schuldig dus. De straf voor dit misdrijf is executie. De hoge magiërs vinden echter dat gezien de omstandigheden een alternatieve straf gegeven mag worden. Farand van Darellas is slachtoffer van de omstandig-heden en de manipulatie van anderen geworden. Hij heeft alle medewerking aan het onderzoek verleend en zelfs een waarheidslezing ondergaan. Ik stel voor dat hij een plaats in het Gilde krijgt met de restrictie dat hij zijn leven lang het Gildeterrein niet meer mag verlaten. Wijzig de kleur van uw licht in wit als u het eens bent met deze aanbeveling.'

Langzaam veranderden de lichtjes van kleur. Slechts enkele bleven rood. Dannyl zuchtte opgelucht.

'Farand van Darellas zal als novice in het Gilde worden opgenomen,' verklaarde Kito. Hij keek naar Farand, die grijnsde van opluchting en span-ning. Toen Kito verder ging, verdween die lach al snel.

'Bent u vervolgens van mening dat Royend van Marane zonder enige twijfel schuldig is aan het trachten magie te leren en dat hij in het bezit is van kennis omtrent zwarte magie, dat alles buiten het Gilde om?'

De Gildehal vulde zich met een naargeestige gloed toen alle bollichtjes rood kleurden.

'Nogmaals vinden de hoge magiërs dat zij een alternatieve straf in plaats van executie moeten aanbieden,' zei Kito. 'Het is een ernstig misdrijf, dus we vinden dat levenslange gevangenisstraf op zijn plaats is. U kunt wit stemmen als u de straf wilt verlagen tot levenslang.'

Dannyl veranderde zijn licht in wit, maar hij kreeg kippenvel toen hij besefte dat minder dan de helft van de andere magiërs hetzelfde deden. *Het moet jaren geleden zijn dat het Gilde iemand tot de doodstraf veroordeeld heeft,* dacht hij.

'Royend van Marane zal geëxecuteerd worden,' sprak Kito moeizaam na een lange stilte.

Een kreet ging op vanuit de rebellen. Dannyl voelde zich schuldig en dwong zich naar de groep te kijken. Het gezicht van de Dem was lijkbleek. Zijn vrouw hield zijn arm stevig vast. De rest van de rebellen leek weinig op hun gemak.

Kito keek snel naar de hoge magiërs en begon toen de straffen voor de andere rebellen voor te leggen. Ze kregen allemaal gevangenisstraf. Het was duidelijk dat het Gilde Dem Marane als leider van de groep had gezien en een voorbeeld had willen stellen. *En zijn weigering om mee te werken heeft hem ook geen goed gedaan,* bedacht Dannyl.

Toen het Kaslies beurt was, sprak Kito tot Dannyls verrassing over verzachtende omstandigheden en hij bracht haar twee kinderen onder de aandacht van het Gilde. Zijn woorden moesten voldoende indruk hebben gemaakt, want haar straf werd kwijtgescholden en ze mocht naar huis.

De magiërs uit Elyne vroegen of zij de vonnissen mentaal mochten melden aan de koning van hun land. Lorlen gaf toestemming, op voorwaarde dat geen andere informatie werd overgebracht. Hij verklaarde de zitting voor beëindigd.

Toen hij eindelijk zijn rol als getuige terzijde kon schuiven voelde Dannyl zich erg opgelucht. Hij keek naar Rothen te midden van de menigte magiërs die de trappen van de tribune afliepen, maar ten hij naar zijn vriend toe wilde lopen, sprak iemand hem aan. Kito kwam op hem af.

'Wat kan ik voor u doen, administrateur?' zei Dannyl.

'Ben je tevreden met het resultaat?' vroeg Kito.

Dannyl haalde zijn schouders op. 'Voor het merendeel wel. Ik denk echter niet dat de Dem zo'n straf verdiend heeft. Hij is ambitieus, maar ik betwijfel of hij nog magie had kunnen leren als hij gevangen was gezet.'

'Nee,' antwoordde Kito, 'maar ik vermoed dat het Gilde hem die aanval op jou persoonlijk nogal kwalijk nam.'

Dannyl keek hem verbaasd aan. Dat kon toch niet de voornaamste reden zijn dat het Gilde voor executie had gestemd?

'Vind je dit verontrustend?' vroeg Kito.

'Ja, natuurlijk.'

Kito bleef hem strak aankijken. 'Het zou verontrustender zijn als zijn bewering waar was geweest.'

'Ja, inderdaad,' antwoordde Dannyl. Hij kneep zijn ogen iets samen. Probeerde Kito hem uit zijn tent te lokken?

Kito glimlachte verontschuldigend. 'Het spijt me. Ik wilde niet insinueren dat hij gelijk had. Ben je van plan weer snel naar Elyne te gaan?'

'Tenzij Lorlen anders beslist, blijf ik liever tot we er zeker van zijn dat er geen dreiging vanuit Sachaka is.'

Kito knikte. Iemand riep hem en hij nam afscheid.

Dannyl bleef kijken tot de administrateur in de menigte verdwenen was. Had Kito gelijk gehad? Had het Gilde voor de doodstraf gestemd uit boosheid over de beschuldigingen van de Dem?

Nee. Zijn opstandige houding had de stemming beïnvloed. Hij had het gewaagd magisch onderzoek te doen, waartoe alleen het Gilde het recht had, en het was duidelijk dat hij geen enkel respect voor wetten en autoriteit toonde.

Desondanks kon Dannyl zich niet vinden in het vonnis van het Gilde. De Dem verdiende het niet te sterven. Maar daar kon Dannyl helaas niets meer aan veranderen.

Terwijl hij terugliep door de onderaardse gangen van het Dievenpad, dacht Cery na over zijn laatste gesprek met Takan. Je kreeg maar weinig hoogte van de man, maar hij had wel gezien dat hij zich zorgen maakte en zich ontzettend verveelde. Helaas kon Cery niets aan het eerste doen, en maar weinig aan het laatste.

Cery snapte wel dat opgesloten zitten in een ondergrondse ruimte, hoe luxueus die ook was ingericht, altijd saai en frustrerend was. Sonea had in een soortgelijk hol geleefd toen Faren had beloofd haar tegen het Gilde te beschermen. Na een week vloog ze al tegen de muren op. Voor Takan was het nog erger, omdat hij wist dat zijn meester gevaar liep en dat hij hem met geen mogelijkheid kon helpen.

Cery wist uit eigen ervaring hoe de eenzaamheid en de onmacht om iemand te helpen om wie je gaf elke minuut tot een hel konden maken. Hij had immers opgesloten gezeten onder de universiteit. En Akkarin had hem gevonden en bevrijd, dus hij wilde doen wat hij kon om het voor Takan wat draaglijker te maken. Hij had hem allerlei afleiding aangeboden, van hoeren tot boeken, maar Takan had alles beleefd afgeslagen. Cery had de wachters opdracht gegeven zo nu en dan een praatje met de man te maken, en hij probeerde hem elk dag even op te zoeken, zoals Faren voor Sonea had gedaan. Maar Takan was niet zo spraakzaam. Hij repte met geen woord over zijn leven voordat hij Akkarins bediende geworden was, en maar weinig over de jaren erna. Cery diste zelfs een paar komische verhalen op die bedienden over hun magische meesters vertelden, maar Takan had geen enkele behoefte aan geroddel.

De afgelopen dagen had Akkarin slechts een paar maal contact met Takan opgenomen. Als hij dat deed, kon Takan altijd aan Cery melden dat alles goed ging met Sonea. Daar was Cery blij mee. De bediende had blijkbaar gehoord over Cery's vroegere relatie met Sonea.

Maar dat is verleden tijd, dacht Cery. *Nu heb ik Savara over wie ik in kan zitten.* Had *ik Savara om over in te zitten.* Maar hij was vastbesloten er niet te lang over te treuren. *We zijn allebei verstandige en volwassen mensen,* zei hij tegen zichzelf, *met verantwoordelijkheden die voor alles gaan.*

Hij bereikte het begin van het doolhof van gangetjes bij zijn kamers. Gol opende de eerste verborgen deur in de bakstenen muur. Cery knikte naar de wachters en stuurde hen terug.

Ze zei dat ze terug zou komen, mijmerde Cery. *Voor een 'bezoekje'.* Hij glimlachte. *Zo'n soort relatie had zijn voordelen. Geen verwachtingen. Geen verplichtingen...*

En hij had andere zorgen. Imardin zou wel eens aangevallen kunnen worden door buitenlandse magiërs. Cery moest nadenken over wat er gedaan moest worden – als hij er al iets tegen kon ondernemen. Want zeg nou zelf, als het Gilde al te zwak was om die Ichani's de baas te kunnen, wat zouden een stel niet-magiërs er dan nog tegen kunnen beginnen?

Niet veel, schatte hij. *Maar altijd meer dan niets. Er moeten manieren zijn waarop gewone mensen een magiër koud kunnen maken.*

Anderhalf jaar geleden had hij er met Sonea over gesproken. Ze hadden gekscherend gekletst over hoe ze die novice die haar het leven zuur maakte uit konden schakelen. Hij dacht er nog steeds over na toen een van de boodschappenjongens hem kwam vertellen dat er bezoek voor hem was.

Cery liep zijn kantoor binnen, ging achter het bureau zitten, keek of zijn yerims nog in de la lagen en vroeg Gol het bezoek binnen te laten.

Toen de deur openging sloeg Cery's hart een slag over. Hij vloog overeind.

'Savara!'

Ze lachte en slenterde naar zijn bureau. 'Eindelijk kan ik je eens een keer verrassen, Ceryni.'

Hij plofte neer in zijn stoel. 'Maar ik dacht dat je vertrokken was!'

'Was ik ook. Maar halverwege de grens nam iemand van mijn volk contact met me op. Ze hadden, op mijn verzoek, besloten iemand in Imardin te laten blijven om de inval gade te slaan.'

'Maar daar heb je mij niet voor nodig.'

'Nee.' Ze ging op een hoek van zijn bureau zitten en hield haar hoofd een beetje schuin. 'Maar ik heb gezegd dat ik op bezoek zou komen als ik terug was. Het kan nog wel even duren voor die Ichani's een inval doen, en dan zou ik me wel eens kunnen gaan vervelen.'

Hij glimlachte. 'Ja, dat kunnen we niet hebben, natuurlijk.'

'Ik dacht al dat je het met me eens zou zijn.'

'En wat wat is het je waard als ik je verveling verdrijf?'

Haar wenkbrauwen schoten omhoog. 'Moet ik je tegenwoordig al betálen als ik op bezoek wil komen?'

'Dat ligt eraan. Maar ik kan wel wat advies gebruiken.'

'O? En wat voor advies dan wel?'

'Hoe kunnen gewone mensen een magiër van kant maken?'

Ze lachte kort. 'Dat kunnen ze niet. Tenminste, niet als die magiër vakbekwaam is en goed oplet.'

'En als hij dat niet is?'

Ze tuitte haar lippen en overwoog de kwestie. 'Je maakt geen grapje, maar dat had ik kunnen weten. En zolang ik niet praat over hoe mijn volk hierbij betrokken is, zie ik geen reden waarom ik je niet zou helpen.' Ze glimlachte spottend. 'Al kan je het ook best zelf uitdokteren, zonder mijn hulp. Maar dan zou je er zelf aan onderdoor kunnen gaan, en dat zou zonde zijn.'

'Vind je?'

Ze grijnsde. 'Ja, eigenlijk wel. Nou, als jij me op de hoogte houdt van wat er zoal gaande is in de stad, dan geef ik jou wat tips over hoe je een magiër aan kunt pakken. Akkoord?'

'Akkoord.'

Ze sloeg haar armen over elkaar en keek hem peinzend aan. 'Maar ik kan je geen perfecte truc leren om een Ichani te doden, hoor. Ik zeg alleen dat ze net als gewone mensen wel eens een steekje laten vallen. Je kunt ze in de val lokken, als je weet hoe. Je moet alleen lef hebben, kunnen bluffen en een aantal trucjes paraat hebben.'

Cery glimlachte. 'Nou, dat lijkt erg op het werk wat ik elke dag al doe.'

'Ik hoor water.'

Akkarin keek Sonea aan, maar ze zag niet wat hij ervan vond.

'Ga maar voorop dan,' antwoordde hij.

Ze luisterde aandachtig en ging toen op het geluid af. Na zoveel dagen in de bergen kon ze het zachtste geluid van water dat uit een rots druppelde onderscheiden. Ze waren een holte in een rotswand ingegaan en ze tastte rond in de duisternis om te zien hoe ze verder moest.

Op het moment dat ze licht door een gat zag komen, zag ze ook het stroompje dat uit het gesteente kwam. Via een smalle spleet kon ze een open plek zien. De rots schraapte tegen haar rug toen ze zich erdoorheen wrong. Toen ze aan de andere kant van de spleet was, slaakte ze een kreetje van verrassing.

'Akkarin,' riep ze.

Ze stond aan de rand van een kleine vallei tussen rotsachtige bergen. Onvolgroeide boompjes, heesters en pollen gras groeiden langs een beekje dat lieflijk murmelend verdween in een spleet in een rotswand verderop.

Ze hoorde gesteun en zag dat Akkarin wat moeilijkheden had om zich door de spleet te wurmen. Toen hij erdoor was, ging hij rechtop staan en keek waarderend naar het dal.

'Lijkt me een prima plaats om de nacht door te brengen – of de dag,' zei ze.

Akkarin fronste zijn voorhoofd. De afgelopen drie dagen hadden ze tot laat in de ochtend in de richting van de Zuiderpas gelopen, zich wel bewust van de Ichani die achter hen aan kwam. Sonea was als de dood dat Parika hen in zou halen, maar ze betwijfelde toch dat hij met zo'n snelheid als zij zou reizen, aangezien hij niet eens wist dat ze zich vóór hem bevonden.

'Misschien loopt het hier dood,' merkte Akkarin op. Hij ging echter niet terug naar de spleet, maar liep op de bomen af.

Een schor gekrijs weerklonk, en echode door de hele vallei. Sonea schrok toen er plotseling een grote witte vogel met een boog uit de dichtstbijzijnde boom vloog – tot hij als een blok ter aarde stortte.

Akkarin grinnikte. 'We blijven hier maar, denk ik.' Hij beende naar voren en raapte het beest op.

Verrast zag Sonea de grote ogen van het dier. 'Een mulloek!'

'Ja,' zei Akkarin scheef glimlachend. 'Wat een ironie. Wat zou de koning zeggen als hij wist dat wij zijn incal zaten te eten?'

Hij liep verder langs het beekje. Sonea volgde hem. Honderd passen verder bereikten ze het eind van de vallei. Water druppelde van een overhangende rots en vormde zo het beekje.

'Daar kunnen we onder slapen.' Akkarin wees naar het afdak. Hij ging in kleermakerszit bij het water zitten en begon de vogel te plukken.

Sonea keek naar het lange zachte gras aan haar voeten, en vervolgens naar de harde steen onder de overhangende rots. Ze hurkte neer en begon armen vol gras te verzamelen, die ze naar hun slaapplaats bracht. De geur van geroosterd vlees deed haar maag rommelen.

Terwijl de zwevende mulloek in zijn warmtebol gaar werd, liep Akkarin naar een van de bomen. Hij schudde eraan en Sonea hoorde wat doffe plopjes. Akkarin hurkte neer, en ze kwam naar hem toe.

Hij raapte wat op en stak het haar toe. 'Deze noten zijn moeilijk te kraken, maar erg lekker,' zei hij. 'Zoek er maar zo veel mogelijk. Ik geloof dat ik daar wat stekelbessen zag.'

De maan hing nog laag aan de hemel. In de vallende duisternis was het niet eenvoudig de noten te vinden. Ze probeerde al tastend over de grond te gaan tot ze hun gladde bast voelde. In haar opgehouden hemd bracht ze een flinke portie noten naar de garende mulloek, en kwam er al snel achter hoe je de schil kon kraken zonder de zachte noot kapot te maken.

Akkarin kwam erbij met een ruwe stenen kom vol bessen en een paar lange stengels. De bessen waren bedekt met gemene stekels.

Terwijl ze de noten pelde zag Sonea hoe Akkarin de bessen met magie liet zweven en ze voorzichtig ontdeed van hun naalden en schil. Al snel was de kom halfvol met het donkere vruchtvlees. Toen pelde hij de stengels, waardoor de zachtgroene binnenkant te voorschijn kwam.

'Ik denk dat we ons feestmaal kunnen beginnen,' zei hij. Hij gaf haar twee stengels. 'Dit is senn, niet echt lekker, maar eetbaar. Het is niet gezond om alleen vlees te eten.'

Sonea vond de binnenkant van de planten aangenaam sappig, zij het wat smakeloos. Akkarin verdeelde de mulloek, die heel wat meer vlees had dan welke andere vogel ook die ze tot nu toe gegeten hadden. De noten waren net zo lekker als hij beloofd had. Akkarin maakte de bessen fijn en vermengde ze met water, waardoor hij een grote kom vol zoete drank kreeg. Toen ze alles opgegeten hadden, kon Sonea geen pap meer zeggen, voor de eerste keer in Sachaka.

'Vreemd dat zo'n eenvoudig maal zo heerlijk kan zijn.' Ze zuchtte tevreden. De vallei lag nu vrijwel helemaal verscholen in het donker. 'Ik vraag me af hoe deze plek er overdag uitziet.'

'Dat zien we morgen wel,' zei hij.

Hij klonk vermoeid. Ze keek naar hem, maar zijn gezicht was gehuld in schaduw.

'Welterusten dan,' zei ze. Met wat genezende kracht verdreef ze haar eigen moeheid en stak hem haar handen toe. Hij nam ze eerst niet aan en ze dacht dat hij haar niet zag in het donker. Toen legde hij zijn warme, slanke vingers om haar handen heen.

Ze haalde diep adem en begon haar kracht naar hem te zenden; ze paste goed op dat ze zichzelf niet uitputte. Ze vroeg zich niet voor het eerst af of hij het toestond dat ze de eerste wacht op zich nam om zich ervan te vergewissen dat ze niet te veel kracht gaf. Als ze zichzelf dodelijk vermoeide, zou ze niet wakker kunnen blijven.

Toen ze haar kracht voelde afnemen, stopte ze en trok haar handen terug. Akkarin bleef stil zitten en maakte geen aanstalten om naar het bed van gras te gaan.

'Sonea,' zei hij plotseling.

'Ja?'

'Bedankt dat je met me meegegaan bent.'

Met ingehouden adem voelde ze haar hart opzwellen van geluk.

Hij bleef nog even stil zitten. 'Het spijt me dat ik je bij Rothen heb weggehaald. Ik weet dat hij eerder een vader dan een leraar voor je was.'

Sonea keek naar zijn beschaduwde gezicht en zocht zijn ogen.

'Het was nodig,' zei hij zacht.

'Weet ik,' fluisterde ze. 'Ik begrijp het wel.'

'Maar toen begreep je het niet,' zei hij. 'Je haatte me.'

Ze grinnikte. 'Klopt. Maar nu niet meer.'

Hij zweeg verder, en even later stond hij op. Hij liep naar de overhangende rots, waar hij op het bed van gras ging liggen. Ze zat lang in de duisternis, maar uiteindelijk verscheen er wat licht over de berg. De sterren begonnen te verbleken en verdwenen. Ze had niet echt slaap, en ze wist dat niet alleen haar genezende kracht daar verantwoordelijk voor was. Akkarins onverwachte dank en zijn verontschuldiging deden de hoop in haar hart weer oplaaien, de hoop die ze dagenlang tevergeefs had geprobeerd te onderdrukken.

Ben je gek geworden? zei ze tegen zichzelf. *Hij wilde gewoon aardig zijn. Dat hij eindelijk je hulp erkent, en zich een beetje schaamt voor wat hij je heeft aangedaan, betekent nog niet dat hij meer in je ziet dan een nuttige krachtbron. Verder is hij niet in je geïnteresseerd, dus kwel jezelf nu niet langer.*

Maar hoe hard ze ook probeerde de gevoelens te verdringen, ze herinnerde zich toch steeds die spanning als hij haar aanraakte, of naar haar keek. Dat viel haar namelijk steeds weer op.

Ze sloeg haar armen om haar knieën en trommelde met haar vingers op haar kuiten. Toen ze nog in de sloppen leefde, nam ze aan dat ze alles wel wist wat mannen en vrouwen betrof. Later had ze bij Geneeskunde begrepen hoe weinig ze er eigenlijk van afwist. En nu bleek dat zelfs de Genezers haar niet genoeg geleerd hadden.

Maar misschien hadden ze haar niet verteld hoe ze gevoelens als deze kon laten ophouden omdat het eenvoudig onmogelijk was. Misschien...

Een laag geluid, een soort gegrom echode door de vallei. Sonea versteende van schrik en staarde in de ochtendschemering. Weer klonk het geluid achter haar en in één beweging stond ze op en draaide zich om. Toen ze besefte dat het geluid uit Akkarins buurt kwam werd ze doodsbang. Viel een of ander beest hem aan? Ze rende erheen.

Ze boog zich onder de overhangende rots, maar zag geen dier dat een aanval beraamde. Akkarins hoofd bewoog van links naar rechts en terug. Toen ze dichterbij kwam, kreunde hij.

Ze bekeek hem met medelijden. Hij had weer zo'n nachtmerrie. Opluchting en bezorgdheid overspoelden haar. Ze wist niet of ze hem moest wekken, maar hij had altijd duidelijk aangegeven dat hij niet wilde dat ze getuige was van deze momenten van zwakte.

Net als ik trouwens, dacht ze.

Weer ontsnapte hem gekreun. Sonea kromp ineen toen het geluid weerklonk in de vallei. Geluid droeg ver in de bergen en ze dacht er liever niet aan dat er iemand mee zou kunnen luisteren. Toen hij weer een kreet slaakte, besloot ze hem wakker te maken. Of hij het nu leuk vond of niet, ze moest hem wekken om hem stil te laten zijn.

'Akkarin,' zei ze hees. Hij was stil en ze dacht dat ze hem gewekt had, maar plots verkrampten al zijn spieren.

'Nee!'

Sonea kwam ongerust dichterbij. Zijn ogen gingen wild heen en weer onder zijn oogleden. Zijn gezicht vertrok van pijn. Ze strekte haar hand uit met de bedoeling hem wakker te schudden.

De schok van een schild trok door haar vingers. Ze zag hoe hij zijn ogen wijd opensperde en voelde een krachttreffer door haar heen trekken die haar door de lucht deed vliegen. Ze kreeg nog een harde klap in haar rug en sloeg toen tegen de grond. Pijn schoot door haar hele lijf.

'Au!'

'*Sonea!*'

Ze voelde hoe ze op haar rug gerold werd. Akkarin staarde haar bezorgd aan.

'Heb ik je pijn gedaan?'

Ze schudde haar hoofd. 'Alleen wat verse blauwe plekken, denk ik.' Ze keek naar zijn handen en zag dat ze behoorlijk beefden. 'Je lag te dromen. Je had een nachtmerrie...'

'Daar ben ik aan gewend, Sonea,' zei hij zacht, met beheerste stem. 'Dat is geen reden om me wakker te maken.'

'Ja, maar je maakte zo'n lawaai!'

Hij zweeg even en stond op. 'Ga jij nu maar slapen, Sonea,' zei hij zacht. 'Ik houd de wacht.'

'Nee,' zei ze geërgerd. 'Je hebt nauwelijks een oog dichtgedaan, en ik weet dat je me niet wakker maakt wanneer het jouw beurt weer is om te slapen.'

'Dat doe ik wel. Erewoord.'

Hij boog zich iets voorover en stak een hand naar haar uit. Ze nam hem aan en liet zich overeind trekken. Een fel licht liet haar duizelen en ze begreep dat de zon over de rotswand die de vallei omsloot piepte.

Akkarin bleef opeens doodstil staan. Iets moest zijn aandacht getrokken hebben, maar ze zag alleen zijn silhouet. Instinctief zocht ze zijn gedachten met haar geest. En zag een beeld.

Een gezicht, omlijst door haar dat glansde in het licht van de opkomende zon. Ogen... zo donker... en een bleke, smetteloze huid...

Het was háár gezicht, maar zo had ze zichzelf nog nooit in de spiegel gezien. Haar ogen straalden een vreemde gloed uit, haar haar golfde alsof er een briesje doorheen speelde, en haar lippen hadden er nog nooit zo verleidelijk uitgezien...

Hij trok zijn hand terug en deed een stap achteruit.

Zo ziet hij me dus, dacht ze plotseling. *Geen vergissing mogelijk, hij verlangt naar me.* Ze voelde haar eigen hart bonzen. *Al die tijd heb ik het tegengehouden omdat ik dacht dat ik het alleen voelde. Maar hij voelde hetzelfde.*

Ze deed een stap naar hem toe. Hij bekeek haar met een frons. Ze dwong hem haar gedachten te zien, te voelen, en ze liet hem weten dat zij de zijne kende. Zijn ogen sperden zich verrast open toen ze dicht tegen hem aan kwam staan. Zijn handen pakten zacht haar armen vast, maar zijn greep verstevigde toen ze op haar tenen ging staan en hem kuste. Hij bleef dood-stil staan. Ze sloeg haar armen om hem heen en hoorde zijn hart snel kloppen. Hij sloot zijn ogen en duwde haar zacht van zich af.

'Stop. Stop ermee,' fluisterde hij schor. Hij keek haar diep in de ogen.

Ondanks die woorden hield hij nog steeds haar armen vast alsof hij haar niet wilde laten gaan. Sonea zocht zijn gezicht af. Had ze zich vergist? Nee, ze wist wat ze gevoeld had.

'Waarom?'

Hij fronste zijn voorhoofd. 'Dit kan niet,' zei hij.

'Kan niet?' vroeg ze. 'Hoe bedoel je? We voelen toch allebei...'

'Ja,' zei hij zacht. Hij keek weg. 'Maar we moeten met zoveel rekening houden.'

'Zoals?'

Akkarin liet haar armen los en deed een stap achteruit. 'Nou, het zou niet eerlijk zijn, tegenover jou.'

Sonea nam hem nauwlettend op. 'Mij? Maar –'

'Je bent nog jong. Ik ben twaalf, nee, dertien jaar ouder dan jij.'

En opeens begreep ze waarom hij zo aarzelend deed. 'Dat is waar,' zei ze voorzichtig. 'Maar vrouwen in de Huizen worden constant aan veel oudere mannen gekoppeld. Echt veel oudere mannen. Zelfs als ze pas zestien zijn. Ik ben bijna twintig.'

Akkarin worstelde om zich eruit te redden. 'Ik ben je mentor,' zei hij streng.

Maar daar trapte ze niet in. 'Niet meer,' zei ze lachend.

'Maar als we teruggaan naar het Gilde –'

'Zullen we een schandaal veroorzaken?' Ze grinnikte. 'Daar zijn ze zo langzamerhand wel aan gewend met ons.' Ze hoopte dat hij erom zou glim-lachen, maar hij keek alleen maar bezorgder. Ze werd weer rustig. 'Je doet alsof we terug zullen gaan en alles weer hetzelfde zal zijn als vroeger. Al gaan we terug, dan nog zal het voor ons nooit meer hetzelfde worden. Ik ben een zwarte magiër. En jij ook.'

Hij vertrok zijn gezicht. 'Het spijt me. Ik had je nooit –'

'Hou daar nou eens mee op!' riep ze uit. 'Ik wílde zwarte magie leren. En niet alleen voor jou.'

Akkarin keek haar zwijgend aan.

Ze zuchtte en keek weg. 'Nou ja, dit maakt het alleen maar ingewikkelder.'

'Sonea.'

Ze keek hem aan terwijl hij haar naderde. Hij streek een lok haar uit haar gezicht. Ze voelde haar hart sneller slaan bij die aanraking.

'We kunnen allebei wel doodgaan in de komende weken,' zei hij.

Ze knikte. 'Weet ik.'

'Het zou me gelukkig maken als ik wist dat je buiten gevaar was.'

Sonea kneep haar ogen een beetje samen. Hij glimlachte.

'Nee, ik zal er niet weer over beginnen, echt niet, maar... je stelt mijn loyaliteit op de proef, Sonea.'

Ze fronste haar wenkbrauwen, want ze begreep het niet. 'Hoe bedoel je?'

Hij ging met een vinger langs haar wenkbrauwen en ze ontspande zich. 'Maakt niet uit.' Zijn ene mondhoek ging omhoog. 'Het is nu toch al te laat. Ik ben al gezakt voor die proef in de nacht dat je die Ichanivrouw doodde.'

Ze knipperde verbaasd met haar ogen. *Betekende dat...? Al zo lang?*

Hij glimlachte. Ze voelde zijn handen om haar middel. Hij trok haar tegen zich aan, en ze besloot dat al haar vragen konden wachten. Ze liet haar vinger over de krul in zijn lippen gaan. Toen boog hij zich voorover en legde zijn mond op de hare totdat alle vragen vergeten waren.

25

Een toevallige ontmoeting

Rothen kwam al snel tot de ontdekking dat gorins erg trage trekdieren waren. De enorme beesten waren echter favoriet bij alle kooplui. Ze waren sterk, gehoorzaam, veel taaier dan paarden en stelden niet veel eisen.

Maar het was onmogelijk ze sneller te laten lopen. Rothen keek zuchtend naar Raaf, maar de spion lag te doezelen tussen de balen stof op de kar, met een hoed met een brede rand over zijn gezicht getrokken. Rothen glimlachte en richtte zijn aandacht weer op de weg. De afgelopen nacht hadden ze in een kamer van een bolhuis in het stadje Koudenbrugge doorgebracht. De spion, die zich voordeed als Rothens neef, had zich een gigantisch stuk in zijn kraag gedronken, waardoor hij de hele nacht onophoudelijk heen en weer had moeten lopen tussen de pisbak en zijn bed. Dat was waarschijnlijk de reden dat Raaf een veel betere onverschrokken koopman speelde dan Rothen. *Of is het de bedoeling dat ik de verstandige oom speel?*

Rothen trok zijn hemd wat omhoog. Het strakke kledingstuk was een stuk oncomfortabeler dan de wijde magiërsgewaden. Maar hij was blij met zijn grote hoed. Het beloofde een hete dag te worden, al was het nog vroeg in de ochtend.

Het was nevelig en het stof op de weg benam het zicht op de horizon. En al waren ze al twee dagen onderweg, bergen waren er nog niet te zien. Rothen wist dat de weg recht naar Calia liep, waar hij zich in tweeën splitste. Linksaf zou je bij het Fort terechtkomen, rechtsaf reed je naar de Zuiderpas toe. En daar zouden hij en Raaf heen gaan.

Het deed vreemd aan om naar een zuidelijke pas te gaan door naar het noordoosten te rijden, vond Rothen. De route was waarschijnlijk naar de positie in de bergen genoemd, en niet vanwege zijn positie in Kyralia. Hij was er al eens dichtbij geweest, toen hij zijn zoon was wezen opzoeken tijdens de zomervakantie van vijf jaar geleden.

Hij fronste toen hij aan Dorrien dacht. Het huis van zijn zoon keek uit op de weg naar de pas en een ontmoeting was onvermijdelijk. Rothen zou moeten uitleggen waar hij heen ging, en waarom, en dat zou Dorrien niet prettig vinden.

Waarschijnlijk zal hij alles op alles zetten om met ons mee te gaan. Rothen snoof zacht. *Dat zal ruzie worden, en daar heb ik weinig trek in.*

Het zou echter nog een dag of wat duren voor hij zijn zoon zag. Raaf had verteld dat het met een gorinwagen zes, zeven dagen kon duren voor je de Zuiderpas bereikte. *Tegen die tijd zit Sonea al vijftien dagen in Sachaka. Als ze nog leeft natuurlijk.*

Het was een opluchting geweest toen Lorlen hem vertelde dat Akkarin contact had gezocht met de hoge magiërs. Vijf dagen geleden was Sonea nog springlevend geweest. Lorlen beschreef ook een afgeluisterd gesprek tussen twee Sachakanen, en dat had Rothen wel van streek gemaakt. Of die man en vrouw Ichani's waren of niet, ze wilden Akkarin en Sonea hoe dan ook dood hebben.

'Ze noemden hen "de Kyralianen",' had Lorlen gezegd. *'Ik hoop niet dat ze alle Kyralianen zo ontvangen in Sachaka. Jarenlang hebben Kyraliaanse kooplui veilig de weg naar Arvice afgelegd, en zij zien geen reden om aan te nemen dat dat opeens anders zou zijn. Maar kijk toch maar uit.'*

'Er komt iemand aan,' zei Raaf. 'Achter ons.'

Rothen wierp een blik op de spion. De man verschoof even en één oog werd zichtbaar onder de rand van de hoed. Toen Rothen de weg achter hem af speurde, begreep hij dat Raaf aan de stofwolken verderop kon zien dat er iemand naderde. Paarden en ruiters rezen op uit de stofwolk en Rothens hart begon sneller te slaan.

'Magiërs,' zei hij. 'De versterkingen van Balkan voor het Fort.'

'Dan zou ik maar een beetje aan de kant gaan,' adviseerde Raaf. 'En hou je gezicht naar beneden. Ze mogen je niet herkennen.'

Rothen trok zacht aan de teugels. Met enige tegenzin hieven de gorins hun machtige koppen, maar ze brachten de wagen toch naar de linkerkant van de weg. Het geluid van dreunende hoeven kwam naderbij.

'Maar je moet wel kijken natuurlijk,' zei Raaf. 'Dat verwachten ze.'

De spion ging rechtop zitten. Rothen draaide zich om en tuurde vanonder de rand van zijn hoed naar de naderende Krijgers. De eerste die de wagen passeerde was heer Yikmo, de Krijger die Sonea het afgelopen jaar privé-les had gegeven. Hij keek niet eens naar Rothen en Raaf terwijl hij langs stoof. De andere magiërs galoppeerden voorbij, met een enorme stofwolk in hun kielzog.

Raaf kuchte en wuifde het vuil weg. 'Tweeëntwintig.' Hij klom naast Rothen op de bok. 'Een verdubbeling van de manschappen in het Fort. Stuurt het Gilde ook Krijgers naar de Zuiderpas?'

'Geen idee.'

'Mooi.'

Rothen keek Raaf geamuseerd aan.

'Hoe minder je weet, hoe minder een Ichani van je te weten kan komen,' zei de spion.

Rothen knikte. 'Ik weet dat de Zuiderpas bewaakt wordt. Als de Ichani's daarvandaan binnenkomen zal het Gilde gewaarschuwd worden. Die van het Fort hebben tijd genoeg om naar Imardin terug te rijden en zich bij het Gilde te voegen. De afstand vanaf elke pas tot het Gilde is vrijwel gelijk.'

'Hmm.' Raaf klakte met zijn tong, wat aangaf dat hij diep nadacht. 'Als ik een Ichani was, zou ik de Zuiderpas nemen. Geen magiërs, geen Fort, dus kunnen ze ons land binnenkomen zonder kracht te verliezen. Dat ziet er dus niet zo mooi voor ons uit. Hoewel...' Hij fronste zijn voorhoofd. 'Deze Ichani's weten niet hoe ze als één man moeten vechten. Als het hele Gilde tegenover hen staat, zal het er een of twee kunnen doden. Als het Gilde verdeeld is, zal ze dat niet lukken. Misschien vinden ze het Fort toch een betere optie.'

Rothen haalde zijn schouders op en begon de gorins naar het midden van de weg terug te leiden.

Raaf bleef er een tijdje over nadenken. 'Nu kunnen die Ichani's natuurlijk een verzinsel van de vroegere Opperheer zijn,' zei hij uiteindelijk, 'zodat het Gilde hem in leven zou laten. Dat is prima gelukt. En je vroegere novice geloofde hem.'

Rothen keek meteen chagrijnig. 'En je wordt niet moe me er constant aan te herinneren.'

'Als wij goed samen willen werken, moet ik weten wat er tussen jou, Sonea en haar metgezel speelt,' zei Raaf. Hij sprak beleefd maar vastberaden. 'Ik weet bijvoorbeeld dat het niet je loyaliteit aan het Gilde was die je ertoe heeft gebracht je als vrijwilliger voor deze missie op te geven.'

'Niet helemaal, nee.' Rothen zuchtte. Raaf zou blijven wroeten tot hij alle informatie had die hij wilde hebben. 'Ze betekent meer voor me dan zomaar een aardige novice. Ik heb haar uit de sloppen gehaald en geprobeerd haar te leren een plaatsje in het Gilde te veroveren.'

'Maar dat lukte niet.'

'Nee.'

'Waarop Akkarin haar als gijzelaar meenam, en jij kon er niets tegen doen. Nu kan dat wel.'

'Misschien. Ik droom ervan Sachaka binnen te wippen en haar daar weg te halen.' Rothen keek de spion aan. 'Maar dat is waarschijnlijk makkelijker gezegd dan gedaan.'

Raaf grinnikte. 'Dat is het altijd. Wat denk je, zou Sonea verliefd kunnen zijn op Akkarin?'

Rothen stoof op. 'Nee, ze haatte hem.'

'Genoeg om verboden magie te leren en zich te laten verbannen, zodat ze, zoals zij het stelde, er zeker van kon zijn dat hij in leven zou blijven tot het Gilde tot bezinning kwam?'

286

Hij haalde diep adem en probeerde een zenuwachtig voorgevoel te verdringen. 'Als zij gelooft dat die Ichani's bestaan, zal het makkelijk voor hem zijn geweest om haar over te halen al die dingen voor het voortbestaan van het Gilde te doen.'

'Waarom zou hij dat doen, als die Ichani's niet echt bestonden?'

'Nou, om te zorgen dat ze met hem meeging. Hij heeft haar nodig.'

'Waarvoor?'

'Om haar kracht.'

'Waarom zou hij haar dan zwarte magie hebben geleerd? Daar zou hij niets mee winnen.'

'Dat weet ik ook niet. Ze zei dat ze hem gevraagd heeft het haar te leren. Misschien kon hij haar dat niet weigeren omdat hij bang was anders haar steun te verliezen.'

'Dus nu is ze eigenlijk even sterk als hij. Stel dat ze erachter is gekomen dat hij gelogen had, waarom is ze dan niet meteen teruggekeerd om dat aan het Gilde te vertellen?'

Rothen sloot zijn ogen. 'Omdat... nu ja, omdat...'

'Ik weet dat het verwarrend is,' zei Raaf zacht, 'maar we moeten alle mogelijke motieven en gevolgen kennen voor we ze vinden.'

'Weet ik.' Rothen dacht nog eens na. 'Dat ze zwarte magie heeft geleerd, betekent niet dat ze even sterk is. Zwarte magiërs worden zo krachtig door energie uit anderen te putten. Als zij de kans niet krijgt dat te doen, is Akkarin sterker dan zij. Misschien houdt hij haar juist zwak door elke dag al haar kracht weg te nemen – en hij heeft misschien gedreigd al haar levensenergie weg te nemen als zij contact opneemt met het Gilde.'

'Op die manier. Maar dan ziet het er ook niet goed uit voor ons.'

'Nee.'

'Ik vind het niet leuk om te zeggen, maar ik hoop eigenlijk dat we je leerling in die situatie aantreffen. Want het alternatief is heel wat onaangenamer. Voor heel Kyralia.' Hij klakte met zijn tong. 'Nou, vertel me nu eens wat meer over die zoon van je.'

Toen Akkarin stopte zuchtte Sonea van opluchting. Hoewel ze nu wel gewend was aan de lange dagen vol lopen, klimmen en afdalen, was elke pauze welkom. De ochtendzon was warm en maakte haar slaperig.

Akkarin stond boven op de top van een heuveltje en wachtte tot ze zich sjokkend bij hem had gevoegd. Toen ze boven was, zag Sonea dat hun de weg werd versperd door een zoveelste bergspleet, deze keer een brede en ondiepe. Ze keek erin, en haar adem stokte. Een blauw lint kronkelde door het midden van het ravijn. Water ruiste over rotsblokken en viel hier en daar schuimend omlaag, voor het verder stroomde naar het woeste land. Bomen en andere planten verdrongen zich aan de oevers van het riviertje, en hier en daar bedekten ze zelfs de rotswanden.

'De Krikararivier,' mompelde Akkarin. 'Als we die volgen komen we bij de weg naar de Zuiderpas.'

Hij keek naar de bergen. Sonea volgde zijn blik en zag dat de inham tussen de pieken aan beide zijden van het ravijn veel breder was dan elders. Weemoed stak de kop op, want achter die inham lag Kyralia.

'Hoe ver is het nog naar de pas?'

'Zeker een dag lopen.' Hij fronste zijn voorhoofd. 'We moeten zo dicht mogelijk bij de weg zien te komen, en daar wachten tot het donker is.' Hij keek naar het ravijn. 'Hoewel Parika zeker een dag op ons achter loopt, zullen zijn slaven daar op hem wachten om de pas in de gaten te houden.'

Hij stond op en draaide zich naar haar om. Ze vermoedde wat hij wilde doen en greep zijn handen. 'Laat mij nu maar eens,' zei ze glimlachend.

Ze verzamelde magie en vormde een schijf onder hun voeten die hen optilde en zachtjes dalend het ravijn in liet zakken. Ze landden op een grasveldje. Ze keek op en zag hoe Akkarin haar aandachtig bekeek.

'Waarom kijk je zo naar me?'

Hij glimlachte. 'Zomaar.' Hij draaide zich om en begon langs de rivier te lopen. Sonea schudde haar hoofd en volgde hem.

Na al die tijd over de droge berghellingen gelopen te hebben, bracht de aanblik van zoveel helder, stromend water en zoveel groen haar in een goed humeur. Ze stelde zich voor hoe regen de stroompjes had gevormd die samenkwamen in deze rivier. Ze keek even achterom en vroeg zich af waar hij eindigde. Zou hij helemaal door het woeste niemandsland stromen?

De bomen en de bosjes vertraagden hun tocht wel. Akkarin ging al spoedig in de schaduw van een rotswand lopen, zodat ze de begroeiing zo veel mogelijk vermeden. Na een uur kwamen ze in een dichtbegroeid bos dat zich van de ene kant van het ravijn naar de andere leek uit te strekken en de rivier leek te verzwelgen. Steeds opnieuw duwde ze takken en varens opzij en bij elke stap leek het geluid van water dat ruisend over stenen klaterde luider te worden. Toen het zonlicht weer door het bladerdak heen kon dringen, zagen ze dat hun weg geblokkeerd werd door een meertje.

Het was een adembenemend gezicht. Van de rotswand voor hen viel het water in grote stromen naar beneden om bruisend het meer te vullen. Het geluid was oorverdovend na de stilte van de berghellingen. Ze draaide zich om.

'Kunnen we hier even stoppen?' vroeg ze dringend. 'Dat kan toch wel even? Ik heb in geen weken een echt bad gehad...'

Akkarin glimlachte. 'Ach, een kleine badpauze kan geen kwaad.'

Ze grijnsde en ging op het dichtstbijzijnde rotsblok zitten om haar laarzen uit te doen. Toen ze het ondiepe gedeelte in waadde begon ze hijgend kreetjes te slaken. 'Het is ijskoud!'

Ze concentreerde zich en stuurde wat hitte het water in. Haar enkels warmden weer op. Langzaam waadde ze naar een dieper gedeelte. Ze merkte dat ze het water op een aangename temperatuur kon houden als ze zich niet te snel bewoog.

Toen haar broek het water opnam, werd hij zwaarder. Ze zag dat het meer in het midden donker en diep was, en toen het water tot boven haar knieën kwam, liet ze zich zakken en strekte zich uit. De rotsbodem was enigszins slijmerig, maar dat kon haar niet schelen. Ze strekte zich nog verder uit tot haar gezicht onder water verdween. Toen ze weer boven kwam, zag ze Akkarin wadend dichterbij komen. Hij liep haar voorbij, staarde geconcentreerd in het meer en dook het water in. Een grote golf ijskoud water sloeg over haar heen en ze vloekte.

Ze zag hem onder water wegzwemmen. Toen hij bovenkwam zat zijn lange haar achterover geplakt. Hij streek erover heen en keek haar aan.

'Kom hier.'

Ze zag hem watertrappelen. Het meer was daar al diep. Ze schudde haar hoofd. 'Ik kan niet zwemmen.'

Hij gleed wat dichter naar haar toe en draaide zich op zijn rug. 'Vroeger gingen we 's zomers altijd met de hele familie naar zee,' vertelde hij. 'We zwommen iedere dag.'

Sonea probeerde zich Akkarin als jongetje voor te stellen, zwemmend in zee, maar ze kon het niet. 'Ik heb wel een paar keer bij de rivier gewoond, maar in dat smerige water zwemt niemand.'

Akkarin grinnikte. 'Niet vrijwillig, nee.'

Hij draaide zich weer om en zwom naar de waterval. Toen hij er dichtbij was, kwam hij tot over zijn schouders uit het water en keek naar boven. Hij stak zijn hand door het watergordijn en stapte erachter. Even was er een vage schaduw van hem te zien, en toen was hij verdwenen.

Ze wachtte tot hij weer te voorschijn zou komen. Na een paar minuten werd ze nieuwsgierig. Wat had hij daarachter ontdekt?

Ze stond op en liep langs de rand van het meer naar de waterval. Het werd gestaag dieper en toen ze het begin van het watergordijn bereikte stond ze al tot over haar middel in het water, maar ze voelde dat de bodem opliep onder de waterval zelf.

Ze stak haar hand door het koude vallende water. Ze vermande zich en dook door het gordijn. Meteen raakten haar knieën een rotswand. Achter de waterval had zich een richel gevormd, op schouderhoogte ongeveer. Daar zat Akkarin op, met zijn rug tegen de wand, in kleermakerszit. Hij lachte naar haar.

'Een mooi geheim plekje, al is het wat krap.'

'En wat lawaaierig.'

Ze hees zichzelf op de uitspringende rand, draaide zich om en ging ook met haar rug naar de muur zitten. Het groen en blauw van de wereld buiten kleurden het gordijn.

'Wat prachtig,' zei ze.

'Ja.'

Ze voelde hoe vingers zich om haar hand sloten.

'Koude handen,' zei hij.

Hij nam haar hand en omsloot hem met de zijne. Zijn aanraking ver-warmde haar hele lichaam. Ze keek naar hem en zag nu pas dat de stoppels op zijn kin en kaken dik en krullerig waren geworden. *Mmm, met een baardje ziet hij er eigenlijk helemaal niet slecht uit,* mijmerde ze. *En zijn natte kleren laten ook weinig aan de verbeelding over.*

Hij trok een wenkbrauw op. 'Waarom kijk je zo naar me?'

Ze haalde haar schouders op. 'Zomaar.'

Hij lachte en zijn blik zakte iets. Ze deed hetzelfde en kreeg een kleur toen ze merkte dat ook haar kleren als een tweede huid aan haar lijf kleefden. Ze probeerde zichzelf te bedekken, maar hij sloeg zijn armen stevig om haar heen. Ze zag nog net een ondeugende glinstering in zijn ogen voor hij haar grinnikend tegen zich aantrok. En haar langzaam begon uit te kleden.

Ze dacht niet meer aan de tijd, Ichani's en fatsoenlijke droge kleren. Belangrijker zaken vroegen haar aandacht: de warmte van huid tegen huid, het geluid van zijn ademhaling, het genot dat als vuur in haar lichaam op-laaide, en toen hoe heerlijk het was om dicht tegen elkaar aan te liggen op de uitstekende rand.

Magie heeft zijn voordelen, dacht ze. *Een kille, krappe plek kan warm en knus gemaakt worden. Verkrampte spieren kunnen zich ontspannen. Ik moet er niet aan denken dat ik ooit heb overwogen dit alles op te geven omdat ik zo'n hekel aan magiërs had. Als ik dat had doorgezet lag ik nu niet naast Akkarin.*

Nee, dacht ze, en de realiteit drong nu pas goed tot haar door, *dan zou ik in zalige onwetendheid door de sloppen zwerven, me niet bewust van machtige magiërs die op het punt stonden mijn land aan te vallen. Magiërs zo gevaarlijk dat die van het Gilde bescheiden en vrijgevig lijken.*

Ze reikte naar het vallende water. Het gordijn opende zich toen haar vingers het raakten. Door de spleet zag ze de bomen en het meer... en een gedaante aan de oever.

Ze verstijfde en trok haar hand met een ruk terug.

Akkarin bewoog. 'Wat is er?'

Haar hart klopte in haar keel. 'Er staat iemand bij het meer.'

Hij drukte zich op met zijn ellebogen. 'Even stil zijn,' mompelde hij.

Het gedempte geluid van stemmen drong tot hen door. Sonea kreeg het ijskoud. Akkarin onderzocht met zijn blik de watermuur tot hij een natuur-lijke spleet aan de linkerkant van de richel zag. Langzaam kwam hij op handen en knieën overeind en sloop naar de spleet. Daar bleef hij doodstil staan en luisterde aandachtig. Hij vormde met zijn mond een woord: Parika.

Ze griste haar broek en hemd van de richel en trok ze pijlsnel aan. Akka-rin luisterde nog steeds, en ze kroop tegen hem aan.

'... niet zo erg. Ik wilde alleen wat halen voor als u terugkwam, meester,' zei een vrouwenstem smekend. 'Kijk, ik heb tigonoten en stekelbessen.'

'Je had de Pas niet mogen verlaten.'

'Riko is daar nog.'

'Riko slaapt.'

'Straf Riko dan.'

Er klonk gegrom en toen een stomp. 'Vergeef me, meester,' jammerde de vrouw.

'Sta op. Ik heb geen tijd voor dit gedoe. Ik heb in geen twee dagen geslapen.'

'Gaan we nu meteen naar Kyralia?'

'Nee. Pas als Kariko klaar is. En ik wil uitgerust zijn voor die tijd.'

En toen was het stil. Door het watergordijn heen zag Sonea iets bewegen. Akkarin trok haar tegen zich aan. Ze legde haar hoofd tegen zijn borst.

'Je trilt helemaal,' zei hij.

Sonea haalde diep, bibberend adem. 'Dat was op het nippertje.'

'Ja,' zei hij. 'Gelukkig dat ik onze laarzen verstopt heb. Soms is het niet zo gek om overdreven voorzichtig te zijn.'

Sonea huiverde. Een Ichani stond minder dan twintig passen verderop. Als zij niet het water in had gewild, en Akkarin de holte achter de waterval niet had ontdekt...

'Hij staat nu recht voor ons,' fluisterde ze.

Akkarin sloeg zijn armen nog steviger om haar heen. 'Ja, maar het lijkt erop dat Parika de enige Ichani bij de Pas is. Het lijkt er ook op dat Kariko al over een paar dagen aan gaat vallen.' Hij zuchtte. 'Ik heb geprobeerd Lorlen te bereiken, maar hij heeft de ring niet om. Hij heeft hem al dagen niet om gehad.'

'Dus wachten we nu tot Parika Kyralia binnengaat? En gaan we hem dan achterna?'

'Of we proberen hem voor te wezen, en sluipen vannacht als hij slaapt langs hem heen.' Hij dacht even na en duwde haar zachtjes weg, zodat hij haar aan kon kijken. 'Vandaar is het niet ver naar de kust. En dan zit je in een paar dagen in Imardin. Als jij daarheen gaat, kan ik ondertussen...'

'Nee.' Sonea schrok van de kracht in haar stem. 'Ik laat je niet alleen.'

Hij keek haar streng aan. 'Het Gilde heeft je nodig, Sonea. Ze hebben nu geen tijd om zwarte magie uit een van mijn boeken te leren. Ze hebben iemand nodig die het ze snel leert, en met hen oefent. Als we met z'n tweeën de pas oversteken, worden we misschien allebei gepakt en gedood. Dan is alles verloren. Maar als jij via de kust reist, kan een van ons Imardin bereiken.'

Sonea schoof een stuk opzij. Het klonk heel redelijk, maar ze vond het maar niks. Hij reikte voor haar langs naar zijn kleren en begon zich aan te kleden.

'Je hebt mijn kracht nodig,' zei ze.

'Ik heb pas nog gehad, die ene dag maakt niet veel uit. Ik had toch nooit genoeg kracht kunnen verzamelen om me tegen een Ichani te weer te stellen. Dan had ik er tien of twintig van jouw kaliber moeten hebben.'

'Maar het gaat niet om één dag. We hebben nog vier of vijf dagen voor we Imardin bereiken.'

'Ook vier of vijf dagen maken weinig verschil. Als het Gilde mijn hulp aanneemt, heb ik honderden magiërs om kracht aan te onttrekken. Als ze niet meewerken zijn ze sowieso gedoemd te sterven.'

Ze schudde langzaam van nee. 'Jij bent de belangrijkste van ons twee. Jij hebt de kennis en de vaardigheid, plus de kracht die we bijeengebracht hebben. Ga jij maar zuidwaarts.' Ze keek naar hem op en fronste haar wenkbrauwen. 'En als het zo'n veilige route is, waarom gaan we dan niet allebei?'

Akkarin deed zijn hemd over zijn hoofd, stak zijn armen in de mouwen en zuchtte. 'Omdat ik er dan niet op tijd ben.'

Ze keek hem aan. 'Dan zou het mij dus helemaal niet lukken.'

'Nee, maar als ik faal, kan jij de restanten van het Gilde onderbrengen in andere landen. En die zullen zeker helpen, want die zien het vast niet zitten om Sachakaanse zwarte magiërs als buren te hebben. Zij zullen jullie –'

'Nee!' siste ze. 'Ik blijf bij jou tot de strijd gestreden is.'

Hij schoof naar haar toe en nam haar hand in de zijne. 'Het zou veel eenvoudiger voor me zijn om tegenover de Ichani's te staan als ik wist dat ze jou geen kwaad konden doen als ik faal.'

Ze keek hem lang aan. 'Hoe denk je dat het voor mij is om te weten wat ze met jou zullen doen?' vroeg ze zacht.

'Ten minste een van ons zou veilig zijn als jij naar het zuiden gaat.'

'Maar waarom ga jij dan niet?' kaatste ze terug. 'Dan regel ik dat probleempje van het Gilde met die Ichani's wel.'

Zijn gelaatsuitdrukking verstrakte even, maar toen kwam de vertrouwde scheve glimlach weer te voorschijn. 'Dat is best. Maar dat wil ik dan wel met eigen ogen zien.'

Ze grijnsde, maar werd meteen daarop weer ernstig. 'Ik laat jou niet in je eentje knokken en alle risico's lopen. We doen het samen.' Ze zweeg even. 'Nou ja, een gevecht in de pas kunnen we beter uit de weg gaan. We vinden vast wel iets om dat te vermijden.'

De stapel brieven op Lorlens bureau dreigde omver te vallen. Osen ving ze net op tijd op en verdeelde ze over twee grote stapels.

'Dat verbod op mentale communicatie levert wel wat extra werkgelegenheid op voor koeriers,' merkte de jonge magiër op.

'Ja,' antwoordde Lorlen. 'En voor pennensnijders. Ik ben er twee keer zo snel doorheen als anders. Hoeveel brieven moet ik nog beantwoorden?'

'Dit is de laatste,' zei Osen.

Lorlen tekende met een zwierige krul en begon zijn pen schoon te vegen.

'Blij dat je terug bent, Osen,' zei hij. 'Ik weet niet hoe ik het zonder jou zou moeten redden.'

Osen glimlachte. 'Dat zou ook niet lukken. Niet met de verantwoordelijkheden van zowel de administrateur als de Opperheer.' Hij zweeg even. 'Wanneer zal er een nieuwe Opperheer gekozen worden?'

Lorlen zuchtte. Hij had het onderwerp tot nu toe weten te omzeilen. Hij kon zich gewoonweg geen ander dan Akkarin voorstellen in die functie. En toch zou er uiteindelijk iemand gekozen moeten worden – hoe eerder hoe beter, als Akkarins voorspellingen waar bleken te zijn.

'Nu we de rebellen uit Elyne onder handen hebben genomen, zullen er waarschijnlijk tijdens de volgende Gildevergadering kandidaten naar voren worden gebracht.'

'Over een maand dus pas?' Osen trok een gezicht en keek naar de stapels brieven. 'Kunt u niet wat eerder beginnen?'

'Eventueel wel. Maar geen van de hoge magiërs heeft aangegeven dat ze die zaak eerder willen behandelen.'

Osen knikte vaag. Hij was een beetje uit zijn doen vanmorgen, vond Lorlen.

'Wat zit je dwars, Osen?'

De jonge magiër keek Lorlen even aan. 'Kan het Gilde Akkarin niet weer aannemen als dit hele verhaal waar blijkt te zijn?'

Lorlen trok een bedenkelijk gezicht. 'Dat betwijfel ik. Niemand wil een zwarte magiër als Opperheer. Ik weet niet eens of Akkarin dan weer binnen het Gilde zou mogen blijven.'

'En wat Sonea betreft?'

'Ze tartte de koning. Als de koning instemt met een zwarte magiër in het Gilde, zal hij iemand kiezen die hij, of het Gilde, onder de duim kan houden.'

Osen keek weg. 'Dus zal Sonea haar opleiding nooit afmaken.'

'Nee.' Toen Lorlen dat zei, realiseerde hij zich het pas en het deed hem verdriet.

'De zák,' siste Osen en stond op uit zijn stoel. 'O, het spijt me. Ik weet dat hij een vriend van u was, en dat u hem nog steeds geen kwaad hart toedraagt. Maar zij... zij had een geweldige magiër kunnen worden. Een verbazingwekkend talent. Ik wist dat ze ongelukkig was. Het was zo duidelijk dat hij deels verantwoordelijk was, en ik heb niets gedaan om haar te helpen.'

'Dat had je ook niet gekund,' zei Lorlen.

Osen schudde het hoofd. 'Als ik het geweten had, had ik haar onder laten duiken. Wat had hij gemoeten zonder haar als gijzelaar?'

Lorlen keek naar zijn hand, naar de vinger waarom de ring zo lang gezeten had. 'Het Gilde overnemen? Jou en Rothen het zwijgen opleggen? Kwel jezelf nu niet zo, Osen. Je wist niet hoe het zat, en je had niets kunnen doen als je het wel geweten had.'

De jonge magiër gaf geen antwoord. 'U draagt die ring niet meer,' merkte hij op.

Lorlen keek op. 'Nee. Ik was hem zat.' Hij voelde zich opeens ongerust. Had Osen genoeg over bloedjuwelen gehoord om te begrijpen wat het voor ring was? Als dat zo was, besefte hij waarschijnlijk ook dat Lorlen veel langer van Akkarins geheim op de hoogte was dan hij had toegegeven.

Osen pakte zuchtend de twee stapels post op. 'U schiet er niets mee op als ik over het verleden jammer. Ik kan beter een stel koeriers voor deze brieven op gaan scharrelen.'

'Ja, dank je wel.'

'Ik ben zo snel mogelijk weer terug.'

Lorlen keek zijn assistent na. Toen de deur dichtviel, keek hij weer naar zijn ringloze hand. Hoe vaak had hij niet gewenst dat hij dat vermaledijde ding kwijt was? En nu wilde hij hem wanhopig graag terug. Maar hij was goed opgeborgen in de Magiërsbibliotheek. Als hij wilde kon hij hem natuurlijk zo gaan halen...

Kon dat wel? Hij wist wat Balkan ervan zou zeggen. Het was te gevaarlijk. Dat zouden de andere hoge magiërs ook vinden.

Maar Balkan en de anderen hoefden het toch niet te weten?

Natuurlijk wel. En gelijk hebben ze: het is veel te gevaarlijk. En toch... Wist ik maar wat er daar aan de hand is.

Met een diepe zucht richtte Lorlen zijn aandacht weer op de verzoekschriften en brieven op zijn bureau.

26

De Zuiderpas

Toen ze een van de uitgangen van Cery's kamers naderden, bleef Gol plotseling staan en draaide zich om. 'Moet je de andere Dieven niet vertellen over die linke magiërs?' vroeg hij.

Cery slaakte een zucht. 'Ik weet het niet. Waarschijnlijk geloven ze me toch niet.'

'Misschien later dan, als je bewijs hebt.'

'Misschien.'

De grote kerel beklom een ladder naar een luik in het plafond. Hij schoof de grendel weg en duwde het luik voorzichtig omhoog. Cery hoorde stemmen. Gol klom naar buiten en gebaarde dat het veilig was. Ook Cery klom eruit.

Hij kwam uit in een kleine bolkelder. Er zaten twee mannen aan tafel een bordspel te doen. Ze knikten beleefd naar Cery en Gol. Hoewel ze wisten dat ze een van de ingangen naar het Dievenpad bewaakten, wisten ze niet dat het luik naar het hol van een van de belangrijkste Dieven leidde.

Cery en Gol liepen naar buiten voor een korte ronde. Ze gingen langs bij de bakker en een paar ambachtslieden. De eigenaars waren even onwetend betreffende de identiteit van de bezoekers als de bewakers. Cery informeerde op neutrale toon of ze nog tevreden waren over de regeling met 'de Dief' en iedereen, op één man na, knikte bevestigend.

'Laat iemand eens nagaan wat er aan de hand is met die mattenvlechter als we klaar zijn,' zei Cery terwijl ze weer in de ondergrondse gangen afdaalden. 'Hij is ergens niet zo blij mee.'

Gol knikte. Toen ze bij hun bestemming aankwamen, liep hij vooruit om de zware metalen deur open te maken. In het hok erachter zat een mager mannetje.

'Zo, Ren. En hoe is het met onze gast?'

Het mannetje stond op. 'Loopt maar te ijsberen, ik word er horendol van. Maakt zich zorgen, denk ik.'

Cery fronste zijn voorhoofd. 'Maak dan maar open.'

Ren greep snel een ketting van de vloer. Hij trok eraan en een trilling ging door de grond. De muur achterin gleed opzij en een luxueus gemeubileerde kamer kwam te voorschijn.

Takan stond midden in de kamer. Hij keek gespannen en vol verwachting. Cery wachtte tot de schuifdeur achter Gol gesloten was voor hij sprak.

'Wat is er aan de hand?'

De Sachakaan zuchtte kort. 'Akkarin heeft met me gesproken. Hij heeft me gevraagd je het een en ander uit te leggen.'

Cery keek verbaasd en gebaarde naar de stoelen. 'Laten we er dan maar even bij gaan zitten. Ik heb eten en wijn meegebracht.'

Takan ging op het voorste randje van een fauteuil zitten. Cery nam tegenover hem plaats, terwijl Gol het keukentje in liep om glazen en borden te halen.

'Je weet al dat die moordenaars die je voor Akkarin moest zoeken Sachakaanse magiërs waren,' begon Takan. 'En je weet dat Akkarin en Sonea verbannen zijn vanwege het bedrijven van zwarte magie.'

Cery knikte.

'Die moordenaars waren vroeger slaven,' vertelde Takan, 'die er door hun meesters opuit zijn gestuurd om te spioneren in Kyralia en het Gilde – en Akkarin te vermoorden als ze er de kans voor kregen. Hun meesters zijn machtige magiërs die bekendstaan als Ichani's. Ze gebruiken zwarte magie om kracht aan hun slaven of hun slachtoffers te onttrekken. De mensen van mijn land noemen dit hoge magie, en er bestaat geen wet tegen het gebruik ervan.'

'Dus die magie maakt ze sterker?' vroeg Cery. Al had hij dit verhaal al eens van Savara gehoord, het leek hem beter om te doen alsof hij van niets wist.

'Ja. Akkarin heeft zwarte magie in mijn land geleerd. Ik ben met hem naar Kyralia teruggekeerd, en hij heeft altijd kracht aan mij onttrokken zodat hij met die spionnen kon vechten.'

'Dus jij was een slaaf?'

Takan knikte.

'Je zegt dus dat de moordenaars, of spionnen, eens slaven waren. Maar zij gebruikten ook zwarte magie.'

'Ze kregen les in hoge magie en werden vrijgelaten opdat ze lang genoeg zouden overleven om de geheimen van de verdedigingstechnieken van het Gilde te achterhalen.'

Cery fronste zijn voorhoofd. 'Maar als ze vrij waren, waarom deden ze dan gewoon wat hun meesters ze opdroegen?'

Takan keek naar de grond. 'Dienstbaarheid is een gewoonte die je moeilijk afleert, vooral als je als dienaar geboren bent,' zei hij zacht. 'En de spionnen waren net zo bang voor het Gilde als voor de Ichani's. Ze hadden maar twee opties: zich verbergen in het land van de vijand of terugkeren naar Sachaka. Totdat publiekelijk bekend werd dat Akkarin en Sonea verbannen werden omdat ze zwarte magie hadden bedreven, geloofden vrijwel alle Sachakanen dat het Gilde hoge magie gebruikte. Alle spionnen werden immers vermoord. Sachaka leek een veiliger plaats, en de gevaren daar waren bekend. Maar ze wisten dat de Ichani's hen zouden doden als ze zonder de gevraagde informatie terugkeerden.'

Gol kwam aanlopen met wijn, glazen, en een bord waarop met vleeswaren belegde broodjes opgestapeld lagen. Hij bood Takan een glas wijn aan, maar die schudde het hoofd.

'De Ichani's weten nu dat het Gilde niet langer hoge magie gebruikt,' vervolgde Takan. 'Ze weten dat zij veel sterker zijn. Hun leider, een man die Kariko heet, heeft al jaren geprobeerd de verschillende clans te verenigen. En nu is hij daarin eindelijk geslaagd. Akkarin heeft vanmorgen contact met me opgenomen en ik moest je dit vertellen: binnen een paar dagen zullen ze Kyralia overvallen. Je moet het Gilde waarschuwen.'

'En die magiërs zullen me geloven?' vroeg Cery, die daar zijn twijfel over had.

'Je laat de boodschap anoniem overbrengen, maar de ontvanger zal uit de inhoud kunnen opmaken wie de afzender is. Akkarin heeft me de inhoud verteld.'

Cery knikte, leunde achterover en nam een slok wijn. 'Hoeveel weet het Gilde eigenlijk?'

'Alles, behalve het laatste nieuws. Ze geloven er alleen geen barst van, maar Akkarin blijft hopen dat ze zich niettemin zullen voorbereiden voor het geval het toch waar blijkt te zijn.' Takan aarzelde. 'Je schijnt er niet erg ondersteboven van dat je land een grote oorlog te wachten staat.'

Cery haalde zijn schouders op. 'O, maar dat ben ik best wel hoor. Ik had al zo'n gevoel dat er iets groots te gebeuren stond.'

'Maak je je niet ongerust?'

'Hoezo? Het zijn tenslotte magiërszaken.'

Takan sperde zijn ogen open. 'Was dat maar waar! Want als die Ichani's de Gildemagiërs en de koning uit de weg geruimd hebben, dan is het gewone volk aan de beurt. Of ze worden als slaven weggevoerd, of ze worden vermoord.'

'Dan moeten ze ons eerst vinden.'

'Ze laten al jullie tunnels instorten en steken de huizen in brand. Die geheime wereld van je heeft geen schijn van kans.'

Cery dacht aan Savara's tips om magiërs te doden. 'Ik denk dat ze misschien toch nog wel eens lelijk op hun neus zullen kijken,' zei hij geheimzinnig. 'Als het aan mij ligt.'

Dannyl liep de universiteit uit en nam de drukte op de binnenplaats in zich op. Het was middagpauze en de meeste novicen liepen rond om van het zonnetje te genieten.

Hij besloot hun voorbeeld te volgen en even door de tuin te wandelen. In de beschaduwde wandelgangen dacht hij terug aan zijn gesprek met heer Sarrin. Nu de kwestie met de rebellen achter de rug was en Rothen naar Sachaka was vertrokken, had Dannyl maar weinig om handen, dus had hij zich als vrijwilliger aangemeld om te helpen bij de reconstructie van de nieuwe Uitkijktoren.

Het Hoofd van Alchemie was verrast door Dannyls voorstel, alsof hij alles omtrent dat project vergeten was. 'De Uitkijktoren. Ja. Natuurlijk,' had Sarrin afwezig geantwoord. 'Dat houdt ons wel even bezig, tenzij... maar dat maakt niet uit. Ja,' zei hij wat vastberadener. 'Vraag heer Davin maar waarmee je kunt helpen.'

Op weg naar de universiteit zag Dannyl toevallig heer Balkan uit het kantoor van de administrateur komen. De Krijger had een bezorgde trek om zijn mond. Zo vreemd was dat niet, maar zijn houding suggereerde dat een nieuw probleem hem plaagde.

Ik wou dat ik wist wat er aan de hand is, dacht Dannyl. Hij keek om zich heen en zag de gespannen gezichten van de leerlingen in zijn buurt. *Het ziet ernaar uit dat ik niet de enige ben.*

Hij sloeg de hoek om en zag een eenzame novice op een bankje zitten. De jongen was waarschijnlijk vijfdejaars en zag er mager en ongezond uit. Hij kwam Dannyl bekend voor.

Dannyl bleef staan toen hij begreep dat het geen jongen was. Het was Farand. Hij liep naar het tuinbankje toe.

'Farand.'

De jongeman keek op en glimlachte een beetje geforceerd. 'Dag, ambassadeur.'

Dannyl ging zitten. 'Ik zie dat je je gewaden gekregen hebt. Heb je al les gehad?'

Farand knikte. 'Privé-les, voorlopig. Ik hoop dat ze me de vernedering besparen om me tussen die twaalfjarigen te zetten.'

Dannyl grinnikte. 'Dan mis je juist alle lol!'

'Ik heb horen zeggen dat jij ook niet zo'n makkelijke tijd als novice hebt gehad.'

Dannyl kreeg een ernstige uitdrukking. 'Nee. Niet de eerste jaren. Maar dat zijn *mijn* ervaringen, en daar zou ik me niet door laten beïnvloeden. Er lopen hier magiërs rond die hun tijd op de universiteit juist de mooiste tijd van hun leven vonden.'

'Ik hoopte dat het nu allemaal makkelijker zou worden, maar dat vraag ik me nu af. Het schijnt dat er hier een oorlog dreigt waar het Gilde bij betrokken is. We zouden tegen Akkarin of Sachakaanse magiërs moeten vechten. En het is onduidelijk of we kunnen winnen.'

Dannyl knikte. 'Je bent op een heel ongelukkig moment tot het Gilde toegetreden, Farand. Maar als dat niet was gebeurd, dan zou je vroeg of laat toch in dezelfde strijd verwikkeld zijn geraakt. Als Kyralia valt, zal Elyne de dans heus niet ontspringen.'

'Nou, dan is het misschien maar beter dat ik hier ben. Ik ben liever hier tot nut dan dat ik thuis nog een paar maanden moet afwachten tot het onvermijdelijke gebeurt.' Farand zweeg en zuchtte. 'Maar één ding spijt me toch heel erg.'

'Dem Marane.'

'Ja.'

'Het spijt mij ook ontzettend,' zei Dannyl. 'Ik had gehoopt dat het Gilde wat milder zou zijn.'

'Ik denk dat die strijd met jullie Opperheer de uitslag beïnvloed heeft. Het Gilde had moeten merken dat hun leider met zwarte magie bezig was. Dat is ze ontgaan, dus wilden ze niet voor de tweede keer zo'n fout maken. En ze zouden Akkarin eigenlijk hebben moeten executeren, maar dat was te gevaarlijk. Dus kreeg de volgende man die de wet overtrad die straf toebedeeld, om te laten zien dat zulke misdrijven niet getolereerd worden.' Farand wachtte even. 'Ik zeg niet dat elke magiër zich daarvan bewust was, maar dat de situatie hun oordeel gekleurd kan hebben.'

Dannyl keek Farand aan, verrast door het inzicht van de jongeman. 'Dus is het de schuld van Akkarin.'

Farand schudde zijn hoofd. 'Ik geef niemand meer de schuld. Ik ben nu hier, op de plek waar ik al veel langer had moeten zitten. Ik moet alle politieke zaken nu maar achter me laten.' Hij aarzelde. 'Al weet ik niet of ik dat zou kunnen als mijn zuster geen gratie had gekregen.'

Dannyl knikte. 'Heb je haar nog gesproken voor ze vertrok?'

'Ja.'

'Hoe is het met haar?'

'Ze heeft veel verdriet, maar de kinderen zullen haar wat om handen geven. Ik zal ze allemaal missen.' Hij keek op toen de gong sloeg die aangaf dat de middagpauze afgelopen was. 'Ik moet gaan. Bedankt dat u even met me wilde praten, ambassadeur. Gaat u snel terug naar Elyne?'

'Voorlopig niet. Administrateur Lorlen wil zo veel mogelijk magiërs hier houden, tot hij bericht heeft uit Sachaka.'

'Dan hoop ik dat we vaker met elkaar kunnen praten, ambassadeur.' Farand maakte een buiging en wandelde weg.

Dannyl keek de jongeman na. Farand had veel meegemaakt, en had drie keer de dood onder ogen gezien – omdat hij geen beheersing over zijn magie had, door vergiftiging, en omdat hem een mogelijke doodstraf te wachten had gestaan. Maar op de een af andere manier had hij zijn lot geaccepteerd. Hij was deemoedig. En zijn ideeën over de reden van Dem Maranes executie gaven blijk van scherpzinnigheid.

Hij zou een goed ambassadeur kunnen worden, mijmerde Dannyl. *Als hij ooit de kans krijgt.*

Maar voorlopig kon het Gilde zijn koers vervolgen zoals het dat altijd al had gedaan.

Dannyl zuchtte, stond op en ging op zoek naar heer Davin.

Iets beroerde licht Sonea's lippen. Ze deed knipperend haar ogen open en staarde in het gezicht dat boven haar zweefde. Akkarin.

Hij glimlachte en kuste haar nogmaals. 'Wakker worden,' mompelde hij, waarna hij opstond, haar handen nam en haar overeind trok. Ze keek om zich heen. Een spookachtig licht kleurde alles grauw. De hemel was bedekt met wolken, maar ze vermoedde dat de zon nog niet helemaal ondergegaan was.

'We moeten op pad gaan voor de zon verdwijnt,' zei Akkarin. 'Het zal behoorlijk donker zijn voor de maan aan de hemel staat en we kunnen echt niet langer rusten.'

Sonea gaapte en keek naar de opening tussen de twee pieken. Ze waren achter de waterval vandaan gekomen nadat de Ichani's uit het zicht waren verdwenen, en hadden het ravijn gevolgd zo ver ze durfden, waarna ze een holte tussen een stel grote rotsblokken hadden gevonden die genoeg beschutting bood om er de nacht door te brengen. De schuilplaats was niet zo goed verstopt als de richel achter de waterval, maar ze waren ervan overtuigd geweest dat de Ichani en zijn slaven er niet zouden gaan zoeken.

Ze gingen in de schemering op weg. Het ravijn versmalde hier en het pad werd steeds moeilijker begaanbaar. De smalle rivier vulde het ravijn vrijwel helemaal op en de oevers waren bezaaid met stenen en rotsblokken. Na een uur strompelen wees Akkarin naar de helling rechts van hem. In het laatste licht zag Sonea dat de steile rotshelling net tot onder de top doorliep. Maar toen ze beter keek zag ze een trap die in de rotsen was uitgehakt.

'Vanaf hier loopt de weg evenwijdig aan het ravijn,' zei Akkarin. Hij begon de trap te bestijgen. Toen ze eindelijk de uitgehakte weg bereikt hadden, lag de duisternis als een dikke wollen deken over het landschap, met Akkarin als warme schaduw er middenin.

'Nu moeten we muisstil wezen,' fluisterde hij in haar oor. 'Leg één hand tegen de rotswand. Als je iets wilt zeggen, pak dan mijn hand, dan kun je het mentaal doen zonder dat de Ichani's ons kunnen horen.'

De wind rukte onophoudelijk aan hun kleren nu ze de beschutting van het ravijn verlaten hadden. Akkarin liep voorop en hield de pas erin. Sonea liet haar rechterhand licht langs de rotswand strijken en liep zo behoedzaam mogelijk. Af en toe rolden er steentjes weg als Akkarin of zij hun voeten verkeerd neerzette, maar dat geluid werd weggevaagd door de wind.

Na een hele tijd zag Sonea vaag een andere rotswand opdoemen. Ze vroeg zich af hoe ze die in het donker kon zien en keek omhoog. De toppen van de bergen gloeiden zwakjes, gehuld in maanlicht dat door de wolken heen scheen.

Het ravijn was verdwenen en de weg liep nu evenwijdig aan een smalle vallei. Sonea kon hier naast Akkarin lopen. Na een paar uur was de linker rotswand dichterbij gekomen. De maan klom hoger en hoger, tot hij tenslotte weer achter de bergtoppen begon te zakken.

Veel later begon de weg te kronkelen en te stijgen. Hij volgde de rotsachtige helling. Hoe hoger ze kwamen, hoe steiler de weg werd, met aan de ene kant een bijna loodrechte rotswand en aan de andere kant een diepe afgrond. Maar ze zetten door.

Toen hoorde ze een geluidje voor zich en Akkarin stopte meteen. Weer dat geluid.

Iemand nieste.

Ze doken ineen en kropen naar de volgende bocht in de weg. Akkarin stak zijn hand uit en kneep in de hare. *Dat moet Riko zijn,* zond hij haar.

In het zwakke maanlicht zag Sonea de donkere omtrekken van een man die op een rotsblok aan de kant van de weg zat. Ze hoorde hem klappertanden. Terwijl hij over zijn armen wreef, zag ze iets aan zijn vinger glinsteren. Dat moest een bloedring zijn.

Parika heeft zeker zijn jas meegenomen om te beletten dat hij in slaap valt, voegde Akkarin eraan toe.

Dit brengt ons in een lastig parket, antwoordde Sonea. *Hoe komen we langs die slaaf en langs zijn meester?*

Ik weet wel een truc. Ben je er klaar voor?

Ja.

Het was niet makkelijk om verder te lopen, de bocht om, nu ze wist dat de man hen zou zien. Riko merkte hen niet eens meteen op, zozeer was hij met zichzelf begaan. Toen hij hen zag, sprong hij op en ging er als een haas vandoor.

Akkarin vloekte, en draaide Sonea om. 'Een slaaf!' zei hij overdreven luid zodat Riko het zou horen. 'Er moet iemand in de pas zijn. Kom mee!'

Ze renden terug langs het pad. Akkarin vertraagde zijn pas en keek om zich heen. Hij gebaarde dat ze kon stoppen met lopen. Ze voelde de grond bewegen en toen vlogen ze recht omhoog langs de steile rotswand. Opeens voelde Sonea weer vaste grond onder haar voeten. De richel waarop Akkarin haar had neergezet was echter amper breed genoeg voor haar laarzen. Ze leunde tegen de wand. Haar hart bonsde in haar keel.

Er volgde een lange stilte waarin ze alleen hun ademhaling kon horen. Toen verscheen er beneden hen een gedaante die voorzichtig de bocht om kwam. Hij stopte.

Akkarin kneep in haar hand. *Hij kan wel wat aanmoediging gebruiken.*

Hij liet ergens verderop een steentje op de weg kletteren. De gestalte maakte licht en liet het schijnsel over de weg en de directe omgeving spelen. Sonea hield haar adem in. De man was gekleed in een fraaie mantel en aan zijn handen glinsterden edelstenen en kostbare metalen.

Fijn hoor, antwoordde ze. *Dadelijk kijkt hij omhoog en ziet hij ons. Doet hij niet.*

Een magere, gebogen man dook schuifelend op achter de Ichani.

'Ik zag –'

'Ik weet wat je zag. Ga terug en blijf bij –'

Plotseling begon de Ichani hard de weg af te rennen. Sonea keek naar beneden en zag een klein lichtje verdwijnen achter een bocht, een paar honderd passen verderop. Ze keek Akkarin aan en vermoedde dat hij de bron van het lichtje was. Hij concentreerde zich zo dat hij er rimpels van in zijn voorhoofd kreeg.

De Ichani rende er pijlsnel heen, sloeg de bocht om en verdween. Toen Sonea weer naar beneden keek, was ook de slaaf verdwenen. Akkarin haalde diep adem.

Veel tijd hebben we niet. Laten we hopen dat Riko zijn meester zonder na te denken gehoorzaamt.

Ze zweefden naar beneden en holden naar de pas. Bij iedere stap wist Sonea zeker dat ze de slaaf zouden inhalen, maar pas een paar honderd passen verder zagen ze hem voor hen opdoemen.

En toen zagen ze licht in de verte. Een kampvuur, zag Sonea opgelucht, hoewel ze bang was dat er nog een Ichani zou zitten. Maar er was gelukkig alleen een meisje, waarnaast Riko neerhurkte.

Akkarin en Sonea slopen naderbij en bleven in de schaduw. Het vuur verlichtte echter beide steile rotswanden naast de weg.

We kunnen er niet langs zonder dat ze het merken, merkte Akkarin op. *We moeten er als de bliksem langs rennen. Oké?*

Sonea knikte. *Ik ben er helemaal klaar voor.*

Maar Akkarin verzette geen stap. Ze zag weer een frons op zijn voorhoofd verschijnen.

Wat is er?

Ik zou Parika eigenlijk van zijn slaven moeten ontdoen. Anders zullen ze later tegen ons worden ingezet.

Sonea verkilde tot op het bot toen ze begreep wat hij wilde doen. *Maar daar hebben we geen tijd voo –*

Dan moet het snel gebeuren. Kom.

Hij schoot vooruit.

Ze slikte haar protest in. De slaven doden was nu eenmaal het verstandigste wat ze konden doen. Met hun kracht zouden Kyralianen vermoord worden. Maar het leek zo wreed om mensen te doden die hun hele leven al slachtoffer waren geweest. Ze hadden er niet voor gekozen om gebruikt te worden door de Ichani's.

Het meisje zag Akkarin het eerst. Ze sprong overeind en vloog achteruit toen een dodelijke treffer haar raakte. Ze belandde op de grond en bewoog niet meer.

Riko stoof weg naar de pas. Akkarin zette de achtervolging in, en Sonea volgde hem. Achter hen zou Parika de aanval op zijn slaven hebben gezien via de ringen van slavenbloed. Sonea wierp in het voorbijgaan een blik op het slavinnetje. Haar ogen staarden nietsziend naar de hemel.

Het was tenminste snel voorbij, dacht Sonea.

Er verscheen een lichtje boven Akkarins hoofd en hij vergrootte zijn stappen. De weg kronkelde erg, maar liep gelukkig wel bergafwaarts. Sonea zag geen slaven voor hen uit hollen. Ze hoopte haast dat Riko niet in zicht zou komen. Akkarin kon immers niet iemand doden die hij niet zag.

Plotseling hoorden ze voor zich een gil. Akkarin rende sneller dan ooit. Hij vloog een bocht om en Sonea verloor hem even uit het oog. Toen zij de bocht om ging zag ze dat de weg hier uit allemaal scherpe haarspeldbochten bestond. Hij liep niet meer recht tussen de hoog oprijzende rotswanden door, maar slingerde in grote lussen over de helling. Akkarin stond aan de kant van de weg en keek over de rand naar beneden. Ze stopte naast hem en keek ook de diepte in, maar duisternis was alles wat ze zag.

'Is hij gevallen?'

'Ziet er... wel naar uit,' zei hij hijgend. Hij keek naar de weg, die zich voor hen uitstrekte over een afstand van ongeveer honderd passen voor hij rond een bocht uit het zicht verdween. 'Kan zich niet... verstopt hebben. Zo veel... voorsprong... had hij niet.' Hij keek achter zich. 'We moeten verder, meteen. Als Parika ons achterna zit...'

Hij begon weer te lopen. Ze zetten er flink de pas in. Toen ze de bocht omgingen, veranderde Sonea's opluchting in wanhoop, want voor hen lag een heel stuk onbeschutte weg. Ze zetten het weer op een rennen. Haar rug jeukte en ze weerstond met moeite de drang om over haar schouder te kijken.

De tijd verstreek terwijl ze renden en renden. De weg daalde nu gestaag. De angst verdween langzamerhand. Er was alleen nog maar een dodelijke vermoeidheid die al haar aandacht opeiste. Ze liet hem met Genezingsmagie verdwijnen.

Nu kunnen we toch wel even stoppen, dacht ze, telkens maar weer. *Parika komt ons heus niet achterna in Kyralia, of wel soms?*

Maar Akkarin hield het tempo erin.

Hoe vaak kan ik mezelf nog genezen? Beschadig ik mijn lichaam niet door de pijn zo vaak weg te vagen?

Toen Akkarin zijn gang eindelijk tot een ferme pas vertraagde, zuchtte ze van opluchting. Hij grinnikte en sloeg een arm om haar schouders. Ze keek om zich heen en merkte dat ze tussen bomen door liepen. Ze hadden de weg verlaten. De maan was verdwenen. Akkarin dempte zijn bollichtje tot een zwakke gloed. Ze liepen zo nog een uur door het bos, tot Akkarin bleef staan.

'Ik denk dat we zo wel ver genoeg zijn,' zei hij zacht.

'En als hij ons nog volgt?'

'Dat doet hij niet. Hij gaat Kyralia niet in tot Kariko dat doet.'

Akkarin ging met zijn rug tegen een boom zitten, en Sonea liet zich op de met mos begroeide grond zakken.

'Wat nu?' vroeg ze terwijl ze naar de bomen rondom hen staarde.

Akkarin trok haar tegen zich aan en sloeg zijn armen om haar heen. 'Ga jij maar slapen,' fluisterde hij. 'Ik hou wel de wacht. Morgen besluiten we wat ons te doen staat.'

27

Een verrassende ontmoeting

Sonea woelde onrustig. *Nee, het is veel te vroeg om wakker te worden,* dacht ze. *Ik ben nog veel te moe.* Maar haar onrust nam toe en ze kon de slaap niet meer vatten. Ze zat bijna rechtop, met haar rug tegen iets warms gedrukt. Ze haalde diep adem en voelde de druk van armen rond haar borst. Akkarins armen. Ze glimlachte en deed haar ogen open.

Vier slanke, harige benen stonden voor haar neus. Paardenbenen. Haar hart sloeg een slag over en ze keek op.

Bekende blauwe ogen keken haar aan. Een groen gewaad, deels verborgen onder een dikke zwarte mantel. Vreugde en opluchting vulden haar hart.

'Dorrien!' zei ze hees. 'Je weet niet half hoe blij ik ben je te zien!'

Maar hij keek haar koeltjes aan. Het paard verzette zijn voeten en snoof. Sonea hoorde meer gesnuif van dichtbij. Ze keek opzij en zag daar nog vier ruiters staan, met normale kleding.

Akkarin bewoog en haalde diep adem.

'Wat doen jullie hier?' vroeg Dorrien.

'Ik... we...' Sonea schudde haar hoofd. 'Ik weet niet waar ik moet beginnen, Dorrien.'

'We zijn gekomen om jullie te waarschuwen,' antwoordde Akkarin. Ze voelde de trilling in zijn stem tegen haar nek. 'Binnen enkele dagen vallen de Ichani's Kyralia binnen.' Hij legde zijn handen op haar schouders en duwde haar iets naar voren. Ze stond op en ging opzij terwijl hij overeind kwam.

'Jullie zijn verbannen.' Het klonk onverbiddelijk. 'Jullie mogen dit land niet meer binnen.'

Akkarins wenkbrauwen schoten omhoog. 'Mogen we dat niet?' sprak hij rustig en sloeg de armen over elkaar.

'Was je van plan met me te vechten?' vroeg Dorrien en zijn ogen glinsterden vervaarlijk.

'Nee,' antwoordde Akkarin. 'Ik wilde je helpen.'

Dorrien kneep zijn ogen tot spleetjes. 'We hebben je hulp niet nodig,' snauwde hij. 'We willen dat je verdwijnt.'

Sonea keek Dorrien met grote ogen aan. Zo had ze hem nog nooit zien doen, zo koud, zo vol haat. Hij klonk als een vreemde. Een domme, kwade vreemde.

Toen herinnerde ze zich hoe liefdevol hij was voor de mensen in zijn dorp. Hij zou alles doen om hen te beschermen. En als hij nog steeds wat voor haar voelde, zoals lang geleden, dan zou het zijn humeur niet bepaald verbeteren dat hij haar had aangetroffen in Akkarins armen.

'Dorrien,' zei ze. 'We zouden niet teruggekomen zijn als we er niet zeker van waren dat het moest.'

Dorrien keek haar even hooghartig aan en snoof. 'Of jullie terug moeten komen of niet wordt nog altijd door het Gilde bepaald. Ik heb opdracht gekregen de weg hier in de gaten te houden en jullie meteen terug te sturen als jullie het land binnenkomen. Dus als jullie willen blijven, zullen jullie me eerst moeten doden.'

Sonea schrok. Die dode slavin stond in haar geheugen gegrift. Akkarin zou toch zeker niet...

'Ik hoef je niet te doden,' antwoordde Akkarin.

Dorriens ogen leken wel schilfers ijs. Hij wilde iets zeggen.

'We gaan wel terug,' zei Sonea snel. 'Maar laat ons dan eerst alles vertellen.' Ze legde haar hand op Akkarins arm.

Hij denkt met zijn hart. Als we hem tijd geven het te overdenken, wordt hij vast wat redelijker.

Akkarin fronste zijn voorhoofd, maar ging er niet tegenin. Ze wendde zich weer tot Dorrien, die haar nauwlettend in de gaten hield.

'Goed dan,' zei hij met nogal wat tegenzin. 'Vertel me het nieuws maar.'

'Je houdt de Zuiderpas in de gaten, dus Lorlen heeft je ongetwijfeld laten weten dat Sachaka ons bedreigt,' zei Akkarin. 'Gisterochtend waren Sonea en ik bijna gevangengenomen door een Ichani die Parika heet. Uit een gesprek met zijn slavin vingen we op dat Kariko en zijn bondgenoten binnen enkele dagen Kyralia aan zullen vallen. Sonea en ik waren van plan in Sachaka te blijven tot het Gilde zich ervan verzekerd had dat de Ichani's echt bestaan, maar daar hebben ze nu geen tijd meer voor. Als het Gilde wil dat we terugkomen om hen te steunen in de strijd die vandaag of morgen losbarst, moeten we eerder dan de Ichani's in Imardin zijn.'

Dorrien keek Akkarin onbewogen aan. 'En dat is alles?'

Sonea wilde hem vertellen over de Ichani in de Zuiderpas, maar ze zag al voor zich hoe Dorrien de bergen in zou rijden om dat verhaal te onderzoeken. De Ichani zou hem zonder aarzelen vermoorden. Ze slikte haar woorden snel in.

'Laat ons dan tenminste nog een paar uur rusten,' smeekte ze. 'We zijn uitgeput.'

Dorriens ogen namen Akkarin van top tot teen op en vernauwden zich weer tot spleetjes. Hij keek even over zijn schouder naar de andere ruiters.

'Gaden. Forren. Zou het Gilde toestaan dat ze jullie paarden even lenen?'

Sonea tuurde over de flank van Dorriens paard naar de mannen. Ze wisselden een blik en maakten aanstalten af te stappen.

'Ik heb geen toestemming jullie ook maar een uur in Kyralia te laten blijven,' zei Dorrien stijfjes toen de mannen hun paarden naar voren brachten. 'Ik zal met jullie meerijden tot de pas.'

Akkarins ogen schoten vuur. Sonea voelde hoe gespannen hij werd. Ze klemde zijn arm stevig vast.

Nee! Laat me tijdens de rit met hem praten. Hij luistert wel naar me.

Hij wendde zich tot haar met een sceptische uitdrukking. Sonea voelde een lichte blos naar haar wangen stijgen.

We hadden bijna een relatie, een tijd geleden. Ik denk dat hij nijdig is omdat jij me hebt weggekaapt.

Akkarins wenkbrauwen schoten omhoog. Hij bekeek Dorrien met iets van waardering in zijn blik.

Echt waar? Zie dan maar wat je kunt doen. Maar praat niet te lang met hem.

Toen een van de mannen bij hen was stapte Akkarin naar voren en nam de teugels over. De man deinsde achteruit en keek nerveus naar Dorrien. De jonge magiër reageerde niet toen Akkarin het paard besteeg. Sonea liep naar het andere paard en het lukte haar met enige moeite zich in het zadel te hijsen. Akkarin keek Dorrien aan.

'Na jou,' zei de Genezer.

Sonea's paard volgde toen Akkarin zijn rijdier wendde en het de weg op dreef. Ze reden achter elkaar, wat een gesprek onder vier ogen onmogelijk maakte. De hele weg door het bos voelde ze Dorriens ogen in haar rug prikken.

Toen ze bij de weg kwamen, trok Sonea de teugels van haar paard aan zodat het langzamer ging lopen. Toen het tenslotte naast dat van Dorrien voort stapte, keek ze de Genezer even aan, maar ze wist ineens niet meer wat ze moest zeggen. Eén verkeerd woord en hij zou alleen maar woedender worden.

Ze dacht terug aan de dagen dat ze veel met hem optrok in het Gilde. Wat leek dat allemaal lang geleden. Had hij erop gehoopt dat ze zich op een dag weer voor hem zou interesseren? Al had ze niets beloofd, toch voelde ze zich schuldig. Ze had haar hart aan Akkarin geschonken. Zulke sterke gevoelens had ze nooit voor Dorrien gehad.

'Ik geloofde helemaal geen barst van wat Rothen me vertelde,' mompelde Dorrien.

Sonea keek hem aan, verrast dat hij de stilte verbroken had.

Hij keek naar Akkarin. 'Ik geloof het eigenlijk nog steeds niet.' Er kwam een rimpel tussen zijn wenkbrauwen. 'Hij heeft me eens verteld waarom Akkarin jouw mentorschap op zich genomen had, en toen begreep ik wel waarom je zo afstandelijk tegen me was gaan doen. Je dacht vast dat ik zou zien hoe ongelukkig je was en dat ik vragen zou gaan stellen.' Hij keek naar haar. 'Dat was het toch?'

Ze knikte.

'Wat is er gebeurd? Wanneer heeft hij je ertoe gebracht je oude vrienden in de steek te laten?'

Weer voelde ze zich schuldig. 'Ongeveer... twee maanden geleden vroeg hij me mee te gaan naar de stad. Daar had ik helemaal geen zin in, maar ik dacht dat ik iets zou kunnen leren dat het Gilde tegen hem zou kunnen gebruiken. Hij liet me een man zien – een man uit Sachaka – en leerde me hoe ik de gedachten van die man kon lezen. Tegen zijn wil. Wat ik zag kon alleen maar de waarheid zijn.'

'Weet je het zeker? Als die man in dingen geloofde die niet waar waren, dan zou jij –'

'Ik ben niet dom, Dorrien.' Ze bleef hem strak aankijken. 'De herinneringen van die man moesten wel waar zijn.'

Hij fronste zijn voorhoofd. 'Ga door.'

'Toen ik eenmaal van het bestaan van de Ichani's wist, en dat hun leider alleen maar wilde bewijzen dat het Gilde zo zwak was dat het zonder gevaar kon worden aangevallen, kon ik niet aan de kant blijven staan, terwijl Akkarin zijn best deed om te beletten dat ze dat bewijs in handen kregen. Ik vroeg – nee, ik stónd erop – dat ik met hem mee mocht doen.'

'Maar... zwarte magie, Sonea. Hoe kón je?'

'Dat was ook geen gemakkelijke keuze. Ik wist dat het een ongelooflijke verantwoordelijkheid was, en een groot risico. Maar als de Ichani's aan zouden vallen, zou het Gilde vernietigd worden, en zou ik waarschijnlijk toch sterven, net als iedereen.'

Dorriens neus rimpelde alsof hij iets smerigs rook. 'Maar het is slechte magie.'

Ze schudde haar hoofd. 'Het Gilde van vroeger vond van niet. Ik weet eigenlijk ook niet zo zeker dat het slecht is. Maar ik zou zeker niet willen dat het Gilde er weer les in ging geven. Als ik me voorstel wat Fergun of Regin met die krachten hadden kunnen doen....' Ze huiverde. 'Nee, dank u.'

'Maar je denkt er zelf wel goed mee om te kunnen gaan?'

Ze dacht diep na. Die vraag zat haar al langer dwars. 'Dat weet ik niet. Ik hoop van wel.'

'Je hebt toegegeven dat je het gebruikt hebt om te doden.'

'Ja.' Ze zuchtte. 'Denk je nou dat ik dat alleen gedaan heb om mezelf sterker dan ooit te maken? Of denk je dat ik een goede reden had?'

Hij keek weg, naar Akkarin. 'Dat weet ik niet.'

Ze volgde zijn blik. Akkarins paard liep twintig stappen voor hen uit. 'Maar je denkt wel dat Akkarin om kracht zou doden, nietwaar?'

'Ja,' gaf Dorrien toe. 'Hij heeft tenslotte toegegeven dat hij vaak gedood heeft.'

'Als hij dat niet gedaan had, zou hij nog steeds een slaaf in Sachaka zijn – of dood – en dan was het Gilde al jaren geleden aangevallen en vernietigd.'

'Als hij de waarheid spreekt.'

'Dat doet hij.'

Dorrien schudde het hoofd en keek het bos in.

'Dorrien, je móét het Gilde vertellen dat de Ichani's eraankomen,' zei ze. 'En... laat ons alsjeblieft aan deze kant van de bergen blijven. De Ichani's weten dat we gisternacht door de pas zijn gekomen. Als je ons terugstuurt zijn we morgen dood.'

In zijn ogen zag ze een mengeling van verwarring en ongeloof.

En toen stapte er een forse gedaante vlak voor hen uit het struikgewas langs de weg.

Sonea reageerde instinctief, maar het schild dat ze rond haar en Dorrien opwierp verschrompelde onder de hevige krachttreffer. Ze werd achterover van haar paard geslagen en kwam met een keiharde klap op de grond terecht, zodat ze naar lucht moest happen. Ergens in haar buurt hoorde ze Dorrien vloeken, toen hoorde ze gevaarlijk dichtbij hoeven stampen en snel trok ze weer een schild op. Een schril gehinnik werd gevolgd door het snelle ritme van steeds zachter wordend hoefgetrappel van de vluchtende paarden.

Sta op! zei ze tegen zichzelf. *Sta op en zoek Akkarin!*

Ze rolde om en krabbelde overeind. Vanuit haar ooghoek zag ze Dorrien naderbij kruipen. Akkarin stond een paar passen bij hen vandaan.

Tussen haar en Akkarin stond Parika.

Sonea's maag draaide zich om van angst. Akkarin was niet sterk genoeg om het van de Ichani te winnen. Zelfs niet met haar hulp, en Dorrien zou al helemaal niets uitmaken.

Een enorme flits vloog door de lucht toen Akkarin de Ichani aanviel. Parika antwoordde met krachtige treffers.

'Sonea.'

Ze keek snel om naar Dorrien die naast haar was komen staan.

'Is dit een Ichani?'

'Ja. Hij heet Parika. Geloof je me nu?'

Hij gaf geen antwoord. Ze greep zijn vuist vast.

Akkarin is niet sterk genoeg om hem te verslaan. We moeten hem helpen.

Prima. Maar ik dood niemand tot ik zeker weet dat hij is wat je zegt dat hij is.

Samen stuurden ze treffer na treffer en ramden het schild van de Ichani. Parika stopte even, keek over zijn schouder en zijn lippen vertrokken zich tot een boosaardige grijns terwijl hij Dorrien van top tot teen bekeek. Hij draaide Akkarin zijn rug toe en kwam op Sonea af.

Sonea deed een paar stappen achteruit. Ze bleef treffer na treffer afvuren, maar hij liep gewoon door. Dorrien stuurde flits na flits de lucht in, maar ook zijn pogingen leken geen enkel effect te hebben. Akkarin liet enorme klappen op Parika's schild terechtkomen, maar de Ichani negeerde hem volkomen.

Dorrien begon van haar weg te lopen en Sonea begreep dat hij Parika's aandacht van haar af probeerde te leiden. De Ichani keek niet op of om. Toen zijn treffers almaar heviger werden, liet ze zich steeds verder achteruit drijven.

Denk na, dacht ze. *Er moet een uitweg zijn. Denk aan Yikmo's lessen.*

Ze viel Parika van alle mogelijke kanten aan, maar zijn schild vertoonde geen zwakke plekken. Ze liet alle schijnbewegingen en trucs die ze tijdens de lessen gebruikt had de revue passeren. De meest veelbelovende was een aanval waardoor de tegenstander gedwongen was kracht te sparen door zijn schild te verzwakken. Het enige wat ze kon doen was hem verleiden veel kracht te verbruiken zodat die snel op zou raken.

Toen stapte Dorrien tussen haar en de Ichani in. Parika werd pisnijdig. Hij bleef staan en stuurde een paar gigantische krachttreffers naar de Genezer. Dorrien wankelde achteruit, en zijn schild leek te barsten. Sonea haastte zich naar voren en breidde haar schild uit tot het het zijne omvatte. Ze voelde haar eigen kracht meteen afnemen.

Dorrien pakte haar bij haar arm. *Hij is zo sterk!*

Ja, en ik hou het ook niet zo lang meer vol.

We moeten hier weg zien te komen. Hij trok haar de weg op.

Maar Akkarin...

Die kan zichzelf wel redden. We kunnen niets voor hem doen.

Hij is ook niet sterk genoeg.

Dan gaan we er allemaal aan.

Sonea werd hard getroffen en verdoofd liet ze zich door Dorrien meeslepen. De volgende treffer dreef hem sneller voort dan hun benen konden bijhouden. Ze werkte zich los, hield haar vaart in en zocht haar geest af naar haar laatste beetje kracht.

Toen de volgende slag haar schild deed trillen, hapte ze naar adem. Ze keek over haar schouder en zag Parika vliegensvlug op haar afkomen, met Akkarin op zijn hielen. Ze zette het op een lopen.

Een krachttreffer raakte haar zij. De lucht werd uit haar longen geperst toen ze eerst met haar schouder en toen met haar rug hard tegen de grond knalde. Heel even kon ze alleen maar doodstil blijven liggen. Toen drukte ze zich op haar ellebogen op.

Dorrien lag een paar passen bij haar vandaan, wit en stil. In paniek wilde ze overeind krabbelen, maar een volgende treffer sloeg haar weer wijdbeens tegen de vlakte. Ze voelde de stekende pijn van andermans schild dat over haar heen getrokken werd, en ze verstarde van angst. Een hand greep haar bij de arm en dwong haar op haar knieën. Parika keek met een wrede grijns op haar neer. Sidderend van afschuw staarde ze hem aan.

Dit kan toch niet het einde zijn? dacht ze ongelovig.

Het schild van de Ichani vibreerde van de treffers die het opving. Ze zag dat Akkarin nu nog maar enkele passen van haar verwijderd was, met zo'n woeste blik als ze nog nooit had gezien. De Ichani liet zijn hand van haar bovenarm naar haar pols glijden en stak zijn andere hand in zijn jaszak.

Bij de aanblik van het gekromde mes dat hij eruit haalde, kon ze niet meer denken van angst. Ze worstelde, maar het had geen zin. Toen het lemmet haar huid raakte, schoot haar een andere snede te binnen, een die ze zelf gemaakt had.

'*Genees nu jezelf,*' had Akkarin die avond in zijn kelder gezegd. '*Je moet je altijd zo snel mogelijk helen. Zelfs halfdichte wondjes zijn een opening in je barrière.*'

Ze had geen kracht meer in haar lichaam, maar zolang ze leefde was er altijd nog de levensenergie. En om zo'n klein sneetje te genezen had ze... *Zo!*

Parika verstijfde. Hij keek naar haar arm. Het lemmet zakte nogmaals en beschadigde haar huid. Ze concentreerde zich en liet de pijn verdwijnen. De Ichani sperde zijn ogen open. Hij sneed haar nogmaals, dieper nu, en gromde ongelovig toen de wond zich voor zijn ogen sloot.

Ze weten niet hoe ze moeten genezen! Even voelde ze zich triomfantelijk, maar ze bedacht al snel dat ze zichzelf niet eeuwig kon blijven genezen. Het kostte haar tenslotte toch al haar energie.

Maar kon ze deze kennis misschien ook in haar eigen voordeel aanwenden?

Ja natuurlijk!

Hij hield haar nog steeds vast bij haar pols. Huid op huid. Dat maakte hem bijna even kwetsbaar voor haar Genezingsmagie als zij voor zijn zwarte magie. Ze sloot haar ogen en stuurde haar geest door zijn arm zijn lichaam in. Haar concentratie wankelde even toen ze hem weer een snee voelde maken. Ze genas zichzelf snel en dook dieper zijn lichaam in. Naar zijn schouder. In zijn borst. Nóg een snee...

Daar is het, dacht ze. *Zijn hart.* Met haar laatste beetje kracht greep ze het vast en begon erin te knijpen.

De Ichani uitte een kreet, hijgde en liet haar los. Ze viel achterover en kroop weg terwijl hij, met zijn handen tegen zijn borst gedrukt, op zijn knieën zakte. Hij balanceerde op het randje van de dood. Ze keek gefascineerd toe terwijl zijn gezicht langzaam blauw werd.

'Ga bij hem vandaan!'

Sonea schrok op van Akkarins schreeuw. Hij dook voorover en griste het mes van de grond waar de Ichani het had laten vallen. Met één haal sneed hij diens hals open en drukte zijn hand tegen de wond.

Toen het tot haar doordrong wat hij deed, ontspande Sonea zich. Akkarin kon net zo goed Parika's resterende kracht in zich opnemen. De Ichani zou toch sterven en hij had misschien nog heel wat energie over...

Toen besefte ze waarom Akkarin haar gewaarschuwd had bij de Ichani vandaan te gaan. Als Parika stierf terwijl er nog extra energie was opgeslagen in zijn lichaam, zou het lijk met een enorme knal ontploffen. Ze krabbelde overeind en vluchtte achteromkijkend weg.

Ze zag dat Akkarin weer rechtop ging staan. Het mes viel, en de slap geworden Ichani gleed op de grond. Even later sloeg Akkarin zijn armen om Sonea heen, zo stevig dat ze haast geen lucht meer kreeg.

'Ik dacht dat ik je kwijt was,' fluisterde hij schor. Hij haalde diep en trillend adem. 'Je had meteen weg moeten rennen toen hij opdook, zo hard als je kon.'

Ze voelde zich gebutst en gehavend, maar toen Akkarins helende energie in haar vloeide voelde ze haar krachten snel terugkeren. 'Ik zei het toch, ik laat je niet in de steek. Als we sterven, dan sterven we samen.'

Hij deed een stapje achteruit en keek haar geamuseerd aan. 'Heel vleiend, maar wat doen we nu met Dorrien?'

'Dorrien!'

Hij wierp een blik op de gewonde Genezer die een eindje verderop lag en ze haastten zich naar hem toe. De pijn straalde uit zijn ogen.

Akkarin legde een hand op zijn hoofd. 'Je bent zwaargewond,' zei hij. 'Blijf stil liggen.'

Dorrien richtte zijn ogen op Akkarin. 'Spaar je krachten,' fluisterde hij moeizaam.

'Doe niet zo idioot,' zei Akkarin.

'Maar –'

'Ogen dicht. Help me liever,' zei Akkarin streng. 'Jij kent je vak beter dan ik.'

'Maar –'

'Je bent levend nuttiger voor me dan dood, Dorrien,' zei Akkarin droog. Hij duldde geen tegenspraak meer. 'Je kunt me de kracht die ik nodig heb om je te genezen later wel terugbetalen, als je wilt.'

Dorriens ogen lieten weten dat hij het begrepen had. Hij keek naar Sonea. 'Wat is er met de Sachakaan gebeurd?'

Sonea voelde zich blozen van schaamte. Ze had de discipline wel erg misbruikt: ze had ermee gedood.

'Hij is dood. Vertel ik later wel.'

Dorrien sloot uitgeput zijn ogen. Sonea zag hoe hij langzaam zijn kleur terugkreeg.

'Ik doe maar een gok,' zei Akkarin zacht. 'Je hebt zijn hart gestopt.'

Ze keek hem aan.

Hij knikte naar Dorrien. 'Hij heelt zichzelf momenteel. Ik lever alleen wat kracht.' Hij keek naar het Sachakaanse lijk. 'Heb ik gelijk?'

Sonea keek naar Dorrien en knikte. 'Je zei dat Parika Kyralia niet in zou gaan.'

Akkarin fronste zijn voorhoofd. 'Misschien wilde hij wraak nemen voor de dood van zijn slaven. Sterke slaven zijn zeldzaam, en Ichani's worden altijd woedend als ze afgepakt of gedood worden. Maar ik snap niet dat hij zich er nog steeds zo druk over maakte. Het is allemaal al uren geleden gebeurd, en hij moest geweten hebben dat hij geen kans had ons te vinden als we de weg verlaten hadden.'

Dorrien opende zijn ogen. 'Dat lijkt me genoeg,' zei hij. 'Ik voel me alsof hij me in reepjes heeft gescheurd, die we vervolgens weer aan elkaar hebben geplakt, maar ik leef nog.'

Hij duwde zich voorzichtig op zijn ellebogen op. Zijn blik gleed over de dode Ichani. Hij rilde en keek naar Akkarin. 'Ik geloof jullie helemaal. Wat kan ik voor jullie doen?'

'Ga onmiddellijk weg van de pas.' Akkarin hielp Dorrien overeind. 'En stuur een waarschuwing naar het Gilde. Heb je mensen die –'

Lorlen!

Makin?

Vreemdelingen vallen het fort aan!

Sonea staarde Akkarin aan. Een beeld van een weg schoot door Sonea's geest. Ze herkende de weg; hij liep aan de Sachakaanse kant van het Fort. Een aantal mannen en vrouwen, in dezelfde kleding als Parika, stonden op een rij naast elkaar. De lucht zinderde van de treffers.

'Te laat om te waarschuwen dus,' mompelde Dorrien. 'Ze zijn er al.'

28

De invasie

ery bekeek de menigte, en jaloezie stak de kop op. De twee Dieven
die onder andere de markt beheerden, Sevli en Limek, waren stin-
kend rijk en vandaag was het niet moeilijk om te zien hoe dat kwam.
Het zonlicht schitterde op de eindeloze stroom munten die van klanten naar
kraamhouders gingen, en een klein deel van dat inkomen werd in ruil voor
'diensten' afgedragen aan de Dieven. Een fortuin was snel gemaakt op een
dag als deze.

Een dienstertje kwam naar hun tafel en zette twee kroezen neer. Savara
nam een slokje uit de hare, sloot haar ogen en zuchtte.

'Goeie raka hebben jullie,' zei ze. 'Bijna zo goed als die van ons.'

Cery glimlachte. 'Dan moet ik maar eens een handeltje met Sachaka
opzetten.'

Ze trok waarschuwend een wenkbrauw op. 'Dat zou je geld kosten. Niet
veel kooplui hebben trek in een tocht door dat woeste land.'

'Nee? Hoezo dan?'

Ze gebaarde om zich heen. 'Wij hebben niets wat hierop lijkt. Geen
markten. Elke Ashaki heeft honderden slaven die –'

'Ashaki?'

'Machtige rijke heren. Slaven leveren alles wat ze nodig hebben. Ze be-
werken de grond, weven, koken, maken schoon, zorgen voor vermaak, nou
ja, je kunt het zo gek niet verzinnen. Als een slaaf ergens uitzonderlijk goed
in is, bijvoorbeeld in het maken van aardewerk, en als zijn meester behoefte
heeft aan een andere slaaf met speciale vaardigheden, wordt hij geruild met
eentje van een andere Ashaki.'

'Waarom gaan onze kooplui er dan toch heen?'

'Als het ze lukt een koper voor hun waren te vinden kunnen ze een vette
winst opstrijken. Meestal voor luxe goederen.'

Cery bekeek de stoffen in het dichtstbijzijnde kraampje. Het deed sinds
vorig jaar goede zaken, nadat een van de wevers ontdekt had hoe hij stoffen
kon produceren die opvielen door hun fraaie glans. 'Het klinkt alsof het niet

loont voor de Sachakanen om dingen beter te maken dan ze zijn.'

'Nee, maar je hebt slaven die dat wel doen, voor een beloning of uit trots of omdat hij waardering wil omdat hij iets bijzonder moois of uitzonderlijks heeft gemaakt.'

'Dus alleen mooie dingen worden steeds beter?'

Ze schudde haar hoofd. 'Ze vinden ook dingen uit die de vervaardiging van bepaalde zaken sneller en goedkoper maken. Soms is het maar een kleine verandering die toch effect heeft. Soms dwingt men een slaaf om te bedenken hoe je op een snellere manier raka kunt oogsten door te dreigen met lijfstraffen.'

Cery keek bedenkelijk. 'Ik vind het op onze manier toch aantrekkelijker. Waarom zou je iemand zweepslagen geven als je hem ook uit eigen vrije wil beter en netter kan laten werken omdat hij daardoor zijn kinderen meer te eten kan geven?'

Savara lachte zacht. 'Interessant standpunt, van een man in jouw functie.' Toen was ze weer ernstig. 'Ik vind jullie manier ook beter. Drink je je raka niet op?'

Cery schudde het hoofd.

'Ben je bang dat iemand je herkent en er stiekem vergif in doet?'

Hij haalde zijn schouders op.

'Nou ja, hij is nu toch al koud geworden.' Ze stond op. 'Laten we verder gaan.'

Ze liepen de rij kraampjes langs en stopten bij een tafel vol kannen en flessen.

'Waar is dit voor?' Het flesje dat ze had opgepakt bevatte twee sevli op sterk water. De giftige hagedisjes zweefden in de groene vloeistof.

'De sleutel tot de deuren van het paradijs,' antwoordde de kraamhouder. 'Eén slokje en je hebt de kracht van een prijsvechter.' Zijn stem daalde. 'Twee en je zult genot beleven dat een nacht en een dag aanhoudt. Drie en je dromen –'

'Zullen in nachtmerries veranderen die weken duren,' vulde Cery aan. Hij nam de fles uit haar handen en zette hem terug op de tafel. 'Je kunt me zeker geen... Savara?'

Ze staarde met krijtwit gezicht in de verte. 'Het is begonnen,' zei ze, zo zacht dat hij haar nauwelijks hoorde. 'De Ichani's vallen het Fort aan.'

Hij voelde een koude rilling langs zijn rug lopen. Hij nam haar bij de arm en loodste haar bij het kraampje vandaan, uit de buurt van iedereen die hen zou kunnen horen.

'Kun je het zien?'

'Ja,' zei ze. 'De Gildemagiërs daar sturen mentale boodschappen.' Ze zweeg even en richtte haar ogen op een plek in de verte. 'De eerste poort is zojuist gevallen. Kunnen we ergens heengaan waar ik ongestoord de verstuurde beelden kan zien? Het liefst vlakbij?'

315

Cery wenkte Gol, die tegen een paal geleund een pachi stond te eten. Hij gebaarde razendsnel in de taal der Dieven. Gol knikte en liep naar de haven.

'Ik heb de perfecte plek,' zei Cery tegen haar. 'Ik denk dat je het er wel prettig zal vinden. Heb je ooit op een boot gevaren?'

'Heb je een boot?' Ze glimlachte. 'Natuurlijk heb je een boot...'

Het beeld van acht duur geklede mannen en vrouwen, van bovenaf gezien, flitste Dannyls hoofd binnen. Ieder van hen vuurde treffers af op een punt dat zich net onder heer Makin bevond, degene die het beeld verstuurde.

Het beeld ging over in dat van een menigte mensen die een aantal stappen achter de aanvallers stond. Ze droegen gewone, versleten kleren en sommigen hielden kleine, limekachtige dieren aan een touw vast.

Zijn dit de slaven over wie Akkarin vertelde? vroeg Dannyl zich af.

Het beeld werd onscherp, en toen kwamen de aanvallers weer in beeld. Ze hadden het vuren gestaakt, maar kwamen nu behoedzaam naderbij.

De kapitein zegt dat de eerste poort al in puin ligt. De Sachakanen lopen nu het Fort in. We gaan ernaartoe om de rest te verdedigen.

In de pauze die na Makins boodschap viel, werden er geen beelden verstuurd en Dannyl herinnerde zich weer waar hij was. Hij keek de kamer rond. Het afgelopen uur had hij zich kostelijk vermaakt met een verhitte discussie tussen heer Peakin, Hoofd Alchemistische Studiën, en heer Davin, de magiër die had voorgesteld de Uitkijktoren weer op te bouwen. De twee oude heren keken elkaar wanhopig aan; hun ruzie was vergeten.

De manschappen zijn in stelling gebracht, rapporteerde Makin. *De vijand bestormt nu de eerste binnendeuren.*

Waarop een beeld volgde van een duistere gang die gebarricadeerd was door een stenen muur. De gang beefde en het doffe geluid van twee inslagen vibreerde door de ruimte. Makin en de Krijgers naast hem hielden een groot schild paraat.

Toen implodeerde de muur. Het hagelde stenen op het schild, dat even later onder een wolk stof begraven werd. Door de stoffige nevel heen kwamen de treffers, gevolgd door nog meer explosies.

We hebben de Sachakanen aangevallen vanuit een verborgen ruimte onder de vloer, legde Makin uit.

De beelden ervan waren verwarrend. Lichtflitsen doorboorden het stof, maar verder was er niets waar te nemen. Toen verscheen er een schaduw in de stofwolk en de aanval op het schild van de Krijgers werd hervat. Twee magiërs werden naar achteren geslingerd, zo te zien totaal uitgeteld.

Terugtrekken! Terug! Naar de volgende deur!

De Krijgers trokken zich schielijk terug achter een stel dikke metalen deuren. Makin duwde de deuren met magie dicht en verstevigde ook de enorme grendels die ervoor werden geschoven.

Wat zijn de verliezen? vroeg Makin dringend.

Een rommelig geheel van beelden en berichten verscheen.

De meesten van ons zijn dood... Ik zie vijf... nee, zes lichamen, en...

Ze zijn in het Fort! Dannyl zag een deur aan een scharnier bungelen; vervolgens zag hij een Sachakaanse krijger door een gang snellen.

Rennen!

Kom terug! Ik zit in de val!

Geroep, geschreeuw en handen die door de stofnevel zwaaiden. In een ervan was een gekromd mes te zien. Er volgde nog meer paniek en toen... niets meer.

Iedereen in het Gilde negeerde het verbod op mentale communicatie en riep namen van vrienden, collega's en familieleden. Een verward geheel van stemmen kwam door.

Koppen dicht! brulde Balkan boven de algehele consternatie uit. *Ik kan hen niet helpen als ik ze niet kan horen. Makin?*

Een beeld van de dikke metalen deuren schoot door de andere berichten van de magiërs heen. Ze waren roodgloeiend, en in de gang was het kokend heet. Langzaam begon het midden van de deuren te smelten.

Terug, beval Makin. *Achter de muur. Laat ze hun kracht maar opgebruiken.*

De Krijgers zochten dekking achter een muur die de halve gang blokkeerde. De muur bestond uit twee enorme platen steen, en de magiërs schoven beide langzaam naar sleuven in de muur. Met een mechaniek werden de platen in de zijmuren bevestigd.

Als ze hier doorheen komen, meldde Makin, *krijgen ze ervan lang met alles wat we nog in ons hebben.*

Mentale oproepen verstoorden de doodse stilte in de gang. Toen brak de stenen muur zonder enige waarschuwing. Om kracht te sparen hadden de overgebleven Krijgers geen schild opgetrokken. Makins rapportage werd onverstaanbaar toen iets zijn slaap raakte, maar hij had nog een beetje Genezingsmagie over om zijn stem te herstellen. Hij kroop naar degenen die nog net op tijd hun schild hadden kunnen optrekken, en zag twee andere Krijgers op de vloer liggen.

De aanval was net zo krachtig als de voorgaande. De Krijgers deinsden achteruit en vielen een voor een door uitputting. Het was onloochenbaar dat ook Makins krachten ten einde waren. Het gezamenlijke schild spatte uiteen en twee andere Krijgers vielen neer.

Maak dat je wegkomt! riep Balkan. *Je hebt alles gedaan wat je kon.*

Gestalten doemden op uit de stofwolken. Makin stapte opzij toen de eerste hem passeerde. De Sachakaan negeerde hem volkomen en liep door.

Als de wacht de order heeft opgevolgd, moet de laatste deur vergrendeld zijn toen de eerste viel, meldde Makin hees.

De leidende Sachakaan stopte voor die deur. Zes anderen liepen Makin ook voorbij en stelden zich voor de deur op. Met één flits vlogen de deuren uit hun scharnieren. De Sachakanen stapten het zonlicht in.

'Welkom in Kyralia,' sprak de leider en keek grijnslachend naar zijn kameraden. Toen draaide hij zich weer om naar de gang. Hij keek Makin doordringend aan. 'Jij. Jij bent dat mannetje dat de beelden naar het thuisfront heeft gestuurd. Hier komt het laatste.'

Een onzichtbare kracht duwde Makin naar voren. Dannyl voelde Makins angst. Toen hield de communicatie abrupt op.

Dannyl knipperde met zijn ogen en zag Peakin in een stoel neerzijgen. 'Het is dus waar,' zei hij ademloos. 'Akkarin had gelijk.'

Er klonk geritsel van papier. Dannyl keek naar Davin. De magiër bekeek een tekening die opgerold op tafel gelegen had. Het vel papier was in het midden, waar Davin het vastgepakt had, licht gekreukeld. Hij streek de tekening glad en liet hem toen weer in opgerolde staat springen.

Dannyl wendde zich af toen hij de ogen van de oude magiër vochtig zag worden. De man had er jaren over gedaan om zijn methode om het weer te voorspellen geaccepteerd te krijgen. Maar wat had het nu nog voor zin de Uitkijktoren te renoveren?

Dannyl keek uit het raam. Novicen en magiërs stonden als versteend overal op de binnenplaats en in de tuinen. Slechts enige bedienden bewogen zich nog her en der, met verbaasde gezichten omdat hun meesters opeens zo vreemd deden.

Toen verscheen er een nieuw beeld van het Fort voor hen die de gave hadden het te ontvangen.

Toen Makins rapportage stopte kneep Lorlen de balkonreling haast fijn. Zijn hart bonsde, zo had hij meegeleefd met het laatste afschuwelijke moment van de Krijger.

'Administrateur?'

Lorlen draaide zich om naar de koning. Hij was nogal bleek, maar zijn gezicht stond nog steeds strak van woede en vastberadenheid.

'Ja, majesteit?'

'Roep heer Balkan voor me.'

'Zeker, majesteit.'

Balkan reageerde onmiddellijk op Lorlens mentale oproep.

De koning wil dat je naar het paleis komt.

Dat zag ik al aankomen. Ik ben al op weg.

'Hij komt eraan,' zei Lorlen.

De koning knikte. Hij liep terug naar de paleistoren. Lorlen volgde hem, maar bleef stokstijf staan toen een nieuw beeld van het Fort zich aan hem opdrong. Hij voelde iets scherps tegen zijn keel drukken. Toen hij om zich heen keek, zag hij dat ook de beide adviseurs van de koning hun handen naar hun keel hadden gebracht.

De koning keek van de een naar de ander. 'Wat is er met jullie?'

'Heer Makin leeft nog,' antwoordde heer Rolden.

De koning greep de hand van de magiër en drukte hem tegen zijn voorhoofd. 'Laat zien,' beval hij.

Het beeld dat Makin stuurde was weer van het Fort, maar nu van de buitenkant. Een groepje Sachakanen in normale kleding kwam het gebouw uit gerend. Sommigen trokken limekachtige dieren voort.

Iemand hield een mes tegen Makins keel gedrukt en siste in zijn oor: 'Oké. Vertel ze het volgende. Ik zal –'

'Kariko! Kijk eens wat ik gevonden heb!' riep een vrouw. De stem kwam uit het Fort. Een Gildemagiër werd struikelend voortgedreven in Kariko's richting.

Lorlen herkende met een schok heer Fergun. *Natuurlijk,* dacht hij, *Fergun was weggestuurd...*

Makin was eerst verbaasd, maar werd toen razend. De bestorming was zo snel gegaan dat hij niet gemerkt had dat de in onmin gevallen Krijger zich aan het gebeuren onttrokken had.

Een Sachakaanse vrouw in een met glinsterende juwelen bestikte jas beende het Fort uit. Ze bleef staan naast Fergun, die voor Kariko op zijn knieën gevallen was.

'Schatje, niet?'

'Je kunt hem niet houden, Avala,' zei Kariko's stem in Makins oor.

'Maar hij is een watje. Kan gewoon niet geloven dat ze hem les hebben gegeven. Hij kan waarschijnlijk niet eens een keteltje water aan de kook brengen.'

'Nee, Avala. Watje of niet, hij kan ze nog altijd informatie doorsturen.'

Ze liet haar vingers liefkozend door Ferguns haar gaan, en trok toen met een ruk zijn hoofd naar achteren. 'Ik kan zijn oortjes er afscheuren. Dan kan hij ons niet horen.'

'En steek je dan ook zijn blauwe kijkers uit?'

Ze trok een gezicht. 'Nee, dat verpest dat mooie koppie maar.'

'Maak hem dan maar meteen dood. In Imardin kun je net zoveel lekkere mannen krijgen als je wilt.'

Avala tuitte haar lippen en haalde haar schouders op. Ze trok haar mes en haalde het over Ferguns keel. Zijn ogen sperden zich open en hij probeerde zich los te rukken, maar hij was veel te zwak om aan haar greep te ontkomen. Ze legde haar hand op de snee en hij verslapte meteen. Na een paar seconden haalde de vrouw haar hand weg en liet hem op de grond ineenzakken.

Over het lijk heen stappend, kwam ze op Makin af, al hield ze haar ogen op Kariko gericht. 'En waar gaan we nu heen?'

'Imardin,' antwoordde Kariko. Het mes werd steviger tegen Makins keel geduwd. 'Zo, luister eens goed, tovenaartje. Zeg tegen dat Gilde van je dat ik ze binnenkort zal ontmoeten. Als ze de poort netjes voor me opendoen, zal ik ze laten leven. Nou ja, een paar in elk geval. Ik verwacht een hartelijke ontvangst: bazuingeschal, geschenken, slavinnetjes, goud, enfin, je snapt het wel.'

Het mes bewoog. Een flits van pijn...

Lorlen hapte naar adem toen hij zich plotseling weer alleen van zijn omgeving bewust was.

We zijn zojuist in minder dan een uur twintig magiërs kwijtgeraakt! Twintig van onze beste Krijgers...

'Ga zitten, administrateur.'

Lorlen keek naar de koning. Diens stem had onverwacht vriendelijk geklonken. Hij liet zich in een stoel vallen. De koning en de adviseurs namen aan beide kanten van hem plaats.

De vorst wreef zich over zijn voorhoofd. 'Dit was niet de manier waarop ik had willen horen dat Akkarin dus toch gelijk had.'

'Nee,' zei Lorlen zacht. Herinneringen aan de strijd schoten nog steeds door zijn gedachten.

'Ik moet kiezen of delen,' zei de koning. 'Of ik sta toe dat een of meer magiërs zwarte magie leren, of ik vraag Akkarin om terug te keren en ons te helpen. Wat zou jij kiezen, administrateur?'

'Ik zou Akkarin oproepen terug te keren,' zei Lorlen.

'Waarom?'

'We weten nu dat hij de waarheid sprak.'

'Weet je het echt zeker?' vroeg de koning zacht. 'Misschien heeft hij ons maar een deel van het verhaal verteld. Misschien heeft hij zich aangesloten bij deze Ichani's.'

'Waarom zou hij ons dan die boodschap gestuurd hebben dat de aanval op het punt stond te beginnen?'

'Om ons te misleiden. Hij zei namelijk dat ze binnen een paar dagen zouden aanvallen, niet vandaag.'

Lorlen knikte. 'Hij zei alleen wat hij gehoord had.' Hij leunde voorover en keek de koning recht in de ogen. 'Akkarin is een man van eer. Ik denk zelfs dat hij zijn ballingschap voort zou zetten nadat hij ons had geholpen. Waarom zouden we een van onze mensen zwarte magie moeten leren – die we als alles achter de rug is niet kunnen wegsturen – als we iemand hebben die het al in de vingers heeft?'

'Omdat ik hem nog steeds niet vertrouw.'

Lorlen liet zijn schouders hangen. Het was vechten tegen de bierkaai.

'Ik heb deze vraag ook aan de Afdelingshoofden voorgelegd,' sprak de koning. 'Ze zijn het in grote lijnen met me eens. Mijn voorkeur gaat uit naar heer Sarrin, maar ik vind dat het Gilde moet beslissen. Laat hen maar stemmen.'

Hij stond op en liep naar de openslaande deuren van het balkon. 'Er is een andere, praktischer reden voor mijn keuze,' vervolgde hij. 'Akkarin is nu in Sachaka. Misschien kan hij ons niet op tijd bereiken. Heer Sarrin dacht dat Sonea in een week zwarte magie geleerd had, ondanks haar normale schoolwerk en de lessen. Als een magiër al zijn of haar tijd aan de taak wijdt, zou het sneller gaan. Ik –'

Er werd geklopt.

'Binnen.'

Een page holde naar binnen en viel op een knie. 'Heer Balkan is hier voor u, majesteit.'

De koning knikte en de page holde weer weg. Balkan stapte naar binnen en knielde voor de koning.

'Op de plaats rust,' zei de koning en hij glimlachte grimmig. 'Een goed getimed bezoekje, heer Balkan.'

'U wilde me spreken, Sire?' zei Balkan en stond op. Hij keek Lorlen aan en knikte beleefd. 'Jullie hebben gehoord dat het Fort gevallen is?'

'Ja,' antwoordde de koning. 'Ik heb besloten dat één kandidaat zwarte magie mag leren. Het Gilde zal kandidaten voorleggen en erover stemmen. Als de Sachakanen al naar Imardin oprukken voor de gekozen magiër de kunst onder de knie heeft, zullen de versterkingen die je naar het Fort gezonden hebt hen wel bezighouden.'

Lorlen staarde de vorst in opperste verbazing aan. Hij stuurde heer Yikmo's troepen rechtstreeks de dood in! 'We hebben hen hier nodig, majesteit, zodat de magiër die gekozen is zijn of haar kracht zo snel mogelijk kan vergroten.'

'Geef hun pas bevel de Sachakanen aan te vallen tot het zeker is dat we het oponthoud nodig hebben,' zei de koning, Lorlen negerend. 'Ken je een strategie die op een andere manier het oprukken van de vijand kan vertragen?'

Balkan schudde zijn hoofd. 'We kunnen misschien ons voordeel doen met de verdedigingswerken van de stad. Elk obstakel zal de Sachakanen wat kracht kosten.'

'En de garde? De stadswachten kunnen toch ook worden ingezet?'

Balkan schudde opnieuw het hoofd. 'Ik ben bang dat die ons al snel tegen zullen werken.'

'Hoe kom je daarbij?' vroeg de koning.

'Elke niet-magiër met mogelijke magische capaciteiten is een potentiële bron van kracht voor de Sachakanen. Ik wilde voorstellen alle niet-magiërs zo veel mogelijk uit de buurt van het strijdgewoel te houden.'

'Ik kan ze natuurlijk de stad uit sturen.'

Balkan zweeg, en knikte toen. 'Als dat mogelijk zou zijn.'

De koning lachte kort. 'Och, als het nieuws eenmaal bekend wordt dat er een stelletje zwarte magiërs uit Sachaka op het punt staat Imardin aan te vallen, stroomt de stad vanzelf leeg. Daar heb je mij niet voor nodig. Nog andere voorstellen?'

Balkan maakte een ontkennend gebaar.

'Blijf in de buurt. Ik wil het nog even hebben over versterking van het garnizoen op de muren.' De koning wendde zich tot Lorlen. 'Administrateur, u gaat terug naar het Gilde om de verkiezing van de zwarte magiër te regelen. Hoe eerder hij of zij begint, hoe beter we zijn voorbereid.'

'Zeker, majesteit.'

Lorlen knielde even, stond op en verliet de kamer.

'Wat doen we nu?'

Rothen keek Raaf, die naast hem zat, eens aan. De spion zag er niet al te vrolijk uit. 'Geen flauw idee,' bekende Rothen. 'Het heeft nu weinig zin om nog naar Sachaka te gaan.'

'Maar bewijzen dat de Ichani's bestaan was niet je enige doel. Je kunt nog steeds op zoek gaan naar Sonea.'

'Ja.' Rothen keek naar het noordoosten. 'Maar het Gilde... Kyralia... zal elke magiër die nog leeft nodig hebben om tegen de Sachakanen te vechten. Sonea... Sonea heeft misschien mijn hulp nodig, maar als ik haar help, heeft Kyralia er niets aan.'

Raaf nam Rothen zwijgend op. Rothen voelde een doffe pijn in zijn borst, alsof zijn hart in tweeën gescheurd werd.

De Ichani's bestaan, dacht hij. *Akkarin heeft dus niet gelogen. Sonea is dus niet misleid.* Dat luchtte hem ongelooflijk op. Want dan had ze haar beslissingen met reden genomen, al was het dan misschien om een verkeerde reden.

Sonea is in Sachaka. De Ichani's zijn hier. Misschien is ze nu betrekkelijk veilig daar. Als ik het Gilde help, heeft ze misschien nog een thuis, mocht ze ooit terugkomen.

'Ik blijf hier,' zei hij. 'We rijden terug naar Imardin.'

Raaf knikte. 'We zouden de wagen en de goederen in Calia voor twee verse paarden kunnen ruilen – als de troepen voor het Fort die niet hebben gerekwireerd.'

De troepen. Heer Yikmo en de anderen zouden het Fort waarschijnlijk niet bereikt hebben. Ze zouden vast terugkeren naar Imardin om samen met de rest van het Gilde te strijden.

'Dan kan ik net zo goed in Calia wachten tot die versterkingstroepen weer terugkomen,' zei Rothen.

De spion knikte. 'Dan scheiden onze wegen hier. Het was me een eer met je samen te werken, heer Rothen.'

Rothen glimlachte zwakjes. 'Je was prettig gezelschap en ik heb veel van je opgestoken, Raaf.'

De spion snoof. 'Je bent geen beste leugenaar, heer Rothen.' Hij haalde zijn schouders op. 'Ik heb je goed ingewerkt; jammer dat de lessen niet in praktijk zijn gebracht. Maar nu kun je beter toepassen wat je als magiër geleerd hebt.' Hij keek Rothen aan. 'Verdedig Kyralia.'

Toen het kleine huisje tussen de bomen opdook, nam Sonea aan dat het het zoveelste boerenhutje was, maar toen ze het pad verlieten presenteerde Dorrien het stulpje met enige trots.

'Hier woon ik.'

Hij liet het paard stilstaan voor het huis. De andere ruiters keken benauwd toe terwijl Akkarin en Sonea afstegen. Sonea bracht haar rijdier naar een van de mannen en bedankte hem voor het lenen. Hij keek haar wantrouwend aan voor hij de teugels overnam. Ze liep terug naar Akkarin en wachtte tot Dorrien de ruiters bedankt had en hen naar huis stuurde.

'Ze weten niet hoe ze het hebben,' zei Dorrien toen hij terugliep. 'De ene minuut breng ik jullie terug, de andere minuut ligt er een dooie Sachakaan op de weg en vraag ik of jullie op de thee komen.'

'Wat heb je hun verteld?'

'Dat we aangevallen zijn en dat jullie me gered hebben. Dat ik besloten heb dat jullie wel een nacht in een bed en een maaltijd als dank verdienen, en dat ik het zou waarderen als ze dit stil wilden houden.'

'En doen ze dat?'

'Ze zijn niet gek. Ze weten best dat er iets heel belangrijks speelt, al kennen ze niet alle details. Maar ze doen wel wat ik ze vraag.'

Akkarin knikte. 'We staan bij hen in het krijt. Als zij de paarden niet opgevangen hadden en teruggekomen waren om te zien wat er gebeurd was, liepen we nu nog. Het was best moedig.'

Dorrien knikte. 'Kom toch binnen. Als je honger hebt, er is vers brood en een flinke rest soep in de pot. Ik ga eerst even mijn paard verzorgen.'

Sonea liep achter Akkarin het boerenhuisje binnen. Ze kwamen in een kamer die zo breed was als het huis zelf. Ze zag een bank en boekenplanken aan één kant, en manden met groenten en fruit plus kookgerei aan de andere. Een paar houten stoelen en een grote lage tafel vulden de rest van de kamer. De ruwhouten planken aan de muur stonden propvol met allerhande potten, doosjes, flesjes en boeken. Twee deuren leidden naar kleine kamertjes. Een stond er open, en Sonea zag een stuk van een onopgemaakt bed.

Terwijl Akkarin zich met het eten ging bezighouden, nam Sonea de woonkamer eens goed in zich op. *Het is wel een zootje,* mijmerde ze. *Lijkt in niks op Rothens kamer.*

Ze had zich in tijden niet zo rustig gevoeld. De beelden die Makin gestuurd had, hadden haar van afschuw vervuld, maar nu, een paar uur later, voelde ze zich alleen nog maar doodmoe. En opgelucht.

Ze weten het nu, dacht ze. *Het Gilde, Rothen, iedereen – ze weten nu dat we het niet verzonnen hebben.*

Niet dat het wat uitmaakt natuurlijk.

'Honger?'

Ze keek Akkarin aan. 'Domme vraag.'

Hij pakte twee kommen, schonk er soep in omdat hij de opscheplepel niet kon vinden, en brak twee stukken van een groot brood af. Toen hij de kommen naar de tafel droeg werden ze heet en begon het heerlijk te ruiken.

'Echt eten,' mompelde Sonea toen Akkarin haar een kom aangaf. 'Niet dat ik jouw kookkunst niet waardeer,' haastte ze zich tegen hem te zeggen, 'maar je moest het doen met beperkte ingrediënten.'

'Ja, en Takans gave heb ik al helemaal niet.'

'Zelfs Takan had hier niets beters van kunnen maken.'

'O, daar zou je van opkijken. Waarom denk je dat Dakova hem voor geen goud kwijt wilde?'

Ze aten zwijgend, genietend van het eenvoudige maal. Dorrien kwam binnen, net toen Sonea zuchtend haar lege kom op tafel zette. Hij keek ernaar en glimlachte.

'Lekker?'

Ze knikte.

Hij plofte neer op een stoel.

'Je kunt wel wat slaap gebruiken,' zei Akkarin.

'Weet ik,' antwoordde Dorrien, 'maar ik denk dat ik dat nog niet kan. Ik heb zoveel te vragen.' Hij schudde het hoofd. 'Die magiër – hoe kwamen jullie daar in hemelsnaam langs als hij de wacht hield in de Zuiderpas?'

'Een oude truc,' zei Akkarin en terwijl hij het verhaal vertelde, keek Sonea naar zijn profiel. Hij leek zo anders. Helemaal niet hooghartig en afstandelijk meer. 'Ik dacht dat Parika Kyralia in was gegaan om ons te pakken te krijgen, maar toen we hoorden dat het Fort aangevallen werd, snapte ik dat het deel uitmaakte van de invasie.'

'Hij was ongelooflijk sterk.' Dorrien keek dankbaar naar Sonea, die hem een kom soep aanreikte. 'Hoe heb je het van hem gewonnen?'

Een blos verscheen op haar wangen. 'Ik heb zijn hart laten stoppen. Met Genezingsmagie.'

Dorrien keek verbaasd. 'Maar vocht hij niet terug?'

'De Ichani's weten niets af van Genezingsmagie, dus had hij er geen idee van dat ik hem dat kon aandoen.' Ze huiverde. 'Ik denk niet dat ik dat ooit nog bij iemand kan doen.'

'Als ik in jouw schoenen had gestaan had ik hetzelfde gedaan. Hij probeerde tenslotte jou dood te maken.' Hij keek naar Akkarin. 'Was Parika de enige Sachakaan in de pas?'

'Ja. Maar dat betekent niet dat er geen anderen die route zullen gebruiken.'

'Dan moest ik de buurtbewoners maar eens gaan waarschuwen.'

Akkarin knikte. 'De Ichani's zien de niet-magiërs als prooi, vooral degenen met sluimerende magische kwaliteiten.'

De ogen van de Genezer sperden zich open. 'Dus van het Fort tot Imardin is geen boer of dorpeling veilig voor ze.'

'Als het Gilde slim is, zorgen ze dat ze alle boerderijen en dorpen aan de grote weg evacueren. Kariko zal de andere Ichani's heus niet al te veel tijd laten verspillen. Hij is bang dat het Gilde van gedachte zal veranderen wat mij betreft, en dat ik en Sonea onze kracht kunnen opvoeren voor een confrontatie met hem.'

Dorrien dacht over Akkarins woorden na. Hij scheen te worstelen met een vraag en keek even naar Sonea. 'Maar wat gebeurt er als het Gilde jullie niet vraagt terug te keren? Wat kunnen ze dan?'

Akkarin schudde het hoofd. 'Niets. Ook al roepen ze me terug, al laten ze me zwarte magie toepassen, dan nog heb ik niet genoeg tijd om even sterk te worden als acht Ichani's. Als ik nog Opperheer was, zou ik het Gilde bevelen Imardin onmiddellijk te verlaten. Ik zou een paar Gildemagiërs zwarte magie aanleren, dan terugkeren en Kyralia weer innemen.'

Dorrien staarde hem verbijsterd aan. 'Kyralia verlaten?'

'Ja.'

'Er móét een andere manier zijn.'

Akkarin schudde het hoofd.

'Maar je bent teruggekomen. Waarom zou je dat anders doen dan om te vechten?'

Akkarin glimlachte flauwtjes. 'Ik ga er ook niet vanuit dat ik win.'

Dorriens ogen gleden naar Sonea Ze hoorde hem haast denken: *En jij hebt je hier vrijwillig in gestort?*

'Wat zijn je plannen?' vroeg hij kalm.

Akkarin fronste zijn voorhoofd. 'Ik heb nog geen besluit genomen. Ik had gehoopt heimelijk naar Imardin terug te keren en daar te wachten tot het Gilde me riep.'

'Maar dat kunnen we alsnog doen,' kwam Sonea tussenbeide.

'We hebben geen paarden en we hebben geen geld. We kunnen nooit eerder in Imardin zijn dan de Ichani's.'

Dorrien glimlachte. 'Misschien kan ik jullie daarmee helpen.'

'Je gaat de orders van het Gilde toch niet negeren?'

'Dat heb ik nu toch al. En wat zijn jullie van plan te doen wanneer jullie in de stad zijn?'

'Nou, wachten tot het Gilde me roept.'

'En als ze dat niet doen?'

Akkarin zuchtte. 'Dan houdt het op. Ik heb een beetje extra kracht van Parika overgenomen, maar dat is niet genoeg om zo veel Ichani's te lijf te gaan.'

Sonea schudde het hoofd. 'We waren vanmorgen ook niet sterk genoeg om een Ichani aan te kunnen, maar we hebben er wel mooi een doodgemaakt. Waarom proberen we dat ook niet bij de anderen? We doen gewoon of we verslagen zijn, laten ons grijpen en gebruiken dan onze Genezingsmagie om ze uit te schakelen.'

Akkarin keek bedenkelijk. 'Dat is wel een erg gevaarlijke strategie. Je hebt nooit het onttrekken van kracht meegemaakt. Als ze eenmaal beginnen, kun je je eigen magie niet meer gebruiken. Dan vloeit alle kracht uit je en kun je niet meer genezen.'

'Dan moeten we razendsnel zijn.'

Akkarin zag het helemaal niet zitten. 'Die andere Ichani's zien snel genoeg wat je gedaan hebt. Al begrijpen ze het niet, ze zullen zeer op hun hoede zijn. Eén huidbarrière en je komt hun lichaam niet meer binnen.'

'Dan moeten we ervoor zorgen dat ze ons niet zien.' Sonea gaf het niet op. 'We grijpen ze wanneer ze alleen zijn.'

'Waarschijnlijk blijven ze bij elkaar.'

'Dan moeten we iets verzinnen waardoor ze uit elkaar gedreven worden.'

Akkarin zuchtte. 'Ze zijn niet gewend aan steden, en de sloppen zijn een waar doolhof.'

'We kunnen de Dieven optrommelen.'

Dorrien keek haar aan en kneep zijn ogen halfdicht. 'Rothen zei dat je geen contact meer met hen had.'

Die naam te horen deed even pijn. 'Hoe is het met hem?'

'Ik heb niets meer van hem vernomen sinds Lorlen het bevel gaf al het mentale contact te verbreken,' antwoordde Dorrien. Hij keek naar Akkarin. 'Het zou hem oneindig goed doen te horen dat Sonea nog leeft. Als ik het Gilde vertel dat ik jullie gezien heb, kan ik ze laten weten dat jullie graag willen helpen.'

'Nee.' Akkarin keek bedachtzaam. 'Als Sonea en ik de Ichani's in de stad in de val willen lokken, mogen ze niet weten dat we hier zijn. Als ze het weten zullen ze ons met zijn allen komen opjagen om ons te vermoorden.'

Dorrien ging rechtop zitten. 'Het Gilde zou jullie aanwezigheid –'

'De Ichani's zullen het van de eerste de beste magiër die ze te pakken krijgen horen via een gedachtelezing.' Akkarin keek Dorrien met donkere ogen aan. 'Waar denk je dat ik dat trucje geleerd heb?'

Dorrien verbleekte. 'O, ja.'

'Het Gilde mag absoluut niet weten dat we in de stad zijn,' zei Akkarin op vastberaden toon. 'Dus je mag hun niet vertellen dat je ons gezien hebt, noch over de ontmoeting met Parika vandaag. Hoe minder ze weten van onze terugkeer, hoe kleiner de kans is dat de Ichani's erachter komen wat we van plan zijn.'

'Dus we hebben een plan?' vroeg Sonea.

Akkarin glimlachte naar haar. 'Het begin is er in elk geval. Dat idee van jou is zo gek nog niet, al werkt het vast niet bij Kariko. Dakova heeft genezen van me geleerd, maar hij heeft het geheimgehouden. Maar misschien heeft hij het wel aan zijn broer verklapt. En al heeft hij het niet gedaan, dan nog zou Kariko wel eens van die magie op de hoogte kunnen zijn en weet hij dat je er anderen kwaad mee kunt doen.'

'Dus blijven we uit de buurt van Kariko,' stelde Sonea. 'Dan zijn er nog zeven Ichani's die we moeten doden. Nou, dat houdt ons wel van de straat.'

Dorrien grinnikte. 'Het lijkt opeens op een echt plan. Ik kan natuurlijk een hint geven als het Gilde bezig is zijn strategie te bepalen. Als ik iets kan zeggen dat jullie kan helpen?'

'Ik kan me niet voorstellen dat je hen over kunt halen zich te verbergen,' zei Akkarin.

'Maar misschien doen ze het wel als ze gevochten hebben en merken hoe uitgeput ze zijn,' bedacht Sonea.

Akkarin knikte. 'Stel voor dat ze hun krachten op één bepaalde Ichani richten. Die Sachakanen zijn niet gewend om elkaar te helpen en te ondersteunen. En ze kunnen ook geen gecombineerd schild maken.'

Dorrien knikte. 'Nog iets?'

'Misschien bedenk ik onderweg nog wel iets. Hoe eerder we vertrekken, hoe beter.'

De Genezer zette zijn lege soepkom neer en stond op. 'Nou, dan zadel ik mijn paard maar weer op en kijk even of ik wat voor jullie kan regelen.'

'Heb je misschien ook wat schone kleren voor ons?' vroeg Sonea.

'We reizen uiteraard vermomd,' voegde Akkarin eraan toe. 'Een bediende-uniform zou fantastisch zijn, maar elke onopvallende kleding is prima.'

Dorrien trok zijn wenkbrauwen op. 'Jullie willen je als mijn bediende verkleden?'

Sonea schudde waarschuwend haar vinger. 'Jazeker. Als je er maar geen misbruik van maakt.'

29

Erfenis van het verleden

Het werd muisstil in de Gildehal toen Lorlen opstond uit zijn zetel. Hij zei: 'Ik heb deze Vergadering belegd op verzoek van de koning. Zoals u allen weet, is het Fort gevallen en is er door acht Sachakaanse magiërs een bres in geslagen. Slechts twee van onze eenentwintig Krijgers hebben de bestorming overleefd.'

Overal begon men te fluisteren. De ontdekking dat twee Krijgers hadden kunnen vluchten uit het fort was het enige goede nieuws dat Lorlen de afgelopen dagen had ontvangen.

'Het ziet ernaar uit dat de beweringen en voorspellingen van de ex-Opperheer correct zijn,' vervolgde hij. 'Sachakaanse magiërs zijn met een ontzagwekkende kracht ons land binnen getrokken. Ze gebruiken zwarte magie.'

Lorlen zweeg even en keek naar de magiërs op de tribune. 'De mogelijkheid dat we de Geallieerde Landen wegens tekort aan mankracht en tekort aan magische kracht niet kunnen verdedigen, valt niet uit te vlakken. Onder deze omstandigheden heeft de koning gevraagd onze wetten even op te schorten. Hij heeft ons verzocht iemand uit te kiezen – een man of vrouw die we kunnen vertrouwen – die zwarte magie moet leren.'

Stemmen echoden door de hal. Lorlen meende te horen dat de reacties gemengd waren. Sommige magiërs protesteerden luid, andere keken gelaten.

'Ik wil nu vragen om kandidaten voor deze taak aan te wijzen,' riep hij boven het lawaai uit. 'Denk goed na. Strenge regels zullen de activiteiten van de gekozen magiër beperken. Hij of zij moet levenslang op het terrein van het Gilde blijven en mag geen officiële of hoge functie bekleden en geen les meer geven. Deze regels kunnen nog aangescherpt en uitgebreid worden als de situatie daarom vraagt.' Lorlen was blij dat er zo te zien niemand stond te trappelen om deze klus te klaren. 'Vragen?'

'Kan het Gilde dit ook weigeren?' riep iemand.

Lorlen schudde het hoofd. 'De koning heeft hiertoe bevolen.'

'De Raad van Ouderlingen zal het hier nooit mee eens zijn!' riep een Lonmarische magiër.

'Volgens overeenkomst tussen de Geallieerde Landen, heeft de Kyralische koning de plicht en het recht de nodige maatregelen te nemen om de landen te vrijwaren van een magische bedreiging,' antwoordde Lorlen. 'De hoge magiërs en ik hebben dit herhaaldelijk met de koning besproken. Gelooft u mij, ik zou dit besluit niet hebben goedgekeurd als het geen uitdrukkelijk bevel was geweest.'

'En Akkarin dan?' vroeg een andere magiër. 'Waarom roepen we hem niet terug?'

'De koning vindt dit een betere optie,' antwoordde Lorlen zuinig.

Daarop bleef het stil. Lorlen knikte.

'U hebt een halfuur om na te denken. Als u iemand wenst voor te dragen, kunt u de naam bij heer Osen laten noteren.'

Hij keek toe hoe de magiërs hun banken verlieten en in kleine groepjes het koninklijk bevel bespraken. Sommigen liepen al direct naar heer Osen toe. De hoge magiërs waren opvallend stil. Het halfuur ging heel traag voorbij, maar uiteindelijk sloeg Lorlen op zijn gong.

'Wilt u allen uw plaats weer innemen.'

Osen ging naast Lorlen staan.

'Dat kan interessant worden,' mompelde Jerrik. 'Wie vertrouwt men deze dubieuze eer toe?'

Osen haalde zijn schouders op. 'Weinig verrassends hoor. Ze dragen heer Sarrin, heer Balkan, vrouwe Vinara en' – hij keek even naar de administrateur – 'heer Lorlen voor.'

'Mij?' riep Lorlen verschrikt uit.

'Jazeker.' Osen keek geamuseerd. 'U bent razend populair, weet u. En iemand stelde voor dat een adviseur van de koning de last maar op zijn schouders moest nemen.'

'Heel interessant idee,' grinnikte Balkan en hij keek uitdagend naar de allerhoogste rij zetels. Heer Mirken keek terug, en zijn afwachtende blik kreeg iets ongerusts. 'Dan ondervindt de koning aan den lijve wat zijn besluit voor gevolgen kan hebben.'

'Hij zou binnen een dag een nieuwe adviseur hebben aangesteld,' zei Vinara droog. Ze keek Lorlen aan. 'Vooruit met de geit. Hoe eerder we dit achter de rug hebben hoe beter.'

Lorlen knikte en wendde zich tot de hal. 'Genomineerd voor de taak van... zwarte magiër zijn: heer Sarrin, heer Balkan, vrouwe Vinara en ikzelf.' *Ze zullen mij toch niet uitkiezen?* dacht hij. *Maar in hemelsnaam, wat als dat nu eens wel gebeurt?* 'De genomineerden mogen zelf niet meestemmen. Bollichtjes omhoog alstublieft.'

Lorlens hart begon sneller te kloppen. Osens opmerking kreeg hij niet uit zijn hoofd. *'U bent razend populair, weet u.'* De mogelijkheid dat hij zijn positie als administrateur kwijt zou raken en zichzelf zou moeten dwingen te leren wat Akkarin geleerd had, bezorgde hem kramp in zijn maag.

'Zij die heer Sarrin kiezen, maken hun lichtje paars,' beval hij. 'Zij die heer Balkan kiezen, stemmen rood. Voor vrouwe Vinara, groen.' Hij zweeg even en slikte. 'Voor mij, blauw.'

Sommige lichtjes begonnen al te verkleuren voor hij uitgesproken was, omdat de magiërs al verwacht hadden dat hij de kleuren van de gewaden zou voorstellen. Langzaam verkleurden de overgebleven witte lichtjes.

Het spant erom, dacht Lorlen. En hij begon te tellen.

'Sarrin,' zei Balkan.

'Ja, dat heb ik ook,' beaamde Vinara. 'Al ben jij een goede tweede, Lorlen.'

Lorlen ademde opgelucht uit toen hij vaststelde dat ze gelijk hadden. Hij keek naar Sarrin, en had medelijden met de oude Alchemist. Hij was bleek en zag er misselijk uit.

'Heer Sarrin wordt onze grote verdediger!' riep Lorlen uit. Zo te zien was niemand er erg gelukkig mee. 'Hij zal zijn functie als hoofd van Alchemie neerleggen en onmiddellijk beginnen met de bestudering van zwarte magie. Hierbij sluit ik de vergadering.'

'Wakker worden, kleine Sonea.'

Sonea werd met een schok wakker. Tot haar verrassing stond haar paard stil. Ze keek om zich heen en zag alleen Dorrien die haar met een warme blik aankeek. Ze waren gestopt op een paadje naar een huis en Akkarin was nergens te bekennen.

'Hij is wat eten voor ons gaan zoeken,' legde Dorrien uit.

Ze knikte, gaapte nog eens en wreef over haar gezicht. Toen ze weer keek, zag ze dat Dorrien haar nog steeds aandachtig opnam.

'Waar denk je aan?' vroeg ze.

Hij wendde zijn blik af en glimlachte scheef. 'Ik dacht eraan dat ik je gewoon had moeten ontvoeren uit het Gilde toen ik de kans had.'

Ze voelde het oude schuldgevoel weer opkomen. 'Dat had het Gilde nooit over zijn kant laten gaan. Ik had het ook niet over mijn kant laten gaan.'

Hij trok een wenkbrauw op. 'Echt niet?'

'Nee.' Ze keek hem niet aan. 'Het heeft me heel wat gekost voor ik toe durfde geven dat ik magie wilde leren. Dus het zou je nog meer hebben gekost om me dat op te laten geven.'

Hij zweeg even. 'Maar denk je... denk je dat het eventueel een verleidelijk aanbod was geweest?'

Ze dacht terug aan de kus bij de bron, en moest glimlachen. 'Een beetje wel. Maar ik kende je nauwelijks, Dorrien. Een paar weken is niet genoeg om zeker te weten dat je met iemand verder wilt.'

Hij keek even over haar schouder. Ze draaide zich om in het zadel en zag Akkarin aan komen rijden. Met zijn korte baardje en eenvoudige kleding zou vast niemand hem herkennen. Maar als je er op zou letten, zou je zien dat hij wel erg goed reed voor een bediende. Daar zou ze hem even op moeten wijzen.

'En nu weet je het wel zeker?'

Ze draaide zich weer om naar Dorrien. 'Ja.'

Hij haalde diep adem en knikte. Sonea keek weer naar Akkarin. Zijn gezicht stond nogal nors.

'Al kostte het me veel moeite om hem ervan te overtuigen,' voegde ze eraan toe.

Dorrien grinnikte even. Ze kon zichzelf wel voor haar hoofd slaan dat ze er gedachteloos iets had uitgeflapt dat Dorrien aan het lachen had gemaakt.

'Arme Akkarin!' zei hij hoofdschuddend. Hij keek naar haar terwijl zij stug voor zich uit bleef staren. 'Hij zal nog heel wat met je te stellen krijgen, denk ik.'

Sonea begon te blozen. Ze wilde hem lik op stuk geven, maar er kwam niet passends in haar hoofd op. Toen bracht Akkarin zijn paard naast hen tot stilstand, en ze gaf het op.

Toen Akkarin haar haar broodje aanreikte, keek hij haar fronsend aan. Weer voelde ze een blos opkomen. Hij trok zijn wenkbrauwen op en keek met iets samengeknepen ogen naar Dorrien. De Genezer glimlachte, drukte zijn hielen in de flanken van zijn paard en reed weg.

Ze volgden hem en aten onder het rijden. Een uurtje later arriveerden ze bij een klein dorp. Zij en Akkarin stegen af en gaven de teugels over aan Dorrien, die verse paarden ging zoeken.

'Waar hadden jullie het zonet over?' vroeg Akkarin.

Ze draaide zich naar hem om. 'Wat?'

'Toen ik eten aan het kopen was.'

'O, toen. Niets.'

Hij glimlachte en knikte. 'Niets. Een geweldig gespreksonderwerp. Krijg je altijd van die interessante reacties op.'

Ze keek hem koeltjes aan. 'Misschien is het gewoon een nette manier om te zeggen dat het je niets aangaat.'

'Als jij het zegt.'

Ze ergerde zich aan die alwetende blik van hem. Liet ze zich zo makkelijk in de kaart kijken? *Maar als ik nu al zijn stemming kan inschatten, kan hij de mijne waarschijnlijk net zo makkelijk aanvoelen.*

Hij gaapte en sloot zijn ogen. Toen hij ze weer opende, was zijn blik wat helderder.

Wanneer hebben we voor het laatst geslapen? dacht ze. *De ochtend dat Dorrien ons vond in het bos. En daarvoor? Een paar uur slaap per dag. En de eerste helft van de reis sliep Akkarin helemaal niet...*

'Je hebt al een tijd geen nachtmerries meer gehad,' zei ze plotseling.

331

Akkarin fronste zijn voorhoofd. 'Nee.'

'Waar droomde je dan over?'

Hij keek haar scherp aan en ze had meteen spijt van haar vraag. 'Sorry,' zei ze. 'Dat had ik niet moeten vragen.'

Akkarin haalde diep adem. 'Nee, je mag het best weten. Ik droomde van gebeurtenissen uit de tijd dat ik een slaaf was. Meestal in verband met één persoon.' Hij zweeg even. 'Dakova's slavinnetje.'

'Die jou hielp, in het begin?'

'Ja,' zei hij zacht. Hij keek een andere kant uit. 'Ik hield van haar.'

Sonea sperde verbaasd haar ogen open. Akkarin en het slavinnetje? Hij had van haar gehóúden? Hij had van een ander gehouden? Ze voelde zich opeens onzeker worden en het ergerde haar een beetje, al schaamde ze zich er ook wel voor. Ze was toch zeker niet jaloers op een meisje dat jaren geleden gestorven was? Belachelijk.

'Dakova wist ervan,' vervolgde Akkarin. 'We durfden elkaar niet aan te raken. Hij zou ons meteen vermoord hebben. Maar hoe dan ook, hij kwelde ons wanneer hij maar kon. Ze was zijn... seksslavinnetje.'

Sonea rilde toen ze begon te begrijpen wat er gebeurd moest zijn. Om elkaar altijd te zien, maar nooit aan te mogen raken. Te moeten toekijken hoe de ander pijn gedaan werd. Ze kon zich niet voorstellen wat Akkarin op die momenten gevoeld moest hebben.

Akkarin zuchtte. 'Ik droomde de eerste tijd elke nacht over haar dood. In mijn droom zeg ik tegen haar dat ik Dakova wel bezig zal houden, zodat zij kan ontsnappen. Ik zeg dat ik hem ervan zal weerhouden haar te zoeken. Maar ze wil niet naar me luisteren en gaat altijd naar hem terug.'

Ze streelde zijn hand. Hij verstrengelde zijn vingers met de hare.

'Ze legde me uit dat de slaven het een eer vinden hun meester te dienen. Ze zei dat dat eergevoel het makkelijker maakte om hun slavenleven te verdragen. Ik begreep best dat ze het recht hadden zo te denken als ze geen keus hadden, maar niet als ze wél een keuze hadden, of als ze wisten dat hun meester hen ging doden.'

Sonea dacht aan Takan, aan hoe hij Akkarin zijn 'meester' noemde en aan de bijzondere manier waarop hij hem het mes aanreikte: op de binnenkant van zijn polsen, alsof hij een offer bracht. Misschien deed hij dat ook wel.

'Takan is altijd zo blijven denken, nietwaar?' vroeg ze zacht.

Akkarin keek haar even aan. 'Ja,' zei hij, 'hij was het zijn hele leven al zo gewend.' Hij grinnikte. 'Ik denk wel eens dat hij de laatste paar jaar alleen aan zijn rituelen vasthoudt om me een beetje te stangen. Ik weet dat hij nooit dat leven terug zou willen.'

'Maar hij bleef je trouw, en wilde niet dat je hem magie leerde.'

'Nee, maar dat had praktische redenen. Takan kon geen lid van het Gilde worden. Dan zouden er te veel vragen gesteld worden. We hadden natuurlijk een verleden voor hem kunnen verzinnen, maar dan zou hij het moeilijk hebben gekregen bij de lessen gedachtelezen. Daarom kon hij ook niet teruggaan naar Sachaka, want dat zou hij niet overleefd hebben zonder zwarte magie. Ik vermoed dat hij zichzelf niet vertrouwde met die kennis, zeker niet daar. In Sachaka zijn alleen meesters en slaven. Om als meester te overleven zou hij zijn eigen slaven moeten hebben.'

Sonea rilde. 'Het klinkt als een vreselijk land.'

Akkarin haalde zijn schouders op. 'Niet elke meester is zo wreed. De Ichani's zijn verworpenen, zijn vogelvrij. De koning heeft ze uit de stad verbannen, en niet alleen omdat ze overdreven ambitieus waren.'

'Hoe heeft die koning ze de stad uit gekregen?'

'Hij beschikt zelf over de nodige kracht, en hij heeft veel getrouwen.'

'De koning van Sachaka is een magiër?'

'Ja.' Akkarin glimlachte. 'Alleen de Geallieerde Landen hebben wetten die dat verbieden.'

'Weet onze koning dat wel?'

'Ja, al weet hij niet hoe sterk de Sachakaanse magiërs zijn. Hoewel, daar is hij inmiddels natuurlijk wel achter.'

'Wat vindt die Sachakaanse koning ervan dat de Ichani's Kyralia binnen zijn gevallen?'

Akkarin fronste zijn voorhoofd. 'Dat weet ik niet. Als hij al wist van Kariko's plan, dan zou hij dat zeker niet goedgekeurd hebben. En als hem geruchten ter ore kwamen, zal hij waarschijnlijk gedacht hebben dat het toch niet zou werken. De Ichani's zijn altijd te zeer met hun onderlinge stammen-oorlogen bezig geweest om een bondgenootschap te vormen. Het kan nog interessant worden als de Sachakaanse koning straks een land heeft dat geregeerd wordt door de Ichani's.'

'Zal hij ons helpen het terug te krijgen?'

'Schrijf dat maar op je buik. Je bent zeker vergeten hoe erg de Sachakanen het Gilde haten.'

'Vanwege de oorlog? Maar dat is honderden jaren geleden!'

'Voor het Gilde wel. Maar de Sachakanen vergeten het nooit, niet nu het halve land woest en ledig en onbruikbaar geworden is.' Akkarin schudde het hoofd. 'Het Gilde had Sachaka niet aan zijn lot over mogen laten nadat we de oorlog gewonnen hadden.'

'Wat hadden ze dan moeten doen?'

Akkarin keek naar de bergen in de verte. Sonea realiseerde zich dat ze nog maar een paar dagen geleden aan de andere kant hadden gestaan. 'Het was een oorlog tussen magiërs,' mompelde Akkarin. 'Het had geen enkele zin om legers van niet-magiërs tegen magiërs in te zetten, zeker niet als die magiërs zwarte magie gebruikten. Sachaka werd veroverd door Kyraliaanse magiërs, die meteen daarna naar hun comfortabele huizen teruggingen. Ze wisten dat het Sachakaanse rijk op een dag weer gevaarlijk zou kunnen worden, dus schiepen ze het woeste land om Sachaka arm te houden. Stel dat een van de Gildemagiërs zich in Sachaka gevestigd zou hebben, de slaven had bevrijd en de magiërs had getoond dat magie ook kan worden ingezet om het volk te helpen. Dan zou Sachaka een vredige vrije maatschappij hebben kunnen worden, en zouden we vandaag niet met de brokken zitten.'

'Juist,' zei Sonea langzaam. 'Hoewel ik wel begrijp dat het nooit gebeurd is. Waarom zou het Gilde de gewone man in Sachaka helpen als ze niet eens de gewone man in Kyralia helpen?'

'Sommigen doen dat wel. Dorrien bijvoorbeeld,' zei Akkarin.

Sonea keek hem strak aan. 'Dorrien is een uitzondering. Het Gilde zou veel meer kunnen doen.'

'We kunnen niets doen als niemand er vrijwillig mee begint.'

'Natuurlijk wel.'

'Zou jij magiërs dwingen tegen hun zin onder het volk te werken?'

'Ja hoor.'

Zijn wenkbrauwen gingen omhoog. 'Ik betwijfel of ze zouden meewerken.'

'Misschien zou je hun inkomen kunnen verlagen als ze weigeren.'

Akkarin glimlachte. 'Dan zouden ze het gevoel hebben als bedienden behandeld te worden. Niemand zou zijn kinderen nog naar het Gilde sturen als ze daar gedwongen zouden worden in de sloppenwijk te werken.'

'Niemand van de Húízen,' verbeterde Sonea hem.

Akkarin grinnikte. 'Ik wist wel dat je een ontwrichtende invloed zou hebben toen het Gilde besloot je les te geven. Ze mogen me wel dankbaar zijn dat ik je daar heb weggehaald.'

Ze wilde iets nijdigs antwoorden, maar zag dat Dorrien er aankwam. Hij reed op een ander paard en voerde er twee aan de leidsels mee.

'Ze zijn niet geweldig,' zei hij, 'maar je moet roeien met de riemen die je hebt. Uit het hele land zijn magiërs op weg naar Imardin, dus de voorraad rijdieren bij de herbergen gaat in rap tempo omlaag.'

Akkarin knikte grimmig. 'Dan moeten we ons haasten, anders kunnen we straks helemaal geen dieren meer krijgen.' Hij steeg op en Sonea deed hetzelfde bij het andere paard. Terwijl ze haar andere voet in de stijgbeugel zette, keek ze naar Akkarin. Dat van die ontwrichtende invloed hoefde hij natuurlijk helemaal niet negatief bedoeld te hebben. Misschien was hij het zelfs met haar eens. Maar wat maakte het uit? Over een paar dagen bestond het hele Gilde misschien niet meer, en zouden de armen ontdekken dat er ergere dingen bestonden dan de Zuivering.

Sonea huiverde en gaf haar paard de sporen.

De gang van de Magiërsvertrekken was haast even vol als de binnenplaats in de zomer, dacht Dannyl. Hij liep met Yaldin langs groepjes magiërs en hun echtgenoten, echtgenotes en kinderen. Iedereen had het over de Vergadering.

Toen Yaldin de deur naar zijn kamer bereikte, zuchtte hij diep. 'Kom je nog binnen voor een kop sumi?' vroeg de oude magiër.

Dannyl knikte. 'Als Ezrille het goed vindt.'

Yaldin grinnikte. 'Ze zegt altijd dat ik in huis de broek aanheb, maar jij en Rothen weten wel beter.'

Hij leidde Dannyl zijn ontvangstkamer binnen. Ezrille zat te lezen, gekleed in een fraai gewaad van glanzende blauwe stof.

'Dat was een korte vergadering,' zei ze.

'Ja,' zei Dannyl. 'Wat zie je er trouwens mooi uit vandaag.'

Ze glimlachte en kreeg lieve rimpeltjes om haar ogen. 'Je zou vaker thuis moeten komen, Dannyl.' Toen schudde ze haar hoofd. 'Met die goede manieren van je verbaast het me dat je nog steeds geen vrouw hebt gevonden. Sumi?'

'Ja, graag.'

Ze stond op en begon met kopjes en water te rommelen. Dannyl en Yaldin gingen zitten. Het voorhoofd van de oude man vertoonde rimpels.

'Ongelooflijk dat ze zwarte magie hebben toegestaan.'

Dannyl knikte. 'Lorlen zei dat sommige beweringen van Akkarin waar blijken te zijn.'

'De ergste.'

'Ja, maar ik zou graag willen weten of bewezen is dat andere beweringen niet waar zijn.'

'Waar denk je dan aan?'

'Nou, vast niet aan Sachakanen die Kyralia aanvallen,' zei Ezrille terwijl ze een dienblad op het tafeltje voor de stoelen zette. 'Wat zou Rothen nu doen? Hij hoeft niet meer naar Sachaka te gaan.'

'Hij zal wel terugkomen.' Dannyl nam een kopje sumi aan en nipte van het hete brouwsel.

'Tenzij hij doorgaat in de hoop Sonea te vinden...'

Dannyl dacht na. *Dat zou echt iets voor Rothen zijn...*

Er werd op de deur geklopt. Yaldin wuifde met zijn hand en de deur zwaaide open. Er kwam een boodschappenjongen binnen, die boog en vervolgens rechtstreeks op Dannyl afliep.

'Goedendag, ambassadeur. Er is een heer die u wil spreken. Alle vertrekken voor de ontvangst van bezoek zijn bezet, dus heb ik hem naar uw kamer gebracht. Uw bediende was aanwezig en liet hem binnen.'

Bezoek? Dannyl zette zijn kopje neer en stond op. 'Dank je wel,' zei hij. De jongen boog en verliet de kamer.

Dannyl glimlachte verontschuldigend naar Yaldin en Ezrille. 'Bedankt voor de sumi. Maar ik moet weten wie mij zo opeens komt bezoeken...'

'Natuurlijk,' zei Ezrille. 'Kom later maar terug, dan horen wij het ook.'

Op de gang was het iets rustiger geworden en de meeste magiërs waren weer aan het werk gegaan. Dannyl liep naar zijn kamer en deed de deur open. Een jongeman met blond haar stond op uit een van zijn fauteuils en maakte een sierlijke buiging. Heel even herkende Dannyl hem niet, omdat hij gekleed was in de sobere kleding die in Kyralia gebruikelijk was.

Toen stapte hij gehaast naar binnen en sloeg de deur dicht.

'Hallo, ambassadeur Dannyl,' grijnsde Tayend. 'Heb je me gemist?'

30

De vijand vertragen

Imardin verscheen eerst als een schaduw over de geelgroene velden. Naarmate de drie ruiters naderbij kwamen, spreidde de stad zich steeds verder uit aan beide zijden van de weg, als uitgestrekte armen die hen welkom heetten. Na vele uren rijden – de duisternis was al ingevallen en het was begonnen te regenen – zagen ze het schijnsel van duizenden brandende lantaarns die hun weg naar de Noordpoort verlichtten.

Toen ze zo dichtbij waren dat ze de regen tegen het glas van de lantaarns hoorden kletteren, hield Dorrien zijn paard in en keek Akkarin en Sonea vragend aan. Zijn ogen gingen over de andere mensen die de straten van de sloppenwijk bevolkten. Ze moesten snel afscheid nemen, en voorzichtig zijn met wat ze zeiden. Mensen zouden het allicht vreemd vinden als hij zijn 'volkse' bedienden al te familiair bejegende.

'Veel succes,' zei hij. 'Wees voorzichtig.'

'U krijgt vast meer gedonder dan wij, heer,' antwoordde Sonea met die typisch lijzige slopperse tongval. 'Bedankt voor uw hulp en zo. En laat die buitenlandse tovenaars u niet te pakken krijgen!'

'Dat geldt ook voor jullie,' zei hij, lachend om haar accent. Hij knikte naar Akkarin en gaf zijn paard de sporen.

Sonea kreeg het plotseling benauwd toen ze hem naar de stadspoorten zag rijden. Nadat hij verdwenen was keek ze naar Akkarin. Hij was een lange schaduw, zijn gezicht verborgen in de capuchon van zijn mantel.

'Ga maar voor,' zei hij.

Ze stuurde haar paard van de weg af, een smal straatje in. Sloppers keken naar hen en hun bemodderde paarden. *Waag het niet ons iets te doen,* dacht ze, met priemende ogen terugstarend. *We zien er misschien uit als simpele boertjes die niet weten hoe gevaarlijk het in de stad kan zijn, maar dat zijn we niet. En opvallen willen we al helemaal niet.*

Nadat ze een halfuur door de straatjes en steegjes gereden hadden, bereikten ze het deel van de markt waar de paardenhandelaars zaten. Ze hielden halt bij een uithangbord met een geschilderd hoefijzer. Een broodmagere man hinkte door de regen naar hen toe. 'Navond,' zei hij met een schorre stem. 'Paarden te koop zeker?'

'Misschien,' zei Sonea. 'Hangt van de prijs af.'

'Laat me dan maar even zien.' Hij wenkte hen naderbij. 'Even uit de regen graag.'

Ze volgden de man een grote stal in. Aan beide kanten stonden boxen, enkele met viervoetige bewoners. Ze stegen af en de man bekeek de paarden nauwgezet.

'Hoe heet deze?'

Ze zweeg even. Ze hadden driemaal van paard gewisseld en ze had het opgegeven zich hun namen te herinneren. 'Ceryni,' zei ze. 'Naar een vriend van me.'

De man ging rechtop staan en keek haar eens goed aan. 'Ceryni?'

'Ja. Kent u hem?'

Toen klonk er geschater uit een van de boxen. 'Je hebt je paard naar míj genoemd?'

Er ging een staldeur open en een niet al te lange jongeman in een grijze jas beende naar buiten, gevolgd door Takan en een grote, gespierde kerel. Sonea tuurde naar de lachende man en hapte naar adem van verbazing.

'Cery!'

Hij grijnsde. 'Hoi! Welkom terug!' Toen wendde hij zich naar de paardenopkoper en de grijns verdween. 'Jij hebt dit niet gezien, begrepen?'

'N-nee,' stotterde de man. Hij werd zo wit als een doek.

'Neem die paarden en verdwijn,' beval Cery.

De man nam de teugels van de paarden en Sonea keek verward toe hoe hij snel wegliep. Akkarin had haar verteld dat Takan ondergedoken zat bij een Dief. Als Cery ook voor die Dief werkte, was dat dan Faren of was hij voor een ander gaan werken? Hoe dan ook, hij scheen iets meer invloed te hebben gekregen, als ze afging op de reactie van die paardenkoopman. Ze zag dat Takan voor Akkarin op zijn knieën gevallen was.

'Meester.'

Takans stem liep over van emotie. Akkarin sloeg zijn capuchon naar achter en zuchtte.

'Sta op, Takan,' zei hij zacht. Hoewel uit zijn stem beheersing en tolerantie sprak, merkte Sonea ook iets van verlegenheid op. Ze hield met moeite haar lachen in.

De bediende stond op. 'Ik ben zo blij u weer te zien, meester, al vrees ik dat u naar een gevaarlijke, onmogelijke situatie bent teruggekeerd.'

'Dat kan wel zijn, maar we moeten doen wat we kunnen,' antwoordde Akkarin. Hij wendde zich tot Cery. 'Heeft Takan al uitgelegd wat we van plan zijn?'

Cery knikte. 'Morgen is er een Dievenbijeenkomst. De meesten schijnen te weten dat er iets op til is, al is het maar omdat de Huizen hun spullen aan het inladen zijn en op het punt staan de stad te verlaten. Je moet maar zeggen hoeveel je wilt dat ze weten.'

'Alles,' antwoordde Akkarin, 'tenzij dat je positie bij hen in gevaar brengt.'

Cery haalde zijn schouders op. 'Op de lange duur zal dat wel meevallen, en het kan natuurlijk zijn dat we sowieso geen stad meer hebben als die Sachakaanse rotzakken winnen. Nu, voor we het in detail uitwerken moesten we maar eens naar een aangenamer plek dan deze stal vertrekken. En me dunkt dat een warme hap er ook wel in gaat.'

Toen hij terugliep naar de box waaruit hij gekomen was, nam Sonea hem eens goed op. Hij leek zo zeker van zichzelf, en dat was nieuw. Ook toonde hij helemaal geen angst of ontzag voor Akkarin, en dat had ze toch wel verwacht. Ze praatten zo ontspannen alsof ze elkaar al jaren kenden.

Hij is vast een van de mannetjes die Akkarin aan zijn spionnen hielp. Maar waarom heeft hij me nooit verteld dat Cery erbij betrokken was?

Cery trok een luik achter in de stal omhoog en hield het open. 'Ga jij maar voor, Gol.'

De zwijgzame, boomlange man vouwde zich dubbel en begon de ladder die in het gat stond af te dalen. Na hem volgde Takan, toen Akkarin. Sonea wachtte even op Cery. Hij grijnsde.

'Kom op nou. We kletsen wel verder op mijn kamer.'

Ze klom de ladder af, die in een donkere tunnel uitkwam. Gol hield een lantaarn vast. Bekende geuren wekten herinneringen aan het Dievenpad. Toen Cery zich bij hen voegde, knikte hij naar Gol en ze gingen op weg door de onderaardse gang.

Na een paar minuten gelopen te hebben, gingen ze door een dikke metalen deur en betraden een weelderig ingerichte ontvangstkamer. Een lage tafel in het midden stond vol met geroosterde hapjes, glazen en flessen wijn.

Sonea liet zich in een stoel vallen en nam meteen een gegrild rassoekpootje. Akkarin ging naast haar zitten en pakte een fles wijn. Hij trok zijn wenkbrauwen op. 'Je woont hier comfortabeler dan menige magiër, Ceryni.'

'O, maar hier woon ik niet,' zei Cery terwijl hij ook ging zitten. 'Dit is een van mijn ontvangstkamers. Takan heeft zijn tijd hier doorgebracht.'

'De Dief heeft me uitstekend verzorgd,' zei Takan zacht en knikte naar Cery.

De Dief? Sonea verslikte zich, herstelde zich en keek Cery aan.

Hij zag haar grote ogen en grijnsde. 'Is het kwartje eindelijk gevallen?'

'Maar...' Ze schudde haar hoofd. 'Hoe is dat nu weer gekomen?'

Hij haalde zijn schouders op. 'Hard werken, slimme acties, de juiste adresjes en mannetjes... en een beetje hulp van die Opperheer van je.'

'Dus jij bent die Dief die Akkarin hielp de spionnen te vinden?'

'Precies. Ik begon meteen nadat hij jou en mij had geholpen met Fergun,' legde Cery uit. 'Hij zocht iemand die de moordenaars voor hem kon vinden. Iemand met connecties en invloed.'

'O ja.' *Dus Akkarin weet hier al van sinds de hoorzitting van het mentorschap.* Ze draaide zich om naar de stoel naast haar. 'Waarom heb je me daar niets over verteld?'

Akkarin glimlachte even. 'Dat leek me niet verstandig. Dan zou je namelijk gedacht hebben dat ik Cery gedwongen had me te helpen.'

'Je had het toch kunnen zeggen nadat je me alles over de Ichani's had verteld?'

Hij schudde het hoofd. 'Ik moet altijd goed opletten dat ik niet meer onthul dan nodig is. Als jij door de Ichani's gevangengenomen zou zijn, hadden ze kunnen ontdekken dat er een lijn van Cery naar mij liep. Dat zou voor ons allemaal te link zijn geweest en dus hield ik het geheim. Trouwens, Cery, het is van groot belang dat niet bekend wordt dat wij in de stad zijn. Als de Ichani's het in iemands gedachten lezen, is onze enige kans om de strijd te winnen verkeken. Hoe minder mensen weten dat we hier zijn, hoe beter.'

Cery knikte. 'Alleen Gol en ik weten ervan. De andere Dieven denken dat we gewoon met anderen een gesprek voeren over wat er in de stad loos is.'

Hij glimlachte. 'Ze zouden raar opkijken als ze jou hier zagen.'

'Maar denk je dat ze onze aanwezigheid hier geheim kunnen houden?'

Cery haalde zijn schouders op. 'Als ze eenmaal horen wat er gaande is en dat ze alles kwijt zijn als de Sachakanen winnen, dan zullen ze op jullie passen als hun bloedeigen kinderen.'

'Je hebt Takan verteld dat je bezig bent uit te zoeken hoe je magiërs kunt doden,' zei Akkarin. 'Wat dacht je –'

Balkan?

Sonea ging meteen rechtop zitten. De mentale stem was van –

Yikmo?

De Sachakanen naderen Calia.

Ik vertel je zo wat je moet doen, zei Balkan.

'Wat is er, meester?' vroeg Takan.

'Een gesprekje,' antwoordde Akkarin. 'Heer Yikmo deelde mee dat de Ichani's Calia naderen. Hij zit daar zeker in de buurt.'

Sonea voelde een rilling over haar rug lopen. 'Het Gilde heeft hen toch niet gestuurd om ze tegen te houden?' Ze keek Cery aan. 'Heb jij gehoord dat ze de stad verlaten hebben?'

Cery schudde het hoofd. 'Geen bericht van gehad.'

Akkarin fronste zijn voorhoofd. 'Ik wou dat Lorlen die ring weer eens omdeed.'

'Zeker twintig magiërs zijn vier dagen geleden de stad uit gereden,' viel Gol hen in de rede. ''s Ochtends vroeg.'

Yikmo?

Balkan?

Neem de tijd.

Doen we.

Sonea keek Akkarin vragend aan. 'Wat bedoelen ze nu weer?'

Hij keek nogal somber. 'Dat is ongetwijfeld een code voor een bepaald bevel. Ze kunnen Yikmo en zijn mannen niet vertellen wat ze van plan zijn omdat de Ichani's mee kunnen luisteren.'

'Maar waar zou het dan een code voor zijn?'

Cery trommelde met zijn vingertoppen tegen elkaar terwijl hij hardop nadacht. 'Twintig magiërs. Vier dagen geleden. Vertrokken voor de Ichani's aanvielen. Wat zou hun bedoeling zijn geweest?'

'Een troepenmacht bij de Zuiderpas?' gokte Sonea. 'Balkan heeft ons escorte bij het Fort verlaten. Misschien dacht hij dat de Zuiderpas ook een leger nodig had.'

Akkarin schudde het hoofd. 'Dan zouden we hen onderweg zijn tegengekomen. Ze waren toen al ten noorden van Calia, waar de weg zich splitst. Blijkbaar waren ze vóór de aanval al zo ver gevorderd dat ze niet meteen naar Imardin konden terugkeren. Of ze zijn met een bepaalde bedoeling in Calia gebleven.'

'Om de positie van de Ichani's door te geven?' opperde Cery.

'Daar heb je geen twintig man voor nodig.' Akkarin kreeg diepe denkrimpels in zijn voorhoofd. 'Ik hoop dat het Gilde zich niet iets stoms in het hoofd heeft gehaald.'

'Dat zou me niets verbazen,' zei Takan droogjes.

Cery keek naar de tafel. 'Laten we dit maar opeten, voor het helemaal koud is. Iemand een glas wijn?'

Sonea deed haar mond open om antwoord te geven, maar verstijfde toen er een beeld haar geest binnenkwam. Drie karren rolden over een brede dorpsweg. In elke kar zaten mannen en vrouwen, waarvan er enkele zeer kostbaar gekleed waren.

De paarden die de eerste kar trokken hielden halt en de man op de bok draaide langzaam zijn hoofd om naar degene die het beeld zond. Sonea rilde toen ze de man herkende: Kariko. Hij gaf de teugels aan iemand naast hem en sprong op de grond.

'Kom maar te voorschijn, tovenaartjes,' riep hij.

Uit een raam van het huis aan de andere kant van de straat flitste een treffer, en er volgden er meer, uit andere huizen. Rond elke kar was echter al een onzichtbaar schild aangebracht.

'Een hinderlaag,' hoorde Sonea mompelen.

Kariko draaide zich driehonderdzestig graden in het rond, bekeek de huizen en de straat en wendde zich tot zijn bondgenoten.

'Zin in een jachtpartijtje?'

Vier Ichani's sprongen van de karren. Ze overlegden even, en elk van hen liep naar een huis. Twee hadden hun djiel meegenomen; de dieren jankten van opwinding.

Toen verschoof het beeld. Ze zag een venster, een kamer, een Gildemagiër.

'Rothen!' riep ze schor. De beelden verdwenen en ze keek Akkarin met afschuw aan. 'Rothen is bij hen!'

Het is veel te lang geleden dat ik les had in Krijgsvaardigheden of een partijtje vocht in de Arena, dacht Rothen toen hij op een holletje via de achtertuin naar de keukendeur van het huis liep.

De strategie van Yikmo was eenvoudig. Als de Sachakanen hun tegenstanders niet konden zien, konden ze niet vechten. De Gildemagiërs zouden hun treffers vanuit schuilplaatsen afvuren, dan van positie veranderen en doorgaan met de strijd. Als hun kracht op was, moesten ze zich terugtrekken en rust nemen.

Rothen haastte zich zo snel hij kon naar de voorkant van het huis. De dorpelingen waren uren geleden al weggestuurd; de deuren en ramen hadden ze al ontgrendeld als voorbereiding van de hinderlaag. Rothen gluurde naar buiten en zag nog net dat een Sachakaan het belendende huis wilde binnengaan. Hij slingerde een krachttreffer in diens richting en zag tot zijn genoegen dat de man stil bleef staan.

Maar hij schrok zich lam toen de man in zijn richting begon te lopen. Hij klom haastig over een stoel en dook naar de achterdeur.

In deze wijk van het stadje waren de huizen allemaal dicht tegen elkaar aan gebouwd. Rothen sloop rond en schoot treffers naar de Sachakanen als ze ver genoeg weg waren om hem in staat te stellen zich uit de voeten te maken. Tweemaal hield hij zijn adem in toen een van hen zijn schuilplaats rakelings passeerde. Ander Gildemagiërs hadden minder geluk. Een van de rondsnuffelende djiels vond een jonge Krijger die zich in een stal had verstopt. Hoewel Rothen en een andere Alchemist te hulp schoten en de Sachakaan met treffers bestookten, was het een ongelijke strijd. De Krijger vocht terug tot hij geen kracht meer over had. Toen de Sachakaan zijn mes trok, hoorde Rothen voetstappen zijn kant op komen en was gedwongen te vluchten.

Het ergste was dat Rothens pogingen de jongeman te redden hem erg veel kracht hadden gekost. Maar niet alles. Nadat hij een halfuur laten over nog twee lijken was gestruikeld, besloot hij nog één treffer te lossen voor hij zich terugtrok uit de strijd en zich zou verbergen.

Het was inmiddels langer dan een uur geleden dat de wagens het stadje binnen waren gereden, en hij was nogal afgedwaald van de hoofdstraat. Balkan had bevel gegeven de Sachakanen zo lang mogelijk op te houden. Hij wist niet hoe lang de Sachakanen de jacht op de Gildemagiërs nog zouden voortzetten.

Niet de hele nacht, dacht hij. *Uiteindelijk trekken ze zich wel terug. En dan zullen ze niet verwachten dat er nog een troep aanvallers op hen wacht...*

Rothen glimlachte. Langzaam en behoedzaam sloop hij terug naar de hoofdstraat. Hij ging snel een huis binnen en luisterde of hij geen anderen in het gebouwtje hoorde. Alles was stil.

Hij kroop naar een raam aan de voorkant van het huis en zag de wagens staan op de plek waar ze waren gestopt. Een aantal Sachakanen liepen wat rond om hun benen te strekken. Een slaaf was bezig met een wiel dat kennelijk schade had opgelopen.

Een gebroken wiel zou hen aardig ophouden, mijmerde Rothen. Toen grijnsde hij. *Een paar kapotte wagens nog langer!*

Hij haalde diep adem en zocht zijn resterende kracht.

Toen hoorde hij een plank achter zich kraken en hij verstijfde van schrik.

'Rothen,' fluisterde iemand.

Hij draaide zich om en ademde opgelucht uit. 'Yikmo.'

De Krijger kroop ook naar het raam. 'Ik hoorde er eentje opscheppen dat hij er vijf van ons gedood had,' zei Yikmo grimmig. 'De ander zei dat hij er drie had afgemaakt.'

'Ik wilde net de wagens gaan bestoken,' fluisterde Rothen. 'Ze zouden ze moeten repareren of vervangen, maar de bevolking heeft de meeste wagens meegenomen.'

Yikmo knikte. 'In het begin van het gevecht hebben ze de wagens beschermd, maar dat hoeft n –'

Twee Sachakanen kwamen in zicht vanuit een van de huizen aan de overkant. Een vrouw riep naar hen.

'Hoeveel, Kariko?'

'Zeven,' riep de man terug.

'En ik vijf,' voegde zijn maat eraan toe.

Yikmo zoog sissend lucht tussen opeengeklemde tanden door naar binnen. 'Dat kan niet waar zijn. Als die twee die ik eerder hoorde niet gelogen hebben, zijn wij de enige twee die nog in leven zijn.'

Rothen huiverde. 'Maar ze kunnen natuurlijk overdrijven.'

'Heb je ze dan allemaal?' vroeg de vrouw.

'Bijna,' zei Kariko. 'Er waren er tweeëntwintig.'

'Ik kan de djiel erop afsturen.'

'Nee, laat maar zitten, we hebben al genoeg tijd verloren.'

Rothen verstijfde toen hij de mentale stem van de leider hoorde.

Allemaal verzamelen.

Yikmo keek Rothen aan. 'Dit is de laatste kans om die wagens te treffen.'

'Ja.'

'Ik doe de eerste. Jij pakt de tweede. Klaar?'

Rothen knikte en haalde zijn laatste beetje kracht naar boven.

'Nu!'

Hun treffers kwamen met een knallende flits in de wagens terecht. Hout versplinterde, mensen gilden, paarden hinnikten schril. Een aantal van de gewone Sachakanen viel bloedend op de grond, getroffen door de rondvliegende houtsplinters. Eén paard kon zich loswurmen en galoppeerde ervandoor.

De Sachakaanse magiërs draaiden zich om en staarden in de richting van Rothen.

'Wegwezen!' hijgde Yikmo.

Rothen was halverwege de kamer toen de voorgevel met een klap instortte. De luchtverplaatsing stuwde hem voorwaarts. Hij werd tegen een muur geslingerd, en pijn gierde door zijn borst en zijn arm. Hij viel op de vloer en bleef roerloos liggen, te overdonderd om zich te bewegen.

Sta op! zei hij tegen zichzelf. *Je moet hier zien weg te komen!*

Maar toen hij zich probeerde op te drukken ging er een hevige pijnscheut door zijn arm en schouder. *Er is iets gebroken,* dacht hij. *En ik heb geen kracht meer over om het te genezen.* Hij klemde zijn tanden op elkaar en drukte zich met de grootste moeite op de andere elleboog op, toen op zijn knieën. Het stof dwarrelde in zijn ogen en hij probeerde het weg te krijgen door te knipperen. Hij voelde hoe een hand zijn arm vastgreep. *Yikmo,* dacht hij dankbaar. *Hij is teruggekomen om me te helpen.*

De hand trok hem overeind en een helse pijn ging door zijn bovenlichaam. Hij keek zijn helper aan en de dankbaarheid sloeg om in afgrijzen.

Het was Kariko die hem met een van razernij vertrokken gezicht aankeek. 'Reken maar dat je hiervoor zal boeten, tovenaartje.'

Met één vinger duwde hij Rothen keihard tegen de muur en hield hem daar. De pijn schoot als vuur door zijn gewonde schouder. Kariko greep Rothens hoofd met beide handen vast.

Hij gaat een waarheidslezing doen! dacht Rothen, en de paniek sloeg nu pas goed toe. Hij deed zijn uiterste best een blokkade op te richten, maar hij voelde niets. Even dacht hij dat hij het mis had gehad, dat Kariko iets anders van plan was, maar toen dreunde een stem door zijn hoofd.

Wat is je grootste angst?

Sonea's gezicht flitste door Rothens gedachten. Hij verhulde het meteen, maar Kariko had het al te pakken.

Wie hebben we daar? Aha, iemand die jij magie geleerd hebt. Iemand om wie je veel geeft. Maar ze is weg. Weggestuurd door het Gilde. Waarheen? Sachaka! Aha, dus dat kreng is Akkarins reisgenootje. Wat een deugniet, om de Gildewetten te overtreden.

Rothen probeerde wanhopig aan niets te denken, maar Kariko begon kwellende beelden van Akkarin Rothens geest binnen te brengen. Hij zag een jonge Akkarin, gehuld in kleren zoals die van de slaven in de wagens, die ineenkromp voor een Sachakaan.

Hij was een slaaf, vertelde Kariko. *Jullie eerbiedwaardige Opperheer was eens een onbeduidende slaaf die moest kruipen voor mijn broer.*

Rothen schaamde zich vreselijk dat hij Akkarin niet geloofd had. Het laatste restje woede dat hij voelde jegens Sonea's 'verleider' smolt weg. Ergens voelde hij zich trots. Ze had de juiste keuze gemaakt. Een moeilijke keuze, maar de juiste. Hij wilde dat hij haar dat kon vertellen, maar wist dat die kans voor altijd verkeken was. *Ik heb alles gedaan wat ik kon,* dacht hij. *En ze is nu tenminste ver van alle ellende, nu de Ichani's Sachaka verlaten hebben.*

Ver van alle ellende? Ik heb er nog genoeg bondgenoten zitten, meldde Kariko. *Ze zullen haar vinden, ze zullen haar naar me toe brengen. En als ik haar heb, man, wat zal ze dan lijden. En jij zult het allemaal meemaken, jij slavendoder. Ja, dat lijkt me een prima straf voor jou. Je bent een slappeling, je botten zijn gebroken, dus je haalt de stad nooit op tijd om je Gilde te helpen.*

Rothen voelde hoe de handen van zijn hoofd werden weggenomen. Kariko speurde de grond af. Hij stapte opzij en raapte een glasscherf op. Met de scherpe rand maakte hij een lange kras op Rothens wang. Het veroorzaakte een venijnige pijn en hij voelde al snel warm vocht naar beneden druppelen. Kariko hield zijn hand onder Rothens kin en haalde hem weg toen er een klein plasje bloed in lag.

Met de andere hand hield hij de scherf in de lucht. Langzaam begon de scherf te smelten tot er een druppel aan het uiteinde ontstond. Kariko liet de druppel in zijn handpalm vallen, vouwde zijn vingers eromheen en sloot zijn ogen.

Er bewoog iets aan de rand van Rothens gedachten. Hij voelde de aanwezigheid van een andere geest en begon te begrijpen wat dit vreemde ritueel betekende. Zijn geest was nu met het glas verbonden. Kariko zou er een ring van maken en –

Plotseling werd de verbinding verbroken. Kariko glimlachte en draaide zich om. Rothen voelde de kracht die hem tegen de muur geplakt hield verdwijnen. Hij hijgde, want de pijn in zijn schouder was ondraaglijk. Ongelovig keek hij naar de Sachakaan die door de ingestorte voorgevel van het huis naar de wagens liep.

Hij heeft me laten leven.

Rothen dacht aan het kleine glazen steentje. Hij dacht aan wat heer Sarrin hem verteld had over zwarte magie, en begreep dat Kariko zojuist een bloedjuweel had gemaakt.

Het geluid van stemmen deed hem opschrikken. *Ik moet echt weg zien te komen,* dacht hij, *nu het nog kan.* Hij draaide zich om en strompelde door de achterdeur de nacht in.

Cery voelde zich minder ongemakkelijk dan hij had verwacht terwijl hij naar Sonea keek.

Hij had gedacht dat hij zich wel gefrustreerd zou voelen zodra hij haar weer zou zien. Maar die spanning, die opwinding en bewondering uit een ver verleden waren verdwenen, net als dat pijnlijke verlangen dat hem gekweld had toen ze bij het Gilde was gegaan. Hij voelde wel genegenheid, en enige bezorgdheid.

Ik denk dat ik me mijn hele leven zorgen zal blijven maken om haar. Hij zag hoe haar aandacht steeds weer naar Akkarin werd getrokken. Hij glimlachte. Eerst had hij aangenomen dat dat kwam omdat de man haar mentor was geweest en ze gewend was hem in alles te gehoorzamen, maar dit had toch meer van iets anders weg. Ze had niet geaarzeld toen ze hem vroeg waarom hij Cery's positie verborgen had gehouden. En Akkarin had dat niet brutaal gevonden, maar had haar gewoon geantwoord.

Het zijn geen Gildemagiërs meer, herinnerde Cery zich. *Waarschijnlijk hebben ze al dat mentor-leerlinggedoe achter zich gelaten.*

Maar zo langzamerhand kreeg hij het gevoel dat er meer aan de hand was.

'Heb je mijn mes?' vroeg Akkarin zijn bediende.

Takan knikte, stond op en verdween in een van de slaapkamers. Hij kwam terug met een riem waaraan een schede met een mes bevestigd was. Met gebogen hoofd overhandigde hij de riem aan Akkarin.

Akkarin nam hem eerbiedig aan en hing hem over zijn dijbenen. Toen verstarde hij, en zijn ogen leken in het niets te staren. Ook Sonea's blik bevroor.

Het werd doodstil in de kamer. Cery zag het stel in de verte staren. Akkarin kreeg een diepe rimpel tussen zijn wenkbrauwen en hij schudde zijn hoofd. Sonea sperde haar ogen wijd open.

'O nee!' riep ze. 'Rothen!' Ze werd zo wit als een doek, begroef haar gezicht in haar handen en begon luid te snikken.

Cery werd overvallen door medelijden, en hij zag Akkarin vreselijk bezorgd kijken. De magiër schoof de riem terzijde en knielde naast haar neer. Hij trok haar tegen zich aan en hield haar stevig vast.

'Sonea,' mompelde hij. 'Het spijt me zo vreselijk.'

Er was beslist iets heel ergs gebeurd. 'Wat is er?' vroeg Cery.

'Heer Yikmo heeft zojuist doorgegeven dat al zijn krijgers gedood zijn,' zei Akkarin. 'Rothen, Sonea's eerste mentor, was er ook bij.' Hij zweeg. 'Yikmo is zwaargewond. Hij zei dat de Ichani's in ieder geval behoorlijk zijn opgehouden. Ik denk dat ze de Ichani's daarom in die hinderlaag gelokt hebben, maar ik snap niet waarom het Gilde een oponthoud nodig had.'

Het geluid van Sonea's gesnik veranderde. Ze probeerde haar kalmte te herwinnen. Akkarin keek naar haar en vervolgens naar Cery.

'Waar kunnen we slapen?'

Takan wees naar een kamer. 'Die is voor u, meester.' Er stond een twijfelaar in.

Akkarin stond op en hielp Sonea overeind. 'Kom, Sonea. We hebben in geen weken een hele nacht geslapen.'

'Ik kan toch niet slapen,' mompelde ze.

'Ga dan gewoon liggen en warm het bed vast voor me op.'

Nou, dat lijkt me duidelijk, dacht Cery.

Ze liepen naar de slaapkamer. Even later kwam Akkarin terug. Cery stond op. 'Het is al laat,' zei hij. 'Ik kom morgenvroeg terug, dan kunnen we verder praten over de Dievenbijeenkomst.'

Akkarin knikte. 'Bedankt, Ceryni.' Hij liep terug naar de slaapkamer en sloot de deur achter zich.

Cery keek naar de gesloten deur. *Akkarin, hè? Hm, interessante keuze.*

'Ik hoop dat u er niet door van streek bent gebracht.'

Cery keek Takan aan. De bediende gebaarde naar de slaapkamer.

'Die twee?' Cery haalde zijn schouders op. 'Waarom zou ik.'

Takan knikte. 'Dat dacht ik al, aangezien u nu iets heeft met een andere vrouw.'

Cery verstijfde. Hij keek naar Gol, die zijn wenkbrauwen fronste. 'Hoe wist je dat?'

'Ik hoorde het van een van de bewakers.' Takan keek van Cery naar Gol. 'Dat moest dus geheim blijven?'

'Ja. Het is niet altijd zonder gevaar om een Dief als vriend te hebben.'

De bediende keek nu heel bezorgd. 'Ze wisten niet hoe ze heette. En een jongeman zoals u heeft toch altijd wel een vrouw, of een heel stel vrouwen?'

Cery glimlachte flauwtjes. 'Misschien heb je gelijk. Maar ik moet die geruchten wel even de kop indrukken. Welterusten, Takan.'

Takan knikte. 'Welterusten, Dief.'

31

Oorlogsvoorbereidingen

D e gids bracht Lorlen naar een grote zaal. Het vroege ochtendlicht viel binnen door de enorme ramen aan één kant ervan. Een heel gezelschap stond gebogen over een grote tafel. Aan het hoofd van de tafel stond de koning, met links van hem heer Balkan en aan zijn rechterzijde kapitein Arin, zijn militair adviseur.

De koning knikte Lorlen toe en richtte zijn aandacht weer op de handgetekende kaart van de stad voor zich.

'En hoe lang kan het nog duren eer de versterkingen van de poorten in de Buitenmuur zijn aangebracht, kapitein Verran?' vroeg hij een grijzende heer.

'De Noord- en Westpoort zijn gereed. De Zuidpoort wordt vanavond voltooid,' antwoordde de kapitein.

'Mag ik iets vragen, majesteit?' Een fraai geklede jongeman aan de andere kant van de tafel keek de koning vragend aan.

De koning keek op. 'Ja, Ilorin?'

Lorlen keek de jongeman verbaasd aan. Het was de neef van de koning, een jongen niet ouder dan een eerstejaars novice, en de mogelijke troonopvolger.

'Waarom versterken we de poorten van de stad als de Buitenmuur rond het Gilde een complete ruïne is?' vroeg de jongeman. 'De Sachakanen hoeven maar een paar verkenners rond de stad te sturen en ze zijn binnen.'

De koning glimlachte nors. 'Dan hopen we maar dat ze dat niet doen.'

'We gaan ervan uit dat de Sachakanen ons zonder omwegen zullen aanvallen,' liet Balkan weten. 'En aangezien die slaven als krachtbron zijn meegekomen, betwijfel ik of ze die op verkenning zullen sturen.'

Lorlen merkte dat Balkan niets zei over de mogelijkheid dat de Sachakanen deze zwakke plek al ontdekt hadden door de gedachten van de Krijgers in het Fort of in Calia te lezen. Misschien had de koning hem gevraagd niet te laten doorschemeren hoe hopeloos hun situatie was.

'En denkt u dat de versterkingen de Sachakanen zullen tegenhouden?'

'Nee,' antwoordde Balkan. 'Ze vertragen het proces misschien, maar het stopt ze niet. Het is de bedoeling dat de Sachakanen een deel van hun kracht verbruiken door hun inspanningen om erdoorheen te breken.'

'En als ze eenmaal de stad binnen zijn, wat gebeurt er dan?'

Balkan keek naar de koning. 'Dan vechten we door zolang we kunnen.'

De koning wendde zich tot een van de andere kapiteins. 'Zijn de Huizen geëvacueerd?'

'De meeste zijn verlaten, ja.'

'En de rest van de bevolking?'

'De poortwachters melden dat het aantal mensen dat de stad verlaat verviervoudigd is.'

De koning keek weer op de kaart en zuchtte. 'Ik wou dat de sloppen ook op deze kaart stonden.' Hij keek naar heer Balkan. 'Krijgen we problemen met de sloppers gedurende de strijd?'

De Krijger fronste zijn voorhoofd. 'Alleen als de Sachakanen besluiten om zich daar te verschansen.'

'Als ze dat doen steken we de gebouwen toch gewoon in brand,' stelde Ilorin voor.

'Of we doen het nu al, dan weten we zeker dat ze daar geen voordeel van hebben,' voegde een hoveling eraan toe.

'Die achterbuurt kan dagen branden,' waarschuwde kapitein Arin. 'De rook kan de vijand goed gebruiken en vallende kooltjes en as kunnen de rest van de stad in lichterlaaie zetten. Ik zou de sloppen ongemoeid laten tot het echt niet anders kan.'

De koning knikte. Hij ging rechtop zitten en keek naar Lorlen. 'Dat was het heren, u kunt gaan. Heer Lorlen en heer Balkan blijven bij mij.'

Iedereen verliet meteen de zaal. Lorlen merkte dat ook de twee adviseurs van de koning bleven.

'Heb je goed nieuws voor me?' vroeg de koning.

'Nee, majesteit,' antwoordde Lorlen. 'Heer Sarrin is er nog niet helemaal uit hoe die zwarte magie gebruikt moet worden. Hij laat zich verontschuldigen en zal het blijven proberen.'

'Maar hij heeft toch wel iets ontdekt?'

Lorlen zuchtte en schudde het hoofd. 'Het spijt me.'

De koning staarde chagrijnig naar de kaart. 'De Sachakanen zijn over een dag hier, misschien twee als we geluk hebben.' Hij keek Balkan aan. 'Heb je hem meegebracht?'

De Krijger knikte, haalde een klein buideltje uit zijn zak en liet de inhoud ervan op tafel glijden. Lorlen hield zijn adem in. Het was Akkarins ring.

'Wilt u Akkarin nu toch terughalen?' vroeg hij

De koning knikte. 'Ja. Het blijft een risico, maar wat maakt het nog uit als hij ons verraadt? Zonder hem verliezen we de strijd sowieso.' Hij pakte de ring op en stak hem Lorlen toe. 'Roep hem terug.'

De ring was koud. Lorlen deed hem om en sloot zijn ogen.

Akkarin!

Hij wachtte en hoorde geen antwoord. Hij telde tot honderd en riep nogmaals. Weer geen antwoord. Hij schudde het hoofd.

'Geen antwoord.'

'Misschien doet hij het niet meer goed. Moet je de ring niet oppoetsen?'

'Ik probeer het nog wel een keer.'

Akkarin!

Geen antwoord. Zo ging het nog drie keer. Lorlen zuchtte en deed de ring af.

'Misschien slaapt hij,' zei hij. 'Ik zal het over een uurtje nog eens proberen.'

De koning keek dreigend naar buiten. 'Roep hem eens zonder ring. Misschien dat hij dat wel oppikt.'

Balkan en Lorlen wisselden een verontruste blik. 'Maar dan hoort de vijand ons ook,' legde de Krijger voor de zoveelste keer uit.

'Weet ik. Roep hem.'

Balkan knikte en sloot zijn ogen.

Akkarin!

Stilte. Lorlen stuurde zijn eigen oproep.

Akkarin! De koning beveelt je terug te komen.

Ak –

Akkarin! Akkarin! Akkarin! Akkarin!

Lorlen snakte naar adem toen een andere stem in zijn eigen geest als een hamer tegen zijn schedel bonkte. Hij hoorde andere mentale stemmen spottend Akkarins naam roepen voor hij zijn geest afsloot.

'Wel, dat was nogal onaangenaam,' zei Balkan die zijn slapen masseerde.

'Wat gebeurde er?' vroeg de koning.

'De Sachakanen gaven antwoord.'

'Met geesttreffers,' voegde Lorlen eraan toe.

De koning draaide zich kwaad om en begon met gebalde vuisten te ijsberen. Na een paar minuten keek hij Lorlen weer aan. 'Probeer het over een uurtje nog maar eens.'

Lorlen knikte. 'Zoals u wilt, majesteit.'

Het huis dat Dannyl dankzij Tayends aanwijzingen vond, was typisch een herenhuis van magiërsontwerp. Onmogelijk fragiele balkonnetjes waren van de straat af te zien. Zelfs de deur was door magiërs geschapen: een flinterdunne, sierlijk gevormde glasplaat.

Het duurde even voor er een reactie kwam op Dannyls geklop. Er naderden voetstappen en er verscheen een schaduw van een gestalte achter het glas. De deur ging open, en in plaats van een bediende deed Tayend zelf de deur open, met een grote grijns op zijn gezicht.

'Sorry, maar de bediening is hier nogal traag,' zei hij. 'Zerrends gehele staf is naar Elyne vertrokken, dus is er niemand meer behalve...' Hij keek Dannyl aan. 'Wat zie jij eruit!'

Dannyl knikte. 'Heb de hele nacht wakker gelegen. Ik...' Hij slikte, maar de emotie kneep zijn keel dicht.

De jonge geleerde leidde Dannyl snel naar binnen en deed de deur dicht. 'Wat is er gebeurd?'

Dannyl slikte nogmaals en knipperde toen zijn ogen prikten van de tranen. De hele nacht had hij zich weten te beheersen, door eerst Ezrille en Yaldin te troosten, en toen Dorrien. Maar nu...

'Rothen is dood,' bracht hij uit. Hij voelde de tranen over zijn wangen biggelen.

Tayend sperde zijn ogen open, spreidde zijn armen en omhelsde Dannyl. Die verstijfde, maar schaamde zich direct voor die reactie.

'Maak je geen zorgen,' zei Tayend. 'Zoals ik al zei zijn we hier helemaal alleen. Niet eens bedienden.'

'Het spijt me,' zei Dannyl. 'Ik ben alleen –'

'Bang dat we gezien worden. Weet ik. Ik pas heus wel op.'

Dannyl slikte weer. 'Ik heb er zo'n gruwelijke hekel aan dat we zo voorzichtig moeten zijn.'

'Anders ik wel,' zei Tayend. Hij bracht zijn hoofd iets naar achteren om Dannyl beter te bekijken. 'Maar dat moet nu eenmaal. We zouden dom zijn als we dachten dat het anders was.'

Dannyl zuchtte en droogde zijn tranen. 'Moet je mij zien. Wat een huilebalk.'

Tayend nam zijn hand en bracht hem in de ontvangstkamer. 'Dat valt wel mee. Je hebt net een hele goeie oude vriend verloren. Zerrend heeft daar wel een geneesmiddel voor, al zal mijn achterneef – of is het achterachterneef – de beste flessen wel meegenomen hebben.'

'Tja,' zei Dannyl. 'Zerrend is niet voor niets weggegaan. Binnen een dag of twee staan de Sachakanen voor de deur. Je kunt hier absoluut niet blijven.'

'Ik ga niet naar huis. Ik ben hierheen gekomen om jou hier doorheen te slepen, dus dan doe ik dat ook.'

Dannyl stak een hand op om Tayend de mond te snoeren. 'Ik meen het, Tayend. Deze magiërs maken mensen dood om kracht te verzamelen. Ze zullen eerst het Gilde bestrijden, omdat het de oudste vijand van de Ichani's is, maar daarna gaan ze op zoek naar slachtoffers om de verloren kracht te vervangen. Aan magiërs hebben ze niets, want die zijn uitgeput door het gevecht. Dus gaan ze op jacht naar gewone mensen, vooral naar hen met onontwikkelde magische mogelijkheden. Zoals jij.'

De geleerde sperde zijn ogen open. 'Maar zover komt het toch niet? Je zei dat ze het eerst tegen het Gilde zullen opnemen. En het Gilde wint toch zeker?'

Dannyl keek Tayend droevig aan en schudde het hoofd. 'Gezien de instructies die we hebben gekregen, gelooft niemand daar echt in. We kunnen er met een beetje geluk een of twee doden, maar lang niet allemaal. Ze zijn sterker dan honderden magiërs. We hebben opdracht gekregen Imardin te verlaten als we uitgeput zijn.'

'O. Nou, dan kan je wel wat hulp gebruiken, toch, als je uitgeput bent? Ik zal –'

'Nee, Tayend.' Dannyl pakte Tayend bij de schouders. 'Je moet nú vertrekken.'

De geleerde schudde het hoofd. 'Ik ga hier niet weg zonder jou.'

'Tayend –'

'En trouwens,' voegde de geleerde eraan toe, 'die Sachakanen vallen waarschijnlijk Elyne aan nadat ze hier klaar zijn. Ik breng liever mijn laatste dagen hier met jou door, al sterf ik dan iets eerder, dan dat ik thuis ga zitten kniezen omdat ik jou verlaten heb voor een paar extra maandjes in veiligheid. Ik blijf, en als ik jou was zou ik daar maar het beste van maken.'

Na de duisternis van de riolen was het zonlicht verblindend. Toen Sonea door het luik klom, voelde ze iets onder haar laars en struikelde. Ze hoorde een gesmoorde vloek.

'Dat was mijn voet,' bromde Cery.

Ze moest glimlachen. 'Sorry, Cery, of moet ik je tegenwoordig Ceryni noemen?'

Cery kreunde van weerzin. 'Ik probeer al mijn hele leven van die naam af te komen, en nu moet ik hem opeens gebruiken. Ik weet zeker dat er een heleboel onder ons zijn die stilletjes de Dief vervloeken die besloten heeft dat we voortaan met dierennamen door het leven moesten gaan.'

'Je moeder had zeker voorspellende gaven, dat ze jou die naam heeft gegeven,' zei Sonea. Ze deed een stap opzij toen Akkarin uit de tunnel te voorschijn kwam.

'Ze kon met één oogopslag zien welke klanten er zonder betalen vandoor zouden gaan,' zei Cery. 'En ze zei altijd dat mijn pa zich in de nesten zou werken.'

'Dan moet mijn tante die gave ook hebben. Ze zei altijd dat jij ons flink in de problemen zou brengen.' Ze zweeg even. 'Heb je Jonna en Ranel onlangs nog gezien?'

'Nee.' Hij bukte zich om het luik naar het riool weer op zijn plaats te schuiven. 'In geen maanden.'

Ze zuchtte en voelde de loden last van Rothens dood. 'Ik wil ze zo graag nog een keer zien voor dit allemaal –'

Cery stak een hand op – het teken voor stilte – en trok haar en Akkarin in een donker portiek. Gol, die aan het eind van het steegje had gestaan, rende naar hen toe en voegde zich bij hen in het portiek. Even later liepen

352

twee mannen het steegje in. Toen ze dichterbij kwamen herkende Sonea het donkerste van de twee gezichten. Ze voelde een hand zachtjes tegen haar rug duwen. 'Toe maar,' fluisterde Cery in haar oor. 'Hij zal zich het leplazarus schrikken!'

Sonea zag zijn ogen schitteren, dol als hij was op ondeugende streken. Ze wachtte tot de twee mannen vlak bij haar waren, stapte uit het portiek en deed haar capuchon af.

'Zo, Faren.'

De twee mannen doken ineen en staarden haar aan. Toen begon er een naar adem te snakken.

'Sonea?'

'Goh, dat je me nog herkent, na al die tijd.'

Hij fronste zijn voorhoofd. 'Maar ik dacht dat je...'

'Kyralia verlaten had?' Ze sloeg haar armen over elkaar. 'Ik heb besloten terug te komen en nog wat oude schulden te vereffenen.'

'Schulden?' Hij keek zenuwachtig naar zijn lijfwacht. 'Dan heb je met mij gelukkig niets te maken.'

'O nee?' Ze zette een stap naar hem toe en gniffelde inwendig omdat hij een stap terug deed. 'Ik kan me toch een soort regeling herinneren die we indertijd gemaakt hebben. Ga me nou niet vertellen dat je die vergeten bent.'

'Hoe kan ik die ooit vergeten?' mompelde hij. 'Ik herinner me namelijk dat jij je nooit aan jouw deel van onze afspraak gehouden hebt. Ik bedoel maar. Je stak een heel stel van mijn huizen in de fik terwijl ik jou beschermde.'

Sonea haalde haar schouders op. 'Kan zijn dat ik minder nuttig voor je was dan verwacht. Maar dan hoef je me nog niet meteen aan het Gilde te verkopen.'

Faren deed nog een stap achteruit. 'Dat was niet mijn idee. Ik had geen keus.'

'Geen keus?' riep ze uit. 'Ik heb anders gehoord dat je er een aardig slaatje uit geslagen hebt. Zeg eens, hebben de andere Dieven nog een deel van de beloning gekregen? Ik hoorde geruchten dat je alles gehouden hebt.'

Faren slikte hoorbaar en schuifelde nog verder achteruit. 'Als compensatie,' zei hij moeilijk.

Sonea zette nog een stap vooruit, maar toen werd alles verpest door gesmoord gelach uit het portiek.

'Sonea,' zei Cery lachend, 'ik zou je als boodschapper moeten inhuren. Je komt behoorlijk bedreigend over als je wilt.'

Ze glimlachte flauwtjes. 'Je bent niet de eerste die dat tegen me gezegd heeft.' Maar de gedachte aan Dorrien bracht ook Rothen in haar gedachten. Weer voelde ze het grote verdriet, al deed ze haar best er niet op te letten. *Ik mag er nu niet over nadenken,* zei ze tegen zichzelf. *Er is veel te veel te doen.*

Faren kneep zijn gele ogen samen toen hij Cery zag. 'Ik had kunnen weten dat jij achter deze kleine hinderlaag zat.'

Cery glimlachte. 'O, ik fluisterde haar alleen maar toe dat ze best eens wat lol mocht hebben. Dat verdient ze. Jij hebt haar tenslotte aan het Gilde verkwanseld.'

'Je neemt haar toch niet mee naar de bijeenkomst?'

'Natuurlijk wel. Zij en Akkarin hebben de Dieven een heleboel te vertellen.'

'Akkarin...?' herhaalde Faren met een klein stemmetje.

Sonea hoorde voetstappen achter zich en zag dat ook Akkarin en Gol uit het portiek gekomen waren. Akkarin had zijn baard afgeschoren en zijn haar weer in een paardenstaart bijeen gebonden, zodat hij weer zijn vroegere, imposante uitstraling had.

Faren deed nog een stapje achteruit.

'Dit is dus Faren,' merkte Akkarin fijntjes op. 'Zwart, acht poten en giftig?'

Faren knikte. 'Klopt,' antwoordde hij. 'Nou ja, behalve die poten dan.'

'Het is een hele eer je te ontmoeten.'

De Dief knikte nogmaals. 'De eer is aan mij.' Hij keek naar Cery. 'Wel, de bijeenkomst kan interessant worden. Laten we gaan.'

Faren liep snel naar het andere eind van het steegje, op de hielen gevolgd door zijn lijfwacht, die Sonea en Akkarin nog eens huiverig bekeek. Het hele gezelschap liep door een smalle opening tussen twee gebouwen aan het eind van de steeg. Halverwege versperde een forse kerel Faren de weg.

'Wie zijn dat?' vroeg hij argwanend, gebarend naar Sonea en Akkarin.

'Gasten,' zei Cery.

De man aarzelde, maar stapte toch een portaal in. Faren volgde hem naar binnen. Er was een korte gang en toen een trap. Bovenaan zei hij tegen Cery dat hij eerst permissie moest vragen voor de 'gasten'.

'Ja hoor, en dan gaan ze daar weer uren over zitten delibereren?' Cery schudde het hoofd. 'Daar hebben we nu effe geen tijd voor.'

'Nou ja, ik héb je gewaarschuwd.'

Faren opende de deur. Toen Sonea achter hem aankwam zette ze grote ogen op, zo chic was het hier. Dikke zachte stoelen stonden in een kring opgesteld. Zeven waren er al bezet. De zeven mannen die erachter stonden moesten de beschermers van de Dieven zijn.

Het was niet zo moeilijk te raden wie wie was. De magere, kale man was ongetwijfeld Sevli. De vrouw met de puntneus en het rode haar moest Zill zijn, en de man met de baard en de harige wenkbrauwen was vast Limek. Sonea vroeg zich af of ze hun naam gekregen hadden omdat ze op die dieren leken, of dat ze zich zo gekapt en opgedoft hadden dat ze gelijkenis vertoonden met de dieren waaraan hun naam was ontleend. De waarheid zou wel ergens in het midden liggen.

De lieden in de stoelen namen haar en Akkarin scherp op. Sommigen keken kwaad en verontwaardigd, anderen onzeker. Eén gezicht deed bij haar een belletje rinkelen. Sonea glimlachte toen ze Ravi herkende. Hij glimlachte terug.

'Wie zijn deze mensen?' vroeg Sevli.

'Cery's vrienden,' zei Faren. Hij ging in een van de lege fauteuils zitten. 'Hij stond erop ze mee te brengen.'

'Dit is Sonea,' zei Ravi om de anderen op hun gemak te stellen. Zijn ogen gleden naar Akkarin. 'En dan moet u de vroegere Opperheer zijn.'

Kwaadheid en verontwaardiging sloeg om in verbijstering.

'Het is me een eer u allen eindelijk te ontmoeten,' antwoordde Akkarin. 'Met name u, heer Senfel.'

Sonea keek naar de man die achter Ravi's stoel stond. De oude magiër had zijn baard afgeschoren, en daarom had ze hem waarschijnlijk niet meteen herkend. De laatste keer dat ze hem zag, toen Faren hem chanteerde om haar magie te leren, had hij nog een lange witte baard gehad. Ze had een verdovingsmiddel gekregen, in een nutteloze poging om haar magie te beheersen.

Hij staarde met bleek gelaat naar Akkarin. 'Zo,' zei hij. 'U hebt me dus eindelijk gevonden.'

'Eindelijk?' Akkarin haalde zijn schouders op. 'Ik weet al heel lang waar jij je verbergt, Senfel.'

De oude heer sperde zijn ogen open. 'Wist je het?'

'Maar natuurlijk,' antwoordde Akkarin. 'Die zogenaamde dood was niet erg overtuigend. Alleen weet ik nog steeds niet waarom je ons verlaten hebt.'

'Ik vond de regels... verstikkend. Waarom heb je niets gedaan?'

Akkarin glimlachte. 'Nou, dat zou niet erg netjes zijn geweest tegenover mijn voorganger, wel? Hij merkte niets eens dat je verdwenen was. En hier had men weinig last van je, dus liet ik je hier rustig zitten.'

De oude magiër lachte – een korte, nare blaf. 'Regels met voeten treden is zeker je hobby, Akkarin van Delvon.'

'En ik wachtte rustig af tot ik je hulp kon gebruiken,' voegde Akkarin eraan toe.

Senfel keek nu ernstig. 'Het Gilde schijnt op dit moment jouw hulp goed te kunnen gebruiken. Ze hebben je toch opgeroepen? Waarom geef je geen antwoord?'

Akkarin keek de kring van Dieven rond. 'Omdat het Gilde niet mag weten dat ik hier ben.'

De Dieven spitsten hun oren.

'Hoezo?' vroeg Sevli.

Cery stapte naar voren. 'Dat is een lang verhaal. Kunnen we nog wat stoelen krijgen?'

De portier liep de kamer uit en kwam terug met twee houten keukenstoelen. Toen ze allemaal zaten, keek Akkarin de kring rond en schraapte zijn keel.

355

'Laat me beginnen met jullie te vertellen hoe ik de Sachakanen leerde kennen,' zei hij.

Terwijl hij bondig zijn tijd bij Dakova beschreef, keek Sonea naar de Dieven. Eerst luisterden ze rustig, maar toen hij een schets van de Ichani's gaf, schrokken ze op en wisselden ongeruste blikken. Hij vertelde over de spionnen, en hoe hij Cery had ingehuurd om ze op te sporen; ze keken Sonea's oude vriend met hernieuwde interesse aan. En toen Akkarin bij hun verbanning naar Sachaka was aanbeland, stiet Sevli een verontwaardigde kreet uit.

'Wat een stelletje sukkels, dat Gilde!' riep hij. 'Ze hadden je hier moeten houden tot ze zeker wisten of die Ichani's al dan niet bestonden.'

'Uiteindelijk kwam het wel goed uit dat ze dat niet gedaan hebben,' zei Akkarin. 'De Ichani's weten niet dat ik hier ben, en dat geeft ons een voorsprong. Maar hoewel ik sterker ben dan welke Gildemagiër dan ook, acht Ichani's kan ik niet in mijn eentje tegenhouden. Sonea en ik zouden er waarschijnlijk elk eentje te grazen kunnen nemen, mits hij van de anderen afgezonderd is. Als de Ichani's echter weten dat we hier zijn, zullen ze als groep opereren en alles op alles zetten om ons te vermoorden.'

Hij keek de aanwezigen aan. 'Daarom heb ik het Gilde geen antwoord gegeven. Als het Gilde weet dat ik hier zit, zien de Ichani's dat in de gedachten van de eerste de beste magiër die ze in handen krijgen.'

'Maar waarom vertel je het ons dan wel?' vroeg Sevli.

'Ik geef toe dat het een risico is. Maar ik heb zo het idee dat de mensen in dit vertrek wel uit de buurt van de Sachakanen zullen blijven. Mocht het uitlekken naar de gewone bevolking, dan zal het afgedaan worden als een ijdele wensdroom.'

'Maar wat wil je nu van ons?' vroeg Ravi.

'Ze willen dat we hen helpen een Sachakaan van de anderen af te scheiden,' begreep Zill.

'Juist,' bevestigde Akkarin. 'En we zouden graag toegang tot het Dievenpad hebben, en gidsen die ons door de hele stad de weg kunnen wijzen.'

'Het net bestrijkt niet de hele Binnencirkel,' waarschuwde Sevli.

'Maar de gebouwen staan grotendeels leeg,' zei Zill. 'Ze zitten op slot, maar dat is voor ons geen probleem.'

Sonea fronste haar wenkbrauwen. 'Waarom staan de gebouwen leeg?'

De vrouw keek Sonea aan. 'De koning heeft de bewoners van de Huizen bevolen de stad te verlaten. We vroegen ons af waarom, tot Senfel ons van de nederlagen bij het Fort en Calia vertelde.'

Akkarin knikte. 'Het schijnt tot het Gilde te zijn doorgedrongen dat iedereen in Imardin een mogelijke krachtbron voor de Ichani's is. Zij hebben de koning geadviseerd de stad te ontruimen.'

'Maar nu heeft hij dus alleen de Huizen laten vertrekken?' vroeg Sonea.

De Dieven knikten bevestigend.

'En de rest van de mensen dan?' riep ze woedend.

'Toen de Huizen vertrokken, begrepen de anderen wel dat er wat te gebeuren stond,' vertelde Cery haar. 'Ze zijn niet gek. Duizenden mensen schijnen hun spullen al gepakt te hebben en zijn naar het platteland vertrokken.'

'En de sloppers?' vroeg ze.

'Die graven zich wel in,' stelde Cery haar gerust.

'Ja, buiten de stadsmuren zeker, waar de Ichani's eraankomen.' Ze schudde haar hoofd. 'Als de Ichani's hen ontdekken en zichzelf op wat extra kracht willen trakteren, hebben de sloppers geen schijn van kans.' Ze werd steeds bozer. 'Ik geloof best dat de koning zo stom is, maar van het Gilde had ik meer verwacht. Er zijn in de sloppen zeker honderden mensen met een aanleg voor magie. Zíj hadden het eerst geëvacueerd moeten worden.'

'Aanleg voor magie?' vroeg Sevli. 'Hoe bedoel je?'

'Het Gilde zoekt alleen bij kinderen van de Huizen naar magische aanleg,' legde Akkarin uit. 'Maar dat betekent niet dat er geen magische aanleg bij kinderen uit andere standen voorkomt. Daar is Sonea het bewijs van. Zij werd alleen tot het Gilde toegelaten omdat ze zo'n enorme kracht had, die ze zonder hulp had ontwikkeld. Maar er zijn waarschijnlijk honderden anderen zoals zij binnen de armere klassen.'

'En voor de Ichani's zijn het nog aantrekkelijker slachtoffers dan echte magiërs,' voegde Sonea eraan toe. 'Magiërs verbruiken al hun krachten als ze vechten, dus als ze eenmaal verslagen zijn, hebben ze vrijwel geen energie meer over.'

De Dieven wisselden blikken. 'Wij dachten dat de indringers ons wel met rust zouden laten,' mompelde Ravi. 'Nu blijkt dat we als magische appeltjes geplukt en gegeten zullen worden.'

'Tenzij...' Sonea haalde diep adem en keek naar Akkarin. 'Tenzij iemand hun krachten aftapt voor de Ichani's dat doen.'

Zijn ogen sperden zich open toen hij besefte wat ze voorstelde. 'Maar zouden ze dat wel toestaan? Ik neem niemand tegen zijn zin magische kracht af.'

'Ik denk dat de meesten zich er wel in schikken als ze begrijpen wat we ermee kunnen doen.'

Akkarin schudde het hoofd. 'Dat valt onmogelijk te organiseren. We moeten duizenden mensen testen en ze uitleggen wat we van hen willen. En dat allemaal in één dag!'

'Wil je doen wat ik denk dat je wilt doen?' vroeg Senfel.

'Wat willen ze dan doen?' Sevli begreep het niet. 'Leg eens uit, Senfel, waar hebben ze het over.'

'Als we de sloppers met aanleg voor magie kunnen vinden, kunnen Akkarin en Sonea hun kracht overnemen,' zei Senfel.

'We nemen de Ichani's niet alleen hun magische appeltjes af, maar onze eigen magiërs worden veel sterker,' zei Zill, die rechtop was gaan zitten.

Onze eigen magiërs? Sonea onderdrukte een glimlach. *Het lijkt wel of de Dieven ons geaccepteerd hebben.*

'Maar zullen de sloppers het toestaan?' vroeg Akkarin. 'Ik neem het ze niet kwalijk dat ze het niet zo hebben op magiërs.'

'Als wíj het hun vragen, doen ze het zeker,' zei Ravi. 'Wat die sloppers ook van ons vinden, ze zullen niet vergeten dat wij voor hen gevochten hebben tijdens en na de eerste Zuivering. Als wij hun hulp inroepen om de indringers te bestrijden, dan hebben we voor het avond is duizenden vrijwilligers. We zeggen gewoon dat wij onze eigen magiërs hebben. Als ze denken of weten dat jullie niet van het Gilde zijn, dan werken ze beslist mee.'

'Er is één probleem,' zei Sevli nadenkend. 'Als we het zo doen, zullen duizenden sloppers jullie zien. Al weten ze niet hoe jullie heten, ze zullen jullie gezichten onthouden. Als de Ichani's hun gedachten lezen...'

'Misschien kan ik daarbij helpen,' zei Senfel. 'Als ík die vrijwilligers nu eens test? Alleen degenen met aanleg krijgen Sonea en Akkarin te zien. Dan weten slechts zo'n honderd man dat ze hier zijn.'

Cery glimlachte. 'Zie je wel, Senfel? Is het toch nuttig dat je bij ons bent.'

De oude magiër keek Cery even vernietigend aan en richtte zich weer tot Akkarin. 'Als we die vrijwilligers vragen bij elkaar te blijven op één bepaalde plek – een geheim huis met bedden en genoeg eten en drinken – dan komen ze weer op krachten en kan je ze eventueel nog een keer bezoeken.'

Akkarin keek de magiër lang aan en knikte. 'Dank je, Senfel.'

'Wacht maar met bedanken tot het gelukt is,' zei Senfel. 'Voor hetzelfde geld gaan ze er allemaal vandoor als ze me zien.'

Sevli grinnikte. 'Dan zou ik me voor één keer maar eens vriendelijk voordoen, Senfel.' Hij negeerde de woeste blik van de man en keek iedereen om de beurt aan. 'Nu we weten wat voor types die Ichani's zijn, snap ik ook dat mijn voorstel om ze met gewone manieren te bestrijden zinloos is. We moeten de magiërs denk ik niet voor de voeten lopen.'

'Ja,' viel Faren hem bij. 'En de sloppers moeten gewoon binnenblijven.'

'Nog beter om ze in de gangen onder te brengen,' vond Ravi. 'Het wordt wel dringen geblazen, en ik hoop dat er genoeg frisse lucht is, maar' – hij keek naar Senfel – 'ik heb gehoord dat gevechten tussen magiërs niet al te lang hoeven duren.'

'Maar hoe lokken we nu zo'n Ichani weg van zijn maten?' vroeg Zill.

'Ik heb gehoord dat Limek zo'n goede kleermaker heeft,' zei Cery terwijl hij de bebaarde Dief betekenisvol aankeek.

'Willen jullie soms gewaden bestellen?' zei de man met een zware stem.

'Ha, ze geloven nooit dat er zulke kleine tovenaartjes bestaan!' zei Faren spottend.

'Hé!' protesteerde Cery. Hij wees naar Sonea. 'Kleine magiërs bestaan heus wel.'

Faren knikte. 'Sommigen zullen er heel overtuigend uitzien in de gewaden van een novice.'

Sonea voelde iets langs haar arm strijken, en zag dat Akkarin haar zacht aanraakte.

Deze mensen zijn heel wat moediger dan ik had gedacht, zond hij naar haar geest. *Ze lijken in te zien hoe gevaarlijk en krachtig de Ichani's zijn, en toch kruipen ze niet in hun schulp.*

Sonea glimlachte en stuurde hem een kort beeld van sloppers die stenen gooiden naar magiërs tijdens de Zuivering, en toen van het riolenstelsel dat Cery in staat stelde hen de stad in te brengen.

Waarom ook niet? Ze vechten al sinds jaar en dag tegen magiërs...

32

Een geschenk

Iets kietelde in Rothens neus. Hij snoof en deed zijn ogen open. Hij lag met zijn gezicht in het stro. Toen hij zich op zijn rug draaide, voelde hij een stekende pijn in zijn schouder. De gebeurtenissen van de vorige avond schoten door zijn hoofd: de wagens die de straat in reden; de jonge Krijger, in het nauw gedreven door de Ichani's; heer Yikmo bij het raam van het huis; het opblazen van de wagens; Kariko, de bloedsteen, zijn vlucht...

Hij keek rond. Hij zat in een schuur. Aan de zonnestralen te zien die recht door de kieren tussen de houten planken naar binnen vielen, liep het tegen het middaguur.

Toen hij zichzelf opduwde, kromp hij ineen van pijn. Hij stopte zijn hand onder zijn gewaad en raakte zijn pijnlijke schouder aan. Die zat een beetje hoger dan hij moest zitten. Hij sloot zijn ogen en zond zijn geest zijn lichaam in en bekeek moedeloos de schouder. Terwijl hij sliep was zijn lichaam al aan de gang gegaan met de geneeskracht die teruggekeerd was. De gebroken botten in zijn arm en schouder waren gezet en aaneengegroeid, maar helaas niet helemaal goed.

Hij zuchtte. Onbewuste zelfgenezing was een voordeel van het magiërschap, maar erg betrouwbaar was het niet. De botten hadden zichzelf niet recht, maar scheef en verwrongen gezet. Een ervaren Genezer zou ze nogmaals moeten breken en zetten, maar hij moest het ongemakkelijke gevoel nu maar even voor lief nemen.

Toen hij opstond duizelde het hem even. En hij had honger. Hij liep naar de schuurdeur en gluurde naar buiten. Er stonden huizen rond de schuur, maar het was doodstil. Het huis dat het dichtst bij stond kwam hem bekend voor. Een koude rilling liep hem over de rug toen het tot hem doordrong dat dit het huis was waar Kariko hem onder handen genomen had.

Hij moest er niet aan denken de veilige schuur te verlaten. De Sachakanen waren misschien nog wel in het stadje zijn, op zoek naar karren en wagens om hun tocht voort te zetten. Hij kon beter wachten tot het donker werd en er dan stilletjes vandoor gaan.

Toen zag hij een magiër liggen bij de achterdeur van het huis. Gisteravond had er niemand gelegen. Het kon maar één iemand zijn: heer Yikmo. Rothen stapte het zonlicht in en haastte zich naar de gestalte in het rode gewaad. Hij greep Yikmo bij zijn schouders en rolde hem om. De ogen van de magiër staarden nietsziend naar de hemel. Opgedroogde vegen bloed bedekten zijn huid. Zijn gewaad was gescheurd en bedekt met stof. Rothen dacht aan de implosie van de muur. Hij had aangenomen dat Yikmo allang gevlucht was. Nu bleek dat hij ernstig gewond was geraakt door de ontploffing.

Rothen schudde het hoofd. Yikmo genoot veel respect binnen het Gilde. Hoewel hij qua magie niet een van de sterksten was, werd hij, vanwege zijn scherpzinnigheid en grote kwaliteiten als leraar van novicen met leermoeilijkheden, door zowel Balkan als Akkarin hoog aangeslagen.

En daarom had Akkarin hem ook als leraar Krijgsvaardigheden voor Sonea aangewezen, dacht Rothen. *Ze mocht Yikmo graag, vermoed ik. Ze zal vast van streek zijn als ze hoort dat hij dood is.*

Maar dat zou het hele Gilde zijn. Hij overwoog of hij het nieuws zou meedelen, maar iets deed hem aarzelen. Het Gilde wist natuurlijk allang dat iedereen dood was, vanwege de doodse stilte na de strijd. De Sachakanen waren er misschien nog niet zo zeker van. *Ik kan beter niets vertellen dat ze nog niet weten.*

Hij ging weer overeind staan en liep voorzichtig de voorkamer van het huis in. Een gapend gat gaf zicht op de weg. De versplinterde restanten van twee wagens lagen als twee hopen brandhout midden op straat.

Ze zijn vertrokken.

Er lagen drie lijken tussen de stukken hout. Rothen keek even naar de huizen aan beide kanten en ging ernaar toe.

'Magiër!'

Rothen draaide zich snel om en zuchtte opgelucht toen er een jongen van tien, elf zijn kant uit kwam rennen. Hij herinnerde zich hem van de evacuatie van het dorp. Yikmo had al zijn overtuigingskracht moeten gebruiken om hem weg te sturen. De jongen was vastbesloten te blijven om het gevecht te zien.

'Wat doe jij hier?' vroeg Rothen.

De jongen maakte een buiging die er zo onhandig uitzag dat het haast lachwekkend was. 'Kijken wat er gebeurd is, heer,' antwoordde hij. Zijn ogen gleden over de kapotte wagens. 'Van de vijand?'

Rothen trok de lijken eronder vandaan en bekeek ze. Het waren allen Sachakanen. Zijn blik viel op de vele littekens op de armen. 'Slaven,' zei hij. Hij bekeek ze nader. 'Ze zijn zo te zien gewond geraakt toen we de wagens troffen. Het zijn flinke wonden, maar ik had ze kunnen genezen. Levensgevaarlijk waren ze niet.'

'Denkt u dat de Sachakanen hun eigen mensen hebben doodgemaakt?'

361

'Misschien.' Rothen richtte zich op en keek van de ene dode naar de andere. 'Ja. Die sneden op hun polsen zijn niet ontstaan door versplinterd hout.'

'Misschien wilden ze niet dat die slaven hen zouden ophouden,' bedacht de jongen.

'Heb je al in het dorp rondgekeken?' vroeg Rothen.

De jongen knikte.

'Nog andere Gildemagiërs gezien?'

De jongen knikte nogmaals en sloeg zijn ogen neer. 'Allemaal dood.'

Rothen zuchtte. 'Zijn er nog paarden hier?'

De jongen grijnsde. 'Hier niet, maar ik kan er wel aankomen. Pa traint racepaarden voor Huis Arran. De stallen zijn niet ver van hier. Ik kan erheen rennen en terug zijn in een halfuur, denk ik.'

'Ga dan maar gauw een paard voor me halen.' Rothen keek naar de huizen. 'En vraag wat mannen mee om voor de doden te zorgen.'

'Waar zullen we ze neerleggen? De begraafplaats?'

Een begraafplaats. Rothen dacht aan de mysterieuze begraafplaats in het bos achter het Gilde, en toen aan Akkarins bewering dat zwarte magie een normaal vak was geweest voordat het verboden werd. Opeens begreep hij hoe het kwam dat daar zoveel magiërs begraven waren.

'Voorlopig wel,' zei Rothen. 'Ik zal ze ondertussen wel identificeren. Als je terug bent ga ik naar de stad.'

Zoals zoveel mensen voor haar, aarzelde de vrouw toen ze Sonea in de kamer zag staan.

'Ik weet het, die sluier is een beetje overdreven,' zei Sonea met haar sloppenaccent. 'Ze zeggen dat ik dit moet dragen zodat niemand weet wie de Dievenmagiërs zijn.' De sluier was Takans idee geweest. Zelfs de honderden mensen met aanleg voor magie aan wie ze hun krachten onttrok zouden haar nooit herkennen. Akkarin, die mensen in de andere kamer ontving, droeg een masker.

'Sonea?' fluisterde de vrouw.

Sonea schrok op. Ze richtte haar blik nu pas op degene die voor haar zat en trok meteen de sluier af toen ze de vrouw herkende.

'Jonna!'

Sonea holde om de tafel heen om haar tante te omhelzen.

'Je bent het echt,' zei Jonna verbaasd. 'Maar ik dacht dat het Gilde je het land uit had gestuurd.'

'Hebben ze ook.' Sonea grijnsde. 'Maar ik ben teruggekomen. We kunnen die Sachakanen toch niet hun gang laten gaan in onze mooie stad?'

De vrouw wist niet hoe ze moest kijken. Ongerustheid en angst wisselden elkaar af. Ze lachte flauwtjes. 'Jij weet je altijd weer lekker in de nesten te werken.' Ze keek de kamer rond. 'Ik heb uren moeten wachten. Ik dacht dat ik moest koken of zo, maar ze zeiden dat ik iets van magie in me had, en dat ik hun magiërs kon helpen.'

'Echt?' Sonea zette haar tante in de stoel neer en ging weer aan de andere kant van de tafel zitten. 'Dan heb ik mijn gave zeker van moederskant. Geef me je hand maar.'

Jonna stak een hand uit. Sonea nam hem aan en stuurde haar zintuigen naar binnen. Ze vond een kleine krachtbron. 'Niet veel. Daarom hebben ze je zo lang laten wachten. Hoe is het met Ranel en mijn lieve neefje en nichtje?'

'Kerrel groeit zo hard. Hania is een huilbaby, maar ik houd me maar voor dat ze er wel overheen groeit. Als Ranel wist dat je hier was, zou hij vast gekomen zijn, maar hij dacht dat ze hem toch niet konden gebruiken vanwege zijn manke been.'

'Ik zou hem graag weer eens zien. Misschien als dit allemaal achter de rug is... Ik ga nu een klein sneetje op je hand maken, als je het goedvindt.'

Jonna haalde haar schouders op. Sonea deed een kistje open en pakte het kleine mesje dat Cery haar gegeven had. Hij dacht dat een klein lemmet de mensen niet zou afschrikken, en dit was inderdaad zo klein dat sommigen erom hadden moeten lachen.

Sonea prikte in Jonna's hand met het mes en legde een vinger over de snede. Zoals alle voorgaande sloppers ontspande Jonna zich terwijl Sonea energie aan haar onttrok. Toen Sonea stopte en het wondje weer dichtmaakte, rekte de vrouw zich uit.

'Dat voelde... heel raar,' zei Jonna. 'Ik kon me niet bewegen, maar ik voelde me zo doezelig dat ik daar ook niet naar taalde.'

Sonea knikte. 'Zoiets zeggen de meeste mensen. Ik zou het ook vast niet kunnen doen als het onplezierig was. Nou, vertel eens hoe het allemaal reilt en zeilt bij jullie.'

De problemen waarover Jonna het had leken allemaal verrukkelijk eenvoudig en gewoontjes. Sonea luisterde en vertelde wat er allemaal gebeurd was sinds de laatste keer dat ze haar had opgezocht, haar zorgen en angsten incluis. Toen ze eindigde nam Jonna haar nog eens goed op.

'Ongelooflijk dat dat schuwe kleine ding dat ik moest opvoeden tot zo'n belangrijk mens is opgegroeid,' zei ze. 'En nou ben je dus met die Akkarin, de Opperheer van het Gilde en zo.'

'Dat is hij nu niet meer,' wierp Sonea tegen.

Jonna wuifde die opmerking weg. 'Maar toch. Weet je zeker dat je hem wilt? Gaan jullie trouwen?'

Sonea moest vreselijk blozen. 'Ik... dat weet ik nog niet. Ik...'

'Maar zou je ja zeggen?'

Trouwen? Sonea aarzelde en knikte toen langzaam.

'Maar jullie hebben het er dus nog niet over gehad?' Jonna fronste haar wenkbrauwen en boog zich over de tafel. 'Doe je wel voorzichtig, kind?'

'Er zijn...' Sonea slikte even. 'Er zijn manieren, met magie en zo, om ervoor te zorgen dat een vrouw niet... Weer zo'n voordeel van magiër zijn. Akkarin zou dat vast niet willen.' Weer voelde ze haar gezicht gloeien. 'Nu nog niet, in elk geval. Niet zo handig, met al dat vechten.'

Jonna knikte en klopte op Sonea's hand. 'Natuurlijk. Misschien later dan. Als het allemaal voorbij is.'

Sonea glimlachte. 'Ja. En als ik er klaar voor ben.'

De vrouw zuchtte. 'Wat is het toch fijn je te zien, Sonea. Het is zo'n opluchting te weten dat je terug bent.' Ze werd wat ernstiger. 'Maar aan de andere kant wou ik dat je ver weg zat, en buiten gevaar. Ik wou dat je het niet hoefde op te nemen tegen die vreselijke Sachakanen. Pas je... pas je goed op jezelf?'

'Natuurlijk.'

'Geen gekke dingen doen?'

'Doe ik niet. Ik heb helemaal geen zin om dood te gaan, Jonna. Dat weerhoudt een mens van een heleboel gekke dingen.'

Er werd op de deur geklopt.

'Ja?' riep Sonea.

De deur ging open en Cery kwam binnen met een grote zak. Hij lachte hen toe. 'Even bijgepraat?' zei hij.

'Heb jij dit geregeld?'

'Zou kunnen,' zei Cery sluw.

'Bedankt.'

Hij haalde zijn schouders op.

Jonna stond op. 'Het is al laat. Ik moet naar mijn gezin. Ik ben al veel te lang van huis.'

Sonea stond op en omhelsde haar tante nogmaals. 'Doe voorzichtig,' zei ze. 'Geef Ranel een zoen van me. En zeg ook dat hij zijn mond houdt over mijn aanwezigheid hier. Groot geheim.'

Jonna knikte, draaide zich om en vertrok.

'Dat was de laatste,' zei Cery. 'Ik zal je terugbrengen naar je kamer.'

'Is Akkarin al klaar?'

'Ja, hij wacht daar op je. Kom mee.'

Hij leidde haar een gang door, met aan het einde een soort kast. Ze stapten in de kast en Cery maakte een touw los dat door een gat in de bovenkant stak. Terwijl hij het door zijn handen liet glijden, begon de kast langzaam af te dalen.

'Jullie zijn een leuk stel,' zei Cery.

Sonea keek hem verbaasd aan. 'Ik en Jonna?'

Hij grijnsde en schudde zijn hoofd. 'Jij en Akkarin.'

'Vind je?'

'Ik denk het wel. Ik ben minder blij dat hij al dit gelazer over je heeft uitgestort, maar hij is tenminste net zo bezorgd over je als ik.'

De kast stopte bij een deur. Cery duwde hem open en ze kwamen in een vertrouwd gangetje. Een paar passen verder ging de metalen deur naar de ontvangstkamers open. Akkarin zat al aan tafel, die vol stond met schalen dampend eten. Hij had een glas wijn in zijn hand. Takan zat naast hem.

Akkarin glimlachte toen Sonea binnenkwam. Ze zag dat Takan haar nauwlettend opnam en ze vroeg zich af waar ze het over gehad hadden voor ze er was.

'Hallo Ceryni,' zei Akkarin. 'Wederom heb je uitstekend voor ons laten zorgen.' Hij hief zijn glas. 'Anuren Donkerrood, zowaar.'

Cery haalde zijn schouders op. 'Kosten noch moeite worden gespaard voor de verdedigers van de stad.'

Sonea ging zitten en begon te eten. Hoewel ze honger had, lag het eten haar als een steen op de maag en ze had al helemaal geen trek meer toen ze hun plannen voor morgen begonnen te bespreken. Ze waren nog niet lang bezig toen Akkarin haar wat beter aankeek.

'Je kracht is weer voelbaar,' zei hij zacht. 'Ik moet je leren hem te verbergen.'

Akkarin stak zijn hand uit. Toen ze de hare erop legde, voelde ze zijn aanwezigheid aan de randen van haar bewustzijn. Ze sloot haar ogen.

Dit is wat ik waarneem, zei Akkarin.

Meteen voelde Sonea haar kracht als een gloedvolle mist uitstralen naar buiten. *O jee.*

De barrière die je magische krachtveld omgeeft lekt. Je moet die barrière dus verstevigen. Dat doe je zo.

De gloed vervaagde en verdween. Ze concentreerde zich op haar lichaam en voelde de krachtvoorraad in haar binnenste. Er was geen tijd geweest om na te gaan hoeveel kracht ze onttrokken had aan de sloppers. Ze had geprobeerd bij te houden hoeveel mensen haar bezocht hadden, maar na dertig was ze de tel kwijtgeraakt.

Met verwondering merkte ze nu hoeveel kracht ze in zich had, omsloten door de huidbarrière. Maar die barrière was niet sterk genoeg voor alles dat boven op haar natuurlijke kracht was gekomen. Ze moest een deel van die extra magie gebruiken om de barrière te verstevigen. Aandachtig begon ze er een regelmatige krachtlijn aan toe te voegen.

Goed zo.

In plaats van zich terug te trekken, bleef Akkarins geest nog even rondhangen.

Kijk me eens aan.

Ze deed haar ogen open. Er liep een rilling over haar rug toen ze zich realiseerde dat ze hem tegelijkertijd kon zien en voelen, zonder haar aan te raken. Hij keek net zo peinzend als altijd wanneer ze merkte dat hij haar zat te bekijken... en nu wist ze eindelijk wat hij dacht op die momenten. Ze voelde een blos naar haar wangen stijgen en zijn ene mondhoek krulde iets omhoog. Vervolgens was zijn geest weer weg en hij liet haar hand los. Toen hij de andere kant opkeek, voelde ze zich licht teleurgesteld.

'We moeten bloedstenen voor elkaar maken. Soms zullen we privé moeten communiceren in de komende dagen.'

Bloedstenen. De teleurstelling verdween en haar interesse was gewekt. Was ze daar haar laatste les niet mee bezig geweest?

'We hebben wat glas nodig.' Hij keek Takan aan.

De bediende stond op en ging het keukentje binnen, maar kwam hoofdschuddend terug.

Akkarin pakte een wijnglas en wierp een blik op Cery. 'Mag ik dit glas breken?'

'Ja hoor. Je breekt maar een eind weg.'

Het glas ging aan diggelen toen Akkarin het tegen de tafelrand sloeg. Hij pakte een scherf en gaf hem aan Sonea. Daarna pakte hij er ook een voor zichzelf. Cery keek toe, barstend van nieuwsgierigheid.

Samen lieten Akkarin en Sonea hun scherven smelten tot ze kleine bolletjes waren geworden. Akkarin nam nog een scherf en sneed zijn handpalm open. Sonea deed hem na. Weer nam hij haar hand in de zijne en ze voelde hoe zijn geest de hare aanraakte. Ze volgde zijn aanwijzingen op om de magie en het bloed aan het hete glas toe te voegen.

Toen de rode stenen afgekoeld waren, legde Takan een smal gouden plaatje op tafel. Het zweefde voor Akkarins gezicht, vormde een hoepeltje en spleet in tweeën tot twee ringen. Zowel Akkarin als Sonea plaatste hun bloedsteen tegen de ring. Ze zag dat de gouden klauwtjes van de zetting zich openden om de steen te ontvangen. De band spleet iets open zodat de steen ook de huid van de drager raakte. De klauwtjes sloten zich weer. Akkarin plukte de ringen uit de lucht en wendde zich met een plechtig gezicht tot Sonea.

'Met deze ringen zullen we in elkaars geest kunnen kijken. Dat heeft een paar... nadelen. Soms is het niet zo leuk om precies te horen hoe de ander over jou denkt. Vriendschappen kunnen erdoor beëindigd worden, liefde kan in haat omslaan, en het kan je zelfvertrouwen een flinke knauw geven.' Hij zweeg even. 'Maar het leert je ook meer begrip voor elkaar te hebben. We moeten ze niet vaker dragen dan nodig is.'

Sonea nam de ring aan en dacht na over zijn woorden. Liefde in haat omslaan? Maar hij had nooit gezégd dat hij verliefd op haar was. Ze hoorde Jonna's woorden weer: *'Maar jullie hebben het er dus nog niet over gehad?'*

Dat is nog niet nodig geweest, zei ze in zichzelf. *Zo af en toe een glimp van zijn gedachten zien is al genoeg.*

O ja?

Ze keek naar de ring en zag maar twee mogelijkheden: of hij hield van haar en was bang dat de ringen het zouden verpesten, of hij hield niet van haar en was bang dat de ring de waarheid zou tonen.

Maar toen zijn geest daarnet in haar hoofd was blijven rondhangen, had ze beslist meer gevoeld dan alleen verlangen.

Ze legde de ring op tafel. Morgen zouden ze hem pas nodig hebben. Morgen zouden ze merken wat de prijs ervan was. Op dit moment wist ze alleen wat ze heel even in zijn gedachten had gelezen.

Cery stond met een ruk op. 'Ik zou graag blijven, maar ik heb nog het een en ander te doen.' Hij wees naar de zak die hij op een stoel had gezet. 'Nog wat kleren. Die lijken me beter dan wat jullie nu aanhebben.'

Akkarin knikte. 'Bedankt.'

'Welterusten.'

Nadat Cery vertrokken was, stond ook Takan op. 'Het is al laat,' zei hij. 'Als u me niet meer nodig heeft...'

Akkarin schudde het hoofd. 'Nee. Ga maar slapen, Takan.' Hij keek naar Sonea. 'Wij moesten ook maar eens onder de wol kruipen.'

Hij stond op en liep de slaapkamer in. Sonea wilde meelopen, maar pakte eerst de zak met kleren.

Akkarin keek ernaar toen ze hem op bed gooide. 'Wat voor vermomming heeft Cery ons nu weer bezorgd?'

Sonea opende de zak en gooide hem leeg. Een waterval van zwarte stof spreidde zich uit over het bed. Het waren gewaden. Magiërsgewaden.

Akkarin keek ernaar, zijn mond nors vertrokken.

'Die kunnen we niet dragen,' zei hij zacht. 'We zijn geen Gildemagiërs. Dat is een misdrijf.'

'Dan krijgt het Gilde het nog druk. Te druk om tegen de Ichani's te vechten, want er zullen morgen honderden niet-magiërs in deze gewaden rondlopen, die proberen de Sachakanen uit elkaar te drijven.'

'Ja, maar dit is wat anders. Wij zijn ballingen. En deze zijn zwart. Iedereen zal denken dat wij echte magiërs zijn.'

Sonea keek naar de zak. Hij was nog niet leeg. Ze haalde er ook nog twee broeken en twee hemden uit. Allebei ruimvallend.

'Vreemd. Waarom zou hij ons twee stel kleren hebben bezorgd?'

'Om te kiezen.'

'Of is het de bedoeling dat we de gewaden onder de gewone kleren dragen?'

Akkarin kneep zijn ogen tot spleetjes. 'Zodat we de bovenkleren op een zeker moment af kunnen gooien?'

'Zoiets. Je moet toegeven, het zou wel intimiderend overkomen. Twee zwarte magiërs...'

Ze haalde diep adem en keek op het bed, en realiseerde zich toen pas dat het twee gewaden van gelijke lengte waren – de gewaden van afgestudeerde magiërs.

'Maar ik kan deze toch niet dragen!' riep ze.

Akkarin grinnikte. 'Nu ben je het opeens met me eens, terwijl ik net half

367

overstag ben. Ik geloof dat je vriend net zo subtiel en slim is als ik al die tijd al verwacht had.' Hij streek met een hand over de stof. 'We hoeven ze niet te laten zien tot we ontmaskerd worden. Maar als het dan zover is, en we tonen ons gewaad, dan zullen de Sachakanen denken dat het Gilde ons geaccepteerd heeft. Dan zal Kariko zijn best moeten doen om dat te verklaren aan de anderen.'

'En het Gilde?'

Hij fronste zijn voorhoofd. 'Als ze echt willen dat we terugkomen, moeten ze ons nemen zoals we zijn,' mompelde hij. 'We kunnen tenslotte niet ontleren wat we geleerd hebben.'

Ze keek naar het bed. 'Het zijn dus zwarte gewaden voor zwarte magiërs.'

'Ja.'

Ze moest er niet aan denken in deze kleding rond te paraderen voor Rothen... *Maar Rothen is dood.*

Ze zuchtte. 'Ik zou zwarte magie voortaan liever hoge magie noemen, maar als het Gilde ons zou accepteren, zouden ze ons nooit hoge magiërs noemen. Die term gebruiken ze al voor anderen.'

Akkarin schudde het hoofd. 'Nee, en zwarte magiërs moeten ook niet denken dat ze hoger op de ranglijst staan dan anderen.'

Sonea keek hem ernstig aan. 'Ja. Als ze ons al accepteren. Maar doen ze dat wel?'

'Al overleeft het Gilde deze aanval, dan zal het nooit meer hetzelfde worden.' Hij pakte de gewaden op en hing ze over de rugleuning van een stoel. 'Maar voorlopig hoeven we alleen maar te slapen. Het kan wel even duren eer we daar weer de kans voor krijgen.' Toen hij zich uit begon te kleden, bleef Sonea even op de rand van het bed zitten om zijn woorden te overdenken. Het Gilde wás al veranderd. Al die doden... Ze kreeg een brok in de keel bij de gedachte aan Rothen.

'Ik heb nooit iemand gezien die rechtop lekker kon slapen,' zei Akkarin.

Sonea zag hoe hij onder de dekens gleed. Ze voelde een vreemde mengeling van opwinding en verlegenheid. Die ochtend was ze voor het eerst in bed naast hem wakker geworden en ook dat had wat veranderd. Het was beslist een stuk aangenamer dan slapen op de rotsen, mijmerde ze, maar hier zo samen liggen voelde veel intenser aan.

Ze legde de zak en de andere kleren op de stoel, kleedde zich uit en stapte in bed. Akkarin had zijn ogen al gesloten, en hij ademde zo regelmatig alsof hij al in diepe rust was. Ze glimlachte en boog zich over hem heen om de lamp te doven.

Ondanks de duisternis en de lange dag kon ze niet slapen. Ze vormde een piepklein bollichtje en draaide zich op haar zij, om zo alle details en contouren van zijn gezicht te bekijken.

Toen gingen zijn ogen knipperend open en hij keek haar aan. Er zat een klein rimpeltje tussen zijn wenkbrauwen.

368

'Het is de bedoeling dat je slaapt,' murmelde hij.

'Ik kan toch niet slapen,' zei ze zacht.

Zijn lippen krulden omhoog tot een glimlach. 'Waar heb ik dat eerder gehoord?'

Toen Cery zijn kamer binnenkwam, ademde hij diep in. Er hing een warme, kruidige geur in de lucht. Hij glimlachte en volgde de geur naar de badkamer, waar hij Savara vond, die zich lag te ontspannen in bad.

'Alweer in bad?' vroeg hij.

Ze glimlachte ondeugend. 'Zin om erbij te komen?'

'Ik denk dat ik voorlopig op veilige afstand blijf.'

Ze grijnsde. 'Nou, vertel me dan maar eens wat ik gemist heb.'

'Dan pak ik even een stoel.'

Hij liep naar de kamer en haalde nogmaals diep adem. Voor de zoveelste keer had hij de behoefte om haar alles te vertellen. Hij had een afspraak met haar: hij zou haar op de hoogte houden in ruil voor tips over het doden van Ichani's. Hij was er bijna helemaal zeker van dat ze te vertrouwen was, maar iets in hem fluisterde toch een waarschuwing.

Wat wist hij nu helemaal van haar? Ze was een Sachakaanse. Ze had haar landgenoten opgespoord, in de wetenschap dat ze dan gedood zouden worden. Maar dat betekende nog niet dat ze het beste met Kyralia voorhad. Ze had gezegd dat ze voor een andere 'factie' van de Sachakaanse maatschappij werkte. En het was duidelijk dat haar loyaliteit bij haar volk lag.

Hij had een afspraak met haar, en tot nu toe had ze zich daaraan gehouden... Maar hij kon en mocht haar niet vertellen dat Akkarin en Sonea waren teruggekeerd. Als het nieuws over hun komst en plannen uitlekte, zouden de Ichani's winnen. Als hij Savara in vertrouwen nam en ze zou hem verraden, dan zou de val van Kyralia zijn schuld zijn.

En Sonea kon erdoor gedood worden. Vaag voelde hij wel schuldgevoel dat hij informatie voor de nieuwe vrouw in zijn leven achterhield om de vorige vrouw te beschermen. *Maar als ik het leven van mijn vroegere liefde in gevaar breng door de nieuwe onterecht te vertrouwen, zou ik me pas echt belazerd voelen.*

Maar Savara zou er vroeg of laat achter komen. Cery hart bonsde in zijn keel toen hij zich voorstelde hoe ze daarop zou kunnen reageren.

Ze heeft er vast wel begrip voor, zei hij tegen zichzelf. *Wat voor soort Dief zou ik zijn als ik zonder een centje pijn al mijn geheimen prijsgaf? En trouwens, zo lang blijft ze hier niet meer. Als het nu over is, verlaat ze me voor altijd.*

Hij pakte een stoel en droeg hem de badkamer binnen. Ze legde haar armen op de rand van de badkuip en liet haar kin erop rusten.

'Zo, en wat hebben de Dieven besloten?'

'Ze vonden ons idee prima,' zei hij. 'Limek heeft zijn kleermaker meteen aan het werk gezet.'

Ze lachte. 'Ik hoop wel dat die lui snel kunnen rennen.'

369

'Ze kunnen elk moment het Dievenpad opgaan om weg te komen. We hebben ook mensen aan het werk gezet wat de vallen betreft.'

Ze knikte. 'Het Gilde heeft vandaag een mentale oproep voor Akkarin doen uitgaan.'

Hij veinsde verbazing. 'Wat zei hij?'

'Hij gaf geen antwoord.'

Cery fronste zijn voorhoofd. 'Je denkt toch niet dat hij...?'

'Dood?' Ze haalde haar schouders op. 'Wie weet. Misschien wel. Of misschien vindt hij het te link om te antwoorden. Hij zou natuurlijk door de verkeerden gehoord kunnen worden.'

Hij knikte en vond het niet al te moeilijk om bezorgd te kijken.

Ze wenkte hem. 'Kom eens hier, Cery,' mompelde ze. 'Je hebt me weer de hele dag alleen gelaten. Dat is een gezonde meid snel beu, hoor.'

Hij ging staan en sloeg zijn armen over elkaar. 'De hele dag? Je bent toch naar de Markt geweest?'

Ze giechelde. 'Ik dacht wel dat je dat te horen zou krijgen. Ik had een goudsmid gevraagd iets voor me te maken. Ik kon het vandaag ophalen. Kijk eens.'

Er stond een klein doosje op de rand van het bad. Ze gaf het hem.

'Een cadeautje voor je,' zei ze. 'Gemaakt met een paar edelstenen uit mijn mes.'

Hij tilde het dekseltje op en de adem stokte hem in de keel toen hij de vreemde zilveren hanger zag. Ingewikkelde dooraderde vleugels rezen op uit het langwerpige lichaam. Twee schitterende gele flinters vormde de ogen van het insect, en groene steentjes waren over zijn lange, gekromde staart gesprenkeld. Zijn buik bestond uit een grote, glanzende robijn.

'In mijn land zeggen ze dat het geluk brengt als een inava op je landt net voor het gevecht begint,' zei ze. 'Hij is ook de boodschapper tussen geliefden die gescheiden zijn. Het viel me op dat Kyraliaanse mannen geen sieraden dragen, maar je kunt hem natuurlijk onder je kleren verstoppen.' Ze glimlachte. 'Tegen je huid.'

Het schuldgevoel stak de kop weer op. Hij haalde de hanger uit het doosje en stak zijn hoofd door de ketting.

'Het is schitterend,' zei hij. 'Heel erg bedankt.'

Ze keek even weg, alsof ze plotseling verlegen werd door het geven van zo'n emotioneel geschenk. Toen glimlachte ze sluw.

'Wat dacht je ervan erbij te komen en me te bedanken zoals een man betaamt?'

Cery lachte. 'Goed dan. Hoe kan ik daar nu nog nee tegen zeggen?'

370

33

De komsτ deR Ichani's

De ochtendzon klom traag boven de horizon uit alsof hij met tegenzin de komst van de nieuwe dag aankondigde. De eerste stralen gleden over de torens van het paleis en kleurden ze levendig oranjegeel. Langzaam verspreidde het gouden schijnsel zich over de daken, te beginnen aan de rand van de stad en stukje bij beetje optrekkend naar de Buitenmuur, tot het de gezichten van de magiërs kleurde die er bovenop stonden.

Ze hadden het Gilde verlaten zodra de verkenners gemeld hadden dat de Sachakanen Imardin naderden. Op de bovenkant van de Buitenmuur hadden ze zich in een lange rij opgesteld. Het was een machtig gezicht, die vele honderden magiërs bijeen – in tegenstelling tot de twee volgepropte, overbelaste karren die langzaam voortrolden in de richting van de stad. Lorlen moest zichzelf eraan herinneren dat de inzittenden van die karren al veertig van de beste Krijgers van het Gilde hadden gedood, en tientallen malen sterker waren dan de magiërs op de top van de muur.

De Ichani's hadden wat aftandse vervangers gevonden voor de wagens die Yikmo en Rothen vernietigd hadden, maar het had hun een halve dag gekost. Het Gilde had echter maar weinig voordeel gehad van het offer dat de Krijgers hadden gebracht. Alle pogingen van Sarrin om zwarte magie onder de knie te krijgen waren mislukt. De oude magiër zei ronduit dat hij soms geen jota snapte van de beschrijvingen en de opdrachten in de boeken over zwarte magie. Elke dag raakte hij meer gefrustreerd. Lorlen wist dat het idee dat Yikmo en zijn manschappen voor niets waren gestorven even zwaar op het geweten van Sarrin drukte als het feit dat hij niet de redder van Kyralia zou worden.

Lorlen keek naar de Alchemist, die een paar passen verderop stond. Sarrin zag er afgetobd uit, maar keek desondanks vastberaden naar de oprukkende vijand. Vervolgens keek Lorlen naar Balkan, die met zijn armen over elkaar een zelfverzekerde en ontspannen indruk wist te wekken. Vrouwe Vinara leek al net zo kalm en al evenmin van haar stuk te brengen.

Lorlen wierp nog een blik op de naderende karren. Verkenners hadden de lokatie van de vijand gisteravond al ontdekt. De Sachakanen hadden overnacht in een verlaten boerderij aan de kant van de weg, een uur gaans van de stad. De koning was in zijn nopjes geweest dat de aanval met een halve dag uitgesteld zou worden. Hij bleef maar hopen dat het Sarrin wel zou lukken. Een van de raadslieden van de koning had hem verteld dat de Ichani's niet zouden rusten, tenzij ze het nodig hadden. Lorlen herkende Raaf in de man, de professionele spion die Rothen bij zijn afgeblazen missie begeleid had.

'Als ze willen slapen, moeten we dat uit alle macht zien te voorkomen,' had Raaf gezegd. 'Daar heb je geen magiërs voor nodig. Gewone mensen zijn misschien van geen enkel nut bij een magisch gevecht, maar in hinderlijk, lastig en lawaaiig gedrag zijn ze ongeëvenaard.'

En dus was een handjevol wachters en gardisten die nacht naar de boerderij geslopen. Ze hadden zwermen steekvliegen in het huis losgelaten, de Sachakanen met groot rumoer van potten en pannen gewekt, en tenslotte het gebouw in brand gestoken. Dat laatste werd met meer genoegen gedaan dan eigenlijk zou moeten, omdat de Ichani's een van hun maten te pakken hadden gekregen. Wat zij de arme man hadden aangedaan voorspelde niet veel goeds voor de vele honderden burgers die Imardin nog niet verlaten hadden.

Lorlen keek over zijn schouder naar de stad. De straten waren leeg en stil. De meeste leden van de Huizen waren scheep gegaan naar Elyne, met hun hele familie en staf erbij. Een lange rij karren en kruiwagens was de afgelopen twee dagen door de Zuidpoort getrokken, want de rest van de bevolking vluchtte naar het platteland en de omliggende dorpen. De gardisten konden de orde maar nauwelijks handhaven, want wegens een tekort aan manschappen konden er hier en daar toch verlaten winkels geplunderd worden. Zodra de zon de vorige avond was ondergegaan werden de poorten gesloten en de versterkingen aangebracht.

Het was niet onmogelijk dat de Ichani's de poorten zouden negeren. Misschien trokken ze wel direct naar de openingen in de afbrokkelende Buitenmuur die eens de Gildeterreinen had omgeven.

Maar daar kon het Gilde niets aan doen. Ze wisten al bij voorbaat dat ze dit gevecht zouden verliezen. Ze hoopten alleen een of twee Ichani's te doden.

Desondanks wilde Lorlen er maar liever niet aan denken welke beschadigingen de Sachakanen aan de voorname, oude gebouwen van de stad konden toebrengen. Heer Julien had de oudste en meest waardevolle boeken en archiefstukken laten inpakken en wegsturen, en had de rest in een verzegelde ruimte onder de universiteit ondergebracht. De patiënten in het Genezerspaviljoen en de bedienden en hun gezinnen waren naar een plek buiten de stad gestuurd.

Soortgelijke voorzorgsmaatregelen waren ook in het paleis getroffen. Lorlen keek even naar de torens, net zichtbaar boven de Binnenmuur. De tweede ringmuur was gebouwd om dit centrale gebouw te beschermen. In de loop der eeuwen was het paleis telkens aangepast aan de grillen en voorkeuren van de opeenvolgende vorsten, maar de Binnenmuur bleef intact. Het puikje van de garde wachtte binnen die muur, klaar om zich tot het laatste te verzetten als het Gilde verslagen was.

'Ze zijn bij de sloppen,' mompelde Osen.

Lorlen keek weer naar het noorden, waar de sloppen buiten de muur lagen. Het doolhof van straatjes en steegjes was verlaten. Hij vroeg zich af waar al die duizenden sloppers naar toe waren. Heel ver weg, hoopte hij.

De karren hadden de eerste gebouwen bereikt en de inzittenden waren net kleine poppetjes. Ze stopten en uit de voertuigen kwamen zes mannen en een vrouw te voorschijn, die naar de Noordpoort begonnen te lopen. De slaven trokken de karren de sloppenwijk in.

Eén Ichani is bij hen gebleven, merkte Lorlen op. *Eén tegenstander minder. Niet dat het wat uitmaakt.*

'De koning is gearriveerd,' zei Osen zacht.

Lorlen draaide zich om en zag de vorst naderen. Magiërs knielden en stonden snel weer op terwijl de koning hen passeerde.

Lorlen knielde ook.

'Administrateur.'

'Goedendag, majesteit,' antwoordde Lorlen.

De koning keek neer op de oprukkende Ichani's. 'Heb je Akkarin nog geprobeerd te bereiken?'

Lorlen knikte. 'Elk uur, sinds mijn bezoek aan u.'

'Geen antwoord?'

'Niets.'

De koning knikte. 'Dan zullen we het zonder hem moeten klaren. Laten we hopen dat hij hun kracht enigszins heeft overschat.'

Sonea had de Noordpoort altijd open gezien. Nu waren de deuren gesloten. De enorme massieve metalen platen waren niet meer bedekt met roest zoals gewoonlijk, en de versieringen waren niet meer verstopt onder dikke lagen vuil en smeer. Ze waren, ongetwijfeld uit trots, of om de vijand te tarten, in oude glorie hersteld en zagen er nu glimmend pikzwart uit.

Er stond een lange rij magiërs boven op de muur. Bruine gewaden te midden van de rode, groene en paarse. Sonea leefde oprecht mee met haar oude klasgenoten. Ze moesten doodsbang zijn.

De Ichani's kwamen in zicht; ze liepen op de weg rondom de stad. Sonea voelde haar hart in haar keel bonzen en ze hoorde hoe Akkarin zijn adem inhield. Met een stap of honderd zouden ze hier kunnen zijn, en voor de eerste keer zag ze hen niet via de ogen van een andere magiër.

Zij, Akkarin, Cery en Takan keken toe vanuit een huis aan de Noordweg. Cery had dit huis uitgekozen omdat er een torenkamertje boven de tweede verdieping zat dat een grandioos uitzicht bood op het gebied voor de poort.

'Die voorop is Kariko,' mompelde Akkarin.

Sonea knikte. 'En die vrouw zal Avala wel zijn. En de rest?'

'Herinner je je die spion nog wiens geest je gelezen hebt? Die lange daar is Harikava, zijn meester. Die twee daarachter zijn Iniyaka en Sarika. Ik heb ze al gezien in de gedachten van andere spionnen die ik heb omgebracht. De laatste twee, Rikacha en Rashi, zijn oude bondgenoten van Kariko.'

'Dat zijn er zeven,' zei ze. 'Er ontbreekt er eentje.'

Akkarin fronste zijn voorhoofd.

De Ichani's liepen nog een paar stappen door en bleven toen staan. Ze keken omhoog naar de rij gestalten boven op de Buitenmuur.

De stem die hen toesprak klonk onbekend.

'Geen stap verder, Sachakanen. Jullie zijn niet welkom in mijn land.'

Naast administrateur Lorlen zag Sonea een chic geklede heer staan. 'Is dat... de koning?'

'Ja.'

Hoewel ze hem niet echt mocht, vond ze dit toch wel bewonderenswaardig. Hij was in de stad gebleven, terwijl hij met de Huizen had kunnen vluchten.

Kariko spreidde zijn armen. 'Gaan de Kyralianen zo om met hun gasten? Of vermoeide reizigers?'

'Een gast vermoordt zijn gastheer en zijn bedienden niet.'

Kariko lachte. 'Nee. Maar welkom of niet, ik ben in je land. En ik wil je stad. Dus doe die poort maar open, dan laat ik je in leven en mag je mijn bediende worden.'

'Wij sterven liever dan jouw soort te bedienen.'

Sonea's hart sprong op toen ze Lorlens stem herkende.

'Ben jij d'r zo eentje die zichzelf "magiër" noemt?' Kariko lachte honend. 'Het spijt me, maar de uitnodiging was niet voor jou bedoeld. Ik heb geen behoefte aan magiërs in de keuken. Alleen door te sterven kan dat trieste Gilde van jou me nog een dienst bewijzen.' Hij sloeg zijn armen over elkaar. 'Maak die poort eens even open, koning Merin.'

'Doe het zelf maar,' antwoordde de koning. 'En we zullen nog wel eens zien of mijn Gilde zo triest is als je beweert.'

Kariko wendde zich tot zijn bondgenoten. 'Nou, dat was het dan, wat het welkom betreft. Dan krijgen ze het toch zoals ze het hebben willen?'

Zonder zich druk te maken gingen ze in een slordig rijtje staan. Witte lichtflitsen schoten naar de pikzwarte deuren, en troffen ze in het midden en aan de randen. Sonea zag dat Cery grote ogen opzette toen het metaal rood opgloeide. De Gildemagiërs lieten het treffers regenen op de vijand beneden. Maar alles ketste af op de schilden van de Ichani's.

'Pak ze op hun zwakke plek, Lorlen!' siste Akkarin. 'Bestook één van hen!'

Sonea schrok op toen er een scheurend geluid klonk. Akkarin had met zijn hand te zwaar tegen het papieren raamscherm naast het venster geleund. Hij haalde zijn vingers uit het gescheurde papier en greep zich met witte knokkels vast aan de vensterbank.

'Zo gaat ie goed!' riep hij.

Ze keek weer naar buiten en zag dat de treffers van het Gilde zich nu op een van de Ichani's richtten. Ze hield haar adem in en verwachtte dat de andere Sachakanen hun schild wel tot hem zouden uitstrekken, maar daar was geen sprake van.

'Die vent' – Akkarin priemde met een vinger naar de Ichani die aangevallen werd – 'wordt nummer één.'

'Als hij zich van de groep verwijdert,' voegde Cery eraan toe.

Kariko wierp een blik op zijn getroffen bondgenoot en keek even naar de bovenkant van de muur. Een verblindende flits schoot van hem naar de magiërs bovenop, maar het gecombineerde schild van het Gilde stopte de treffer.

Toen begon er witte rook uit de poort op te stijgen. Er was een witheet gat in het metaal ontstaan en meer witte rookwolken stegen erachter op.

'Zeker huizen die vlam hebben gevat,' zei Cery somber.

Akkarin schudde het hoofd. 'Nog niet. Dat is stoom, geen rook. De garde spuit water op de houten versterkingen om te vermijden dat ze in brand vliegen.'

Het leek een lachwekkende poging om de Ichani's tegen te houden, maar elk obstakel dat de Ichani's tegenkwamen kostte hun een beetje kracht. Sonea keek weer naar de muur. De koning en de magiërs bij de poort vlogen naar links en rechts, weg van de stoomwolken.

Een van de poortdeuren begon te bewegen. Cery vloekte zacht toen de deur naar voren zakte. Er klonk een kreunend geluid voor de deur uit zijn scharnieren scheurde en tegen de grond kletterde. Erachter was de poort dichtgetimmerd met zware balken en ijzeren staven. Gardisten klommen snel van de geïmproviseerde blokkade af. Toen ze beneden waren viel de tweede deur.

Kariko keek naar zijn maten. 'Dachten ze nou heus dat ze ons hiermee tegen konden houden?' Hij lachte en wierp een spottende blik op de versterkingen.

De luchtdruk viel even weg toen het hele bouwwerk als door een reuzenvuist getroffen instortte.

Sonea zag nu pas dat de magiërs niet waren gevlucht. Terwijl de Ichani's door de poort de stad in marcheerden, werden ze vanuit alle huizen met treffers bestookt. Helaas werden die gewoon genegeerd. De Sachakanen marcheerden zonder blikken of blozen naar de Binnenmuur.

Akkarin draaide zich om en wendde zich tot Cery. 'We moeten snel de stad in.'

'Geen probleem,' zei Cery glimlachend. 'Volg me maar.'

Al snel begon Farand zwaar te hijgen. Dannyl greep de benauwde jongeman bij zijn arm en vertraagde zijn tempo tot een snelle wandelpas. De jongeman keek met angstige ogen achterom.

'Ze komen heus niet achter ons aan,' zei Dannyl. 'Die hebben hun zinnen gezet op de Binnencirkel.'

Farand knikte. De jonge magiër was plotseling naast Dannyl op de muur verschenen, misschien omdat hij op zoek was naar een bekend gezicht. De magiërs voor hen versnelden hun pas en verdwenen niet veel later uit het zicht.

'Komen we... wel... op tijd?' hijgde Farand terwijl ze het Westerkwartier binnen holden.

'Ik hoop het,' antwoordde Dannyl. Op de Binnenmuur renden al een aantal Gildemagiërs. Hij keek naar Farand, die nog altijd bleek was maar dapper voort holde. 'Misschien niet.'

Hij sloeg de volgende straat in. De muur lag nu recht voor hen. Dannyl pakte Farand bij de schouders. Hij vormde een schijf onder hun voeten en stuurde die zo snel hij kon naar boven. De plotselinge stijging gaf hem een wee gevoel in zijn maag.

'Ik dacht dat we onze magie alleen voor het vechten mochten gebruiken,' bracht Farand uit.

Op de top van de muur liet Dannyl hem afstappen. 'Je bent echt te zwak om te rennen,' zei hij. 'Als we omgelopen waren was je te afgepeigerd geweest om ook maar iets te kunnen doen.'

Een magiër kwam op hen toe hollen en ze volgden hem op de voet. Dannyl richtte zijn blik op de Binnencirkel en kreeg een ongerust gevoel. Tayend was daar. Hoewel het huis waarin zijn vriend zich verscholen had aan de andere kant van het paleis stond, was het niet tegen de Ichani's bestand als die daar eenmaal waren aangekomen.

Toen ze arriveerden bij de rij magiërs, voegde Dannyl zijn magie toe aan het grote Gildeschild. Hij keek op de Ichani's neer. Ze stonden in een groepje bijeen en bespraken iets.

'Waarom vallen ze niet meteen aan?' vroeg Farand.

Dannyl keek naar beneden. 'Geen idee. Trouwens, het zijn er maar zes, er is er weer eentje weg.'

De Sachakaanse vrouw kwam een zijstraatje uitgelopen. Ze slenterde naar het groepje toe. De leider sloeg zijn armen over elkaar en nam haar op. Dannyl zag hun lippen bewegen. De vrouw glimlachte, maar toen Kariko zich omdraaide sloeg haar lach om in een sneer.

'Ze is opstandig,' zei Farand. 'Dat kan ons later goed van pas komen.'

Dannyl knikte. Toen richtte hij zijn aandacht op de Ichani's. Ze had de aanval geopend. Treffers vlogen door de lucht en hij voelde de muur trillen onder zijn voeten.

'Ze vallen de muur aan!' riep een Genezer vlakbij.

De vibratie ging al snel over in hevig schudden. Dannyl keek naar opzij. De magiërs dicht bij de poort hadden moeite hun evenwicht te bewaren. Sommigen stonden op handen en knieën, en anderen waren er al afgevallen.

Aanvallen!

In reactie op Balkans kreet rechtte Dannyl zijn rug. Zijn treffer voegde zich bij de honderden die neer regenden op de Sachakanen. Een hand raakte zijn schouder aan, en hij voelde dat Farands kracht zich bij de zijne voegde.

Het schudden en het lawaai stopten abrupt. De Ichani's liepen achteruit bij de binnenpoorten vandaan. Dannyl voelde een sprankje hoop, al had hij geen idee waarom ze zich nu terugtrokken.

Toen vielen de deuren met een enorme donderklap naar buiten en belandden aan de voeten van de Ichani's. Losse stenen van de bouwvallige muur regenden neer. Kariko keek naar de magiërs aan beide kanten van de poort en grijnslachte zelfgenoegzaam.

Kom van die muur af! beval Balkan.

Meteen renden de magiërs naar de houten trappen die aan de binnenkant van de muur waren neergezet. Dannyl en Farand haastten zich naar beneden.

'Wat nu?' hijgde Farand toen ze op straat stonden.

'We gaan naar heer Vorel.'

'En dan?'

'Geen idee. Hij zal wel een strategie hebben, hoop ik.'

Een paar straten verderop vond Dannyl de Krijger te midden van andere magiërs op een van tevoren afgesproken punt. Iedereen stond er gelaten bij.

Hergroeperen!

Vorel knikte op Balkans bevel. Hij keek hen allemaal aan met een ernstige, grimmige blik. 'Dat betekent dat we bij hen in de buurt moeten zien te komen, zonder gezien te worden. Op het volgende bevel vallen we meteen aan, waarbij we ons richtten op één Sachakaan. Volg me.'

Vorel spoedde zich weg, met de anderen achter zich aan. Niemand zei wat. *Ze weten allemaal dat dit de laatste confrontatie wordt,* dacht Dannyl. *Hierna zullen degenen die nog leven de stad verlaten.*

Cery keek hoe Sonea en Akkarin in de duistere gang verdwenen, vlak achter hun gids aan. Hij haalde diep adem en begon de tegenovergestelde richting uit te lopen, met Takan op zijn hielen.

Hij had veel te doen. De andere Dieven moesten weten dat Sonea en Akkarin de Binnencirkel hadden betreden. De nepmagiërs konden zich door de straten verspreiden. De slaven moesten worden opgespoord en meegenomen. En hij... hij had een flinke borrel nodig. De reis naar de Binnencirkel was behoorlijk beangstigend geweest, zelfs voor iemand die zo gewend was aan de gangen van het Dievenpad als hij. Onder de muur was het plafond ingestort, en ook op vele andere plekken kon je je slechts met de grootste moeite door de spleten langs het puin persen. Sonea had hem verzekerd dat zij en Akkarin het plafond omhoog konden houden als het weer dreigde in te storten, maar terwijl hij stof hapte, had Cery er geen enkele moeite mee zich voor te stellen hoe hij onder het puin verpletterd en begraven werd.

Hij kwam bij een gangpad dat parallel aan een steegje liep. Door roosters hoog in de wand was het mogelijk een gedeelte van de straat te zien. Hij hoorde het geluid van snelle voetstappen en zag een magiër langs rennen. De man stopte slippend.

'O nee,' zei hij jammerend.

Cery drukte zich tegen het rooster aan en zag dat het steegje waarin de magiër zijn toevlucht had gezocht doodliep. De magiër was een novice. Zijn gewaad was bedekt met stof.

Toen klonk er, bij het begin van de steeg, een vrouwenstem.

'Waar ben je? Waar ben je nu, tovenaartje?'

Het accent van de vrouw leek zo op dat van Savara dat Cery heel even dacht dat zij het was. Maar de stem was hoger en er volgde een gemeen lachje op.

De jongeman rende in paniek rond, maar dit was de Binnencirkel en hier vond je geen huisvuil of stapels kratten waarachter je je kon verbergen. Cery holde door de gang naar het rooster dat het dichtst bij de jongen was en drukte het open.

'Hé, magiër, psst!' fluisterde hij.

De jongeman schrok zich lam en draaide zich om naar Cery.

'Kom hier,' wenkte Cery. 'Snel, klim naar binnen.'

De jongen keek nog een keer naar het begin van de steeg en dook naar het gat. Hij viel naar binnen met zijn hoofd naar voren, landde onhandig, rolde zich om en krabbelde overeind. Toen de vrouwenstem weer te horen was, drukte hij zich hijgend tegen de verste wand.

'Waar ben je nou?' riep de vrouw terwijl ze door de steeg beende. 'Dit loopt dood. Je zal wel in een van deze huizen zitten. Laten we maar eens een kijkje nemen.'

Ze probeerde een paar deuren en liet er een openknallen. Toen ze in het huis verdween, grijnsde Cery naar de novice.

'Zo, nou ben je wel veilig,' zei hij. 'Het kost haar een stief kwartiertje om al die huizen te doorzoeken. Na een tijdje krijgt ze er genoeg van en zal ze een makkelijker prooi zoeken.'

De ademhaling van de jongeman was overgegaan in lange diepe ademteugen. Hij rechtte zijn rug en kwam van de muur vandaan.

'Dank u,' zei hij. 'U hebt mijn leven gered.'

Cery haalde zijn schouders op. 'Het is wel goed.'

'Wie bent u – en waarom bent u hier? Ik dacht dat iedereen de stad uit was.'

'Ik heet Ceryni, Ceryni van de Dieven. En zeg maar je.'

De jongeman zette grote ogen op. Toen lachte hij. 'Zeer vereerd je te ontmoeten, Dief. Ik ben Regin van Winar.'

Het ritme waarin het paard liep kwam in alles terug. Zijn adem spoot in regelmatige wolkjes naar buiten op het gedender van de hoeven, en de pijn in Rothens schouder vlamde op bij elke afzet. Hij kon hem verzachten met wat Genezingsmagie, maar hij wilde niet meer kracht verbruiken dan absoluut noodzakelijk was. Het Gilde had elk beetje magie nodig om de Ichani's te overwinnen. Hij had zelfs geen kracht verbruikt om de vermoeidheid van een hele nacht op een renpaard te verdrijven.

Daar, in de verte, schitterde de stad als een fonkelende schat die over een tafel was uitgestort. Elke steen glinsterde als goud in het ochtendgloren. In een uur zou hij er zijn, misschien eerder.

Een afgebrand huis rookte nog wat na in een verkoold veld. Kleine groepjes mensen, vooral gezinnen, haastten zich langs de weg met tassen, zakken, dozen en manden. Ze zagen hem passeren met zowel hoop als angst op hun gezichten. Hoe dichter hij bij de stad kwam, hoe meer het er waren, tot het een onafgebroken rij geworden was van mensen die Imardin ontvluchtten.

Dat voorspelde niet veel goeds voor het lot van het Gilde. Rothen vloekte zacht. De enige mentale woorden die hij opgevangen had waren bevelen van Balkan geweest. Hij durfde Dannyl of Dorrien niet op te roepen.

Er flitste een beeld door zijn geest. Een glimp van een straatje, een gezicht: Kariko. Hij knipperde een paar maal met zijn ogen, maar het beeld verdween niet.

Ik wil zo ontzettend graag weten wat er gebeurd is dat ik nu zeker aan het hallucineren ben, dacht Rothen. *Of komt het door slaapgebrek?*

Hij gaf het op en stuurde een beetje Genezingsmagie zijn lichaam in. Maar het beeld verdween niet uit zijn hoofd. Hij voelde een angstgolf door zich heen trekken, maar die was niet van hem zelf. Hij ving gefladder van een groen gewaad op, en een gezicht erboven. Heer Sarle.

Zond de Genezer het beeld? Zo vastberaden zag hij er niet uit.

Kariko hield een mes vast. Hij glimlachte en boog zich verder voorover. *Kijk maar goed, slavendoder.*

Rothen voelde een flitsende pijn en vervolgens een verlammend gevoel en hevige angst. Langzaam verdween heer Sarles geest in het duister en Rothen werd met een ruk bevrijd van het beeld.

Hij hijgde van ontzetting en staarde naar de omgeving. Het paard was blijven staan. Mannen en vrouwen liepen snel langs hem heen, zenuwachtig naar hem kijkend.

De bloedsteen! dacht Rothen. *Kariko heeft hem heer Sarle omgedaan.* Hij trilde toen het tot hem doordrong dat hij de dood van heer Sarle had meegemaakt. *Hij zal me de dood van elke magiër die hij vermoordt laten meebeleven...*

De volgende kon Dorrien of Dannyl zijn.

Hij gaf zijn paard de sporen en galoppeerde naar de stad.

34

De jacht begint

De straten van de stad waren nevelig door het stof dat bij de instorting van de muur opgestoven was. Alles was troosteloos en verlaten, maar af en toe zag Lorlen een snelle beweging op de hoek van een gebouw of een schim die achter een raam verscholen zat. Hij en Osen hadden een paar minuten geleden ingebroken in een huis dat recht tegenover het paleis lag. Nu wachtten ze de komst van de Ichani's af en het bevel van Balkan. Hij had geen idee hoeveel magiërs het hadden overleefd of hoeveel kracht ze nog bezaten, maar daar zou hij snel genoeg achter komen.

'Hier. Gaat u zitten,' bromde Osen.

Lorlen keek weg van het raam en zag dat zijn assistent een fraaie antieke stoel naar hem toe droeg. Toen Osen de stoel neerzette, kon Lorlen nog net een lachje uitbrengen.

'Dank je. Ik betwijfel of ik er lang gebruik van zal kunnen maken.'

De jonge magiër richtte zijn blik op de heiige straat. 'Klopt. Ze zijn er.'

Lorlen gluurde weer door het raam en zag zes gestalten uit de mist opdoemen. De Sachakanen liep langzaam langs in de richting van het paleis. Kariko keek omhoog naar de muur die het paleis omringde.

O nee, we zijn niet van plan jullie nóg een kans te geven om de stenen onder onze voeten vandaan te blazen! dacht Lorlen terwijl hij naar de deur liep.

Val aan!

Op Balkans bevel smeet Lorlen de voordeur open en stapte naar buiten, met Osen op zijn hielen. Andere magiërs verschenen en samen vormden ze een halve cirkel om de Sachakanen heen. Lorlen voegde nog wat kracht aan het gezamenlijke schild toe en liet toen een treffer op de Ichani's neerdalen.

De Sachakanen draaiden om hun as om hem allemaal te kunnen zien. Lorlen kreeg het beeld van een van hen doorgeseind, en alle magiërs tegelijk vuurden hun treffers op hem af. De kracht van hun aanval liet de Ichani terugdeinzen tegen de paleismuur, tot de tegenaanval van de andere Ichani's het Gilde weer deed besluiten het gecombineerde schild te versterken, want de treffers en explosies die het troffen waren enorm. Lorlen voelde een vlaag van angst toen de halve kring van magiërs achteruit week. Het Gilde zou spoedig verzwakken als dit bombardement nog lang zou duren.

Terugtrekken!

Op Balkans commando renden de magiërs weer de verlaten huizen en steegjes in waaruit ze te voorschijn waren gekomen. De Ichani's rukten op.

'We moeten er toch minstens één kunnen uitschakelen,' hijgde Osen.

'Jij vormt het schild, ik zal ze een megatreffer geven,' antwoordde Lorlen. 'Eerst dichter naar het huis toe.'

Ze slopen naar de deur. Vlak ervoor stopte Lorlen. 'Nu!'

Hij liet zijn schild verdwijnen en gooide al zijn resterende kracht in een treffer voor de verzwakte Ichani. Die wankelde, en vanuit allerlei hoeken begonnen Gildemagiërs treffers op de verzwakte Sachakaan af te vuren. De man gilde – een woordeloze kreet vol angst en woede – toen zijn schild het begaf. De volgende treffer wierp hem snoeihard tegen de paleismuur. Hij zakte ineen en kromp op de grond in elkaar.

Vanuit alle hoeken kwam gejuich, maar daarmee was het snel gedaan toen de andere Ichani's de aanval beantwoordden met krachtige explosies.

Osen maakte een verstikt geluid. 'Ga... terug... naar binnen...' bracht hij tussen opeengeklemde tanden uit.

Lorlen volgde Osens blik en zijn maag draaide zich driemaal om toen hij Kariko op hen af zag komen, achteloos treffer na treffer naar Osens schild afvurend. Lorlen pakte Osen bij de arm en trok hem het gebouw binnen. Hout versplinterde en stenen verpulverden toen Kariko's treffers de hal door vlogen. Toen flakkerde Osens schild.

'Nee,' hijgde Osen, 'nog even.'

Lorlen greep Osen bij de schouders en duwde hem een kamer in. Er klonk een ontzagwekkende knal en de voorgevel van het huis stortte in. Een wirwar van barsten verscheen in het plafond. Lorlen voelde iets op zijn schouder terechtkomen, zo zwaar dat hij op zijn knieën zakte. Vervolgens werd hij tegen de vloer geslagen. Hij vreesde dat het plafond boven hem was ingestort. Er lag een loodzwaar gewicht op hem dat de lucht uit zijn longen perste. Toen het eindelijk stil was, werd hij zich bewust van de pijn. Hij stuurde zijn zintuigen naar binnen en verstarde toen hij de gebroken botten en gescheurde organen zag. Hij wist wat het betekende.

Er was maar één ding dat hij kon doen.

Stof en vuil daalden nog steeds met doffe plofjes op hem neer terwijl hij zijn hand in zijn zak stak en naar de ring tastte.

De gangen onder de Binnencirkel waren rustig. Hier en daar wachtten vrijwilligers bij de uitgangen. De gids van Akkarin en Sonea bleef staan toen er opeens een boodschapper kwam aangerend.

'Sachakaanse magiër... bleef bij... de slaven,' bracht de man hijgend uit. 'Zitten in... sloppen, Noordkant.'

'Dus die ene is al gescheiden van de anderen,' merkte Sonea op. 'Zullen we die eerst opzoeken?'

'Het kost veel tijd om daar te komen,' zei Akkarin. Hij keek in de richting van het paleis. 'Ik wil graag weten hoe het Gilde ervoor staat, maar die eenzame Ichani probeert misschien bij Kariko te komen als hij hoort dat het Gilde verslagen is.' Hij knikte naar zijn gids. 'Breng ons toch maar naar de sloppen.'

'Ik laat ze wel weten dat u eraan komt,' zei de boodschapper, die alweer weg sprintte.

De gids ging hen voor door de gangen. Het duurde niet lang of een vrouw van middelbare leeftijd hield hen tegen.

'Tunnel ingestort,' meldde ze. 'Je moet omlopen.'

'Wat is de op een na snelste route?'

'Er is een andere tunnel, vlak bij de Gildemuur,' vertelde de gids.

Akkarin keek op. 'Het gat in de muur is nu bijna boven ons.'

'Ja, bovengronds zou het sneller gaan, maar dan kan u gezien worden.'

'Het Gilde en de Ichani's zijn aan de andere kant van het paleis. Voor ieder ander zijn we gewoon twee Imardianen die de stad ontvluchten. Breng ons naar een uitgang die zo dicht mogelijk bij de muur uitkomt.'

De gids knikte en leidde hen verder. Na een paar keer te zijn afgeslagen kwamen ze uit bij een ladder die naar een luik leidde. 'Daarmee kom je in een opslagplaats. Er is een deur naar een steegje erachter.' Hij legde uit hoe je aan de andere kant van de muur weer een toegang tot het gangenstelsel kon vinden. 'Er zijn gidsen genoeg die het Noorderkwartier kennen als hun broekzak.'

Akkarin klom de ladder op. Toen ook Sonea boven was zag ze dat ze in een voorraadkamer voor hammen en dergelijke gekomen was. Ze maakten de deur open die uitkwam op een smal, doodlopend steegje. Akkarin sloop naar het begin van het steegje en bleef wachtte daar. Sonea kwam naast hem staan en besefte dat ze zich bevonden aan de andere kant van de weg die langs de Binnenmuur was aangelegd. Vol ontzetting liet ze haar blik over de ruïnes ervan gaan.

Een windvlaag deed het stof opwaaien en ze zag opeens bekende kleuren tussen het puin. Toen ze beter keek zag ze dat het de gewaden van Gilde-magiërs waren.

'De weg is vrij,' zei Akkarin zacht. Ze liepen gebukt het steegje uit en Sonea deed een paar stappen in de richting van de magiërs, tot ze de hand van Akkarin op haar arm voelde.

'Ze zijn dood, Sonea,' zei hij zacht. 'Anders zou het Gilde hen nooit achtergelaten hebben.'

'Dat weet ik wel,' zei ze. 'Ik wil alleen weten wie het zijn.'

'Nu niet. Daar is later nog tijd genoeg voor.'

Akkarin trok haar mee naar een gat in de muur. Puin bedekte de grond, waardoor ze maar langzaam vooruitkwamen. Ze waren net bij de gevallen poorten aanbeland toen hij plotseling bleef staan. Sonea zag dat zijn gezicht krijtwit werd en dat hij naar een punt in de verte staarde. 'Wat is er?' vroeg ze angstig.

'Lorlen.' Hij wendde zich in de richting van de Binnencirkel. 'Ik moet hem vinden. Loop maar vooruit. Zoek die Ichani, maar doe niets tot ik weer bij je ben.'

'Maar –'

'Sonea.' Hij keek haar streng en koud aan. 'Dit moet ik alleen doen.'

'Wat moet je alleen doen?'

'Doe nou maar wat ik zeg, Sonea.'

Ze voelde zich behoorlijk gekwetst en boos vanwege die ongeduldige toon. Dit was het verkeerde moment om weer zo mysterieus en geheimzinnig tegen haar te doen. Hoe moesten ze elkaar straks bijvoorbeeld vinden? Toen schoot haar de ring te binnen.

'Moet ik je bloedring omdoen? Je zei dat we hem om moesten doen wanneer we uit elkaar gingen.'

Hij schrok even. Toen keek hij haar vriendelijk aan. 'Ja,' zei hij, 'maar ik doe de jouwe nog niet om. Ik ben bang voor wat ik het komende uur te zien krijg, en dat wil ik niet met je delen.'

Ze keek hem met grote ogen aan. Wat kon er gebeuren dat zij niet mocht zien? Had het soms iets met Lorlen te maken?

'Ik moet ervandoor,' zei hij.

Ze knikte en keek hem na. Toen hij verdwenen was rende ze het Noorderkwartier in. Ze bereikte een donker steegje, haalde de ring uit haar zak en keek ernaar. Zijn waarschuwing van de vorige nacht klonk na in haar hoofd. *'Soms is het niet zo leuk om precies te horen hoe de ander over jou denkt. Vriendschappen kunnen erdoor beëindigd worden, liefde kan in haat omslaan...'*

Maar ze moesten nu eenmaal contact houden wanneer ze gescheiden van elkaar rondliepen. Ze liet haar twijfels voor wat ze waren en deed de ring om. Ze doorzocht haar geest, maar ze vond hem niet. Misschien werkt het niet.

Nee, bedacht ze toen. *De maker heeft in de hand hoeveel de drager ziet.* Maar de maker voelde wel de gedachten en de ervaringen van de drager. Dat hield in dat Akkarin nu wist wat ze dacht.

Hallo! dacht ze. Ze glimlachte en haalde haar schouders op. Wat hij ook deed, hij wilde vast niet dat ze hem afleidde, en als ze één ding niet wilde was het wel zijn concentratie verstoren.

Ze volgde de routebeschrijving van de gids en vond de ingang tot het ondergrondse stelsel zonder problemen. Tot haar verrassing wachtte Faren haar daar op. Zijn adjudant en lijfwacht, een stille man, stond naast hem.

'Het Gilde heeft een Ichani gedood,' vertelde Faren haar opgewonden. 'Ik vond dat ik het je maar persoonlijk moest vertellen.'

Ze glimlachte en voelde zich meteen niet zo somber meer. 'Dat is nu eens goed nieuws. En de rest van de Ichani's?'

'Die vrouw struint in haar eentje rond. Die ene met de slaven zit nog altijd in het Noorderkwartier, volgens de laatste rapporten. De rest zal wel naar het paleis optrekken. Waar is je grote vriend trouwens?'

Ze fronste haar voorhoofd. 'Had een klusje op te knappen. Ik moet de Ichani met de slaven vinden, en dan wachten tot hij komt.'

Faren grijnsde. 'Dan zullen we die maar eens gaan zoeken.'

Ze liepen een stukje en kwamen weer in een steegje uit. Ze werd langs een hoge stapel kisten geleid, waarachter een opening zat. Daarachter bevond zich een klein gat met een metalen luik. Hij klopte erop en Sonea hield haar neus dicht toen het werd geopend.

'O nee, toch niet weer het riool?' kreunde ze.

'Ben bang van wel,' antwoordde Faren. 'Daarlangs heb je nu eenmaal de kortste route naar de stad.'

Ze daalde af in de groezelige duisternis. Een man met een breed gezicht stond bij de ladder, met een lantaarn in zijn ene hand die zijn voeten fel verlichtte. De Dief nam de lantaarn over en begon over de richel te lopen die zich aan één kant van de tunnel uitstrekte. Ze passeerden een aantal rioolwachters. Halverwege zei Faren dat ze nu onder de Buitenmuur doorgingen. Toen ze eindelijk door een rioolluik naar buiten klommen, bevonden ze zich op een bekende plek in de sloppenwijk. Faren bracht haar snel door een rooster weer op het Dievenpad.

Er stond een jongetje dat hun vertelde dat de Ichani en de slaven maar een paar straten ver waren.

'Ze zijn op weg gegaan naar de hoofdstraat,' zei het jochie.

'Zeg iedereen zich klaar te houden, en kom dan weer terug.'

Het jongetje knikte en ging er als een haas vandoor.

Een klein eindje verder konden Sonea en Faren en zijn lijfwacht vanaf het pad een huis in klimmen. Langs een gammele trap kwamen ze op de tweede verdieping. Toen Sonea uit het raam keek zag ze de slaven vlak onder zich staan. De Ichani stond op straat te wachten op twee slaven die met twee dienbladen vol broodjes een bakkerij uitkwamen. Een paar djiels vochten om een reberkarkas. De karren waren nergens te bekennen.

Het jongetje kwam binnen; zijn ogen glommen van opwinding.

'Alles staat klaar,' vertelde hij.

Sonea keek Faren vragend aan. 'Voor wat?'

'We hebben een paar hinderlagen voor de Sachakanen gelegd,' legde Faren uit. 'Het was Cery's idee.'

Ze glimlachte. 'Natuurlijk. Wat is het plan?'

Hij liep naar een zijraam. Onder hen kwam een kleine binnenplaats uit in een smal steegje. Twee zwaargebouwde kerels hielden een lange metalen stang met een scherpe punt in de lengte tegen de muur. Ze keken afwachtend omhoog naar het raam. Faren gaf ze het gebaar voor 'wachten'.

'Tegenover hen staan er nog twee,' vertelde Faren haar. 'In beide muren zit een nis met een voorhang van jute, daarin verschuilen ze zich. Een van onze nepmagiërs lokt die Ichani het steegje in. Als hij op het juiste punt is springen de mannen te voorschijn en wordt hij van twee kanten gespietst.'

Sonea staarde hem ongelovig aan. 'Is dát het plan? Dat werkt nooit! Het schild van die Ichani beschermt hem tegen alles.'

'Misschien denkt hij dat de muren genoeg bescherming bieden.'

'Misschien,' zei ze. 'Maar ik zou er mijn hoofd niet onder verwedden. Het is een gigantisch risico.'

'Dacht je dat onze helpers dat niet wisten?' antwoordde Faren zacht. 'Ze weten ook wel dat er een fikse kans is dat het mislukt. Maar ze zijn niettemin net zo vastberaden als jij om iets tegen de Sachakanen te doen.'

Ze zuchtte. Natuurlijk wilden ook de sloppers hun steentje bijdragen, al hield dat grote risico's in. 'Nou, als het mislukt, moet ik daar zijn om –'

'Te laat,' zei Farens adjudant. 'Kijk maar.'

Sonea dook naar het raam aan de straatkant en zag de Ichani en zijn slaven de kant van het huis opkomen. Een groepje straatschoffies rende voor hen uit van de andere kant van de straat en begon stenen naar hen te gooien. Toen de Ichani op hen afkwam, hoorde Sonea een gesmoorde kreet en ze zag een man in een gewaad schijnbaar vanuit het niets de straat in lopen. Hij liep op de Ichani af, maar hield voor het steegje de pas in. Toen de Ichani de nepmagiër zag, glimlachte hij.

Een treffer vloog knetterend door de lucht. De nepmagiër dook net op tijd opzij. Hij schoot het steegje in.

Sonea liep snel naar het zijraam. De twee mannen met de spies waren net in hun nis gedoken. Dat maakte niet uit, het zou toch niet werken... maar stel dat het wel lukte... De paniek sloeg toe toen ze zich realiseerde wat er zou gebeuren.

'Faren, ik móét naar beneden.'

'Daar heb je geen tijd voor,' zei hij. 'Let op.'

De Ichani sloeg hollend de steeg in. De jongen in het gewaad stond halverwege de steeg stil. Slenterend kwam de Ichani op hem af. Toen hij één pas van de verborgen mannen verwijderd was, floot de nepmagiër op zijn vingers. De speren knalden door de voorhang en drongen het lijf van de Ichani in. De Sachakaan gilde het uit van schrik en pijn.

'Het is gelukt!' kraaide Faren. Sonea hoorde nog meer triomfkreten vanuit het steegje komen, gedempt door het raam. Toen het slachtoffer dieper in de speren zonk, wist ze dat ze nooit genoeg tijd had om bij hem te zijn voor hij stierf. In opperste nood brak ze het venster en gilde naar iedereen beneden.

'Wegwezen! Ga uit zijn buurt!'

Ze keken haar stomverwonderd aan.

En toen werd alles verblindend wit.

Ze wierp een schild op rond haar, Faren en zijn lijfwacht. Even later implodeerde de kamer. Een verzengende hittekolom trok langs haar schild en dwong haar het nog sterker te maken. Ze voelde de vloer breken en onder haar vandaan vallen. Toen viel ze zelf. Ze landde op haar knieën.

Toen was de vrijgekomen energie van de dode Ichani ineens op. Ze zat op een berg baksteen en rokend hout, omringd door de ruïne van een straat.

Alles in een kring om hen heen was verkoold, verschroeid en rookte nog na. Sonea keek in de richting waar de steeg was geweest, maar van de mannen met de speren was geen spoor meer te bekennen. Zo beroerd had ze zich in geen tijden gevoeld. *Als ik maar enig idee had gehad van wat ze van plan waren, had ik ze kunnen redden.*

Faren en zijn beschermer stonden wankelend op. Wanhopig keken ze naar de puinhopen.

'Cery zei wel zoiets,' zei Faren. 'Hij zei nog dat iedereen zo snel zijn benen hem konden dragen weg moest gaan van het lijk. Maar hij zei niet dat de ontploffing een heel gebied kon wegvagen.'

'Wat is er gebeurd?' vroeg zijn adjudant met een klein stemmetje.

Sonea probeerde te spreken, maar er zat een brok in haar keel. Ze slikte en probeerde het nogmaals. 'Wat er altijd gebeurt als een magiër sterft,' zei ze. 'Alle energie die hij of zij nog in zich heeft komt vrij...'

Hij keek haar met grote ogen aan. 'Gebeurt dat ook met jou?'

'Ik ben bang van wel. Tenzij ik uitgeput ben, of een Ichani al mijn kracht opzuigt.'

'O.' De adjudant keek snel van haar weg.

'Wat een geluk dat je hier was,' zei Faren zacht. 'Als je niet bij ons was geweest, zagen we er nu zo uit als die slaven daar.'

Sonea volgde zijn blik. Er lag een aantal geblakerde gestalten op straat. Ze huiverde. Ze waren tenminste snel dood geweest.

Faren grinnikte. 'Nou, dat scheelt alweer. Hoeven we niet te bedenken wat we met hen aanmoeten!'

'Help me!'

Dannyl keek op. De kreet om hulp rukte hem uit zijn verdwazing. Heer Osen stond naast een gapend gat aan de zijkant van het huis. Hij was wit van het stof en het gruis, en zijn gezicht vertoonde sporen van tranen.

'Lorlen ligt onder het puin,' bracht hij uit. 'Heeft een van jullie nog een beetje kracht voor hem?'

Dannyl keek snel naar Farand, maar die schudde het hoofd.

'Dan... help me dan op zijn minst hem uit te graven.'

Ze volgde Osen het huis in. Het interieur bestond uit een grote berg puin. Licht viel van alle kanten naar binnen, wazig door het stuivende stof. Dannyl zag dat het dak en de vloer van de etages erboven verdwenen waren.

'Hij ligt hier ergens,' zei Osen en begon in het wilde weg met zijn handen te graven.

Dannyl en Farand konden niet anders doen dan zijn voorbeeld volgen. Ze tilden balken en klompen steen uit de weg, maar ze vorderden slechts langzaam. Dannyl sneed zichzelf tot bloedens toe aan de glasscherven die tussen de stenen lagen. Hij begon zich net af te vragen hoe iemand het kon overleven nadat hij onder zo'n berg puin begraven was, toen de hele puinhoop begon te bewegen. Stenen, balken, en glas werden langzaam als door onzichtbare handen naar de zijmuren van het huis geschoven.

Osen keek met grote ogen toe, schudde zijn hoofd alsof hij de droom wilde verjagen en keek in het rond. Zijn blik bleef hangen op een punt achter Dannyls rug.

Met een ruk draaide Dannyl zich om en zag een gedaante in het gat in de zijmuur staan, als een silhouet tegen het felle middaglicht. Hij zag dat de man gewone kleren droeg, maar zijn gezicht was verborgen in de schaduw.

Het geluid van verschuivend puin ging over in stilte.

'Je bent teruggekomen.'

De stem was bekend maar zwak. Dannyl keerde zich weer om en zijn hart stroomde over van blijdschap toen hij Lorlen zag liggen, ontdaan van het puin. Het gewaad van de administrateur was bedekt met gruis, zijn gezicht zat vol blauwe plekken, maar zijn ogen straalden.

'Ja, ik ben teruggekomen.'

Dannyl hield zijn adem in toen hij de stem herkende. Hij wendde zich om naar Akkarin en keek hem in de ogen. De verbannen magiër kwam de kamer in.

'Nee!' zei Lorlen. 'Niet dichterbij komen.'

Akkarin bleef staan. 'Maar je bent stervende, Lorlen.'

'Dat weet ik.' Lorlen ademde moeizaam en zwak. 'Ik wil niet... ik wil niet dat je je kracht aan mij verspilt.'

Akkarin kwam nog een stap dichterbij. 'Maar het –'

'Stop. Of ik ben dood voor je me bereikt,' zei Lorlen hijgend. 'Heb nog maar weinig kracht, om bewust te blijven. Ik hoef het alleen maar sneller... te verbruiken.'

'Lorlen,' zei Akkarin. 'Het kost maar een beetje magie. Net genoeg om je in leven te houden tot –'

'Tot de Ichani's komen om het karwei af te maken.' Lorlen sloot zijn ogen. 'Ik was een Genezer, weet je nog? Ik weet heus wel hoeveel er nodig is om me weer op te lappen. Te veel magie. Je zal alles nodig hebben om hen tegen te houden.' Hij keek Akkarin lang aan. 'Ik begrijp waarom je het deed. Waarom je tegen me gelogen hebt. De veiligheid van Kyralia was belangrijker dan onze vriendschap. Nog steeds. Ik wil maar één ding weten. Waarom gaf je geen antwoord toen ik je riep?'

'Dat kon ik niet,' zei Akkarin. 'Als het Gilde wist dat ik hier was, zouden de Ichani's dat te weten komen via het eerste het beste slachtoffer. Dan zouden ze bij elkaar blijven. Apart zijn ze kwetsbaar.'

'Aha,' zei Lorlen met een flauwe glimlach. 'Slim bekeken.'

Hij sloot zijn ogen weer. Akkarin kwam nog een stap dichterbij. De ogen van zijn vriend gingen trillend open.

'O nee, waag het eens,' fluisterde hij. 'Blijf daar. Vertel m.... over Sonea.'

'Sonea maakt het goed,' zei Akkarin. 'Ze is...'

Hoewel Akkarin zijn zin niet afmaakte, wist Lorlen nog een vage glimlach op zijn bleke gezicht te toveren.

'Mooi,' zei hij.

Toen ontspande zijn gezicht en hij slaakte een diepe zucht. Akkarin hurkte bij hem neer en boog zich over hem heen. Hij raakte Lorlens voorhoofd aan en met een gepijnigde trek op zijn gelaat boog hij zijn hoofd. Hij nam Lorlens hand in de zijne en schoof de ring van de vinger.

'Heer Osen,' zei hij.

'Ja?'

'Jij, Dannyl en...' – hij keek even in de richting van Farand – 'zijn metgezel mogen niemand vertellen dat ik in de stad ben. Als de Ichani's ontdekken dat Sonea en ik hier zijn, is elke kans op een overwinning verkeken. Begrepen?'

'Ja,' zei Osen zacht.

'Alle Ichani's op eentje na zitten in het paleis. Verlaat de stad nu het nog kan.'

Akkarin stond op en liep zonder omkijken naar het gat in de muur. In een flits zag Dannyl zijn gezicht voor hij naar buiten beende. Het stond stug en hard als altijd. Alleen die glinstering in zijn ogen had Dannyl nooit eerder gezien.

Een paar honderd stappen van de rand van de sloppen verliet Rothen de weg. Hij kon nu het gapende gat zier waar eens de Noordpoort had gestaan. Daardoorheen zag hij bovendien het nog grotere gat in de Binnenmuur.

Hij hoefde de stad niet via deze route binnen te komen. Er was nog altijd dat gat in de Buitenmuur rond het Gildeterrein.

Maar hij vroeg zich wel af waarom de Ichani's ervoor hadden gekozen hun krachten te verspillen aan de vernietiging van de stadspoorten. Ze wisten ongetwijfeld ook van de kapotte stukken in de Buitenmuur; ze hadden tenslotte magiërs genoeg gedood in het Fort en Calia. Misschien wilden ze hun fenomenale kracht aan het Gilde laten zien. En misschien namen ze aan dat ze de verloren energie makkelijk konden aanvullen door op Imardianen te jagen. Hoe dan ook, ze moesten er zeker van geweest zijn dat ze met hun kracht, of hun mogelijkheden die aan te vullen, Kyralia in handen zouden krijgen.

Terwijl Rothen zijn paard voortdreef over de beboste hellingen achter het terrein, voelde hij zich steeds onzekerder worden. Was hij nog op tijd? Zou hij het Gilde vernietigd vinden, met de wachtende Ichani's voor de ruïne van de universiteit? Hij kon maar beter voorzichtig zijn.

Hij hield het paard een beetje in toen het de eerste bomen bereikte. Het bos werd snel dichter, tot hij gedwongen was af te stappen en het dier aan de teugel mee te voeren. Er verscheen een beeld in zijn hoofd. *Niet weer...*

Hij bleef doorlopen terwijl de ervaring van de dood door zijn leden trok. Deze keer was het een paleiswacht. Toen het beeld vervaagde en verdween, zuchtte Rothen opgelucht.

Hoeveel doden was hij nu gestorven? vroeg hij zich af. Twintig? Dertig?

De helling werd steiler. Hij strompelde door laag struikgewas, over omgevallen bomen, langs grote keien en kuilen. Toen hij een open plek betrad, keek hij omhoog en zag hij iets wits door de bomen verderop schemeren. Bij de aanblik van de gebouwen zuchtte hij van opluchting en geluk. Hij spoedde zich voorwaarts tot hij aan de rand van het bos stond. Hij zag tientallen kleine huisjes op een grote open plek beneden hem, die samen een dorpje vormden.

Een verlaten dorpje. Hoewel Rothen maar een paar honderd stappen van deze plek woonde, had hij het slechts één keer gezien, als novice. De kleine groep huizen stond bekend als de Bediendeverblijven.

Hij daalde af naar de huisjes. Hij was er bijna toen er een deur geopend werd. Een man in uniform rende hem tegemoet.

'Heer,' zei de man terwijl hij een snelle buiging maakte. 'Hoe verloopt het gevecht?'

'Geen flauw idee,' zei Rothen. 'Ik kom net aan. Waarom zit je hier nog?'

De bediende haalde zijn schouders op. 'Ik wilde graag een oogje in het zeil houden tot ze terugkomen.'

Rothen keek snel naar zijn paard. 'Is er ook nog iemand in de stallen?'

'Nee, maar ik kan dat beestje van u wel verzorgen.'

'Dank je.' Rothen gaf de teugels aan de bediende. 'Als er voor het eind van de dag niemand terugkomt, ga er dan snel vandoor. Je kunt het paard nemen, als je wilt.'

De man keek verbaasd, maar boog, klopte het paard op de hals en bracht het dier weg. Rothen zag het Genezerspaviljoen en begaf zich op weg naar de universiteit.

Het was nu drie uur geleden dat Cery Sonea en Akkarin alleen gelaten had. Hij had bericht gekregen dat zij naar de sloppen was vertrokken om af te rekenen met de Ichani van de slaven. Akkarin was in de Binnencirkel verdwenen, en ook Takan wist niet wat zijn meester daar uitvoerde.

Een smokkelaarshol onder de Binnencirkel was uitgekozen als ontmoetingsplaats. Het was een grote ruimte, tot de nok toe volgestouwd met goederen. Toen drie gestalten op het pad tussen de planken naar hem toekwamen, lachte Cery en liep hij hen tegemoet. 'Dat Gilde van jullie heeft een Ichani om zeep geholpen,' zei hij. 'Eén dood, nog zeven te gaan.'

'Nee.' Sonea glimlachte. 'Twee dood, nog zes te gaan.'

Hij keek Faren aan. 'Die ene uit de sloppen?'

'Ja, maar ik heb er niets mee te maken hoor.'

Cery grijnsde en wist dat hij straalde van plezier. 'Heeft een van mijn vallen dan zijn werk gedaan?'

'Ik vind dat je eerst maar eens een blik moet werpen op wat er over is van de sloppenwijk voor je jezelf op de borst klopt,' zei Faren droog. Zijn adjudant knikte bevestigend.

'Wat is er dan gebeurd?' vroeg Cery met een blik op Sonea.

'Dat legt Faren je later wel uit.' Ze keek over haar schouder en draaide zich om naar Takan. 'Weet hier iemand waar Akkarin is?'

De bediende schudde het hoofd. 'Ik heb nu al twee uur geen bericht van hem ontvangen.'

Sonea fronste haar voorhoofd. Omdat Takan dat ook deed, nam Cery aan dat Akkarin zich met iets bezighield wat heel privé was. Wat was er zo belangrijk dat Akkarin zijn beste vrienden in de steek zou laten?

'Waar zijn de andere Ichani's?' vroeg Faren.

'Vijf in het paleis, eentje struint nog door de stad,' antwoordde Cery.

'Laat me eens raden,' zei Sonea. 'Die zwerver is de vrouw.'

'Goed gegokt.'

Ze zuchtte. 'Nou ja, ik moet maar wachten tot Akkarin terugkomt.'

Cery glimlachte. 'Ik heb hier iemand bij me die je vast wel wilt ontmoeten.'

'O, en wie mag dat dan wel zijn?'

'Een magiër. Heb ik uit de klauwen van de Ichanivrouw gered. Hij is behoorlijk dankbaar. Hij is zelfs zo dankbaar dat hij heeft aangeboden als lokaas te dienen voor mijn volgende ingenieuze valletje dat we hebben opgezet.'

Cery nam haar mee langs een stapel kisten naar een ruimte die vol stond met stoelen. De novice zat in een ervan. Hij stond op en glimlachte.

'Gegroet, Sonea.'

Sonea staarde hem ontzet aan. Zoals hij had verwacht antwoordde ze als een boer met kiespijn: 'Hallo, Regin.'

35

In de val

Cery zei: 'Ga toch zitten, Sonea. Praat maar lekker bij, dan haal ik wat te eten voor jullie.'
Sonea staarde Cery aan. Hij had natuurlijk geen flauw idee van wat zich had afgespeeld tussen haar en Regin. Toen knipoogde hij naar haar, en het drong tot haar door dat hij zich wel degelijk herinnerd had wie Regin was.

'Toe maar,' zei hij. 'Jullie hebben elkaar al zo'n tijd niet gezien.'
Sonea ging langzaam zitten. Ze keek naar Faren, maar die stond elders in de kamer met zijn adjudant te kletsen. Takan ijsbeerde van de ene hoek naar de andere.

Regin keek haar aan, keek weg, wreef in zijn handen en schraapte zijn keel. 'Zo,' begon hij. 'Heb je al een van die Sachakanen vermoord?'

Sonea moest zich inhouden om niet in lachen uit te barsten. Het was een vreemde, maar ook wel passende manier om een gesprek met haar oude vijand te beginnen.

'Een paar maar,' zei ze.
Hij knikte. 'Die ene in de sloppen?'
'Nee. Een in de Zuiderpas, en een voor het allemaal begon, in de stad.'
Hij sloeg zijn ogen neer. 'Niet makkelijk zeker?'
'Iemand doodmaken?' Ze vertrok haar gezicht. 'Ja en nee. Ik denk dat je er niet bij stilstaat wanneer je probeert een ander ervan te weerhouden jou te doden. Later komt het allemaal pas boven.'

Hij glimlachte flauwtjes. 'Ik bedoelde, zijn ze moeilijk dood te maken?'
'O.' Ze keek de andere kant op. 'Ik denk van wel. Het is mij alleen gelukt omdat ik bij allebei een list heb gebruikt.'

'Je dénkt van wel? Wéét je dan niet hoe sterk ze zijn?'
'Nee. Ik weet niet eens hoe sterk ikzelf ben. Ik denk dat ik daar pas achter kom als ik tegenover een Ichani sta.'

'Maar hoe weet je dan of je een gevecht kunt winnen?'
'Dat weet ik ook niet.'

Regin keek haar aan met een ongelovige blik. Toen kreeg hij een kleur en staarde naar de grond. 'Iedereen heeft het je moeilijk gemaakt,' zei hij zacht. 'Heer Fergun, ik en de andere novicen, en het hele Gilde toen ze erachter kwamen dat je zwarte magie leerde. Maar je bent toch teruggekomen. En je wilt nog steeds je leven voor ons wagen.' Hij schudde het hoofd. 'Als ik geweten had wat er aan de hand was, zou ik niet zo gemeen tegen je zijn geweest die eerste twee jaar.'

Sonea keek hem aan met een mengeling van ongeloof en verrassing. Verontschuldigde hij zich nu?

Hij keek haar aan. 'Wat ik zeggen wou... nou ja, als ik dit overleef, dan zal ik proberen het goed te maken.' Hij haalde zijn schouders op. 'Dat is wel het minste wat ik kan doen.'

Ze knikte. Nu wist ze helemaal niet meer wat ze tegen hem moest zeggen! Maar ze werd gered door de komst van een lange gedaante die tussen de kisten opdook.

'Akkarin!' Ze sprong op uit haar stoel en rende naar hem toe. Hij glimlachte wrang.

'Heb je gezien wat de sloppers gedaan hebben?' vroeg ze.

'Ja, ik zag het door de ring en heb de gevolgen bekeken.'

Ze fronste haar wenkbrauwen. De harde lijnen in zijn gezicht vertelden haar dat iets hem hevig geraakt had. 'Wat is er?' vroeg ze fluisterend. 'Wat is er gebeurd?'

Hij keek met bliksemende ogen naar Regin. Hij nam haar bij de arm en leidde haar naar de stellingen, keek naar de grond en zuchtte diep. 'Lorlen is dood.'

Lorlen? Dood? Ze keek hem geschokt aan en haar hart vulde zich met medeleven toen ze de pijn in Akkarins ogen zag. Lorlen was zijn beste vriend geweest, al had Akkarin tegen hem moeten liegen, hem moeten chanteren, en hem in de gaten moeten houden via de ring. De afgelopen jaren waren een kwelling voor hen beiden geweest. De last die haar terneer had gedrukt sinds ze had gehoord dat Rothen overleden was, woog opeens dubbel zo zwaar.

Ze sloeg haar armen om Akkarins middel en legde haar voorhoofd tegen zijn borst. Hij trok haar tegen zich aan en hield haar stevig vast. Na enige tijd haalde hij diep adem en liet de lucht langzaam ontsnappen.

'Ik heb Dannyl en Osen gesproken,' zei hij zacht. 'Ze waren bij Lorlen, dus ze weten dat we in de stad zijn. Ze zouden het niet verder vertellen. En ik heb Lorlens ring meegenomen.'

'En de rest van het Gilde?'

'Ik denk dat er nog maar heel weinig over zijn die niet uitgeput zijn of dat bijna zijn,' zei hij. 'De Dieven hebben er een stel meegenomen diep de gangen in. Anderen hebben zich op het Gildeterrein verstopt.'

'En hoeveel zijn er dood?'

'Weet ik niet. Twintig. Vijftig. Misschien meer.'

Zoveel? 'Wat doen we nu?'

Akkarin hield haar nog even vast en duwde haar toen zachtjes weg. 'Kariko is met vier anderen in het paleis. Avala doolt nog steeds door de straten op zoek naar prooi. We moeten haar vinden voor ze zich weer bij de anderen aansluit.'

Sonea knikte. 'O, wat had ik graag van te voren geweten wat de Dieven van plan waren met die Ichani in de sloppen. Als een van ons erbij was geweest, hadden we al zijn kracht kunnen pakken.'

'Ja, maar er is uiteindelijk weer een Ichani minder om mee af te rekenen.' Hij liet haar los en ze liepen terug. 'Je vriend Cery heeft interessante ideetjes. Als Kyralia het overleeft zal het Gilde een geduchte tegenstander krijgen bij de Zuivering.'

Sonea glimlachte. 'Ik dacht dat ik ze dat al duidelijk had gemaakt.'

'Niet zoals die vriendjes van Cery het aanpakken.'

Toen ze het eind van de kamer bereikten, rook Sonea dat Cery de beloofde maaltijd had binnengebracht. Takan zat al smakelijk te eten en zag er niet zo bezorgd meer uit als een uurtje geleden. Regin keek nieuwsgierig van haar naar Akkarin en terug.

'Regin van Winar,' zei Akkarin. Sonea herkende de toon van weerzin. 'Ik heb gehoord dat je door de Dieven bent gered.'

Regin stond op en maakte een buiging. 'Ze hebben mijn leven gered, heer. Ik wil ze op alle mogelijke manieren helpen, want ik sta bij hen in het krijt.'

Akkarin knikte en keek steels naar Takan. 'Ik denk dat je daar binnenkort al de kans voor krijgt.'

'Waar gaan we naar toe?'

Dannyl keek licht verbaasd opzij naar Farand. De jonge magiër had het afgelopen halfuur geen mond opengedaan. Als een hondje had hij zonder iets te vragen achter Dannyl aan gelopen.

'Ik moet een vriend van me opzoeken,' antwoordde Dannyl.

'Maar je ex-Opperheer zei dat we de stad uit moeten gaan.'

Dannyl knikte. 'Hij zei dat de Ichani's in het paleis zitten. Ik moet naar Tayend toe, voor het te laat is. Misschien kan hij ons een stel gewone kleren bezorgen.'

'Tayend? Is hij in Imardin?'

'Ja.' Dannyl keek de volgende straat in. Geen mens te zien. Farand volgde hem de hoek om. Het herenhuis waarin Tayend logeerde was maar een stuk of tien huizen verderop. Dannyls hart begon feller te kloppen.

'Maar hij was niet bij de hoorzitting,' zei Farand.

'Nee, hij is pas een paar dagen geleden aangekomen.'

'Slechte timing zeg.'

Dannyl grinnikte. 'Zeker weten.'

'Waarom is hij niet meteen weer vertrokken?'

Nog zes huizen te gaan. Dannyl dacht na over het antwoord. *Omdat Tayend zich het idiote idee in zijn hoofd had gehaald dat hij ervoor kon zorgen dat ik de strijd overleef. Omdat hij niet wil dat ik in mijn eentje de vernietiging van het Gilde zal zien. Omdat hij meer om mij geeft dan om zijn eigen veiligheid.*

Dannyl zuchtte. 'Omdat hij niet weet hoe gevaarlijk de Ichani's zijn,' zei hij tegen Farand. 'En ik kon hem er niet van overtuigen dat niet-magiërs net zo veel gevaar lopen als magiërs. Zijn al die Elyneeërs zo recalcitrant?'

Farand lachte zacht. 'Voor zover ik weet is dat inderdaad een nationaal karaktertrekje.'

Ze waren bij het huis aanbeland. Dannyl haalde de sleutel uit zijn zak en wilde hem in het slot steken... en verstarde.

De deur stond open.

Hij staarde met bonkend hart naar de opening tussen deur en deurpost. Farand raakte zijn schouder aan. 'Ambassadeur?'

'De deur staat open. Tayend zou hem nooit open laten staan. Er is hier iemand geweest.'

'Dan moeten we maar weer gaan.'

'Nee!' Dannyl haalde een paar keer diep adem en keek Farand aan. 'Ik moet weten of hij in orde is. Je kunt meekomen, of je kunt hier blijven wachten tot ik naar buiten kom, of je kunt weggaan en de stad verlaten.'

Farand wierp een blik op het hoge herenhuis. Hij rechtte zijn schouders. 'Ik ga met u mee.'

Dannyl duwde de deur open. De ontvangstkamer was leeg. Langzaam en voorzichtig sloop hij door het huis, maar hij vond geen ander levensteken van Tayend dan de bagagekist in een van de slaapkamers, en een aantal gebruikte wijnglazen.

'Misschien is hij even wat eten gaan halen,' bedacht Farand. 'Misschien komt hij zo terug.'

Dannyl schudde van nee. 'Hij zou niet naar buiten gaan als hij er niet toe gedwongen werd. Vandaag zeker niet.' Hij liep de keuken in, waar een half-leeg glas en een fles op de keukentafel stonden. 'Heb ik nu overal gekeken?'

Farand wees naar de deur. 'De kelder?'

Achter de deur bevond zich een trap die uitkwam in een grote voorraad-kelder vol flessen en etenswaren. Niemand. Dannyl ging weer naar de keuken. Farand gebaarde naar het halflege glas. 'Hij is blijkbaar halsoverkop vertrokken,' mompelde hij. 'Vanuit de keuken. Dus, als ik hier stond en ik zou plotseling moeten vluchten, waar zou ik dan heengaan?' Hij keek naar Dannyl. 'De bediende-ingang is het dichtste bij.'

Dannyl knikte. 'Dan gaan we die kant op.'

Het Gildeterrein was zo verlaten en stil dat het leek alsof het zomervakantie was. Maar de stilte was te diep. Zelfs gedurende de paar weken per jaar dat de meeste gebouwen gesloten waren en vrijwel alle magiërs hun familie bezochten, was het nooit zo akelig stil.

Toen Rothen de universiteit binnenkwam begon hij zich af te vragen of het Gilde nu wel de beste schuilplaats vormde. De hele weg naar Imardin had hij alleen maar verlangd naar een bekende omgeving. Maar nu hij er eindelijk was, merkte hij dat het Gilde hem niet het veilige gevoel gaf waarop hij had gerekend.

Van de stervende geesten van Kariko's slachtoffers waarmee hij werd bestookt, wist hij dat het Gilde de Ichani's het laatst buiten het paleis had aangevallen. Ze hadden één Sachakaan gedood, maar ze waren zelf behoorlijk afgepeigerd geraakt tijdens het gevecht. Daarna had Kariko alleen wat paleiswachters vermoord, dus de Ichani's moesten nog ergens in de binnenstad zijn. Waar zouden ze heen gaan als ze het paleis eenmaal in handen hadden? Rothen stond plotseling stil midden in de grote hal. Hij sidderde van angst toen het tot hem doordrong.

Het Gildeterrein.

Balkan weet dit, dacht hij. *Hij zal iedereen bevolen hebben de stad te verlaten. Hij heeft waarschijnlijk gepland dat we elkaar ergens anders ontmoeten, om op krachten te komen, en om Imardin weer te heroveren. Ik moet hier weg, ik moet proberen hen te vinden.*

Rothen keek naar het luisterrijke plafond van de hal en zuchtte diep. Dit zou de komende dagen zonder twijfel allemaal vernietigd worden. Bedroefd schudde hij het hoofd en draaide zich om.

Hij had nog maar één stap gezet toen hij stemmen achter zich hoorde. Zijn eerste gedachte was dat de Ichani's nu al binnengekomen waren, tot hij met een schok de stemmen herkende. Hij rende de hal door.

Balkan en Dorrien stonden voor de Gildehal. Het leek wel of ze ruzie hadden, maar Rothen deed geen moeite ernaar te luisteren. Ze keken allebei verbijsterd op toen hij verscheen.

'Vader!' zei Dorrien, naar adem happend.

Opluchting en liefde doorstroomden Rothen. *Hij leeft nog.* Dorrien rende naar hem toe en omhelsde hem. Rothen verstijfde van de pijn in zijn schouder.

'Dorrien,' zei hij, 'wat doe jij hier?'

'Lorlen vroeg of iedereen naar Imardin wilde komen,' antwoordde Dorrien. Hij kneep zijn ogen iets samen toen hij het litteken van Kariko op zijn vaders wang ontwaarde. 'Vader, we dachten allemaal dat je dood was. Waarom heb je geen contact met ons opgenomen?' Hij keek bezorgd naar Rothens schouder. 'Je bent gewond. Wat is er gebeurd?'

'Ik durfde een mentaal gesprek niet aan. Ten eerste mocht het niet en...' Rothen aarzelde, want hij wilde Dorrien niet over de ring vertellen. 'Mijn schouder en arm zijn gebroken tijdens het gevecht in Calia, en ze groeiden verkeerd aan elkaar tijdens mijn slaap. Maar je hebt me nog niet geantwoord

– of misschien stelde ik de vraag verkeerd? Waarom ben je hier, op het Gildeterrein? Je snapt toch wel dat dit de volgende plek is waar de Ichani's gaan huishouden?'

Dorrien keek Balkan aan. 'Ik heb... niet mee gevochten met de rest van de magiërs. Ik ben er bij de eerste gelegenheid tussenuit geknepen.'

Rothen keek zijn zoon verbaasd aan. Hij kon zich niet indenken dat Dorrien een gevecht zou vermijden. Zijn zoon was geen lafaard.

Dorrien keek diep gefrustreerd. 'Ik heb er mijn redenen voor,' zei hij. 'Ik kan ze echter niet vertellen. Ik heb gezworen mijn mond te houden. Jullie moeten me op mijn woord geloven als ik zeg dat ik niet mag riskeren door de Ichani's gepakt te worden. Als ze mijn gedachten lezen zal elke kans op het uitroeien van de Ichani's verkeken zijn.'

'De laatste kans is al verloren,' zei Balkan somber. Toen kneep hij zijn ogen nadenkend samen. 'Tenzij...'

Dorrien schudde het hoofd. 'Denk er maar niet over na. Ik heb al te veel gezegd.'

'Als je zo bang bent dat de Ichani's een geesteslezing doen, waarom ben je hier dan op het terrein?' vroeg Rothen.

'Ik heb vanuit de hal een goed uitzicht op de Gildepoort,' antwoordde Dorrien. 'Als ik ze zie aankomen, vlucht ik via het bos. Als ik de stad in ga, is er alleen maar meer kans dat ik gepakt word.'

'Waarom vertrek je nu dan niet meteen?' wilde Balkan weten.

Dorrien richtte zich tot hem. 'Ik vertrek niet tot ik moet. Als het geheim op een andere manier onthuld wordt, staat het me vrij om jullie te helpen.'

Balkan fronste zijn voorhoofd. 'Maar als wij met jou meegaan als het zover is, kan je ons dat geheim toch wel vertellen?'

De koppige uitdrukking op Dorriens gelaat kwam Rothen maar al te bekend voor. Rothen schudde het hoofd.

'Probeer maar niet hem om te praten, Balkan. Maar ik denk wel dat wij ook moeten vertrekken zodra er een Ichani arriveert. Trouwens, ik vroeg me net al af: waarom ben jíj eigenlijk hier?'

Nors keek de Krijger voor zich uit. 'Iemand moet getuige zijn van het lot van ons thuis.'

Rothen knikte. 'Daarom blijven we alle drie tot het laatste moment.'

'Zoet bloedkruid,' fluisterde Faren, en hield een klein flesje omhoog. 'Vrijwel niet te proeven in wijn of gebak. Het werkt snel, dus zet je schrap.'

Sonea wierp een blik op de Dief en rolde met haar ogen.

'Wát nou?' vroeg hij.

'Op de een of andere manier verbaast het me niks dat je zoveel van gif weet, Faren.'

Hij glimlachte. 'Ik ben me er pas voor gaan interesseren toen ik vond dat ik de diertjes naar wie ik vernoemd ben eer moest aandoen. Soms komt die kennis best van pas, maar lang niet zo vaak als je zou denken. Je vriendje Regin heeft trouwens ook veel interesse in het onderwerp.'

'Hij is mijn vriendje niet!' Sonea drukte haar oog weer tegen het kijkgaatje. Het grootste deel van de kamer werd in beslag genomen door een enorme eettafel. Zilveren bestek flonkerde zacht in het gefilterde licht van de twee raampjes. Een half opgegeten maaltijd lag koud en gestold op de fraaie borden.

Ze stonden in een van de grotere herenhuizen in de Binnencirkel. Behalve de hoofdingang had de eetkamer twee bediendedeuren; Sonea en Faren stonden achter de ene deur, Akkarin achter de andere.

'Cery had het idee dat jullie een speciale relatie hadden,' bleef Faren aandringen.

Ze snoof zachtjes. 'Cery heeft me eens aangeboden Regin te vermoorden. Het was erg verleidelijk.'

'Aha,' antwoordde hij.

Sonea keek naar de glazen op tafel. Ze waren gevuld met wijn, het ene met wat meer dan het andere. Flessen, ongeopend en geopend, stonden in het midden. Ze waren allemaal vergiftigd.

'En wat heeft onze vrijwilliger dan wel gedaan dat hij zo'n royaal aanbod van Cery opwekte?'

'Gaat je niks aan.'

'O nee? Wat interessant.'

Sonea schrok op toen de grote deur van de eetkamer met een klap werd opengegooid. Regin sprong naar binnen en smeet de deur dicht. Hij vloog langs de tafel en rende naar de deur waarachter Akkarin stond. Hij bleef ervoor staan en pakte de klink.

Weer vloog de grote deur open. Regin deed net of de klink niet werkte. Sonea voelde haar hart in haar keel bonzen toen een van de Ichani's de kamer in stapte. Hij keek naar Regin en toen naar de gedekte tafel.

'Dus je staat niet echt te trappelen om hem te redden als de Ichani niet in de val trapt,' fluisterde Faren.

'Natuurlijk wel,' mompelde Sonea terug. 'Regin is dan misschien een... een... nou ja, laat maar, maar daarvoor hoeft hij nog niet te sterven.'

Toen de Ichani weer naar Regin keek, drukte de jongen zijn rug tegen de deur. Zijn gezicht was krijtwit. De Sachakaan liep om de tafel heen. Regin gleed langs de muur, zodat de tafel tussen hem en de Ichani in bleef.

De Ichani grinnikte. Intussen greep hij een van de glazen en zette het aan zijn lippen. Hij nipte van de inhoud en trok een gezicht. Hij smeet het glas tegen de muur. Het sprong aan diggelen en een rode vlek droop langs de muur naar beneden.

'Is dat genoeg?' murmelde Sonea.

'Denk het niet,' antwoordde Faren. 'Maar hij heeft geproefd, en nu wil hij vast iets minder verzuurds.'

De Ichani begon rond de tafel te lopen. Regin dook weg, maar plotseling sprong hij te voorschijn en greep een wijnfles bij de hals. De Ichani bleef staan terwijl Regin de fles dreigend voor zich uit stak. Hij maakte een schijnbeweging en Regin viel met zijn gezicht voorover op tafel alsof hij van achteren geduwd werd.

De Ichani greep Regin in zijn kraag en drukte hem stevig tegen de tafel. Sonea greep de deurknop al vast, maar Faren hield haar tegen.

'Wacht maar,' fluisterde hij.

De Sachakaan trok de fles uit Regins hand en bekeek hem. De kurk begon zich wiebelend naar boven te bewegen en viel op de grond. De Ichani zette de fles aan zijn lippen en goot een kwart van de inhoud naar binnen.

Faren slaakte een zucht van verlichting.

'Is dat wel genoeg?' vroeg Sonea gespannen.

'O jee, ja.'

Regin kronkelde over de tafel, en borden en vorken stoven in het rond terwijl hij zich verzette tegen de greep van de Ichani. De Sachakaan nam nog een flinke slok uit de fles en sloeg hem tegen de tafel kapot. Hij hield het gebroken eind voor Regins neus.

'Dat is wat minder,' zei Faren. 'Als hij Regin bewerkt met dat glas zal het gif –'

De deur achter de Ichani vloog open. Sonea's hart sloeg een slag over, maar Akkarin kwam niet naar buiten. De Ichani keerde zich met een ruk om en staarde naar de openstaande deur.

'Mooi, dat geeft ons iets meer tijd,' mompelde Faren.

Sonea hield haar adem in. De deurlink was kletsnat van het zweet. Als zij en Akkarin zichzelf aan de Ichani lieten zien, zou hij dat direct doorbrieven aan Kariko. Het zou veel beter zijn als de man bezweek aan het gif.

'Daar gaat-ie dan,' zei Faren tevreden.

De Ichani liet Regin plotseling los en wankelde weg van de tafel. Hij greep naar zijn maag, terwijl Regin zich oprichtte en als een haas de kamer uit rende.

Kariko! Rikacha? Ik ben... ik ben vergiftigd!

Kariko antwoordde niet. De Ichani viel op zijn knieën en knakte voorover. Een lange rochel ontsnapte hem, waarop hij een rode vloeistof uitbraakte. Sonea huiverde toen ze begreep dat het geen wijn maar bloed was.

'Hoe lang duurt het nog voor hij dood is?'

'Vijf, tien minuten.'

'Noem je dat snel?'

'Ik had roini kunnen nemen, dat werkt sneller, maar is bitter. Dat had hij gemerkt.'

Akkarin verscheen in de deuropening. Hij keek even naar de man en trok zijn hemd uit.

'Wat doet-ie nou?' vroeg Faren.

'Ik denk...' Sonea knikte toen Akkarin het hemd vliegensvlug rond het hoofd van de man bond. De Ichani schreeuwde verrast en probeerde het weg te trekken.

Sonea.

Akkarins stem klonk anders, helderder, via de ring. Ze deed de deur open en snelde naar hem toe.

Houd dit vast.

Ze hield het hemd vast rond het hoofd. De man bleef worstelen, maar er zat al geen kracht meer in. Akkarin trok zijn mes, maakte een snee in de arm van de man en legde zijn hand op de wond.

Sonea voelde hoe de Ichani verslapte. Al vrij snel trok Akkarin zijn hand weg. Ze liet het hemd los en het dode lichaam zeeg neer op de vloer. Ze moest ervan kokhalzen.

Dat was afschuwelijk.

Akkarin keek Sonea aan. *Ja, maar het ging wel snel.*

'Het heeft gewerkt. Mooi zo.'

Ze keken op toen Regin de kamer binnen stapte. Hij keek voldaan naar de dode Ichani.

'Ja,' zei Sonea, 'maar we kunnen het helaas niet nog eens doen. De anderen hoorden dat hij zei dat hij vergiftigd was. Daar trappen ze geen tweede keer in.'

'Maar je hulp wordt zeer gewaardeerd,' merkte Akkarin op.

Regin haalde zijn schouders op. 'Het was de moeite waard om een van die klootzakken zijn vet te geven.' Hij hield een hand tegen zijn keel en vertrok zijn gezicht. 'Maar ik vind het niet erg dat ik het niet nog eens hoef te doen. Hij brak verdomme bijna mijn nek.'

Iedereen moet een droom hebben in het leven, dacht Cery toen hij over de treurige brokstukken van de poort liep. *Die van mij is vrij eenvoudig: ik wil in alle belangrijke plaatsen van Imardin geweest zijn.*

Hij was best trots op het feit dat hij, die nog geen twintig was, in vrijwel elk belangrijk gebouw in de stad was geweest. Het exclusieve terrein van de Renbaan was een fluitje van een cent geweest: hij had zich als lid van de bediening verkleed. Zijn handigheid in het openen van sloten had hem toegang verschaft tot vrijwel alle herenhuizen van de Binnencirkel. En dankzij Sonea was hij het Gilde binnengedrongen, al had hij liever gehad dat dat door zijn vaardigheid dan door een overfanatieke magiër gebeurd was.

Toen hij over de binnenplaats liep, kon hij het lachen niet laten. Het paleis was nu eenmaal het enige gebouw waar hij nog nooit ongemerkt binnen had kunnen sluipen. Maar nu de schildwachten gedood waren en de deuren van de zware paleispoort scheef in hun scharnieren bungelden, kon niemand hem ervan weerhouden een wandelingetje door het koninklijk paleis te maken.

Zelfs de Ichani's niet. Volgens de spionnen die door de Dieven overal waren neergezet, hadden de Ichani's een uur geleden het paleis verlaten. Ze hadden er maar een uur of twee doorgebracht, dus ze zouden daarbinnen waarschijnlijk niet alles met de grond gelijk hebben gemaakt.

Hij stapte over de verkoolde lijken van de schildwachten heen en tuurde door de kapot getrapte deuren van het gebouw. Een grote entree lag erachter. Sierlijke wenteltrappen draaiden zich naar de hoger gelegen etages. Cery zuchtte, zo mooi vond hij het. Eenmaal binnen vroeg hij zich af waarom de Ichani's die glasachtige trappen niet vernield hadden. Misschien wilden ze hun kracht niet verspillen. Of misschien hadden ze ingezien dat het vrij lastig was boven te komen zonder de trappen.

Cery keek naar het symbool van de mulloek op de tegels. Hij nam niet aan dat de koning nog in het paleis was. De vorst had Imardin vast verlaten toen de Binnenmuur viel.

'Avala, dat is me wel een lastpost, hè.'

'Zeg dat wel. Die houdt te veel van zwerven. Ik verwacht dat ze binnenkort Kyralia al weer uit wil.'

'Wil zeker naar Elyne.'

Cery draaide zich met een ruk om. De stemmen waren onvervalst Sachakaans en kwamen vanuit de ingang van het paleis. Hij keek snel rond en dook naar een poortje aan het eind van de hal. Net nadat hij verdwenen was hoorde hij voetstappen echoën op de tegels onder aan het trappenhuis.

'We hebben Rikacha allemaal horen roepen, Kariko,' zei een derde stem. 'We weten hoe hij stierf. Hij was gek dat hij van hun wijn dronk. Ik zie niet in waarom we hier samen moeten komen om zijn fout te bespreken, en Avala en Iniyaka zijn het vast met me eens.'

Cery glimlachte. Farens vuile list had dus gewerkt.

'Omdat we er nu al drie kwijt zijn,' antwoordde Kariko. 'Nog een, dan is er meer aan de hand dan botte pech.'

'Botte pech?' spotte de eerste Ichani. 'Het Gilde heeft Rashi kunnen pakken omdat hij te zwak was, en Vinara leeft misschien nog. We weten alleen dat onze slaven het loodje hebben gelegd.'

'Misschien,' stemde Kariko toe. Hij klonk een beetje afwezig. 'Maar er is iets anders dat ik jullie wil laten zien. Zie je die wenteltrappen? Zien er heel kwetsbaar en fragiel uit, hè? Alsof ze niet eens hun eigen gewicht kunnen dragen. Weten jullie hoe die tovenaars beletten dat ze in elkaar storten?'

Er kwam geen antwoord.

'Ze stoppen er magie in. Kijk maar.'

Na een korte stilte klonk er een tinkelend geluidje. Het geluid werd harder, tot de hele hal weerklonk van gekraak en gerinkel. Cery schrok zich te pletter en tuurde om een hoekje.

De wenteltrappen stortten in elkaar. Terwijl Kariko de ene reling na de ander aanraakte, zakte het wonderschone bouwsel ineen op de vloer, waarbij de scherven in het rond vlogen. Een scherf gleed in Cery's richting. Een Ichani volgde hem met zijn blik en Cery dook vlug weg.

Leunend tegen de muur sloot hij zijn ogen. Het deed hem pijn dat zoiets prachtigs zo makkelijk vernietigd kon worden. Hij hoorde Kariko bulderen van het lachen.

'Door magiërs gemaakt, noemen ze dat!' riep de Ichani uit. 'Ze stoppen magie in hun gebouwen om ze te verstevigen. De helft van de huizen in de stad is zo gemaakt. Wat maakt het uit dat de stad verlaten is? We zuigen alle magie die we nodig hebben uit de gebouwen.' Hij liet zijn stem dalen. 'Laat de anderen maar even rondzwerven. Als ze hier waren gekomen, zoals ik bevolen had, hadden ze dit ook geweten. Kom nu maar met me mee, en dan zullen we eens zien wat het Gilde aan magie voor ons heeft achtergelaten.'

Er volgden voetstappen, maar die stopten. 'Harikava?'

'Ik wil eerst hier nog eens een kijkje nemen. Dit stulpje zindert vast van de magisch verstevigde onderdelen.'

'Als je maar van de wijn afblijft,' grapte de derde.

Harikava grinnikte. 'Ik ben niet gek.'

Cery hoorde dat de voetstappen zich verwijderden. Maar plotseling hoorde hij een tweede stel voeten en die schenen steeds luider te worden.

Hij komt deze kant op.

Hij keek de grote zaal rond. Diverse bogen doorbraken de muren zo hier en daar. Hij rende door de dichtstbijzijnde. Er liep een zuilengang parallel aan de zaal, waarop elke boog uitkwam. Cery gluurde voorzichtig om een hoekje.

De Ichani stond midden in de zaal. Hij keek in het rond en opeens in Cery's richting. Toen hij naar de boog begon te lopen waarachter hij verstopt zat, kreeg Cery een kurkdroge mond.

Hoe weet hij dat ik hierachter zit?

Maar hij verspilde geen tijd door dat uit te vogelen. Hij draaide zich om en begon de zuilengang door te rennen, recht het paleis in.

36

Redding uit onverwachte hoek

Een verre dreun echode door de gangen. Akkarin wisselde een blik met Sonea en liep toen naar een ventilatierooster in de muur. Daardoor kon hij een blik werpen in het steegje verderop en hij luisterde aandachtig. Normaal gesproken zou er een constant geroezemoes van bedrijvigheid te horen zijn geweest, maar nu hing er een griezelige stilte in de straatjes.

Akkarin gebaarde de gids verder te gaan. Enkele minuten lang waren hun ademhaling en het tikken van hun laarzen de enige geluiden. Toen stopte Akkarin abrupt en richtte zijn blik op oneindig.

'Takan zegt dat boodschappers vertellen dat Kariko het paleis weer uit is gegaan. De Ichani's zijn nu gebouwen aan het vernielen.'

Sonea dacht aan de doffe dreun die ze hadden gehoord en knikte. 'Ze verspillen hun kracht.'

'Ja.' Hij glimlachte en zijn ogen schitterden met de gloed van die van een jagend roofdier.

Schuifelende voetstappen trokken hun aandacht. Ze zagen een duistere gedaante verderop in de gang.

'Zoeken jullie de vreemdeling?' De krakende stem behoorde toe aan een oude vrouw. 'Hij is zo-even een huis hier vlakbij binnengegaan.'

Akkarin kwam dichterbij. 'Wat is het voor huis?'

'Van Huis Arran,' zei ze. 'Heeft een grote stal, een erf ervoor en het huis zelf ligt aan de andere kant. Helemaal ommuurd. Geen gangen eronder. Je moet er vanaf de straat in.'

'Hoeveel ingangen?'

'Twee. De hoofdingang voor, en een poort bij het erf. De vreemdeling ging via de voordeur naar binnen.'

'Welke ingang is het dichtst bij?'

'De poort.'

Akkarin keek Sonea aan. 'Dan gaan we daardoor.'

De oude vrouw knikte. 'Volg me maar.'

Toen ze weer door de gangen liepen, raakte Sonea de ring aan haar vinger aan.

Wat ben je van plan?

Ik weet het nog niet. Maar ik denk dat het tijd wordt om jouw methode te gebruiken.

Mijn methode? Je bedoelt zijn hart verfrommelen?

Ja.

Dan doe ik dat, want jou herkent hij waarschijnlijk, maar mij kent hij niet.

Akkarin fronste zijn voorhoofd, maar zei niets.

De vrouw leidde hen naar een klein deurtje, waar ze zich een voor een door wrongen. Ze kwamen terecht in een kelder vol vaten.

'We zitten nu in een huis aan de overkant van de straat,' legde het wijfje uit. 'Loop hier de trap op, dan kan je aan het eind van de gang de deur uit.' Ze lachte naargeestig. 'Succes.'

Ze deden wat de vrouw gezegd had en kwamen uit bij een bouwvallige bediende-ingang. Het slot was al gemold. Akkarin tuurde naar buiten en sloop verder. Ze kwamen uit in een typische Binnencirkelstraat. Aan de overkant stond een hoge muur met daarin een grote houten poort. Akkarin stak snel over en keek door de smalle kier tussen de dubbele deuren naar binnen.

'Zo te zien zijn er vanaf het erf twee ingangen naar het huis,' zei hij. 'We gaan via de eerste naar binnen.'

Hij concentreerde zich op het slot en het klikte open. Sonea volgde hem door de poort en sloot de deur achter zich. Een groot vierkant erf lag voor hen. Aan de linkerkant was een lang gebouw met een aantal brede deuren – de stallen. Aan de rechterkant lag het huis van twee verdiepingen. Akkarin holde ernaartoe en maakte met magie het slot van de eerste ingang open. Ze glipten naar binnen. Ze kwamen terecht in een smal gangetje. Akkarin gebaarde Sonea stil te zijn. Boven zich hoorden ze planken kraken door voetstappen.

Toen ze vanuit haar ooghoek iets zag bewegen, keek Sonea uit een raampje dat naast de deur zat. Met ingehouden adem zag ze twee magiërs en een chic geklede heer die zich naar de stallen haastten.

Akkarin kwam naast haar staan. De drie mannen liepen naar de grote staldeuren, en een van de magiërs gooide de deur wijd open. Waarschijnlijk had hij hem zwaarder geschat dan hij was, want hij sloeg met een klap tegen de muur.

Hollende voetstappen klonken boven hen. De drie mannen verdwenen in de stal en lieten de deur openstaan. Toen was het stil. Sonea huiverde toen ze weer die voetstappen boven zich hoorde, gevolgd door het piepen van een deur. Een Ichani rende het erf op. Hij bleef staan in het midden van het erf, keek om zich heen, ontdekte de open staldeur en ging erop af.

'Ik vind het maar niks, maar je hebt gelijk. Iniyaka zal me herkennen,' mompelde Akkarin. Hij keek naar Sonea. 'We hebben geen tijd voor een beter plan.'

Ze voelde een rilling langs haar rug lopen. Het was haar beurt. Alle mogelijke manieren waarop de geneestruc kon mislukken raasden door haar hoofd. Als de Ichani zijn schild geactiveerd had, en zij hem niet kon aanraken, en ze haar Genezingsmagie niet kon gebruiken, dan...

'Gaat het wel?'

'Ja hoor,' antwoordde ze dapper. Ze keek naar buiten en zag de Ichani de stal in glippen.

Akkarin haalde diep adem en maakte de deur voor haar open. 'Ik hou alles in de gaten. Als het niet lukt, trek je je schild op. Dan gaan we er samen ouderwets tegenaan.'

Sonea knikte en rende over het erf naar de stalingang. Ze tuurde naar binnen en probeerde wat te zien in het gedempte licht. Er liep iemand bij haar vandaan door het gangpad tussen de boxen. *De Ichani*, dacht ze. Hij verdween door een deur aan het eind van de stal.

Ze stapte naar binnen. Toen ze over het gangpad liep, doken plotseling drie mannen haastig een box uit. Ze zagen haar en verstijfden van schrik. Tegelijkertijd zag Sonea het gezicht van de chic geklede heer, en nu schrok zij ook.

Je hebt niet gezegd dat het de koning was!

De heerser van Kyralia bekeek haar aandachtig, en toen hij haar herkende sperde hij zijn ogen wijd open. Ze voelde eens te meer haar antipathie voor deze man en woede kwam in haar op. Deze koning had haar laten verbannen! Deze koning had haar familie bij de Zuivering hun huizen uitgejaagd! Ze dacht aan de sloppers die nooit gewaarschuwd werden als er weer een invasie op til was.

Waarom zou ik mijn leven wagen voor deze man?

Maar toen ze zichzelf die vraag hoorde stellen verafschuwde ze die gedachte meteen. Al had ze een gloeiende hekel aan de koning, niemand, maar dan ook niemand verdiende het in handen van een Ichani te vallen. Ze rechtte haar rug en stapte opzij. 'Rennen,' zei ze.

De drie mannen glipten langs haar heen. Toen ze uit het zicht verdwenen waren, hoorde Sonea een geluid in de ruimte achter in de stal. De deur ging open en de Ichani kwam terug. Ze keken elkaar recht in de ogen en hij lachte boosaardig.

Ze hoefde geen doodsangst te veinzen toen hij langzaam op haar afkwam. Ze deinsde terug naar de staldeuren en voelde de scherpe rand van een barrière. De Ichani bewoog zijn hand en ze voelde hoe ze naar voren getrokken werd. Ze weerstond de drang om zich uit zijn onzichtbare greep te wurmen en bleef wankelend in zijn richting lopen. Toen ze nog maar twee stappen van hem verwijderd was, bekeek hij haar van top tot teen.

'Dus er zijn toch nog een paar Kyraliaanse meiden hier,' zei hij.

Sonea verzette zich tevergeefs toen zijn kracht haar begon te omhullen, waardoor haar armen tegen haar lichaam gedrukt werden. Haar hart bonsde in haar keel toen de Ichani een stap naar voren deed en ze zijn adem tegen haar gezicht voelde. Hij stopte een hand onder haar hemd. Verstard van angst en afschuw zag ze zijn lach in een geile grijns veranderen.

De paniek sloeg haar om het hart. Ze kon zich niet bewegen, dus kon ze hem niet aanraken. Als ze hem niet kon aanraken, kon ze haar Genezings-magie niet gebruiken. En als hij door zou gaan met wat hij deed, zou hij het zwarte gewaad onder haar gewone kleren ontdekken.

Val aan, spoorde Akkarin haar aan.

Ze vuurde met al haar wilskracht een krachtgolf op hem af. De Ichani sperde zijn ogen verbijsterd open toen hij weggeduwd werd en zijn greep op Sonea wegviel. Ze stapte naar hem toe en raakte hem met een salvo snelle en felle treffers. Hij zette zich schrap met de benen licht gespreid, hief zijn handen en stuurde een krachttreffer terug. Struikelend liep ze achteruit toen de treffer haar schild raakte.

Hij lachte. 'Dus dat was het gewaad dat ik onder je hemd voelde. Ik vroeg me al af waar alle magiërs gebleven waren.'

Sonea kreeg weer nieuwe hoop. Hij dacht dat ze een doodgewone Gilde-magiër was. Ze kon hem dus nog in de val lokken door net te doen alsof ze uitgeput raakte.

Ik sta om de hoek, meldde Akkarin. *Wat moet ik doen?*

Wachten, antwoordde ze.

Toen de Ichani haar weer trof, liet ze zichzelf wegduwen tot haar rug de muur raakte. Hij kwam op haar af, en ze kromp ineen toen hij nogmaals vuurde. Bij de vierde treffer liet ze haar schild trillen. Grijnzend keek hij toe hoe ze haar schild liet vallen, en met het kromme mes tussen zijn tanden kwam hij op haar af.

Ze bewoog alsof ze weg wilde duiken toen hij zijn arm naar haar uitstrek-te. Hij greep haar arm, trok haar omhoog en drukte haar met één hand tegen de muur. Nu greep ze zijn pols, sloot haar ogen en stuurde haar geest zijn lichaam in.

Ze vond zijn hart op hetzelfde moment dat de pijn over haar arm flitste. Ze wist dat ze zichzelf niet kon genezen als ze bezig was hem te doden en concentreerde zich op zijn hart. Als dat niet meer klopte, wat zou hij dan nog kunnen doen?

Hij klemde haar steeds vaster terwijl zij haar wil deed gelden. Toen hoor-de ze hem naar adem snakken, en ze deed haar ogen open. Hij was doods-bleek geworden en keek haar beschuldigend aan. Een hand verschoof naar haar arm.

Een snijdende pijn schoot vanuit haar onderarm door haar hele lichaam. Hoewel ze wilde bewegen, gehoorzaamde geen enkele spier. Tegelijkertijd voelde ze hoe haar magische kracht met een duizelingwekkende vaart uit haar gezogen werd. Vanuit haar ooghoek zag ze iets bewegen, maar ze had niet eens de kracht om haar hoofd die kant op te draaien. Plotseling luwde de onttrekking van haar kracht. Verwarring en afgrijzen stonden op het gezicht van de Ichani te lezen. Ze zag het mes uit zijn hand vallen. Hij liet haar arm los en greep naar zijn borst.

Op hetzelfde ogenblik kreeg Sonea de beheersing over haar spieren terug. Ze pakte het mes en sneed zijn hals open. Terwijl het bloed eruit spoot, legde ze haar hand op de wond en nam zijn kracht in haar op.

De levensenergie stroomde razendsnel binnen, maar het was een stuk minder dan ze van Parika ontvangen had. Het gevecht met het Gilde had deze Ichani danig verzwakt. Terwijl Sonea zijn laatste restje kracht opnam, viel hij achterover op de vloer van de stal en bleef stil liggen. Haar knieën begonnen te knikken en ze liet zich op de grond zakken.

Akkarin kwam naar Sonea toegelopen en keek haar met een vreemde blik aan. Ze richtte haar ogen op haar met bloed bespatte kleren en rilde van afgrijzen.

Als dit allemaal voorbij is, dacht Sonea, *gebruik ik deze kracht nooit meer.*

'Dat dacht ik ook, toen ik terugkwam uit Sachaka.'

Ze keek naar hem op. Hij reikte haar de hand.

'Er liggen hier vast nog wel wat schone kleren voor je,' zei hij. 'Kom op, dan knappen we je weer een beetje op.'

Opstaan was zelfs met zijn hulp nogal lastig. Al was ze niet moe, haar benen voelden slap aan. Toen ze overeind stond, zwaaide ze licht heen en weer. Ze keek naar de dode Ichani en slaakte een zucht van verlichting. Het had gewerkt. En hij had niet eens de kans gehad om Kariko op te roepen. Ze had het weer overleefd, en had zelfs...

'De koning?' vroeg ze.

'Ik heb hem naar het huis aan de overkant gestuurd, en Takan waarschuwde Ravi, zodat die klaarstond om hem te ontvangen.'

Toen ze zich voorstelde hoe die ontmoeting verlopen moest zijn, gniffelde ze. 'De koning gered door de Dieven. Dat had ik wel willen meemaken.'

Akkarins mondhoek krulde omhoog. 'Het zou zijn zienswijze wel eens drastisch kunnen veranderen.'

Cery rende de zoveelste gang door voor hij afremde bij een deur. Hij probeerde de deurknop. Afgesloten. Naar de volgende dan. Idem dito. Het geluid van voetstappen verderop klonk steeds luider. Hij schoot als een pijl uit een boog naar het einde van de gang, probeerde de deur en hapte opgelucht naar adem toen de klink naar beneden ging.

Hij stoof een lange kamer binnen, met hoge ramen die uitzagen op de tuin in het midden van de binnenplaats. Cery rende naar een andere deur, langs stoelen die met bladgoud bedekt en met kostbare stoffen gestoffeerd waren. Savara's hanger bonkte tegen zijn borst van het rennen.

O, laat hem niet op slot zijn, dacht hij. *Laat hem alsjeblieft niet zijn afgesloten.*
Hij greep de klink en drukte. Maar de deur ging niet open. Hij vloekte en wroette in zijn zakken naar de gebogen pinnetjes. Hij was blij dat hij nog steeds de gewoonte had ze bij zich te steken. Hij koos twee dunne metalen prikkertjes, stak ze in het slot en begon in het mechaniek te wriemelen.

Achter hem klonken de voetstappen luider en luider.

Hij hijgde van inspanning. Zijn mond was droog, zijn handen zweterig. Hij haalde diep adem, liet de lucht langzaam ontsnappen, en gaf de pinnetjes een snelle draai.

Het slot sprong open. Cery rukte de pinnetjes eruit, trok de deur open en dook naar binnen. Hij zwiepte de deur achter zich dicht maar ving hem net op tijd op, zodat hij niet met een klap dichtviel. Hij sloot hem zo zacht mogelijk.

Een snelle blik vertelde hem dat hij een kleine kamer was binnengegaan, vol spiegels en stoelen. Een kleedkamer voor artiesten, meende Cery. Er was geen andere deur in de kamer. Hij richtte zijn aandacht weer op het slot en draaide het stil om.

Het mechanisme was hem nu bekend, dus sloot het slot al snel met een bevredigende klik. Hij zuchtte van opluchting en liet zich op een stoel neervallen.

Toen hij iemand in de kamer ernaast hoorde rondlopen, verdween zijn opluchting als sneeuw voor de zon. Als Harikava hem had gevolgd, zou hij weten dat Cery geen andere mogelijkheid had gehad dan het kamertje in te vluchten – of die deur nou op slot was of niet. Cery stond op en liep naar de kleine ramen aan één kant van de kamer. Hij moest hiervandaan, hoe dan ook.

Toen klikte het slot en hij verstarde toen de deur open zwaaide. De Ichani keek naar binnen. Hij glimlachte tevreden bij het zien van Cery.

'Dáár was je dus...'

Cery liep weg van de deur. Hij tastte in zijn zakken naar de messen die hij bij zich had en greep ze stevig vast.

Dit is niet best, dacht hij. Hij keek snel naar de ramen. *Dat haal ik niet. Hij heeft me te pakken voor ik ze kan bereiken.*

De Ichani kwam een stap dichterbij.

Als hij me pakt, leest hij mijn gedachten. Dan weet hij dat Akkarin en Sonea in de stad zijn.

Cery slikte en liet de messen uit de schede glijden. *Maar hij kan mijn geest niet lezen als ik dood ben.*

Toen de Ichani nog een stap deed, voelde Cery zijn vastberadenheid verslappen. *Dat kan ik niet. Ik kan mezelf niet doodmaken.* Hij staarde naar de Ichani. De ogen van de man stonden kil als die van een roofdier, klaar voor de sprong.

Wat maakt het ook uit? Ik ga er toch aan.

Hij haalde adem en trok zijn messen.

Nee, Cery! Niet doen!

Cery verstarde toen de stem in zijn hoofd weerklonk. Het was een vrouwenstem. Die hem deed denken aan...

Harikava draaide zich met opengesperde ogen om naar de deur. Cery hoorde snelle lichte voetstappen. Toen de vrouw de kamer in kwam, hapte hij naar adem van verbazing.

'Laat hem met rust, Harikava,' zei Savara. Haar stem had een bevelende klank. 'Deze is van mij.'

De Ichani deinsde voor haar achteruit. 'Wat kom jij hier doen? Jouw volk hoort niet bij ons.'

Ze glimlachte. 'Kyralia interesseert ons niet, hoewel jij je dat waarschijnlijk slecht kunt voorstellen. Nee, we staan alleen op de uitkijk.'

'Dat zeg jij.'

'Jij hebt geen recht om dat in twijfel te trekken,' antwoordde ze. 'En als ik jou was zou ik maar snel ophoepelen.'

Terwijl ze naar Cery liep, hield Harikava haar scherp in het oog. Toen ze ver genoeg van de deur was, holde hij meteen de kamer uit. In de aangrenzende kamer bleef hij staan.

'Kariko zal nooit toestaan dat jouw soort hier rondloopt! Hij zal een klopjacht instellen!' riep hij.

'Ik ben allang weg voor hij er ook maar aan denkt.'

Hij liep hard weg en de deur in de andere kamer sloeg met een klap dicht. Savara keek Cery aan.

'Die is weg. Dat was op het nippertje.'

Hij staarde haar verward aan. Ze had hem gered. Op de een of andere manier wist ze dat hij in gevaar was, en was ze net op tijd verschenen. Maar hoe kon dat? Was ze hem gevolgd? Of had ze de Ichani gevolgd? Opluchting sloeg om in twijfel toen hij haar woorden overdacht. De Ichani was bang voor haar geweest. En opeens vermoedde hij dat hij dat ook moest zijn.

'Wie bén je?' fluisterde hij.

Ze haalde haar schouders op. 'Een dienares van mijn volk.'

'Hij... hij rende keihard weg. Voor jou. Waarom?'

'Onzekerheid. Hij heeft nogal wat kracht verbruikt vandaag, en wist niet zeker of hij me kon verslaan of niet.' Ze glimlachte en kwam op hem af. 'Bluf is altijd de aangenaamste manier om een gevecht te winnen.'

Cery deinsde achteruit. Ze had zojuist zijn leven gered. Hij zou haar moeten bedanken. Maar er zat een luchtje aan de hele zaak. 'Hij herkende je. Je wist hoe hij heette.'

'Hij herkende wat ik was, niet wie ik was,' verbeterde ze.

'Wat ben je dan?'

'Je bondgenoot.'

'Nee, dat ben je niet. Je zegt dat je ons wilt helpen, maar je doet niets om de Ichani's tegen te houden. Ook al ben je sterk genoeg om dat te doen.'

Haar glimlach verdween. Ze keek hem ernstig aan, en toen verhardde haar uitdrukking. 'Ik doe wat ik kan, Cery. Wat moet ik doen om je daarvan te overtuigen? Vertrouw je me pas als ik zeg dat ik al een tijdje wist dat Akkarin en Sonea terug zijn in de stad? Maar blijkbaar heb ik het de Ichani's niet verteld.'

Cery's hart sloeg een slag over, en begon toen sneller te kloppen. 'Hoe ben je daar nu weer achter gekomen?'

Ze glimlachte en haar ogen flitsten naar zijn borst.

Waarom deed ze dat? Toen herinnerde hij zich de hanger die ze had laten maken. Hij reikte in zijn hemd en trok hem naar boven. Haar ogen schitterden en de glimlach verdween weer.

Wat voor magie was hiermee verbonden? Toen zijn oog op de robijn in het hart van het sieraad viel, schoot hem te binnen hoe Sonea en Akkarin hun ringen voor elkaar hadden gemaakt. Ringen met een steen van rood glas...

'Met deze ringen zullen we in elkaars geest kunnen kijken...'

Hij keek naar de robijn. Als dit een bloedsteen was, dan had Savara zijn gedachten kunnen lezen... en hij had hem omgedaan vlak nadat Akkarin en Sonea waren aangekomen.

Hoe wist ze anders dat ze in de stad waren?

Hij trok de ketting over zijn hoofd en smeet het sieraad in een hoek. 'Ik was inderdaad gek dat ik je vertrouwde,' zei hij verbitterd.

Ze keek hem bedroefd aan. 'Ik weet al van Sonea en Akkarin sinds ik je de ketting gaf. Heb ik hen verraden aan de Ichani's? Nee. Heb ik die informatie gebruikt om je te chanteren? Nee. Ik heb je vertrouwen niet beschaamd, Ceryni, je hebt je voordeel gedaan met dat van mij.'

Ze sloeg haar armen over elkaar. 'Je zei dat je me op de hoogte zou houden als ik je tips gaf om magiërs te doden, maar je hebt je mond gehouden over de informatie die ik nodig had. Mijn volk is wekenlang op zoek geweest naar Akkarin en Sonea in Sachaka. Ze wilden de ex-Opperheer helpen om Kyralia terug te krijgen. We vinden het maar niks dat Kariko van plan is Kyralia te regeren, net als jij. En nu hebben ze voor niets gezocht.'

Cery staarde haar wantrouwend aan. 'Waarom zou ik dat geloven?'

Savara zuchtte en schudde het hoofd. 'Ik kan je alleen vragen me te vertrouwen. Het is nauwelijks te bewijzen... Maar ik denk dat je je vertrouwen al hebt opgebruikt.' Ze glimlachte quasi treurig. 'Wat zal er nu van ons worden?'

Hij wist niet wat hij daarop moest antwoorden. Hij staarde naar de hanger en voelde zich boos, stom en verraden. Maar toen hij weer naar haar keek, zag hij droefheid in haar ogen die erop duidde dat ze het echt jammer vond dat het zo gelopen was. En hij wilde ook niet dat ze met wrok uit elkaar zouden gaan.

Maar dat was misschien onmogelijk.

'Jij en ik hebben geheimen die we niet mogen verklappen, en mensen om te beschermen,' zei hij langzaam. 'Ik respecteer dat van jou, maar je respecteert dat van mij niet.' Hij keek naar de hanger. 'Dat had je niet moeten doen. Ik snap nu wel waarom je het deed, maar dat maakt het nog niet goed. Toen je dat ding aan me gaf, maakte je het me onmogelijk mijn beloften aan een ander te houden.'

'Ik wilde jouw volk beschermen.'

'Weet ik.' Hij glimlachte wrang. 'En dat respecteer ik ook wel. Maar zolang onze landen vechten, kunnen we onze persoonlijke gevoelens niet de voorrang geven boven die voor ons volk. Dus we zien wel hoe het afloopt. Als het allemaal voorbij is, kan ik het je misschien vergeven. Maar tot die dag kies ik voor mezelf en mijn volk. Meer kan je niet van me verwachten.'

Ze sloeg haar ogen neer en knikte. 'Begrepen.'

De achterdeur van Zerrends herenhuis kwam uit op een steegje waar net een goederenkar doorheen zou kunnen. Het slot was open, maar de deur zat dicht. Het steegje kwam aan beide kanten op een lege, stille straat uit.

Geen spoor van Tayend – geen spoor van wie dan ook.

'Wat doen we nu?' vroeg Farand.

'Ik weet het niet,' gaf Dannyl toe. 'Ik wil eigenlijk niet weg, voor het geval hij terugkomt. Maar misschien werd hij gedwongen de stad te ontvluchten.'

Of misschien ligt hij ergens stervend in de goot. Elke keer dat Dannyl aan die mogelijkheid dacht, kreeg hij het zo koud alsof het midden in de winter was. *Eerst Rothen, dan Tayend...*

Nee, sprak hij zichzelf toe. *Het heeft geen zin er zo over te denken. Niet voordat je het met eigen ogen hebt gezien.*

De gedachte dat hij misschien Tayends lijk te zien zou krijgen maakte het alleen maar moeilijker om helder na te denken. Hij moest zich concentreren, hij moest beslissen wat ze het beste konden doen. Ze hadden drie opties: in het herenhuis blijven zitten wachten tot Tayend uiteindelijk terugkwam, in de stad op zoek gaan, of het opgeven en de stad verlaten.

Ik ga de stad niet uit tot ik het weet.

Dus bleef het huis of de zoektocht over. Niet echt eerlijk tegenover Farand.

'Ik ga op zoek naar Tayend,' zei Dannyl. 'Ik begin in de omringende straten, en kom af en toe terug naar het huis om te zien hoe het daar is. Jij moet de stad verlaten. Het heeft geen zin om allebei in deze levensgevaarlijke situatie te blijven.'

'Nee,' antwoordde Farand. 'Ik blijf hier voor het geval hij terugkomt.'

Dannyl keek Farand verrast aan. 'Weet je het zeker?'

De jonge magiër knikte. 'Ik ken Imardin niet, Dannyl. Ik ken de omgeving niet. En zo hoef je niet steeds terug te komen en kun je beter zoeken.'

411

Hij haalde zijn schouders op en liep langzaam achteruit. 'Ik zie je wel wanneer je terugkomt.'

Dannyl keek Farand na tot hij weer in het huis verdwenen was, liep toen naar het eind van de steeg en bekeek de straat waar die op uitkwam. Doodse stilte. Hij haastte zich naar het volgende steegje.

Eerst vond Dannyl alleen stapels houten kratjes in de steegjes. Toen trof hij af en toe het lichaam van een magiër aan. De angst om Tayends leven werd ondraaglijk.

Hij zocht in steeds grotere cirkels de stad af, en hij was bijna bij het huis terug toen een man voor zijn voeten te voorschijn sprong. Zijn hart klopte in zijn keel en het koude zweet brak hem uit. Het was echter maar een havenarbeider of sjouwer.

'Hiero,' zei de man, en hij wees op een soort afvalgat in de muur dat met een luik afgesloten werd. 'Veel veiliger voor jullie magiërs daaro.'

Dannyl schudde het hoofd. 'Nee, bedankt.' Toen hij verder wilde lopen greep de man hem bij zijn arm.

'De Sachakanen waren hier een paar uur geleden vlakbij. U kunt zich beter verschuilen.'

Dannyl trok zich los. 'Ik ben op zoek naar iemand.'

De man haalde zijn schouders op en liep weg.

Dannyl bereikte het eind van het steegje. De straat waarop hij uitkwam was leeg. Hij stak haastig over om het tegenoverliggende steegje in te duiken. Hij was er bijna toen hij een deur achter zich hoorde dichtslaan. Hij draaide zich om en versteende van angst.

'Aha, dat is het betere werk.' De vrouw slenterde naar hem toe en glimlachte sluw. 'Ik begon me al af te vragen of er geen lekkere jonge magiërs meer waren in Kyralia.'

Hij wilde de steeg in duiken, maar botste tegen een onzichtbare barrière. Duizelig wankelde hij achteruit, met bonzend hart.

'Nee, daar gaan we niet heen,' zei de vrouw. 'Kom maar hier. Ik maak je heus niet dood.'

Dannyl haalde diep adem en draaide zich naar haar om. Toen ze langzaam op hem afliep, deinsde hij achteruit de straat in. Er lag een kwaadaardige glans in haar ogen. Hij besefte dat hij haar eerder had gezien. Zij was de Ichani bij het Fort die heer Fergun voor zichzelf had willen houden.

'Kariko staat nooit toe dat je me laat leven,' zei hij.

Ze wierp haar haar nuffig naar achteren. 'Misschien ook wel, nu we hier toch zijn en vrijwel het hele Gilde van kant is gemaakt.'

'Waarom zou je me trouwens niet doodmaken?' zei hij, nog steeds achteruit lopend.

Ze haalde haar schouders op. 'Mijn slaven zijn dood. Ik heb nieuwe nodig.'

Hij moest nu bijna bij het volgende steegje zijn. Als hij haar maar lang genoeg aan de praat hield, zou ze misschien vergeten het te blokkeren.

'En wie weet, misschien vind je het helemaal niet zo onaangenaam als je denkt.' Ze glimlachte wellustig terwijl ze hem van top tot teen opnam. 'Ik beloon mijn lievelingsslaafjes altijd goed.'

Hij moest een plotselinge lach bedwingen. *Wie denkt ze wel dat ze is?* dacht hij. *Een of andere onweerstaanbare verleidster? Ze maakt zich nogal belachelijk.*

'Je bent niet echt mijn type,' zei hij droog.

Ze trok haar wenkbrauwen op. 'Nee? Nou ja, maakt niet uit. Je doet toch wel wat ik zeg, anders –' Ze bleef plotseling staan en keek verbijsterd de straat in.

Vanuit alle deuren en steegjes, links en rechts, doken Gildemagiërs op. Dannyl zag hoe ze massaal toestroomden, maar hij kende niemand van gezicht. Een van hen greep hem bij een arm, trok hem opzij en duwde hem een deuropening in. Hij werd door een ander de drempel over getrokken en de deur viel achter hem dicht. Dannyl staarde compleet overrompeld naar zijn redder en zijn hart sprong op.

'Tayend!'

De jonge geleerde keek hem lachend aan. Dannyl hapte naar adem, trok Tayend tegen zich aan en klemde hem stevig vast.

'Je bent het huis uit gegaan,' zei hij. 'Waarom ben je naar buiten gegaan?'

'Dat mens kwam binnen. Ik dacht, ik wacht wel in dat steegje tot ze weg is, maar ze ging door diezelfde deur naar buiten. De Dieven hebben me gered. Ik zei dat jij me wel zou komen zoeken, maar ze bereikten het huis niet op tijd. Farand hebben ze wel meegenomen.'

Dannyl hoorde een gedempt kuchje en verstarde toen hij zag dat ze niet alleen waren. Een lange Lonmariaan keek hen nieuwsgierig aan. Dannyl kreeg een hoofd als een boei.

'Ik zie dat jullie goede vrienden zijn,' zei de man. 'Als jullie bijgepraat zijn, zouden we –'

De deur schudde van een stevige dreun. De man gebaarde hen mee te komen.

'Vlug. Kom mee.'

Tayend greep Dannyls pols en trok hem achter de vreemdeling aan. Achter hen weerklonk een hevig kabaal en het geluid van versplinterend hout. De Lonmariaan zette het op een lopen. Hij rende een trap af, trok hen een kelder in en schoof een grendel voor de deur.

'Daar komt ze zo doorheen,' zei Dannyl.

'Vast,' zei de vreemdeling. 'Maar het houdt haar wel even bezig.'

Hij begon langs wijnrekken naar een kast aan de andere kant van de kelder te rennen. Hij opende de deur en trok aan planken met potten inge-maakte vruchten. De planken draaiden naar buiten en erachter kwam een andere deur te voorschijn. De vreemdeling opende hem en verdween. Tayend en Dannyl volgden hem en persten zich een nauw gangetje in. Daar

413

stond een jongetje met een lantaarn. De Lonmariaan begon de planken van de kast weer op hun plaats te trekken. Ze hoorden een gedempt geluid bij de kelderdeur, en vervolgens een ontploffing.

'Geen tijd,' mompelde hij en liet de kastdeur met de half verschoven planken open staan. Hij sloot de binnendeur en kwam achter hen aan. Het jongetje gaf hem de lantaarn en samen begonnen ze door de gang te hollen. Dannyl en Tayend liepen hen hijgend achterna.

'Niet zo best,' mompelde de vreemdeling in zichzelf. 'Laten we hopen dat ze –'

Er volgde weer een explosie. Dannyl keek om en zag een bollichtje bij de geheime deur zweven.

De Lonmariaan haalde diep adem. 'Rennen!'

37

Een glimp van de vijand

H et dienstmeisjesuniform dat Sonea aantrok om haar bebloede kleding te vervangen, was van een forsere vrouw geweest. Haar gewaad werd er goed door verborgen, maar de mouwen waren zo lang dat ze ze moest oprollen, en ze trapte om de haverklap op de zoom. Terwijl ze probeerde haar evenwicht te bewaren na weer zo'n misstap, dook voor hen een boodschapper op in de ondergrondse gang waardoor ze op weg waren. Hij liep snel naar hen toe.

'Ik heb... slecht nieuws,' zei hij hijgend. 'Een van de Sachakanen... heeft de gangen ontdekt.'

'Waar?' vroeg Akkarin.

'Niet ver hiervandaan.'

'Breng ons erheen.'

De boodschapper aarzelde, maar knikte toch. Hij liep weer terug de gang in; zijn lantaarn wierp verwrongen schaduwen op de muur.

We proberen dezelfde truc, zei Akkarin tegen Sonea. *Maar deze keer genees je jezelf wanneer de Ichani je een jaap toebrengt. Als hij eenmaal kracht aan je begint te onttrekken ben je alles in een wip kwijt.*

O, ik was niet echt van plan die fout nog een keer te maken, antwoordde ze. *Ik weet nu hoe het voelt.*

De gids nam hen mee door de gangen en stopte af en toe kort bij de wachters voor de uitgangen om te vragen of er nog nieuws was. Ze kwamen vluchtende mensen tegen, waaronder een donkere gestalte. Faren.

'Goed dat jullie hier zijn,' zei hij schor. 'Ze komt deze kant op.'

Dus het is de vrouw, dacht Sonea. *Avala.*

'Hoe ver nog?'

Faren knikte naar de weg waarlangs hij gekomen was. 'Een stap of vijftig. Sla bij de kruising linksaf.'

Hij drukte zich tegen de wand zodat Akkarin en Sonea hem konden passeren. Sonea had de lamp van de gids overgenomen. Haar hart sloeg sneller bij elke stap. Ze kwamen bij de kruising en bleven staan. Akkarin keek de linkergang in en begon weer te lopen, met Sonea op zijn hielen. Bij de volgende hoek stopten ze opnieuw.

Ze komt eraan. Wacht hier. Laat haar denken dat zij jóú gevonden heeft. Ik blijf in de buurt.

Sonea knikte. Ze keek hoe hij terugliep naar de kruising en een zijgang in dook. Achter haar hoorde ze snelle voetstappen, die steeds luider werden. Ze draaide zich om. Uit een zijgang zag ze een flauw lichtschijnsel komen dat snel feller werd. Sonea deed een stap achteruit. Er verscheen een bollicht. Ze hield een hand voor haar ogen tegen het felle schijnsel en snakte in gespeelde paniek naar adem.

De Ichani staarde haar aan en begon toen te lachen. 'Daar ben je dus. Kariko zal wel blij zijn.'

Sonea draaide zich om en wilde wegrennen, maar haar voet raakte weer verward in de zoom van de rok en ze viel neer op handen en knieën. Avala vond het erg komisch.

Dit zou een fraai staaltje toneelspel geweest zijn als ik het opzettelijk had gedaan, dacht Sonea wrevelig terwijl ze overeind probeerde te komen. Toen ze weer stond, greep een hand haar arm. Het kostte haar de grootste moeite de vrouw niet meteen op een treffer te trakteren.

De Ichani draaide Sonea om zodat ze haar gezicht kon bekijken. Een hand wilde haar haar vastpakken. Sonea greep de polsen van de Ichanivrouw vast en wilde haar geest naar binnen sturen, maar kreeg dat niet voor elkaar.

Avala had een schild opgetrokken.

De barrière lag als een tweede huid over de vrouw heen. Sonea voelde even een zekere bewondering voor Avala's kundigheid, maar toen sloeg de paniek toe. Zo kon ze haar Genezingsmagie niet op de vrouw toepassen.

Vechten, besloot Akkarin. *Stuur haar in de richting van de kruising. Ze moet tussen ons in komen te staan zodat ze niet kan ontsnappen.*

Sonea stootte een schokgolf uit. Avala sperde haar ogen verrast open toen ze tegen de wand werd gekwakt. Sonea tilde haar rok op, draaide zich om en rende de gang door. Voor haar verscheen een blokkade. Met een krachttreffer vernietigde ze hem. Even later was ze voorbij de kruising. Ze stopte en draaide zich om naar de Ichani.

De vrouw grijnsde triomfantelijk. *Kariko. Kijk eens wat ik heb gevonden.*

Sonea zag een beeld van zichzelf: heel mager en klein in haar te grote kleding.

Wat een zielig scharminkeltje, hè?

Aha! Akkarins tovenaarsleerling, antwoordde Kariko. *Doorzoek haar geest. Als je de een ziet, is de ander vlakbij – maar dood haar niet. Breng haar hier.*

Sonea schudde haar hoofd. *Ik beslis waar en wanneer we elkaar ontmoeten, Kariko,* stuurde ze zijn geest in.

Je weet niet half hoe ik daar naar uitkijk, zei Kariko, *net als je vroegere mentor. Rothen is het toch? Ik heb een bloedjuweel van hem. Hij mag toekijken hoe jij sterft.*

Sonea hapte naar adem. Rothen? Maar Rothen was dood! Waarom zou Kariko in hemelsnaam een edelsteen van Rothens bloed maken? Bedoelde hij dat Rothen nog leefde?

Daar ziet het wel naar uit, als hij een bloedjuweel heeft, fluisterde Akkarins mentale stem via de ring. *Maar misschien liegt hij om jou van streek te maken.*

Avala kwam dichterbij. Toen zij de kruising overstak, voelde Sonea zich zowel opgelucht als gespannen. Nu bevond de vrouw zich tussen haar en Akkarin in. Maar zodra Akkarin uit de zijgang stapte, zou Avala hem herkennen.

Kariko weet pas echt zeker dat je hier bent als hij of een andere Ichani je ziet, zei ze tegen Akkarin. *We kunnen proberen hem te laten denken dat ik hier alleen ben. Dus als ik het in mijn eentje tegen Avala opneem...*

Oké, zei Akkarin. *Maar als je verzwakt, neem ik het over. Blijf buiten haar bereik.*

Toen de Ichanivrouw aanviel, trok Sonea een sterk schild op en beantwoordde haar met een salvo krachtige treffers. Avala's aanval was rechttoe rechtaan, ze gebruikte geen strategie of bedrog, en Sonea's gedegen training was dus nauwelijks een voordeel. Het was gewoon een botte strijd om wie het eerst zijn kracht kwijt was.

De lucht in de gang werd warm en klam, de muren begonnen zelfs te gloeien. De vrouw deed een stap terug en plotseling was de tunnel gevuld met fel wit licht. Sonea knipperde met haar ogen, maar was te verward om iets te kunnen zien.

Ze heeft me verblind!

Sonea moest haast lachen toen ze besefte dat Avala dezelfde truc had gebruikt waarmee zij jaren geleden aan Regins bende was ontsnapt. Maar destijds hadden de novicen nog niet geleerd hoe je dat kon genezen...

Haar zicht kwam langzaam maar zeker terug. Ze zag twee gestalten opdoemen uit de mist voor zich: Avala, en daarachter Akkarin. Hij viel de Ichani met meedogenloze felheid aan. Een angstige uitdrukking verscheen op Avala's gezicht. Haar schild begon opeens op te lossen, en Akkarins laatste treffer smeet haar tegen Sonea's schild. Er klonk een misselijk makend gekraak, en de vrouw zakte op de grond ineen.

Nog steeds met bonzend hart keek Sonea toe hoe Akkarin langzaam op de vrouw afliep. Avala's ogen gingen open. De pijn en woede die op haar gezicht te lezen stonden, sloegen om in een zelfgenoegzame glimlach. Toen gleed haar blik naar een verre, blinde muur en ze blies haar laatste adem uit.

'Ligt het aan mij,' zei Sonea, 'of leek ze eigenlijk wel blij dat ze mocht sterven?'

Akkarin hurkte bij de dode neer en stopte een vinger achter de kraag van haar jasje. Terwijl hij onder haar kleren voelde, zag Sonea de hand van Avala slap worden. Toen de vingers zich strekten, viel er een kleine rode druppel op de vloer.

'Een bloedjuweel!' siste Sonea.

Akkarin zuchtte en keek op naar Sonea. 'Ja. We weten niet voor wie hij bestemd is, maar als we van het ergste uitgaan weet Kariko nu dat ik hier ben.'

Rothen sperde zijn ogen wijd open toen de beeltenis van een jonge vrouw zijn geest binnenviel. Toen hij haar herkende raakte hij vervuld van blijdschap.

Ze leeft!

'Sonea!' riep Balkan uit. 'Ze is in de stad!'

Aha! Akkarins tovenaarsleerling, zei Kariko. *Doorzoek haar geest. Als je de een ziet, is de ander vlakbij – maar dood haar niet. Breng haar hier.*

Ik beslis waar en wanneer we elkaar ontmoeten, Kariko.

Sonea antwoordde uitdagend en zonder angst. Rothen was wel bezorgd, maar straalde van trots.

Je weet niet half hoe ik daar naar uitkijk, antwoordde Kariko, *net als je vroegere mentor. Rothen is het toch? Ik heb een bloedjuweel van hem. Hij mag toekijken hoe jij sterft.*

Plotseling snakte Rothen naar adem. Het beeld was verstuurd door de Ichanivrouw. Die Sonea nu in haar macht moest hebben. En dan zou...

'Rothen?'

Hij staarde naar Balkan en Dorrien, die hem verbaasd aankeken.

'Heb je een bloedsteen gemaakt?' vroeg Balkan hem dreigend.

'Nee, nee, Kariko heeft dat gedaan. In Calia...' Rothen dwong zich door te ademen. 'Hij zag Sonea in mijn gedachten, waarop hij de bloedsteen maakte.' Hij huiverde. 'Sinds die dag zie ik en... voel ik het sterven van iedereen die hij doodt.'

Balkan zette grote ogen op en medeleven stond op zijn gezicht te lezen.

'Wat is een bloedsteen?' vroeg Dorrien.

'Zo'n steen maakt het de maker mogelijk om onophoudelijk in andermans geest te kijken,' legde Balkan uit. 'Hoewel Kariko hem maakte, is hij verbonden met Rothen omdat Rothens bloed ervoor gebruikt is.'

Dorrien staarde Rothen aan. 'Hij heeft je gevangengenomen. Waarom heb je daar niets van gezegd?'

'Ik... ik...' stamelde Rothen. 'Ik weet het niet.'

'Maar wat heeft hij dan precies met je gedaan? Kan je het niet laten ophouden?'

'Nee, daar heb ik geen macht over.'

Dorrien verbleekte. 'En als ze Sonea vangen...'

'Ja.' Rothen keek zijn zoon aan. 'Dit is dus het geheim wat je ons niet kon vertellen, hè? Ze is hier, met Akkarin.'

Dorrien deed zijn mond open, maar hij kon geen woord uitbrengen. Hij keek onzeker naar Rothen en Balkan.

'Het maakt nu allemaal niets meer uit, dus biecht maar op,' zei Balkan. 'Ze weten van Sonea. Dan nemen ze gemakshalve aan, net als wij, dat Akkarin hier ook rondzwerft.'

Dorrien liet zijn schouders hangen. 'Ja, ze zijn ergens in de buurt. Vijf dagen geleden kwamen Sonea en Akkarin over de Zuiderpas Kyralia in. Ik heb ze naar de stad geleid.'

Balkan fronste zijn voorhoofd. 'Waarom heb je hen niet teruggestuurd naar Sachaka?'

'Heb ik geprobeerd. Ze werkten zelfs met ons mee, tot een Ichani ons aanviel. We hebben het maar ternauwernood overleefd. Vervolgens was er die aanval op het Fort, en toen begreep ik dat alles wat Akkarin had verteld waar was.'

'Waarom heb je daar met niemand over gesproken?' vroeg Rothen.

'Stel dat het Gilde het wist, dan zouden de Ichani's het ook te weten komen uit de geest van een van hun slachtoffers. Akkarin wist dat hij en Sonea een kans hadden hun tegenstanders te doden als zij ieder van hen afzonderlijk konden aanpakken. Maar als de Ichani's wisten dat zij in de stad waren, zouden ze voortdurend bij elkaar blijven.'

Balkan knikte. 'Hij wist dat we verslagen zouden worden. Dus wat heeft hij –'

Er klonk een explosie in de stad. Rothen draaide zich om en liep naar de entree van de universiteit.

'Daar is het weer. Wat zou er aan de hand zijn, Balkan?'

De Krijger haalde zijn schouders op. 'Ik heb geen idee.'

Ergens in de Binnencirkel steeg een enorme stofwolk op.

'Vanaf het dak kunnen we het beter zien,' bedacht Dorrien.

'Kom mee dan,' riep Balkan en liep de trap op.

De Krijger leidde hen naar de derde etage, en via de verborgen gangetjes naar de wenteltrap. Even later stonden ze op het dak van de universiteit. Een smal platform maakte het hun mogelijk over de façade naar de huizen van de Binnencirkel te kijken. Zwijgend keken ze toe. Na een lange stilte klonk er nog een ontploffing uit het stadscentrum, waarbij enorme wolken stof en gruis opstegen.

'De hele voorkant van dat herenhuis daar is ingestort,' zei Dorrien.

'Dus nu verwoesten ze zelfs huizen,' zei Rothen. 'Waarom verspillen ze hun krachten daaraan?'

'Om Akkarin naar buiten te lokken,' antwoordde Balkan.

'En als dat niet lukt door de Binnencirkel te vernietigen, dan proberen ze het hier,' voegde Dorrien eraan toe.

Balkan knikte. 'Dan moeten we zéker maken dat we wegkomen zodra ze hier opduiken.'

De tocht door de tunnels leek eindeloos. Hoe verder ze kwamen, hoe meer Dannyl zich over de uitgestrektheid van het gangenstelsel verwonderde. Hij was jaren geleden wel eens in de tunnels onder de sloppen geweest, toen hij met de Dieven had onderhandeld over Sonea's vrijlating, maar had aangenomen dat ze niet verder reikten dan de Buitenmuur. Nu zag hij dat de Dieven niet alleen onder de Kwartieren, maar ook onder de Binnencirkel gangen gegraven hadden.

Hij keek om naar zijn metgezellen. Tayend keek net zo vrolijk als altijd. Farand, die zich bij hen had gevoegd, liep met open mond van verbazing. Hij had Dannyl niet willen geloven toen deze hem in het herenhuis vertelde dat de Dieven hen veilig uit de stad zouden kunnen loodsen.

Hun gids stopte voor een zware deur die door twee reuzen van kerels werd bewaakt. De gids sprak het wachtwoord uit en een van de mannen gaf een klopsignaal op de deur. Het geluid van grote grendels die verschoven werden klonk door de gang, waarop de deur geluidloos open zwaaide.

Ze kwamen in een korte gang, waarin nog meer wachters stonden. Aan het eind was weer een deur. Ook deze werd ontgrendeld en toen stonden ze opeens in een grote, drukke ruimte.

Dannyl keek rond en grinnikte. Hij had de afgelopen uren te veel beleefd om zich hier nog over te verbazen.

Het onderaardse hol zat vol magiërs. Sommigen lagen op veldbedden; Genezers zorgden voor hen. Anderen deden zich te goed aan borden eten, die ze vol geschept hadden uit de potten en gamellen die op de grote tafels stonden. Weer anderen zaten gewoon ontspannen te kletsen in gemakkelijk uitziende stoelen.

Zo, en wie hebben het nu allemaal overleefd? dacht Dannyl. Hij keek rond en zag dat van de hoge magiërs slechts directeur Jerrik, heer Peakin, vrouwe Vinara en heer Telano aanwezig waren. Hij liet zijn ogen over de menigte dwalen, maar Rothen kon hij niet ontdekken.

Misschien heeft hij het niet gered of is hij nog buiten de stad, dacht hij. Het korte mentale gesprek tussen Sonea en de Ichani's had ook Dannyls hart met hoop gevuld. Hij had Tayend gevonden, en misschien zou hij ook zijn mentor weer levend terugzien.

Tenzij Kariko gelogen had.

Toen schuifelden een paar magiërs weg van de eettafels en Dannyls oog viel op een chic geklede heer aan het eind van de tafel. Deze aanblik verbaasde hem wel degelijk.

O, hiér hebben ze de koning dus heen gebracht, dacht hij. Voor hij kon bedenken welk protocol hier van toepassing zou zijn, keek de vorst Dannyl aan, knikte even en hervatte het gesprek met zijn buurman. Het was duidelijk dat hij niet gestoord wilde worden.

De reus met wie hij in gesprek verwikkeld was kwam Dannyl bekend voor. Hij glimlachte toen het hem te binnen schoot: dit was Gorin, de Dief met wie Dannyl had onderhandeld over Sonea's vrijlating.

De koning in gesprek met de Dieven. Het moet niet gekker worden...

'Zo,' zei Tayend. 'Ga je me nog voorstellen of hoe zit dat?'

Dannyl keek zijn vriend aan. 'Natuurlijk. We beginnen met de hoge magiërs.' Hij liep naar heer Peakin. De Alchemist praatte met Davin en Larkin. 'Ambassadeur,' sprak Peakin toen hij Dannyl aan zag komen. 'Heb je nog nieuws?'

'Volgens mijn gids zijn er nu nog maar drie Ichani's over,' antwoordde Dannyl. Hij wees naar Tayend. 'Dit is Tayend van Tremmelin, die op bezoek is in Imar—'

'Heb je Sonea gezien? Is Akkarin bij haar?' vroeg Davin, die zijn opwinding nauwelijks de baas kon.

'Nee, ik heb haar niet gezien,' zei Dannyl voorzichtig. 'Dus ik weet ook niet of Akkarin bij haar is.'

Farand gaf hem een haast onmerkbaar knikje. Akkarin had hun opdracht gegeven zijn aanwezigheid niet te verklappen, dus zou Dannyl dat niet doen tot het niet anders kon.

Davin keek teleurgesteld. 'Hoe kunnen er dan zoveel Ichani's gedood zijn?'

'Misschien heeft Sonea het in haar eentje gedaan,' opperde Larkin.

De andere magiërs keken sceptisch.

'Ik weet wel dat de Dieven er zelf een afgemaakt hebben,' zei Tayend. 'Dat heb ik van Faren.'

Peakin schudde het hoofd. 'Dieven die een Ichani verslaan. Kun je nagaan hoe onhandig wij moeten overkomen.'

'Nog ander nieuws?' vroeg Larkin.

Dannyl keek de ondergrondse kamer rond. 'Is heer Osen hier?'

De Alchemist schudde het hoofd.

'O.' Dannyl keek de afwachtende magiërs aan en zuchtte. Dan wisten ze het nog niet van Lorlen. 'In dat geval heb ik alleen nog slecht nieuws voor jullie.'

De voorraadkelder gonsde van de stemmen. In het afgelopen uur had zich hier een flinke groep gevormd. De Dieven Ravi en Sevli waren aangekomen nadat het nieuws bekend was geworden dat de Ichanivrouw de gangen was binnengedrongen. Al snel daarna had Senfel een kort verslag gegeven van een mentaal gesprek tussen de vrouw, Kariko en Sonea. Ze hadden in stilte meer nieuws afgewacht, totdat Takan meedeelde dat Akkarin en Sonea de vrouw hadden gedood.

Iedereen was vergeten dat de bediende hier ook rondhing, maar nu hij hen aan Akkarin herinnerde kreeg hij een spervuur van vragen over zich heen, die hij helaas niet kon beantwoorden.

Cery's oog viel op Gol, die sombertjes voor zich uit staarde. Cery wist dat het kwam omdat hij ertussenuit geknepen was en in zijn eentje het paleis had bezocht. Hij voelde zich daar ook best schuldig over: Gol was zijn lijfwacht en moest dag en nacht op hem letten. Maar stel dat Gol bij hem was geweest toen hij oog in oog met de Ichani had gestaan. Hij had zijn lijfwacht natuurlijk kunnen opdragen de Ichani weg te lokken. Maar zou hij dat gedaan hebben, in de wetenschap dat het Gols dood zou worden? En zou Gol gehoorzaamd hebben? Cery had Gol nooit anders dan loyaal meegemaakt, maar zou hij dan ook zo loyaal zijn geweest?

Interessante vragen, dacht Cery, *maar ik ben blij dat ik het antwoord nooit te weten zal komen.*

Hij fronste zijn voorhoofd. *Wat zou Gol van Savara vinden als hij wist wat ze op haar kerfstok had?* Buiten de paleispoorten waren ze uit elkaar gegaan, en sindsdien had hij haar niet meer gezien.

Plotseling werd het doodstil in de kelder. Cery keek op en zag Sonea en Akkarin de ruimte binnenkomen. Grijnzend ging hij hen tegemoet. 'Takan heeft ons al verteld dat jullie haar te pakken hebben genomen.'

'Ja,' antwoordde Akkarin. 'Ze had een bloedsteen, dus nu zit het er dik in dat Kariko weet dat we hier zijn.'

'En ook alles weet over het gangenstelsel onder de stad,' voegde Faren er bedrukt aan toe. 'Hier zijn we dus niet veilig meer.'

'Zouden die andere Ichani's de gangen in gaan?'

'Niet onvoorstelbaar,' zei Akkarin. 'Ze zullen er alles aan doen om ons zo snel mogelijk uit de weg te ruimen.'

Sevli sloeg de armen over elkaar. 'Ze vinden jullie niet. Ze weten de weg niet, en niemand zal hun de weg wijzen.'

'Ze hoeven maar één gids te vinden en zijn gedachten te lezen, en ze krijgen de plattegrond op een briefje,' herinnerde Akkarin hem eraan.

De Dieven wisselden blikken. 'Dan moeten we alle gidsen en wachters naar buiten sturen,' zei Cery. Hij keek naar Akkarin. 'Van nu af aan ben ik jullie gids.'

Akkarin knikte hem toe. 'Dank je.'

Sonea keek Akkarin aan. 'Als ze hier komen, zullen ze zich verspreiden om ons in een hoek te drijven. Daar zouden we ons voordeel mee kunnen doen door een omtrekkende beweging te maken en ze een voor een in de rug aan te vallen.'

'Nee.' Akkarin schudde het hoofd. 'Kariko zal zijn bondgenoten nu bij zich willen houden.' Hij keek Faren aan. 'Wat zijn die Ichani's trouwens aan het doen?'

'Ze praten,' antwoordde Faren.

'Ja, dat haalt je de koekoek,' bromde Senfel.

'Maar nu niet meer,' zei een boodschapper die net was binnengekomen. 'Ze zijn de stad in gegaan en blazen gebouwen op.'

Akkarin fronste het voorhoofd. 'Weet je het zeker?'

· De man knikte.

'Zouden ze ons naar buiten willen lokken?'

422

'Wie weet,' peinsde Akkarin.

Akkarin weet niet wat de Ichani's aan het doen zijn, dacht Cery. *Maar ik wel.* Hij kon een glimlach niet bedwingen. 'Ze putten kracht uit de met magie versterkte gebouwen.'

Akkarin keek hem verrast aan. 'Hoe kom je daarbij?'

'Ik heb Kariko met twee anderen horen praten toen ik in het paleis was.'

Faren verslikte zich. 'Het paleis? Wat had je daar te zoeken?'

'O, ik wilde er eens een kijkje nemen.'

'Meneer wilde er eens een kijkje nemen!' sputterde Faren en schudde zijn hoofd.

Akkarin zuchtte. 'Dat is niet zo best,' mompelde hij.

'Hoeveel kracht kunnen ze daarmee winnen?' vroeg Sonea.

'Tja, dat weet ik eigenlijk niet. Sommige huizen hebben meer magie in de constructie dan andere.'

'Jij kunt die magie natuurlijk ook aan gebouwen onttrekken,' opperde Senfel.

Akkarin vertrok zijn gezicht.

'Ik weet zeker dat de eigenaars van de Huizen dat zouden accepteren als het gedaan wordt om de stad te verdedigen,' merkte Cery op.

'Ze hebben er blijkbaar al een heel stel verwoest,' zei Ravi. 'Niet elk gebouw in de Binnencirkel is magisch verstevigd. Zoveel zullen er niet meer overeind staan.'

'Maar het Gilde hebben ze nog ongemoeid gelaten,' merkte Senfel op.

Akkarin keek hem met gepijnigde blik aan. 'De universiteit. Dat is niet alleen het enige magisch geconstrueerde gebouw op het Gildeterrein, maar het bevat veel meer kracht dan elk ander gebouw in Imardin.'

Sonea zoog wat lucht naar binnen. 'Nee, dat is het niet. De Arena moet nog veel sterker zijn.'

Senfel en Akkarin wisselden een bezorgde blik. De oude magiër vloekte de kalk van het plafond.

'Je haalt me de woorden uit de mond,' zei Akkarin.

Cery keek de drie magiërs aan. 'Hebben we een probleem?'

'Dat kan je wel zeggen,' zei Sonea. 'De barrière rond de Arena wordt elke maand door een hele groep magiërs versterkt, want hij moet krachtig genoeg zijn om verdwaalde magie van de Krijgerstrainingen binnen te houden – en verdwaalde treffers kunnen verdomd heftig zijn.'

'De Ichani's mogen die magie beslist niet in handen krijgen,' zei Akkarin. 'Als we dat niet voorkomen, kunnen we hun net zo goed meteen de stad geven.'

'En als we die kracht zelf opnemen?' vroeg Sonea.

'Als het moet.'

Sonea aarzelde. 'En hen dan... te lijf gaan?'

Hij keek haar ernstig aan. 'Ja.'

'Zijn we sterk genoeg?'

'We hebben kracht in ons van vier Ichani's, Parika meegerekend. We hebben zelf nog maar weinig verbruikt, en we hebben ook kracht van de vrijwilligers opgenomen.'

'En dat zou je weer kunnen doen,' herinnerde Senfel hen eraan. 'Het is al een dag geleden dat je hun kracht hebt gekregen. Ze zullen zo zoetjes aan wel hersteld zijn.'

'En er zijn nog maar drie Ichani's over,' bracht Faren naar voren.

Akkarin rechtte zijn schouders. 'Ja, ik denk dat het zo langzamerhand tijd wordt om er tegenaan te gaan.'

Sonea werd wat bleek om haar neus, maar knikte moedig. 'Ja, het moet nu maar eens uit zijn.'

Er viel een stilte in de voorraadkelder, tot Ravi zijn keel schraapte.

'Nou,' zei hij, 'dan zullen we die vrijwilligers maar zo snel mogelijk op gaan trommelen.'

Akkarin knikte, en de Dief liep naar de deur.

Cery keek Sonea diep in de ogen en greep haar hand. 'Nou, het is zover. Ben je bang?'

Ze haalde haar schouders op. 'Een beetje. Eerder opgelucht.'

'Opgelucht?'

'Ja. Eindelijk gaan we de strijd aan zoals het hoort, zonder gif, valstrikken of zwarte magie.'

'Het is allemaal goed en wel als je met open vizier wilt vechten, maar dan moet de tegenpartij er wel hetzelfde over denken,' zei Cery. 'Dus pas goed op. Ik zal pas weer normaal kunnen ademhalen als het allemaal voorbij is en ik weet dat met jou alles in orde is.'

Ze glimlachte, kneep in zijn hand en liep samen met Akkarin de kamer uit.

38

De Zwarte Magiërs

Het afgelopen uur hadden boodschappers onophoudelijk gerapporteerd dat de Ichani's langzaam oprukten naar het Gildeterrein, onderweg huizen opblazend. Sonea en Akkarin waren snel op weg gegaan naar de vrijwilligers, die meteen hun bezigheden hadden onderbroken en bereidwillig hun kracht hadden afgestaan. Gedurende de tocht had Sonea gepopeld om te beginnen, maar nu ze Lorlens kantoor binnen stapte, wenste ze dat ze meer tijd had gehad. Haar knieën begonnen te knikken, haar handen te trillen, en ze had voortdurend het gevoel dat ze iets belangrijks vergeten was.

Akkarin keek rond in Lorlens werkkamer. Hij zuchtte en trok zijn hemd uit. Sonea mocht eindelijk de te lange dienstbodejurk afwerpen en liet het vod op de vloer vallen. Ze keek naar haar nieuwe gewaad en huiverde. Een zijden gewaad... een zwartzijden gewaad... Toen keek ze naar Akkarin. Hij zag er langer en statiger uit in zijn gewaad. Er gleed een rilling over haar rug, maar die werd niet meer zoals eens door angst opgewekt.

Akkarin glimlachte naar haar. 'Hou eens op met dat geloer.'

Sonea knipperde onschuldig met haar ogen. 'Loeren? Ik?'

Zijn mondhoek krulde nog hoger op, maar plotseling werd hij ernstig. Hij liep naar haar toe en omvatte met zijn slanke handen haar gezicht. 'Sonea, als ik niet –'

Ze legde een vinger tegen zijn lippen, trok zijn hoofd naar beneden en kuste hem. Hij drukte zijn lippen stevig tegen de hare en trok haar dicht tegen zich aan.

'Als ik je ver, heel ver weg kon sturen, zou ik het direct doen,' zei hij. 'Maar ik weet dat je dat toch zou weigeren. Doe alleen geen... impulsieve dingen. Ik heb machteloos toe moeten kijken hoe mijn eerste liefde stierf. Ik zou niet verder kunnen leven als ook de tweede vrouw van wie ik hou voor mijn ogen sterft.'

Sonea hield verlegen haar adem in en glimlachte blozend. 'Ik... ik hou ook van jou.'

Hij grinnikte en kuste haar nogmaals, maar ze verstarden beiden toen een mentale stem hun gedachten overstemde.

Akkarin! Akkarin! Wat een enig optrekje heb je hier!

Een beeld van de Gildepoort, en de universiteit erachter, flitste door Sonea's hoofd.

'Ze zijn er,' mompelde Akkarin. Zijn arm gleed van haar schouder.

'De Arena?'

Hij schudde het hoofd. 'Alleen als laatste redmiddel.' Met een vastberaden trek liep hij naar de deur.

Sonea rechtte haar rug, haalde diep adem en volgde hem.

'Zo, daar zijn ze dan eindelijk,' bromde Balkan.

Rothen keek uit over de stad. De late namiddagzon wierp lange schaduwen over de straten. Zijn blik viel op drie mannen die naar de Gildepoort toe liepen.

'Wat waren Akkarin en Sonea van plan als de Ichani's erachter kwamen dat ze in de stad waren, Dorrien?' vroeg Balkan.

'Geen flauw idee. Daar hebben we het nooit over gehad.'

Balkan knikte. 'Dan moesten we nu maar eens opstappen.'

Maar hij verzette geen stap, net zo min als Rothen en Dorrien. Ze keken toe hoe de Ichani's door de poorthekken kwamen en naar de universiteit beenden.

Een doffe klap klonk recht onder hen.

'Wat was dat!' riep Dorrien uit.

Ze leunden over de façade en keken naar beneden. Rothen snakte naar adem toen hij het stel op de trap beneden hen ontdekte. 'Sonea! En Akkarin!'

'Ze hebben de universiteitsdeuren gesloten,' zei Balkan.

Rothen huiverde. Die deuren stonden al eeuwenlang dag en nacht open.

'Moeten we hun niet laten weten dat we hier zijn?' vroeg Dorrien zacht.

'Als Sonea weet dat jullie naar haar kijken kan dat haar behoorlijk uit haar concentratie halen,' waarschuwde Balkan.

'Maar ik kan mijn kracht toch gebruiken? Ik kan ze helpen.'

'En ik ook,' voegde Rothen eraan toe.

Dorrien keek hem verbaasd aan en grijnsde.

Balkan fronste zijn voorhoofd. 'Ik hou liever het Gilde op de hoogte van het gevecht.'

'Dorrien en ik blijven uit het zicht tot we een kans hebben hen te helpen,' zei Rothen.

Balkan knikte. 'Goed dan. Als je er dan ook maar echt het juiste moment voor kiest.'

Gouden lichtbanen vielen als strepen door het bos dat het Gildeterrein omgaf. Twijgjes en takken kraakten en knapten bij elke stap die Gol zette;

Cery vroeg zich af of zijn lijfwacht opzettelijk zoveel lawaai maakte. Hij keek over zijn schouder en glimlachte om de logge man die met samenge-knepen lippen toch zijn uiterste best deed om stil te zijn.

'Maak je niet dik,' zei Cery. 'Ik ben hier al eerder geweest. We kunnen alles in de gaten houden zonder dat een hond ons ziet.'

Gol knikte.

Ze vorderden gestaag. Toen Cery de gebouwen tussen de bomen door zag schemeren, stapte hij sneller voort. Gol kon hem maar met moeite bijbenen.

Plotseling zag Cery een hurkende gestalte achter een boomstronk aan de rand van het bos. Hij bleef staan en gebaarde naar Gol dat hij moest blijven waar hij was en geen geluid mocht maken.

Savara gluurde op zo'n manier om de boomstronk heen dat Cery wist dat ze bang was ontdekt te worden. *Te laat,* dacht hij. Hij sloop gebukt vooruit. Toen hij enkele stappen van haar vandaan was, ging hij staan en sloeg zijn armen over elkaar. 'Wat moet dat hier?' vroeg hij bars.

Het was een genot om haar zo te zien schrikken. Ze slaakte een zucht van verlichting toen ze zag dat hij het was.

'Cery!' Ze schudde fronsend haar hoofd. 'Heel gevaarlijk om stiekem een magiër te besluipen.'

'O ja?'

'Ja.'

'Ook gekomen om de show te zien?'

Ze glimlachte scheef. 'Klopt. Kom je erbij?'

Hij knikte, gebaarde naar Gol en ging zelf achter een andere stronk zitten. Toen hij zag wat zich verderop afspeelde, vervloog al zijn hoop op een goede afloop.

De universiteitsdeuren waren gesloten en Sonea en Akkarin stonden op de trap. Drie Ichani's kwamen hen over de binnenplaats tegemoet, blakend van zelfvertrouwen.

'Jij en je vrienden hebben flink huisgehouden,' mompelde Savara. 'Als dit alles is wat er nog over is van Kariko's bondgenoten... Misschien maken jullie zelfs wel een kansje!'

Cery glimlachte grimmig. 'Misschien wel. We zullen zien.'

Sonea keek verbaasd op toen er in haar geest een beeld verscheen van hen beiden, van bovenaf gezien. De hoek gaf aan dat degene die hen zag zich schuin achter hen op het dak van de universiteit bevond. Iets in haar zei dat het Balkan moest zijn.

Als wij dit zien, zien de Ichani's het ook.

Ja, antwoordde Akkarin. *Blokkeer alle beelden. Ze leiden je maar af.*

Maar zo worden we misschien gewaarschuwd voor alle trucs die de Ichani's willen toepassen.

En ze waarschuwen de Ichani's voor de onze.
O. Wil jij Balkan zeggen dat hij moet ophouden?
Nee. Dat blijft niet onopgemerkt door het Gilde. Dan komen ze erachter dat –
'Akkarin!'

Kariko's stem galmde over de verlaten binnenplaats.

'Zo, Kariko,' antwoordde Akkarin.

'Ik zie dat je een leerlingetje hebt meegenomen,' sprak Kariko. 'Had je plannen om haar op te offeren voor het redden van je eigen hachje?'

Sonea kreeg kippenvel toen de Ichani haar rustig opnam. Ze keek hem strak in de ogen.

Hij lachte boosaardig. 'Wat slavinnetjes betreft heb ik de smaak van mijn broer nooit echt begrepen, maar ik heb wel gehoord dat vrouwelijke Gilde-magiërs ontzettend vermakelijke standjes kennen, al zijn ze niet moeders mooiste.'

Akkarin kwam langzaam de trap af. Sonea volgde hem, waarbij ze goed oplette dat ze onder hun gezamenlijke schild bleef.

'Dakova was een sukkel dat hij me niet liet gaan,' zei Akkarin. 'Maar hij maakte wel meer domme fouten. Onbegrijpelijk dat iemand met zoveel macht zo weinig inzicht had in strategie of staatkunde, maar ik neem aan dat hij daarom juist Ichani was, en waarom hij me hield.'

Kariko's ogen vernauwden zich. 'Ben ik niet met je eens. Kijk, als jij dan zo'n meester-strateeg bent, wat doe je hier dan? Je kunt op je vingers natellen dat je zult verliezen.'

'O ja? Kijk om je heen, Kariko. Waar zijn al die bondgenoten van je toch gebleven?'

Toen Akkarin en Sonea de onderste tree bereikt hadden, bleef ook Kariko staan, zo'n twintig stappen bij hen vandaan.

'Dood, waarschijnlijk,' zei hij. 'En daar ben jij verantwoordelijk voor.'

'Voor een paar ervan wel.'

'Dan zal je zo langzamerhand wel op je tandvlees lopen.' Kariko keek over zijn schouder naar de andere Ichani's en toen weer naar Akkarin. 'Wat een perfect einde voor onze veroveringstocht. Ik neem wraak voor mijn broers dood, en tegelijkertijd wreekt Sachaka zich voor wat het Gilde ons land heeft aangedaan.'

Hij hief een hand en spreidde de vingers, en de andere Ichani's deden hetzelfde. Het regende treffers op Sonea en Akkarin. Ze voelde de magie op hun schild hameren, ongekend krachtig. Akkarin beantwoordde de aanval met een drietal simultane krachttreffers, waarvan de buitenste twee afbogen en op één punt op Kariko's schild samen kwamen.

De krachtuitwisselingen vlogen over en weer en de lucht gonsde van de magie. Akkarin concentreerde zijn aanvallen op Kariko, die iets snauwde naar zijn metgezellen. Direct gingen de Ichani's dichter bij elkaar staan, met slechts een smalle opening tussen hun schilden.

428

Pak Kariko van onderaf, beval Akkarin Sonea.

Sonea vuurde een hittetreffer de grond onder Kariko's voeten in, terwijl Akkarin zijn gebogen treffers op diens hoofd richtte. De andere Ichani's verschoven hun schilden toen de aarde onder de voeten van Kariko begon te koken.

Kariko keek snel naar beneden en gaf zacht een bevel.

Blijf Kariko van alle kanten onder vuur nemen.

Kariko leek erin te berusten dat hij het voornaamste doelwit was. Hij stopte al zijn energie in zijn schild, terwijl de andere twee Ichani's bleven aanvallen. Sonea kon haar lachen nauwelijks inhouden. Dit kwam haar en Akkarin nu juist prima uit. Hoe steviger zijn schild, hoe meer kracht hij verspeelde, en hoe sneller Kariko moe zou worden. De strijd leek dus uit te gaan lopen op een eindeloze uitwisseling van treffers tot één van de partijen het door uitputting op moest geven.

Toen scheurde de grond onder haar open. Ze viel bijna om, maar een hand greep haar arm. Vlak bij haar voeten zag ze een diep donker gat, maar direct voelde ze een krachtschijf die haar op de been hield.

Hou het schild in bedwang.

Ze richtte al haar aandacht op hun barrière en ving de grootste klappen op, zodat Akkarin zich op hun levitatie kon concentreren.

Graspollen en aarde vlogen door de lucht. Akkarin dreef de schijf achteruit, maar het gat in de grond volgde hen waar ze ook gingen. Door de regen van aardkluiten heen zag Sonea de Ichani's recht op hen afkomen.

Akkarin vuurde tientallen krachttreffers achter elkaar af. Op hetzelfde ogenblik kwamen er honderden lichtflitsen uit de richting van de poort. De Sachakanen keken verbaasd opzij.

Sonea hapte naar adem toen ze de gedaante tussen de zuilen van de poort zag staan. Het blauwe gewaad fladderde om de man heen terwijl hij voorwaarts liep.

'Lorlen!' riep Sonea verbijsterd. Maar hoe kon dat nou? Lorlen was toch gestorven. Of was hij...?

Kariko stuurde een schoktreffer naar de administrateur. Hij flitste door de magiër heen en raakte de poort. De metalen spijlen braken af en kletterden als metalen speren op de keien ervoor.

Lorlen was verdwenen. Sonea knipperde met haar ogen. Het was een illusie geweest. Ze hoorde iemand naast haar grinniken. Kariko en zijn maten leken niet onder de indruk. Ze verhevigden zelfs de aanval.

Om Kariko's schild te testen liet Akkarin er een salvo treffers op neerdalen. Kariko stuurde harde klappers terug. Akkarin vuurde een heel net van hittetreffers af, dat hij om Kariko's schild heen vouwde, zoals Sonea eens had gedaan bij haar duel met Regin. Sonea wilde liever niet aan dat gevecht terugdenken, maar ze herinnerde zich wel dat Regin in het tweede gevecht zijn krachten had gespaard door alleen een schild op te trekken wanneer een treffer hem dreigde te raken. Kon zij hetzelfde doen? Het kostte heel wat concentratie...

Ze zette al haar wilskracht in en verbeterde haar schild door het boven en onder wat zwakker te maken, maar niet zó zwak dat ze het niet snel zou kunnen versterken wanneer dat nodig was.

Voorzichtig aan, Sonea.

Ze hield de Ichani's scherp in de gaten, klaar om te reageren als een van de treffers van koers zou veranderen.

'Pas op... de poort!'

De stem was afkomstig van het dak van de universiteit. Ze keek omhoog en zag Balkan op het gebouw staan, wijzend naar de poort. Ze deed onwillekeurig een stap achteruit en draaide zich snel om, net op tijd om de verbogen zwarte spijlen van het kapotte hekwerk als speren op haar af te zien vliegen. Ze ketsten af op haar schild en vielen op de grond.

Als ik het zeg, ren je naar de Arena. Ik hou ze wel bezig terwijl jij de kracht eruit trekt... nee wacht... Akkarin kneep geconcentreerd zijn ogen half dicht. *De kracht van de Ichani's neemt al af.*

Sonea keek naar haar tegenstanders. Kariko stond rechtop en grijnsde, en de andere twee leken niet minder zelfverzekerd, maar het was waar: de treffers die haar schild te verwerken kreeg waren stukken minder heftig.

Ook het gat in de grond was verdwenen. Akkarin begon langzaam voorwaarts te lopen. Kariko keek hem ziedend aan. Sonea volgde, maar bleef haar treffers afvuren. Haar hart maakte een sprongetje toen de Ichani's terugdeinsden en dekking zochten.

Toen knalde er iets met een enorme dreun tegen haar geest. Ze probeerde uit alle macht zich ervan te ontdoen, maar het stuiterde gewoon weer terug.

Geesttreffer. Blokkeer hem.

Hoe?

Zoals –

Er sneed iets scherps door haar kuit. Sonea struikelde en hoorde Akkarin naar adem snakken. Ze keek naar beneden; een lange snee was zichtbaar door een gat in haar zijden gewaad. Akkarin greep haar arm vast.

Maar in plaats van haar omhoog te helpen, drukte hij haar met zijn volle gewicht op de grond. Ze kwam op haar knieën terecht, draaide zich naar hem om en haar hart leek stil te blijven staan.

Hij lag ineengedoken naast haar, met een lijkbleek gezicht dat verwrongen was van pijn. Sonea's blik werd naar het felrode ding in zijn hand getrokken, de hand die het met glinsterende stenen bezette handvat van een Sachakaans mes omvatte. Het mes zelf stak diep in zijn borst. Het bloed stroomde eruit.

'Akkarin!'

Hij rolde zich op één kant, en toen op zijn rug. Ze boog zich over hem heen en haar hand bleef zweven boven het mes, terwijl ze aarzelde wat ze

430

moest doen. *Ik moet hem genezen,* dacht ze. *Maar waar moet ik beginnen?* Ze probeerde zijn vingers die om het mes geklemd zaten los te wurmen. Hij liet los en greep haar polsen. 'Nog niet,' bracht hij hortend uit. Zijn ogen stonden vol pijn. Ze probeerde uit zijn greep los te komen, maar die was sterk als altijd.

Toen brak een vette, humorloze lach de ijzige stilte. 'O, dáár had ik mijn mes gelaten!' kraaide Kariko. 'Goed zeg, dat je het voor me gevonden hebt.'

Sonea begreep opeens hoe het was gebeurd. Kariko had het mes op de omgewoelde aarde laten vallen. Toen hun aan de onderkant verzwakte schild erover heen gleed, had hij het mes naar boven gestuurd. Een valstrik. Ongeveer zoiets als zij had gedaan om in het schild van de moordenares te komen.

Het had gewerkt.

'Sonea,' bracht Akkarin hijgend uit. Zijn ogen verschoven naar iets achter haar, en ze zag er de reflectie van de universiteit in.

Bovenop weerklonk geschreeuw. Om hen heen zag ze flitsen van magie die Akkarins gezicht verlichtten. Ze kon haar blik niet van hem afwenden.

'Ik zal je genezen,' zei ze en worstelde weer om uit zijn handen los te komen.

'Nee.' Akkarin greep haar nog steviger vast. 'Als je dat doet, verliezen we. Eerst vechten, dan genezen. Ik hou het nog wel even uit.'

Ze verstijfde. 'Maar als ik nou –'

'We sterven sowieso.' Akkarin duldde geen tegenspraak. 'Ik geef je mijn kracht. Je moet vechten. Kijk naast je, Sonea.'

Ze keek en nogmaals sloeg haar hart een slag over. Kariko stond maar tien stappen van haar af. Hij keek naar het dak van de universiteit, waarvandaan het treffers regende. Naast Balkan zag ze twee bekende gezichten.

'Je hebt je schild zelfs laten vallen, Sonea.'

Ze voelde een koude rilling over haar rug lopen. Als Rothen en Dorrien de aanval niet hadden overgenomen, zouden zij en Akkarin beiden...

Neem mijn kracht. Sla toe nu hij afgeleid is. Zorg dat alles wat we bereikt hebben, waarvoor we geleden hebben, niet voor niets is geweest.

Ze knikte. Toen de treffers van het universiteitsdak verminderden, haalde ze heel diep adem. Geen tijd nu voor leuke tactieken. Gewoon rammen. Ze sloot haar ogen en haalde al haar kracht en al haar woede naar boven. Allemaal bestemd voor Kariko, voor wat hij Akkarin en Imardin had aangedaan. Ze voelde dat Akkarin zijn kracht bij die van haar voegde.

Toen ze haar ogen opende, liet Akkarin haar los. Ze richtte alle kracht die ze in zich had op Kariko en zijn bondgenoten.

De Ichanileider deinsde wankelend achteruit. Zijn schild bezweek, en zijn mond ging open voor een geluidloze gil toen een dodelijke hittetreffer zich een weg door zijn lichaam baande. De volgende Ichani kon zich niet snel genoeg uit de voeten maken. Sonea's magie verpulverde zijn schild en haar

431

treffers doorboorden ook zijn lijf. De laatste Ichani hield dapper stand. Sonea voelde dat ze haar meeste kracht verbruikt had. Hij kwam op haar af en even voelde ze de angst door haar lijf gieren. Een laatste krachtscheut kwam bij haar naar boven, die ze meteen benutte voor een voltreffer op zijn schild. De Ichani sperde zijn ogen angstig open toen zijn schild het begaf. De hittetreffer brandde zich sissend een weg naar binnen; hij kromp ineen en stortte ter aarde.

Plotseling was het doodstil. Sonea staarde naar de drie lijken die op het plein voor de universiteit lagen. Ze kon niet meer. Ze voelde geen triomf. Alleen een leegte. Ze boog zich over Akkarin.

Er krulde een flauw lachje bij zijn ene mondhoek. Zijn ogen waren open, maar staarden in het niets. Toen ze hem aanraakte, vielen de handen die haar polsen nog maar zo kort geleden hadden vastgehouden om zijn kracht door te geven, slap op de grond.

'Nee,' fluisterde ze hees. 'Akkarin.' Ze greep zijn handen en stuurde haar geest naar binnen.

Niets. Geen sprankje levensenergie.

Hij had haar te veel kracht gegeven.

Hij had haar echt alles geschonken.

Met trillende handen liet Sonea haar vingers over zijn gezicht glijden, boog zich diep over hem heen en kuste zijn levenloze mond. Naast het ontzielde lichaam van Akkarin zat ze eenzaam op het plein.

Toen krulde ze zich tegen hem aan en barstte in snikken uit.

39

Een nieuwe functie

Rothen had het eind van de gang bereikt en keek omhoog. Na de verwoesting van de stad was de onaangetaste luister van de enorme Grote Zaal zowel bemoedigend als ietwat beschamend. De invasie van de Ichani's, zoals er nu verwezen werd naar de vijf dagen vol vernietiging en dood, was een strijd tussen magiërs geweest. Het klopte niet dat er niets op het Gildeterrein beschadigd was, terwijl het grootste deel van de Binnencirkel in een ruïne was veranderd.

Maar het had allemaal veel erger kunnen aflopen voor de gewone Imardianen, hield Rothen zichzelf voor. Er waren maar enkele burgers gestorven, terwijl het Gilde tot de helft gereduceerd was. Het gerucht ging dat de hoge magiërs het voornemen hadden nieuwe magiërs niet alleen uit de Huizen, maar ook uit rijke koopmansfamilies te rekruteren.

Hij liep door naar de Gildehal en glipte tussen de deuren door. Tijdens de invasie hadden de hoge magiërs vergaderd in een van de wachtkamers aan het begin van de hal. Totdat een nieuwe administrateur gekozen was, vond men het ongepast daarvoor Lorlens kantoor te gebruiken.

Hij klopte op de deur van de vergaderkamer, die meteen open zwaaide. Toen hij naar binnen stapte, wist hij dat hij naar de gezichten keek van de toekomstige bestuurshiërarchie van het Gilde.

Heer Balkan ijsbeerde door de kamer. Het leek duidelijk dat hij een belangrijke kandidaat voor het Opperheerschap was, gezien de manier waarop de anderen zich zonder meer tot hem gewend hadden als leider. Heer Osen hield zijn ogen op Balkan gericht. Hoewel het vanzelf sprak dat de jonge magiër nog altijd niet bekomen was van de dood van Lorlen, had hij aan wilskracht gewonnen nadat hem de leiding van de wederopbouw van de stad was toevertrouwd. Lorlen had Osen de laatste jaren voorbereid op de taak als zijn vervanger, dus het zou niemand verbazen als de jonge man verkozen zou worden als de nieuwe administrateur.

Er waren zoveel Krijgers gestorven dat er slechts weinig kandidaten overbleven voor de functie van Hoofd der Krijgers. Heer Garrel was aanwezig geweest bij de laatste vergaderingen. Dat voorspelde weinig goeds voor de toekomst, vond Rothen. Balkan was ook hoofd van Krijgskundige Studiën geweest, maar hij had hem horen zeggen dat die rol in de toekomst door iemand anders overgenomen zou moeten worden. Hopelijk zou Garrels sluwe, bekrompen persoonlijkheid enigszins gecompenseerd worden door iemand met een redelijker aanpak.

Vrouwe Vinara zou Hoofd der Genezers blijven. Directeur Jerrik had er geen geheim van gemaakt dat hij graag rector wilde blijven, en dat werd ook door niemand aangevochten. Heer Telano zou gewoon hoofd van Geneeskundige Studiën blijven. Niemand was tot dusver voorgedragen voor de functie van buitenlands administrateur.

Heer Peakin zou waarschijnlijk heer Sarrin gaan vervangen; een van de oudere leraren zou hem wel opvolgen als hoofd van Alchemistische Studiën, vermoedde Rothen. Hij vroeg zich af en toe wel af wie zijn leidinggevende zou worden, maar meestal hield hij zich bezig met belangrijker zaken. Zoals Sonea.

En zij was ongetwijfeld de reden waarom de hoge magiërs hem vandaag hadden gevraagd de vergadering bij te wonen.

Toen Balkan zag dat Rothen binnenkwam, bleef hij staan. 'Hoe is het met haar?'

Rothen zuchtte en schudde het hoofd. 'Nog hetzelfde. Het zal veel tijd kosten.'

'Maar we hebben geen tijd,' mompelde Balkan.

'Weet ik.' Rothen keek naar de grond. 'Maar ik ben bang voor wat er gaat gebeuren als we druk uitoefenen.'

Vinara fronste haar voorhoofd. 'Wat bedoel je?'

'Ik ben er niet zeker van of ze wel beter wil worden.'

De aanwezigen keken elkaar niet-begrijpend aan. Alleen Vinara leek zich er niet over te verbazen.

'Overtuig haar er dan van dat ook zonder Akkarin het leven verder gaat,' zei Balkan. 'We hebben haar nodig. Als acht vijanden zoveel schade kunnen aanrichten, wat zou een leger dan wel niet kunnen vernietigen? Al heeft de Sachakaanse koning geen plannen om van onze zwakheden te profiteren, vroeg of laat komt er wel weer een of andere Ichani op het idee. We hebben een sterke zwarte magiër nodig. Het liefst haar, of anders iemand die het van haar geleerd heeft.'

Het was waar, maar niet eerlijk tegenover Sonea. Het was pas een week geleden dat ze Akkarin verloren had. Haar verdriet was volkomen natuurlijk en begrijpelijk. Ze hadden samen zo ontzettend veel meegemaakt. Waarom lieten ze haar nu niet een tijdje met rust?

'Wat doen jullie met Akkarins boeken?' vroeg hij.

Balkan schudde het hoofd. 'Sarrin snapte geen snars van die geschriften en ik kon er evenmin een touw aan vastknopen –'

'Dan moet jíj met haar praten,' zei Vinara tegen de Krijger. 'Jij zult haar om te beginnen precies moeten uitleggen hoe wij tegenover haar staan. We kunnen haar niet vragen om in ons belang op te krabbelen als haar toekomst zo onzeker is.'

Balkan knikte en slaakte een diepe zucht. 'Je hebt helemaal gelijk, zoals gewoonlijk.'

'Goed, dan moeten we een vergadering beleggen om vast te stellen wat haar nieuwe functie inhoudt, en aan welke beperkingen zij gebonden is.'

'Dat hebben we al besproken toen Sarrin gekozen werd,' merkte Peakin op.

'De beperkingen moeten duidelijker omschreven worden,' zei Garrel. 'Momenteel staat alleen vast dat zij het Gildeterrein niet mag verlaten, geen hoge functie zal mogen bekleden en geen les mag geven. Er zou bovendien gestipuleerd moeten worden dat ze haar kracht niet mag gebruiken tenzij het op ons aller verzoek is.'

Rothen bedwong een glimlach. Ons aller verzoek. Garrel was wel héél zeker van zijn nieuwe functie.

'Nou, we zouden om te beginnen die regel betreffende het lesgeven moeten veranderen,' zei Jerrik.

Vinara keek Rothen aan. 'Wat is jouw voorstel, Rothen?'

Hij zweeg even, want hij wist dat wat hij te zeggen had niet goed zou vallen.

'Ik vrees dat ze nooit akkoord zal gaan met de beperking dat ze het Gildeterrein niet mag verlaten.'

Balkan fronste zijn voorhoofd. 'Waarom niet?'

'Vanaf de allereerste dag heeft ze gezegd dat ze haar kracht wil inzetten om de armen te helpen. Het maakte deel uit van haar beslissing om zich bij ons aan te sluiten en ze heeft dat doel altijd voor ogen gehouden, zeker in moeilijke tijden.' Hij keek Garrel scherp aan. 'Dus als jullie willen dat ze zichzelf in leven houdt, mag je haar dat nooit afnemen.'

Vinara glimlachte flauwtjes. 'Dus stel dat we haar toestaan om iets van liefdadigheidswerk in de stad uit te voeren, dan zou ze de andere regels wel accepteren?'

Rothen knikte.

Balkan sloeg zijn armen over elkaar en trommelde met zijn vingers op zijn mouw. 'Dat zou ons bij het volk ook in een beter daglicht stellen. Als verdedigers hebben we ons nou niet van onze sterkste kant laten zien. Er doen verhalen de ronde dat het onze schuld is dat de invasie plaatsvond.'

'Nee toch!' riep Garrel uit.

'O ja hoor,' zei Osen rustig.

Garrel snoof. 'Ondankbare sloppers.'

'Het waren vooral de leden van enkele Huizen die die mening waren toegedaan toen ze terugkeerden naar de stad en hun huizen verwoest von-

435

den,' voegde Osen eraan toe. 'Waaronder, als ik wel ben ingelicht, ook leden van Huis Paren.'

Garrel geneerde zich duidelijk, want hij kreeg een kleur.

'Moeten we de beperking dan tot de stad uitbreiden?' vroeg Telano.

'De regel had tot doel te verhinderen dat onze zwarte magiër toegang kon krijgen tot een grote menigte potentiële slachtoffers indien hij of zij honger naar macht zou krijgen,' zei Peakin. 'Wat heeft het voor zin het toegankelijke gebied te beperken als het gebied met de hoogste bevolkingsconcentratie daar deel van uitmaakt?'

Rothen grinnikte. 'Bovendien zou je de koning ervan moeten overtuigen dat wat hij als de stad beschouwt niet noodzakelijkerwijs overeenkomt met hoe anderen dat zien. Ik denk niet dat Sonea bedoelde dat ze alleen de mensen zou helpen die binnen de Buitenmuur wonen.'

'Goed, gebiedsbeperking is dus onwerkbaar,' zei Vinara. 'Wat denken jullie van een escorte?'

Iedereen keek haar aan. Balkan knikte goedkeurend.

'En als het haar plan is om vooral als Genezeres te helpen, heeft ze nog heel wat jaartjes van studie voor de boeg,' zei Vinara terwijl ze Rothen aankeek.

Hij knikte. 'Ze is zich daarvan heel goed bewust. Mijn zoon heeft te kennen gegeven dat hij bereid is haar les te geven. Dorrien meende dat het haar een beetje afleiding zou bezorgen. Maar als hij haar structureel bij dit werk wil helpen, kan dat misschien in een officiëler regeling omgezet worden.'

Vinara kneep haar lippen samen. 'Ik zie haar niet terugkeren in de klas. Maar een Genezer mag geen les krijgen van slechts één leraar. Ik zal dus ook mijn bijdrage aan haar lesprogramma moeten leveren.'

Rothen knikte enthousiast, opgetogen door alle medewerking die hij kreeg.

'En moeten we haar nu "zwarte magiër" blijven noemen?' vroeg Peakin.

'Ja,' antwoordde Balkan.

'En wat voor kleur gewaad moet ze krijgen?'

Het was even stil.

'Zwart,' zei Osen.

'Maar dat van de Opperheer is al zwart,' protesteerde Telano.

Osen knikte. 'Misschien moet de Opperheer een ander gewaad krijgen. Zwart zal altijd geassocieerd worden met zwarte magie, en we willen ondanks alles niet dat mensen daar iets goeds in zullen zien. We zouden hem een frisse, onbesmette kleur moeten geven.'

'Wit,' zei Vinara.

Osen knikte. 'Ja.'

Toen de anderen hun instemming aan het voorstel gaven, liet Balkan een gekreun horen.

'Wit!' riep hij uit. 'Dat meen je niet. Het is onpraktisch en onmogelijk schoon te houden.'

Vinara glimlachte. 'En bij welke gelegenheid zou de Opperheer zijn gewaden dan kunnen besmeuren?'

'Een glaasje wijn te veel, misschien?' mompelde Jerrik.

Iedereen lachte.

'Dan wordt het wit,' besloot Osen.

'Wacht eens eventjes.' Balkan keek iedereen eens diep in de ogen. 'Ik heb het idee dat jullie al besloten hebben vóór ik de kans heb gekregen er een discussie over te beginnen!'

'Dat is een goed teken,' sprak Vinara. 'Het betekent dat we een hechte groep mensen hebben geselecteerd om als hoge magiërs te functioneren.' Ze keek iedereen even aan en glimlachte toen haar blik op Rothen bleef rusten. 'Je hebt het nog steeds niet door hè, heer Rothen?'

Hij keek haar verward aan bij die onverwachte opmerking. 'Wat heb ik niet door?'

'Natuurlijk moet er nog even over gestemd worden, maar ik denk niet dat dat veel problemen zal opleveren.'

'Gestemd? Waarover?'

Ze begon breeduit te lachen. 'Gefeliciteerd, Rothen. Jij wordt ons nieuwe Hoofd van Alchemistische Studiën.'

Vanaf het hoogste punt van het hoge huis kon je zien dat de puinhopen een perfecte cirkel vormden. Het was een ontnuchterend gezicht.

Nog iets om nooit te vergeten, dacht Cery. Net als de ruïnes van de stadsmuren, en de lange rij lichamen die het Gilde op het gras voor de universiteit had neergelegd, en de blik in Sonea's ogen toen Rothen haar eindelijk had weten over te halen Akkarins lichaam aan anderen over te dragen.

Hij huiverde en dwong zichzelf naar beneden te kijken. Honderden mensen doorzochten het puin en voerden het af. Er waren nog enkele mensen levend onder het puin vandaan gehaald. Het was niet na te gaan hoeveel mensen zich in hun huizen hadden verstopt voordat die ineenstortten door de explosie. De meesten zouden wel dood zijn. Het was haast ondenkbaar dat er nog overlevenden gevonden zouden worden.

En dat was zijn schuld. Hij had beter naar Savara moeten luisteren toen ze uitlegde wat er gebeurde als een Ichani stierf. Maar hij was zo druk bezig geweest met een manier om die Sachakaanse magiërs te doden dat hij niet aan de consequenties van zijn idee gedacht had.

'Sta je hier weer te peinzen?'

Er werd een arm om zijn middel geslagen. Een bekend kruidig aroma drong zijn neusgaten binnen. Even verwarmde de geur ook zijn hart.

'Moet je echt gaan?' fluisterde hij.

'Ja,' antwoordde Savara.

'We zouden je hulp zo goed kunnen gebruiken.'

'Nee. Jullie hebben me niet nodig. En al helemaal niet als Sachakaanse magiër. En je hebt meer dan genoeg niet-magiërs die je willen helpen bij je werk.'

'Ik heb je nodig.'

Ze zuchtte. 'Nee, Cery. Je hebt iemand nodig die je helemaal kunt vertrouwen, onvoorwaardelijk. Ik zal dat nooit voor je kunnen zijn.'

Hij knikte. Ergens had ze ook wel gelijk. Maar het maakte het afscheid er niet makkelijker op.

Haar greep verstevigde. 'Ik zal je missen,' zei ze zacht. 'Als ik... als ik nog welkom ben, kom ik langs wanneer mijn werk het toestaat en ik toch in de buurt ben.'

Hij keek haar aan en trok een wenkbrauw op. 'Misschien heb ik tegen die tijd nog wel een flesje Anuren Donkerrood over.'

Ze glimlachte breeduit en hij voelde zich al een beetje beter, al was het maar voor even. Sinds dat laatste gevecht kon hij er niet meer tegen mensen te verliezen, en hij had zijn best gedaan haar hier te houden. Maar Savara hoorde niet in Kyralia thuis. Nu niet en waarschijnlijk nooit niet. En hij liet zijn hart weer voor zijn gezonde verstand gaan, wat een echte Dief zich uiteraard niet kon veroorloven.

Hij tilde met een vinger haar kin op en kuste haar, langzaam en stevig. Toen stapte hij achteruit. 'Ga dan maar. Ga maar naar huis. Ik kan niet goed tegen een lang afscheid.'

Ze glimlachte en draaide zich om. Hij zag haar over het dak naar het luik slenteren, waardoor ze langzaam verdween. Toen ook haar laatste haarlok uit het zicht was verdwenen, richtte hij zijn blik weer op de arbeiders.

Er was veel veranderd. Hij moest overal op voorbereid zijn. Snippers informatie hadden hem al bereikt en hij was waarschijnlijk niet de enige die besefte waartoe dit allemaal zou kunnen leiden. Als de koning echt van plan was de jaarlijkse Zuivering te beëindigen, zou er voor de Dieven minder reden zijn om samen te werken. Ook al werden er al weer deals gesmeed tussen andere grote jongens van de onderwereld.

Hij glimlachte en rechtte zijn schouders. Hij had voorbereidingen getroffen voor de dag waarop Akkarins steun zou wegvallen. Hij had overeenkomsten gesloten met andere belangrijke en machtige mensen. Het geld was goed opgeborgen, en de informatie zou wel blijven binnenkomen. Zijn positie was nog steeds sterk.

Binnenkort zou hij wel merken of die sterk genoeg was.

Het rijtuig wiegde zachtjes op de vering. Eindeloze velden met hier en daar een boerderijtje gleden aan hen voorbij. Binnenin hieven Tayend en Dannyl een goed glas wijn.

'Laten we drinken op heer Osen, die besloten heeft dat je als ambassadeur in Elyne het best op je plaats bent,' zei Tayend. 'En die ons toestond over land naar huis te reizen.'

'Op Osen,' stemde Dannyl in. Hij nipte van zijn wijn. 'Je weet natuurlijk dat ik gebleven zou zijn als hij me dat had gevraagd.'

Tayend glimlachte. 'Ja, en jij weet best dat ik dan bij je gebleven was. Al ben ik blij dat dat nu niet hoeft. Kyralianen zijn zo dodelijk conservatief. En zo ongelooflijk saai gekleed.' Hij bracht het glas aan zijn lippen en een ernstige trek gleed over zijn gezicht. 'Slim van hem om je terug te sturen, hoor. Heel wat mensen zullen nu twijfelen aan het gezag van het Gilde. Ze waren niet zo best voorbereid op de oorlog, om het maar zachtjes uit te drukken.'

Dannyl grinnikte. 'Heel zachtjes.'

'Er zullen wel meer mensen zijn die er net zulke denkbeelden op nahouden als Dem Marane,' vervolgde Tayend. 'Het zal niet meevallen om hen ervan te overtuigen dat het Gilde nog steeds de baas is, wat magie betreft tenminste.'

'Weet ik.'

'En dan heb je nog de kwestie van de zwarte magie. Je zult moeten bewijzen dat het Gilde geen andere keuze had dan opnieuw zwarte magie te leren. Het kunnen dus nogal enerverende maandjes worden.'

'Dat besef ik maar al te goed.'

'Het kan bij elkaar wel jaren duren,' zei Tayend glimlachend. 'Maar er is vast geen enkele reden waarom je niet in Elyne zou kunnen blijven als je ambassadeur-af bent, of wel?'

'Nee hoor,' antwoordde Dannyl. 'Trouwens, Osen heeft me een aanstelling voor het leven bezorgd.'

Tayend sperde zijn ogen open en begon toen te grijnzen. 'O ja? Maar dat is geweldig!'

'Hij zei dat Elyne beter bij me paste dan Kyralia, of iets dergelijks. En dat ik me dan ook geen zorgen hoefde te maken over roddels die me zouden kunnen beletten ten volle van onze vriendschap te genieten.'

Tayend trok zijn wenkbrauwen op. 'Echt waar? Denk je dat hij iets weet van ons?'

'Ik vraag het me af. Hij scheen het in elk geval niet af te keuren. Niet dat hij het woordelijk gezegd heeft, maar het viel wel tussen de regels door te lezen. Misschien heeft het ermee te maken dat hij net een goede vriend en mentor heeft verloren.' Dannyl aarzelde. 'Ik vraag me wel eens af wat er zou veranderen als de mensen het wisten.'

Tayend fronste zijn voorhoofd. 'Ga je nou geen rare ideeën in je hoofdje halen. Als jij het aan het Gilde zou opbiechten, en ze zouden er schande van spreken en je wegsturen, zou ik je uiteraard gewoon volgen. Maar als ik je vond, zou ik je een flinke tik voor je billen geven omdat je zo stom was geweest.' Hij zweeg even en grinnikte. 'Ik hou van je, maar ik hou meer van je als Hoogst Belangrijk Gildemagiër.'

Dannyl glimlachte. 'Maar goed ook. Want je weet: magiër ben je voor het leven, of je nu lid van het Gilde bent of niet. En dat "hoogst belangrijk" mag je wat mij betreft wel schrappen.'

Tayend glimlachte terug. 'O, je hoeft niet bang te zijn dat ik wat jou betreft van gedachten zal veranderen. Ik denk dat je het nog heel lang met me zult moeten doen.'

Epiloog

D e magiër in het zwarte gewaad stapte door de onlangs gerestaureerde Noordpoort. Zoals altijd bleven de mensen staan om haar na te staren en renden kinderen haar achterna, luidkeels haar naam roepend.

Rothen hield Sonea nauwlettend in het oog. Hoewel hij volgens het rooster vandaag als begeleider was aangesteld, was die taak niet de reden van zijn oplettendheid. Ze zag er bleekjes uit. Zo bleekjes had ze er zelfs niet uitgezien in de tijd dat ze zich in zijn vertrekken opgesloten had.

Ze voelde dat hij haar bekeek en glimlachte even naar hem. Hij ontspande zich een beetje. Zoals hij had voorspeld, had het werk dat ze in de sloppen verrichtte haar veel goed gedaan. Er was een beetje leven in haar teruggekeerd en haar tred was vastberaden.

In een paar maanden tijd was er een noodziekenhuis bij de poort uit de grond gestampt. Rothen had gedacht dat de sloppers er een tijdje voor nodig zouden hebben om hun haat jegens de magiërs te overwinnen, maar sinds de openingsdag waren er elke dag meer patiënten naar het ziekenhuis toegestroomd.

Dit was puur te danken aan Sonea. Ze hielden van haar. Ze kwam uit hun midden, had de stad gered, en was teruggekeerd naar de sloppen om hen te helpen.

Vanaf het begin had Dorrien haar bijgestaan. Zijn grote kennis van Geneeskunde was essentieel, en zijn ervaring in het winnen van het vertrouwen van boeren en kolenbranders had haar geholpen het wantrouwen van de sloppers te overwinnen. In korte tijd waren er meerdere Genezers bij gekomen. Gelukkig bleek Sonea niet de enige te zijn die geloofde dat genezing niet alleen voorbehouden moest blijven aan de rijke Huizen.

Toen ze het ziekenhuis binnenging, kwam heer Darlen op haar af om haar te begroeten.

'Hoe ging het vannacht?' informeerde ze.

'Druk,' verzuchtte de jonge magiër. 'Maar dat zijn we inmiddels wel gewend. O, ik heb trouwens weer een mogelijke rekruut gevonden. Een meisje van een jaar of vijftien; ze heet Kalia. Ze komt later nog terug met haar vader, want die moet haar toestemming geven om hier te komen werken.'

Sonea knikte. 'Hoe is het met de voorraden?'

'Matig, als altijd,' antwoordde Darlen. 'Ik zal het bespreken met vrouwe Vinara als ik haar zie.'

'Dank je wel, heer Darlen,' zei Sonea.

Darlen knikte en maakte zich klaar om naar huis te gaan. Sonea liet haar blik rustig de wachtkamer door gaan. Ook Rothen keek naar de wachtende patiënten, het handjevol zaalwachters die hen rustig moesten houden, en de verpleegsters die waren ingehuurd om de kleinere kwaaltjes te behandelen.

Plotseling liep Sonea naar een wachter toe die vlakbij stond. 'Die vrouw daar met dat kind in het groene dekentje. Laat haar meteen naar mijn kamer komen.'

'Jawel, vrouwe.'

Rothen probeerde te achterhalen welke vrouw ze had bedoeld, maar Sonea liep alweer weg. Hij volgde haar naar een kamertje waarin een tafel, een bed en een aantal stoelen stonden. Ze ging zitten en trommelde ongeduldig met haar vingers op tafel. Rothen trok er een stoel bij en ging naast haar zitten.

'Ken je die vrouw?'

Ze keek hem even aan. 'Ja. Het is –' Op dat moment werd er op de deur geklopt. 'Binnen,' zei ze.

Hij herkende de vrouw meteen. Sonea's tante glimlachte en nam plaats aan de andere kant van de tafel. 'Sonea. Ik hoopte al dat ik bij je mocht komen.'

'Hallo, Jonna,' begroette Sonea haar vriendelijk maar licht vermoeid. 'Ik wilde al zo vaak langskomen, maar je ziet hoe druk het is. Hoe gaat het met Ranel? En de kinderen?'

Jonna keek naar de peuter die ze in haar armen droeg. 'Hania heeft zo'n koorts. Ik heb alles geprobeerd...'

Sonea legde zacht een hand op het voorhoofd van het kindje. Ze fronste haar wenkbrauwen. 'Ja, blauwvonk heerst nogal de laatste tijd. Ik kan het wel iets verzachten.' Even legde ze haar vingers tegen de slapen van het kindje. 'Zo, nu moet ze gewoon uitzieken. Geef haar veel te drinken. Een beetje marinsap helpt meestal goed.' Sonea keek naar haar tante. 'Even wat anders. Jonna, zou je... zou je bij me willen komen wonen?'

De vrouw zette grote ogen op, maar wendde vervolgens haar blik af. 'Het spijt me, Sonea. Dat kan ik echt niet.'

Sonea sloeg haar ogen neer. 'Ik weet wel dat je je hoogst ongemakkelijk zult voelen tussen de magiërs. Maar wil je er alsjeblieft over nadenken? Ik zou...' Ze keek even naar Rothen. 'Het wordt tijd dat jij het ook hoort, Rothen.' Ze keek Jonna weer aan. 'Ik zou graag iemand die ik ken en van wie ik hou bij me hebben, de komende tijd.' Ze knikte naar het kindje, dat in slaap gevallen was. 'Ik zou alle Genezers van het Gilde wel willen ruilen voor jouw praktijkervaring.'

Jonna staarde Sonea aan, net zo verward als Rothen. Sonea trok een gezicht en legde een hand op haar buik. Jonna sperde haar ogen nog wijder open.

'O!'

'Ja...' Sonea knikte. 'Ik vind het zo eng, Jonna. Ik had er niet op gerekend. De Genezers zullen wel op me passen, maar die angst kunnen ze niet bij me wegnemen. Ik dacht dat jij dat wel zou kunnen.'

Jonna trok rimpels in haar voorhoofd. 'Je zei toch laatst dat magiërs daar zo hun maniertjes voor hadden?'

Tot Rothens verbazing werd Sonea vuurrood. 'Het schijnt dat vrouwen dat beter kunnen doen... dat maniertje. Blijkbaar kunnen jongens dat alleen op verzoek,' zei ze. 'Meisjesleerlingen worden door de Genezers apart genomen zodra ze interesse in jongens krijgen, maar ik was zo impopulair dat niemand eraan dacht mij voor te lichten. Akkarin' – Sonea slikte even – 'zal wel hebben aangenomen dat ik wist hoe het moest. Terwijl *ik* aannam dat *hij* het wel regelde.'

Toen het tot Rothen doordrong wat Sonea bedoelde keek hij haar met opgetrokken wenkbrauwen aan. Hij rekende uit hoe ver ze moest zijn – drieënhalf, misschien vier maanden. Het gewaad had het goed verborgen gehouden.

Ze glimlachte verontschuldigend naar hem. 'Sorry, Rothen. Ik wilde het je wel vertellen, maar het was nooit het juiste moment, en nu ik Jonna toch zag dacht ik dat ik er maar meteen gebruik van –'

Ze keken verbaasd op toen Jonna in schateren uitbarstte. 'Dat gezicht! Ik heb dat gezicht voor het laatst gezien toen ik Ranel vertelde dat ik zwanger was! Als je het mij vraagt zijn magiërs helemaal niet zo pienter als ze zelf denken.' Ze grijnsde naar Sonea. 'Zo. Je krijgt dus een baby. Nou, ik weet wel zeker dat dat kindje een vreemd idee van de wereld zal krijgen als het alleen maar tussen magiërs opgroeit.'

Sonea glimlachte scheef. 'Ik ook. Wil je er dus niet toch serieus over nadenken?'

Jonna aarzelde even, maar knikte toen geruststellend. 'Goed dan. Een gezin dat in de sloppen kan overleven, houdt het ook wel een jaartje bij jou en dat Gilde van je uit!'

Sonea slaakte een zucht van verlichting.

Woordenlijst

Dannyls lijst van sloppentaal

best bakken – het proberen waard
bezoeker – inbreker
bloedgeld – loon voor moord
bok – man die bordelen langsgaat
boodschapper – schurk die eerst bedreigt, dan uitvoert
cliënt – iemand die een verplichting of overeenkomst heeft met een Dief
Dief – leider van een groep misdadigers
duf – je kop houden
famielje – groep mensen die Dief absoluut vertrouwt
gelikt – gepakt
gloeier – aantrekkelijk (wat heeft zij een gloeier!)
gritzenaar – heler
grootje – pooier
haaien – belangrijke mensen
hai – roep om aandacht of van verrassing
kaars – man die van jongens houdt
klikken – gebeuren
knikkeren – de wacht houden
kraai – iemand die schaduwt, in de gaten houdt
linkmiechel – te vertrouwen/hart op de goede plek
meimes – vermoord
mes – (huur)moordenaar
mestharses – dwaas
mies – moeilijk
mol – iemand die Dieven verraadt
nije – introducé
oppikken – herkennen/snappen
plek – loon/toestemming
punter – smokkelaar

roedeloper – wachter die omkoopbaar is of voor een Dief werkt
sloppers – mensen die in de sloppenwijk wonen
stijl – manier waarop je zaken doet
strop – vrijheid
tag – spion die ergens undercover werkt
telster – hoer
tiefes – problemen
trap – weigeren/weigering (trap ons niet!)
vissen – voorstellen/vragen/uitkijken naar (ook: vluchten voor de gardisten)
vlammig – kwaad (werd er vlammig om)
zorgen – verstoppen (zorg voor je spullen)

Dieren

agamotten – schadelijke insecten die kleding aantasten
anyi – zeedier met korte stekels
ceryni – klein knaagdier
djiel – kleine, tamme limek met scherp reukvermogen
enka – klein gehoornd dier, gehouden voor vlees
eyoma – zeebloedzuiger
farens – spinnen en aanverwanten
gorin – groot gehoornd dier, gehouden voor vlees
inava – groot soort libelle
limek – wilde, vleesetende hond
mulloek – wilde nachtvogel
rassoek – vogel, gehouden voor vlees en veren
ravi – knaagdier, groter dan ceryni
reber – dier gehouden voor vlees en wol
sapvlieg – bosinsect
sevli – giftige hagedis
skimp – eekhoornachtig diertje dat voedsel steelt
zill – klein, intelligent zoogdier dat soms als huisdier gehouden wordt

Planten/voedsel

bol – ook 'rivierschuim', sterke drank gemaakt van tugor
brasi – groente met grote bladeren en kleine knopjes
chebolsaus – rijke vleessaus gemaakt van bol

crotten – grote paarse bonen
curem – zachte, nootachtige specerij
curren – ruw graan met sterke smaak
dal – langwerpig fruit met bitter, oranje vruchtvlees en veel zaden
gangan – bloeiende struik uit Lan
ikker – stimulerend middel, ook gebruikt als liefdesdrank
jerras – lange gele bonen
kreppa – smerig ruikend medicinaal kruid
marin – rode citrusvrucht
monyo – bolgewas
myk – hallucinerend middel
nalar – scherp smakende wortel
pachi – harde, zoete vrucht
papea – peperachtige specerij
piorre – klein, klokvormig vruchtje
raka/suka – stimulerende drank van geroosterde bonen, afkomstig uit Sachaka
simba – riet
sumi – bittere, opwekkende drank
telk – oliehoudend zaad
tenn – graan dat kan worden gekookt, gebroken of tot meel gemalen
tugor – wortelgewas
varen – bessen waarvan wijn wordt gemaakt

De Geallieerde Landen

Elyne – lijkt op Kyralia wat betreft cultuur en welvaart, maar heeft een aangenamer klimaat
Kyralia – land waarin het Magiërsgilde gehuisvest is
Lan – bergachtig land met krijgsstammen
Lonmar – een woestijnachtig land waar de strenge Mahga-religie de wet voorschrijft
Vin-eilanden – de meeste zeelieden komen hiervandaan

Andere termen

badhuis – onderneming met privé- en gezamenlijke baden
bolhuis – café waar bol verkocht wordt en kamers per uur worden verhuurd
brouwhuis – bolbrouwerij

incal – vierkant embleem, zoals een familiewapen, op mouw of manchet genaaid

kebin – ijzeren staaf met haak om mes uit handen van aanvaller te slaan, gedragen door gardisten

makker – homoseksuele man

yerim – een klein metalen apparaatje met een punt als een naald; graveernaald